保育士 完全合格テキスト 2025年版

汐見稔幸

（東京大学名誉教授）監修

保育士試験対策委員会 著

【保育士試験】基礎知識のまとめ

ここでは、知っておくと便利な基礎知識をまとめています。国内、海外の保育の歴史や、統計データ等をおさえておくことが筆記試験合格への近道です！

●保育の歴史

法律名や人物の業績については複数の科目で幅広く問われます。また、出来事の年度の順番を問う問題も出題されていますから、しっかりと整理しておきましょう。

◯日本における保育・福祉の歴史

年度	事項
1710年	・貝原益軒が『和俗童子訓』を記す
1805年	・広瀬淡窓が咸宜園を開く
1838年	・緒方洪庵が適々斎塾（適塾）を開く
1856年	・吉田松陰が松下村塾を開く
1874（明治7）年	・恤救規則（日本初の福祉の法律とされている）
1876（明治9）年	・東京女子師範学校附属幼稚園が設立される
1887（明治20）年	・石井十次が岡山孤児院を設立
1889（明治22）年	・アメリカ人宣教師ハウが頌栄幼稚園を設立
1890（明治23）年	・赤沢鍾美が新潟静修学校を設立
1891（明治24）年	・石井亮一が滝乃川学園を設立
1899（明治32）年	・留岡幸助が東京の巣鴨に家庭学校を設立 ・幼稚園保育及設備規程
1900（明治33）年	・野口幽香・森島峰が二葉幼稚園を設立
1909（明治42）年	・石井十次が愛染橋保育所を設立
1916（大正5）年	・二葉幼稚園が二葉保育園へ名称を変更する
1918（大正7）年	・鈴木三重吉が『赤い鳥』を刊行
1926（大正15）年	・幼稚園令
1946（昭和21）年	・日本国憲法の公布 ・糸賀一雄が近江学園を設立
1947（昭和22）年	・児童福祉法 ・教育基本法
1948（昭和23）年	・保育要領 ・児童福祉施設の設備及び運営に関する基準が厚生労働省令として制定 ・学校教育法 ・民生委員法 ・里親等家庭養育運営要綱
1949（昭和24）年	・身体障害者福祉法
1950（昭和25）年	・新生活保護法
1951（昭和26）年	・児童憲章
1958（昭和33）年	・国民健康保険法

年度	事項
1960（昭和35）年	・精神薄弱者福祉法（現在の知的障害者福祉法）
1961（昭和36）年	・児童扶養手当法
1963（昭和38）年	・老人福祉法 ・糸賀一雄がびわこ学園を設立
1964（昭和39）年	・母子福祉法（現在の母子及び父子並びに寡婦福祉法） ・特別児童扶養手当法等の支給に関する法律
1965（昭和40）年	・保育所保育指針が作成される（６領域の保育内容が示される） ・母子保健法
1970（昭和45）年	・障害者基本法
1971（昭和46）年	・児童手当法
1983（昭和58）年	・少年による刑法犯の検挙数が戦後最高となる（約32万人）
1990（平成２）年	・福祉関係八法改正（老人福祉法等の一部を改正する法律） ・保育所保育指針改定（５領域の保育内容が示される）
1994（平成６）年	・児童の権利に関する条約（日本が批准） ・エンゼルプラン（少子化対策のための子育て支援策）
1999（平成11）年	・新エンゼルプラン
2000（平成12）年	・児童虐待の防止等に関する法律 ・保育所保育指針改定（乳幼児の最善の利益の考慮等が追加される）
2001（平成13）年	・配偶者からの暴力の防止及び被害者の保護等に関する法律
2002（平成14）年	・少子化対策プラスワン（父親の育児参加等への支援）
2003（平成15）年	・次世代育成支援対策推進法 ・保育士が名称独占の国家資格となる
2004（平成16）年	・発達障害者支援法 ・子ども・子育て応援プラン（チルドレン・ファーストの考え方）
2006（平成18）年	・障害者自立支援法
2007（平成19）年	・放課後子ども教室推進事業（文部科学省の推進する事業）
2008（平成20）年	・保育所保育指針改定（法的拘束力を持った指針となる） ・ファミリーホームの開始
2010（平成22）年	・子ども・子育てビジョン
2011（平成23）年	・障害者基本法
2012（平成24）年	・障害者虐待防止法 ・子ども・子育て関連３法が施行される
2013（平成25）年	・障害者総合支援法（障害者自立支援法を改正）
2014（平成26）年	・放課後子ども総合プラン（厚生労働省と文部科学省の一体的な事業）
2015（平成27）年	・子ども・子育て支援新制度が本格的に開始
2016（平成28）年	・障害者差別解消法 ・児童福祉法改正（原理の明確化、児童相談所の体制強化など）
2017（平成29）年	・保育所保育指針改定（平成30年４月施行） ・幼稚園教育要領改定（平成30年４月施行） ・幼保連携型認定こども園教育・保育要領（平成30年４月施行）
2019（令和元）年	・幼児教育・保育の無償化が開始される
2022（令和４）年	・成人年齢が20歳から18歳に引き下げ ・こども家庭庁設置法（令和５年４月施行） ・こども基本法（令和５年４月施行） ・こども大綱 ・こども未来戦略 ・困難な問題を抱える女性への支援に関する法律（女性支援新法、令和５年４月施行）

● 子育て支援対策の経緯

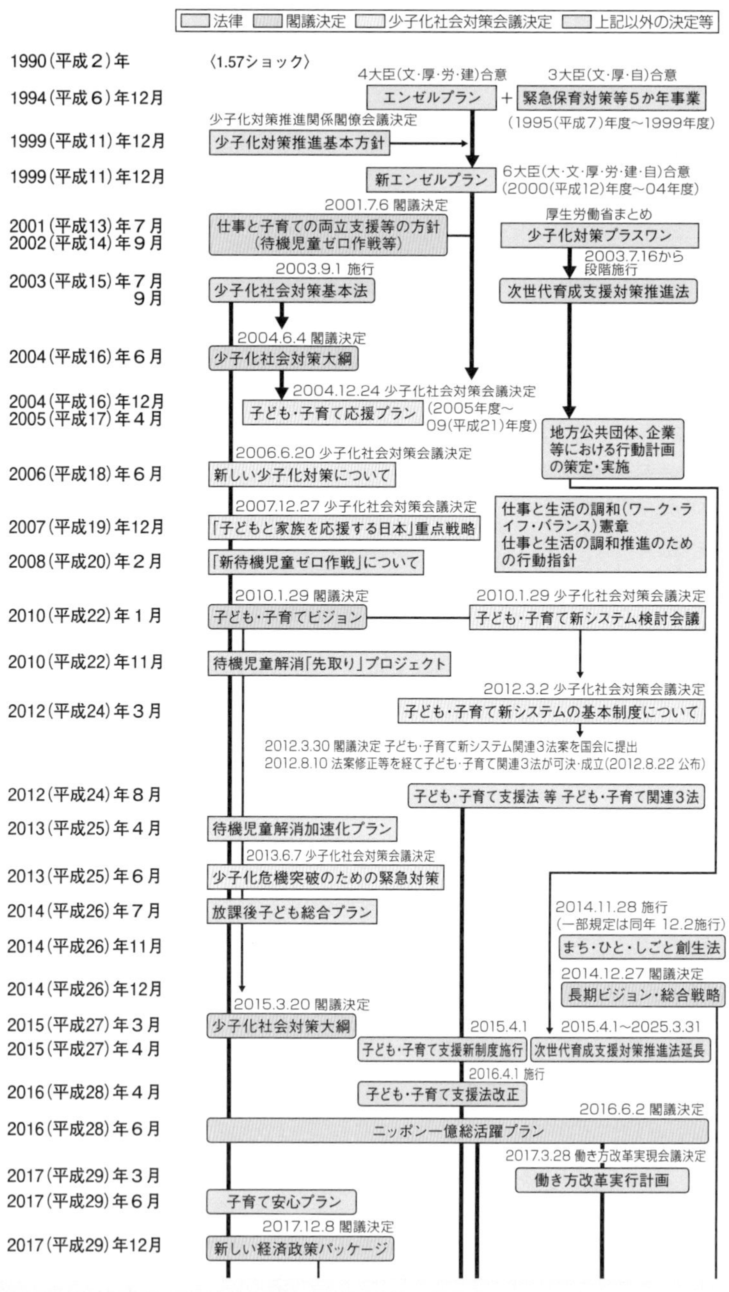

法律
閣議決定
少子化社会対策会議決定
上記以外の決定等
1990(平成2)年
〈1.57ショック〉
4大臣(文・厚・労・建)合意
3大臣(文・厚・自)合意
1994(平成6)年12月
エンゼルプラン
緊急保育対策等5か年事業
(1995(平成7)年度～1999年度)
少子化対策推進関係閣僚会議決定
1999(平成11)年12月
少子化対策推進基本方針
1999(平成11)年12月
新エンゼルプラン
6大臣(大・文・厚・労・建・自)合意
(2000(平成12)年度～04年度)
2001.7.6 閣議決定
2001(平成13)年7月
2002(平成14)年9月
仕事と子育ての両立支援等の方針
(待機児童ゼロ作戦等)
厚生労働省まとめ
少子化対策プラスワン
2003.9.1 施行
2003.7.16から
段階施行
2003(平成15)年7月
9月
少子化社会対策基本法
次世代育成支援対策推進法
2004.6.4 閣議決定
2004(平成16)年6月
少子化社会対策大綱
2004.12.24 少子化社会対策会議決定
2004(平成16)年12月
2005(平成17)年4月
子ども・子育て応援プラン
(2005年度～
09(平成21)年度)
地方公共団体、企業
等における行動計画
の策定・実施
2006.6.20 少子化社会対策会議決定
2006(平成18)年6月
新しい少子化対策について
2007.12.27 少子化社会対策会議決定
2007(平成19)年12月
「子どもと家族を応援する日本」重点戦略
仕事と生活の調和(ワーク・ライフ・バランス)憲章
仕事と生活の調和推進のための行動指針
2008(平成20)年2月
「新待機児童ゼロ作戦」について
2010.1.29 閣議決定
2010.1.29 少子化社会対策会議決定
2010(平成22)年1月
子ども・子育てビジョン
子ども・子育て新システム検討会議
2010(平成22)年11月
待機児童解消「先取り」プロジェクト
2012.3.2 少子化社会対策会議決定
2012(平成24)年3月
子ども・子育て新システムの基本制度について
2012.3.30 閣議決定 子ども・子育て新システム関連3法案を国会に提出
2012.8.10 法案修正等を経て子ども・子育て関連3法が可決・成立(2012.8.22 公布)
2012(平成24)年8月
子ども・子育て支援法 等 子ども・子育て関連3法
2013(平成25)年4月
待機児童解消加速化プラン
2013.6.7 少子化社会対策会議決定
2013(平成25)年6月
少子化危機突破のための緊急対策
2014(平成26)年7月
放課後子ども総合プラン
2014.11.28 施行
(一部規定は同年 12.2施行)
2014(平成26)年11月
まち・ひと・しごと創生法
2014.12.27 閣議決定
2014(平成26)年12月
長期ビジョン・総合戦略
2015.3.20 閣議決定
2015(平成27)年3月
少子化社会対策大綱
2015.4.1
2015.4.1～2025.3.31
2015(平成27)年4月
子ども・子育て支援新制度施行
次世代育成支援対策推進法延長
2016.4.1 施行
2016(平成28)年4月
子ども・子育て支援法改正
2016.6.2 閣議決定
2016(平成28)年6月
ニッポン一億総活躍プラン
2017.3.28 働き方改革実現会議決定
2017(平成29)年3月
働き方改革実行計画
2017(平成29)年6月
子育て安心プラン
2017.12.8 閣議決定
2017(平成29)年12月
新しい経済政策パッケージ

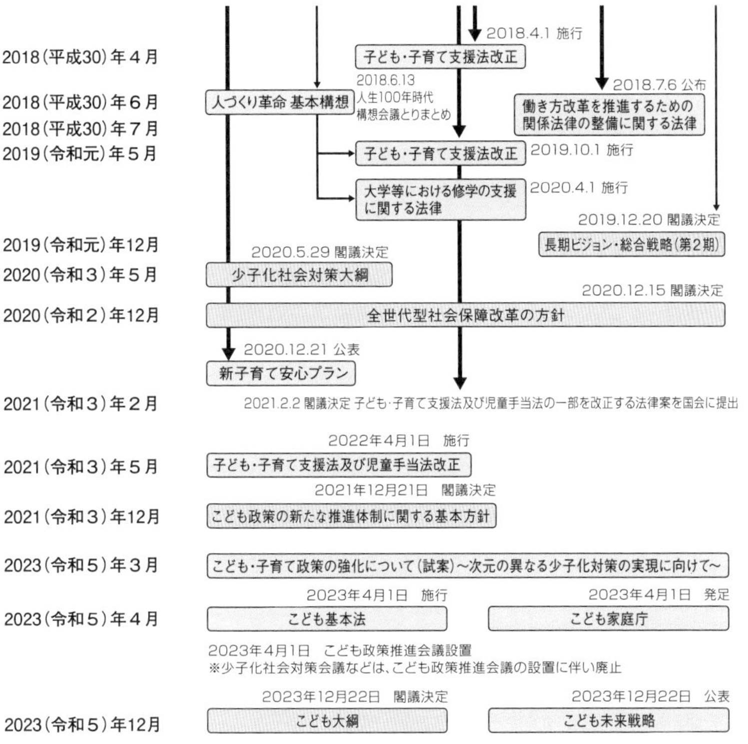

2018(平成30)年４月
2018.4.1 施行
子ども・子育て支援法改正
2018.6.13
人生100年時代
構想会議とりまとめ
2018.7.6 公布
2018(平成30)年６月
人づくり革命 基本構想
働き方改革を推進するための
関係法律の整備に関する法律
2018(平成30)年７月
2019(令和元)年５月
子ども・子育て支援法改正
2019.10.1 施行
大学等における修学の支援
に関する法律
2020.4.1 施行
2019.12.20 閣議決定
2019(令和元)年12月
長期ビジョン・総合戦略(第2期)
2020.5.29 閣議決定
2020(令和３)年５月
少子化社会対策大綱
2020.12.15 閣議決定
2020(令和２)年12月
全世代型社会保障改革の方針
2020.12.21 公表
新子育て安心プラン
2021(令和３)年２月
2021.2.2 閣議決定 子ども・子育て支援法及び児童手当法の一部を改正する法律案を国会に提出
2022年4月1日 施行
2021(令和３)年５月
子ども・子育て支援法及び児童手当法改正
2021年12月21日 閣議決定
2021(令和３)年12月
こども政策の新たな推進体制に関する基本方針
2023(令和５)年３月
こども・子育て政策の強化について(試案)～次元の異なる少子化対策の実現に向けて～
2023年4月1日 施行
2023年4月1日 発足
2023(令和５)年４月
こども基本法
こども家庭庁
2023年4月1日 こども政策推進会議設置
※少子化社会対策会議などは、こども政策推進会議の設置に伴い廃止
2023年12月22日 閣議決定
2023年12月22日 公表
2023(令和５)年12月
こども大綱
こども未来戦略

（出典：厚生労働省「令和５年版厚生労働白書 資料編」より改変

● 試験によく出る海外の人名のまとめ

人名	業績
フレーベル	ドイツの教育家。著書『人間の教育』。世界最初の幼稚園設立。教育玩具を創作し恩物と名づけた
コメニウス	現在のチェコに生まれ、『大教授学』や『世界図絵』などを著した
コルチャック	ポーランドの医者。ユダヤ人の孤児院運営で、「児童の権利条約」に影響を与えた人物
シュタイナー	シュタイナー教育の創設者。ドイツに「自由ヴァルドルフ学校」を創設した
デューイ	哲学者、教育学者。経験主義、実験主義を教育の基本原理と考えた
ソクラテス	古代ギリシャの哲学者。自分が無知であることを自覚する「無知の知」を唱えた
ピアジェ	スイスの発達心理学者。知能の発達を４つに分ける発達段階説を唱えた
ペスタロッチ	スイスの教育家。『隠者の夕暮』を著した。ルソーの影響を受け、孤児・民衆教育の改善に貢献した
ボウルビィ	イギリスの児童精神科医。アタッチメント理論（愛着理論）を提唱した
モンテッソーリ	イタリアの医師。保育施設「子どもの家」で、教育法（モンテッソーリ教育）を完成させた
リッチモンド	ケースワーク論を確立し、ソーシャルワークの科学化を推進した
ルソー	スイス出身のフランスの啓蒙期の思想家。著書に『エミール』『人間不平等起源論』『社会契約論』等がある
ロック	イギリスの哲学者。経験が意識内容として観念を与えると考える白紙説を唱えた
ヴィゴツキー	旧ソビエト連邦の心理学者。教育を重視し、発達を社会的に共有された認知過程を内部化する過程と捉えた
ゲゼル	アメリカの心理学者。人間の発達は、生まれついた遺伝的なものが自律的に発現したものとする考えを唱えた
エレン・ケイ	スウェーデンの社会思想家。『児童の世紀』を著し、子どもが幸せに育つ社会の構築を主張した
オーウェン	イギリスの社会改革思想家。紡績工場支配人。児童労働に関する工場法を制定。性格形成新学院を開設した
エインズワース	アメリカの発達心理学者。母子関係に関する実験観察法であるストレンジ･シチュエーション法を開発した
J.アダムス	アメリカの社会事業家。シカゴに「ハルハウス」を設立。そこを中心にセツルメント運動を広めた
バーナード	イギリスに孤児院「バーナードホーム」創設。現在の小舎制につながる生活環境を整備した
アリス・ペティ・アダムス	アメリカ人宣教師。来日後は医療・社会福祉等に従事し、「岡山博愛会」を創設した
オーベルラン	貧しい農家の幼児のための「幼児保護所」を創設した
エリクソン	発達心理学者。人生を８段階に区分し、それぞれの時期に発達課題があることを示した
パールマン	ケースワークの４つの構成要素として「４つのP（人、問題、場所、過程）」を示した
コノプカ	グループワークの基本原理14項目を提唱し、グループワークを「意図的なグループ経験を通じて、個人の社会的に機能する力を高め、また個人、集団、地域社会の諸問題に、より効果的に対処し得るよう、人びとを援助するものである」と定義した

児童福祉の理念

児童憲章：1951（昭和26）年制定

前文　・児童は、人として尊ばれる。
　　　・児童は、社会の一員として重んぜられる。
　　　・児童は、よい環境のなかで育てられる。

1　すべての児童は、心身ともに健やかにうまれ、育てられ、その生活を保障される。

2　すべての児童は、家庭で、正しい愛情と知識と技術をもって育てられ、家庭に恵まれない児童には、これにかわる環境が与えられる。

3　すべての児童は、適当な栄養と住居と被服が与えられ、また、疾病と災害からまもられる。（以下略）

児童の権利に関する宣言：1959（昭和34）年制定

前文抜粋

児童は、身体的及び精神的に未熟であるため、その出生の前後において、適当な法律上の保護を含めて、特別にこれを守り、かつ、世話することが必要である（中略）・・・・・・
人類は児童に対し、最善のものを与える義務を負うものである。

児童の権利に関する条約（通称：子どもの権利条約）：1989（平成元）年採択

第3条　児童の最善の利益（抜粋）

1　児童に関するすべての措置をとるに当たっては、公的若しくは私的な社会福祉施設、裁判所、行政当局又は立法機関のいずれによって行われるものであっても、児童の最善の利益が主として考慮されるものとする。

第12条　意見表明権（抜粋）

1　締約国は、自己の意見を形成する能力のある児童がその児童に影響を及ぼすすべての事項について自由に自己の意見を表明する権利を確保する。この場合において、児童の意見は、その児童の年齢及び成熟度に従って相応に考慮されるものとする。

第13条　表現の自由（抜粋）

・児童は、表現の自由についての権利を有する。この権利には、口頭、手書き若しくは印刷、芸術の形態又は自ら選択する他の方法により、国境とのかかわりなく、あらゆる種類の情報及び考えを求め、受け及び伝える自由を含む。

児童福祉法：1947（昭和22）年制定

第1章　総則（抜粋）

第1条　全て児童は、児童の権利に関する条約の精神にのつとり、適切に養育されること、その生活を保障されること、愛され、保護されること、その心身の健やかな成長及び発達並びにその自立が図られることその他の福祉を等しく保障される権利を有する。

第2条　全て国民は、児童が良好な環境において生まれ、かつ、社会のあらゆる分野において、児童の年齢及び発達の程度に応じて、その意見が尊重され、その最善の利益が優先して考慮され、心身ともに健やかに育成されるよう努めなければならない。

2　児童の保護者は、児童を心身ともに健やかに育成することについて第一義的責任を負う。

3　国及び地方公共団体は、児童の保護者とともに、児童を心身ともに健やかに育成する責任を負う。

●社会保障制度の体系

医療	医療保険、生活保護（医療扶助）、労働者災害補償保険、公費負担医療、公衆衛生サービス（一般保険、生活環境、労働衛生、環境保健、学校保険など）など
年金	年金保険（国民年金、厚生年金保険）、労働者災害補償保険（年金給付）
福祉 その他	生活保護（医療扶助以外の各種扶助）、児童福祉（保育所、児童相談所など）、母子福祉、障害者福祉、老人福祉、介護保険、雇用保険、労働者災害補償保険（休業補償給付）など

（資料：厚生労働省統計協会編「国民の福祉と介護の動向」2015/2016より作成）

●生活保護法の基本原理

国家責任の原理 （第１条）	日本国憲法第25条の理念に基づき、国が生活に困窮するすべての国民に対し、その困窮の程度に応じ、必要な保護を行い、その最低限度の生活を保障するとともに、その自立を助長する。
無差別平等の原理 （第２条）	すべて国民は、この法律の定める要件を満たす限り、この法律による保護を、無差別平等に受けることができる。
健康的で文化的な最低生活保障の原理 （第３条）	この法律により保障される最低限度の生活は、健康で文化的な生活水準を維持することができるものでなければならない。
保護の補足性の原理 （第４条）	保護は、生活に困窮する者が、その利用し得る資産、能力その他あらゆるものを、その最低限度の生活の維持のために活用することを要件として行われる。

●生活保護の種類

生活扶助	衣食、光熱費等の日常生活費が支給される。金銭給付
教育扶助	義務教育を受けている子どもに必要な学用品や給食費などの費用等が支給される。金銭給付
住宅扶助	アパートを借りた場合の家賃、地代、転居費、住居の補修などの費用が支給される。金銭給付。なお、宿所提供施設などの現物支給の場合もある
介護扶助	介護保険による要介護者及び要支援者で保険料や利用の負担が困難な場合、介護保険と同じ介護サービスを支給する。現物給付
出産扶助	出産に必要な費用が支給される。金銭給付
生業扶助	生業費、技能習得費、就職支度金等の費用が支給される。金銭給付
葬祭扶助	葬祭ができない場合、葬祭に必要な費用が支給される。金銭給付を原則とする
医療扶助	入院、通院などの医療に必要な費用が支給される。原則は現物給付であるが、治療費や治療材料は金銭給付

●子ども家庭福祉にかかわる専門職・実施者と関連の資格

専門職名	主に従事する機関、施設など	資格の分類	内容
保育士	保育所など児童福祉施設（助産所以外）	国家資格（名称独占）	保育・保護者支援
保育教諭	幼保連携型 認定こども園	保育士と幼稚園教諭免許 （名称独占）	教育・保育 保護者支援
家庭的保育者	家庭的保育事業	自治体ごとの 認定資格	保育
児童福祉司	児童相談所	任用資格	相談・指導
社会福祉士	児童相談所、 福祉事務所、 児童福祉施設等	国家資格 （名称独占）	施設長 相談・指導・生活支援など
児童指導員	ほとんどの児童福祉施設	任用資格	児童の生活支援・指導
児童自立支援専門員	児童自立支援施設	任用資格	生活学習支援、職業指導
児童生活支援員	児童自立支援施設	任用資格	生活支援 自立支援
母子・父子自立支援員	福祉事務所	特になし	母子・父子家庭、寡婦などの相談・指導
家庭相談員	家庭児童相談室	任用資格	児童に関する相談・助言・指導
民生委員・ 児童委員・ 主任児童委員	連携機関は児童相談所、福祉事務所など	厚生労働大臣 の委嘱	地域の子どもの見守り、子育て相談・助言など
家庭支援専門相談員	児童養護施設	任用資格	保護者支援、子どもの早期家庭復帰支援、退所後の相談支援
個別対応職員	児童福祉施設（保育所を除く）	特になし	被虐待児童への個別対応、支援、保護者援助
心理療法担当職員	乳児院、児童養護施設、母子生活支援施設	任用資格	被虐待児童へのカウンセリング、心理治療
母子支援員	母子生活支援施設	任用資格	母親への就労支援、子育て相談・援助
児童発達支援管理責任者	放課後等デイサービス事業所、障害児施設、児童発達支援センター	研修後の認定資格	児童の療育指導、保護者の相談対応

ブロンフェンブレンナーの生態学的システム

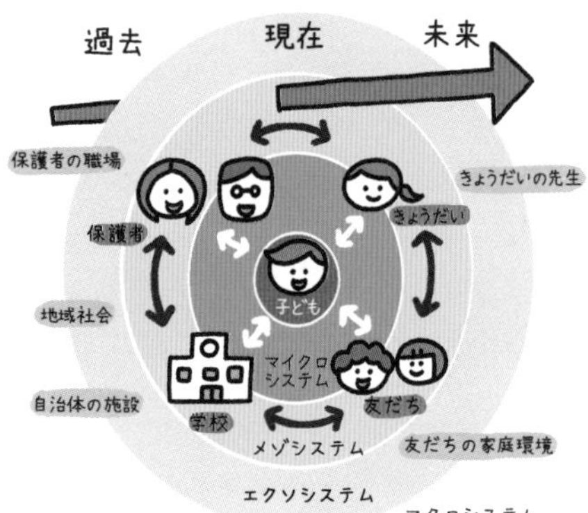

マイクロシステム
子どもと直接的に関わる環境
（家族、家庭、保育所、学校、など）

メゾシステム
マイクロシステムどうしの環境
（家庭と保育所のつながり、など）

エクソシステム
子どもに間接的に影響を与える環境
（保護者の職場環境、きょうだいの先生、など）

マクロシステム
社会環境
（文化、宗教、など）

ストレンジ・シチュエーション法

Aタイプ：回避型
母親との再会を喜ばず、愛着形成が不安定な状態。

Bタイプ：安定型
母親との分離で混乱し再開によって落ち着く愛着形成が安定している状態。

Cタイプ：アンビバレント型
母親との分離に混乱し、さらに再会した後も落ちつかず攻撃的になる愛着形成が不安定な状態。

● 粗大運動の発達時期

運動	時期※	運動の内容
首のすわり	4～5か月未満	仰向けにし、両手を持って、引き起こしたとき、首がついてくる。
寝返り	6～7か月未満	仰向けの状態から、自ら、うつぶせになることができる。
ひとりすわり	9～10か月未満	両手をつかず、支えなしで1分以上座ることができる。
はいはい	9～10か月未満	はって移動ができる。
つかまり立ち	11～12か月未満	物につかまって立つことができる。
ひとり歩き	1年3～4か月未満	立位の姿勢をとり、2～3歩歩くことができる。

※90%以上の乳幼児が可能になる時期（「平成22年乳幼児身体発育調査」より）

● 主なワクチンの種類（一覧）

	ワクチン	種類	標準的な接種年齢	回数
定期接種	インフルエンザ菌b型（Hib（ヒブ））	不活化	初回：生後2～4か月か月 追加：生後12～17か月	初回：3回 追加：1回
	肺炎球菌（PCV13）	不活化	初回：生後2～4か月、 追加：生後12～15か月	初回：3回 追加：1回
	B型肝炎	不活化	生後2、3、8か月	3回
	5種混合（DPT-IPV-Hib）	不活化	1期初回：2～6か月 1期追加：初回終了後6か月おく	1期初回：3回 1期追加：1回
	2種混合（DT）	不活化	2期：11歳以上13歳未満	2期：1回
	日本脳炎	不活化	1期：3歳、4歳 2期：9歳	1期：3歳2回、4歳1回 2期：1回
	BCG	生	生後5～7か月	1回
	麻疹風疹混合（MR）	生	1期：生後12～24か月 2期：5歳以上7歳未満	1期：1回 2期：1回
	水痘	生	生後12～36か月	2回
	ロタウイルス（2020年10月より）	生	生後2～4か月	1価ワクチンは2回、5価ワクチンは3回
	子宮頸がん（HPV）	不活化	小学校6年生～高校1年生相当の女子	2価、4価ワクチンの場合：3回、9価ワクチンの場合：2回
任意接種	流行性耳下腺炎（おたふくかぜ）	生	1歳以上の未罹患者	2回接種を推奨
	インフルエンザ	不活化	全年齢（B類の対象者除く）	1～2回

本書内容に関するお問い合わせについて

このたびは翔泳社の書籍をお買い上げいただき、誠にありがとうございます。弊社では、読者の皆様からのお問い合わせに適切に対応させていただくため、以下のガイドラインへのご協力をお願い致しております。下記項目をお読みいただき、手順に従ってお問い合わせください。

●ご質問される前に

弊社Webサイトの「正誤表」をご参照ください。これまでに判明した正誤や追加情報を掲載しています。

正誤表　https://www.shoeisha.co.jp/book/errata/

●ご質問方法

弊社Webサイトの「書籍に関するお問い合わせ」をご利用ください。

書籍に関するお問い合わせ　https://www.shoeisha.co.jp/book/qa/

インターネットをご利用でない場合は、FAXまたは郵便にて、下記"翔泳社 愛読者サービスセンター"までお問い合わせください。
電話でのご質問は、お受けしておりません。

●回答について

回答は、ご質問いただいた手段によってご返事申し上げます。ご質問の内容によっては、回答に数日ないしはそれ以上の期間を要する場合があります。

●ご質問に際してのご注意

本書の対象を超えるもの、記述個所を特定されないもの、また読者固有の環境に起因するご質問等にはお答えできませんので、予めご了承ください。

●郵便物送付先およびFAX番号

送付先住所　〒160-0006　東京都新宿区舟町5
FAX番号　03-5362-3818
宛先　（株）翔泳社 愛読者サービスセンター

●免責事項

※著者および出版社は、本書の使用による保育士試験の合格を保証するものではありません。
※本書の記載内容は、2024年6月現在の法令等に基づいています。
※本書の出版にあたっては正確な記述に努めましたが、著者および出版社のいずれも、本書の内容に対してなんらかの保証をするものではありません。
※本書に記載されたURL等は予告なく変更される場合があります。

はじめに

保育所を巡っては、この20年ほど、最大で喫緊の問題は、待機児を解消することでした。しかし、子どもの出生数の減少が予想を上回る速さで進んでいることから、待機児問題はまもなく解消することがわかってきました。ただ、保育士不足の問題は解消されず、保育現場は保育士確保のために苦労する状況はまだまだ続きます。今年も、試験に受かればいずれかの保育所に採用される可能性が高い状況が続くでしょう。

新型コロナ問題で保育の現場は緊張した運営を続けてきましたが、近年は不適切保育の問題が社会問題化しています。一部での出来事なのですが、保育の質への社会的関心と期待が高くなっていることの反映といえます。

保育・幼児教育は、今、世界の多くの国が、教育政策の中で最重要であると考えています。理由は多くあるのですが、幼い子どもが日々の地域での生活の中で工夫して仲間と遊ぶということが次第にできなくなっているため、その過程で身につく非認知的能力 —— 社会に出たときにはこちらが大事 —— が育ちにくくなっており、保育・幼児教育がその非認知的能力をしっかりと育てなければならなくなった、ということが基本的な理由です。

そのための保育の内容の見直しや工夫を保育の質を上げるという言い方で国は訴えてきました。保育所保育指針の内容等は、そのための基本的方向と内容を示していますのでしっかり理解して受験してほしいと思います。

国はその機運に呼応するように、子どものウェルビーイングの育ちのためにこどもの問題に特化した行政機関「こども家庭庁」を令和５年４月からスタートさせました。保育所の管轄も厚生労働省からこども家庭庁に移りました。このこども家庭庁が中心になって、昨年の末に重要な法や施策が定められました。特に大事なのはこども家庭庁設置と同時に定められた「こども基本法」と、その規定に則って策定された「こども大綱」でしょう。「こども大綱」は、これはこれまで別々に作られてきた「少子化社会対策大綱」・「子供・若者育成支援推進大綱」・「子供の貧困対策に関する大綱」を束ねたものです。また「子ども・子育て支援法」が改訂され「支援金制度」などの財源確保方策がきまりました。

「こども基本法」には、子どもの権利条約の精神が多く書き込まれていて今後のこども施策の基本になります。ネット等できちんと読んで準備しておくことが大事になっているといえるでしょう。

監修　汐見稔幸

目次

子どもの保健　271

本書は、公表されている保育士試験の試験範囲と同じ構成となっています。

本書の使い方

本書は保育士試験の、筆記試験用のテキストです。上巻は科目「社会福祉」「子ども家庭福祉」「保育の心理学」「子どもの保健」の４科目について解説しています。まず、各科目の「傾向と対策」を確認しましょう。最初は何のことやら……かもしれませんが、一度学習した後に再度読み返すと、暗記のポイントをつかむことができます。次に、頻出度と出題のポイントを確認して、本文を学習しましょう。そして、側注の補足説明を読んで知識を定着させ、記憶にとどめます。最後に一問一答を解いて、理解度をチェックしましょう。

紙面の構成

■ 本文

Ⓐ 頻出度

出題頻度の高い順に🍀🍀🍀、🍀🍀、🍀の３段階で示しています。

Ⓑ この節で学ぶこと＆イラスト

この節で学ぶことを記載しています。イラストでここで学ぶことをイメージすることができます。

Ⓒ 補足説明のアイコン

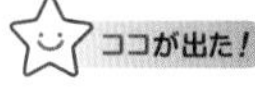

過去５回の試験で問われたキーワードごとに出題年を掲載しています。たとえば2024（令和6）年前期試験は「R6年（前）」、2022年後期試験は「R4年（後）」と記載しています。

もっと詳しく知っておきたいこと、補足事項などです。

用語解説

本文中の用語の意味を説明します。

注意点や覚えるコツなど先生からのひとことです。

現代社会における社会福祉の意義と歴史

頻出度

社会福祉の原理・原則を理解しましょう。日本国憲法やその他の社会福祉に関する法律の条文を中心に社会福祉と国民生活のかかわりから出題される傾向があります。また、社会福祉の発展過程と時代背景を日本、イギリス、アメリカを中心に整理しておきましょう。そして、社会福祉関連法令を年代別におさえておきましょう。

①基本的人権の尊重

②ナショナルミニマム ③ノーマライゼーション

社会福祉の理念と概念

社会福祉という言葉は、1947（昭和22）年に施行された日本国憲法*1（以下、憲法）で初めて使用されました（第25条）。憲法はわが国の社会福祉の発展に寄与しており、第11条で「基本的人権の保障」、第12条で「自由及び権利の保持義務と公共の福祉を利用する責任」、第13条で「個人の尊重と生命、自由及び幸福追求権の尊重」、第25条で「国民の生存権と国の保障義務」を明示しています。

*1 日本国憲法
R4年(後)（11条、12条、13条、25条）
R5年(後)（25条）
R6年(前)（25条）

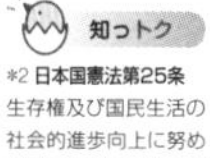

*2 日本国憲法第25条
生存権及び国民生活の社会的進歩向上に努める国の義務について定め、初めて条文に社会福祉が使われました。

6

■ 理解度チェック　一問一答

○×式の過去問題と予想問題です。正解できたら□ にチェックを入れましょう。なお、本文に説明のない内容に関する問題も、補足のために一部掲載しています。また、過去問題の一部に変更を加えている場合があります。

D [出題回] [予想]

過去問題の場合は出題回をR○年と掲載し、2024（令和6）年前期試験は「R6年（前期）」、2015(平成27)年地域限定試験は「H27年(地限)」、予想問題は「予想」としています。

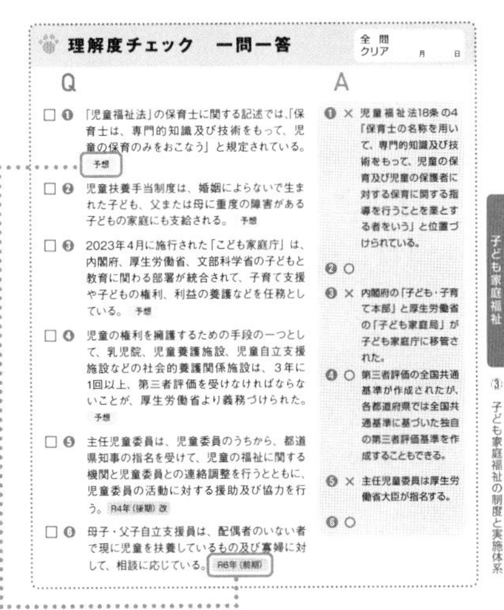

理解度チェック　一問一答　全問クリア　月　日

Q

□ ❶ 「児童福祉法」の保育士に関する記述では、「保育士は、専門的知識及び技術をもって、児童の保育のみをおこなう」と規定されている。 予想

□ ❷ 児童扶養手当制度は、婚姻によらないで生まれた子ども、父または母に重度の障害がある子どもの家庭にも支給される。 予想

□ ❸ 2023年4月に施行された「こども家庭庁」は、内閣府、厚生労働省、文部科学省の子どもと教育に関わる部署が統合されて、子育て支援や子どもの権利、利益の養護などを任務としている。 予想

□ ❹ 児童の権利を擁護するための手段の一つとして、乳児院、児童養護施設、児童自立支援施設などの社会的養護関係施設は、3年に1回以上、第三者評価を受けなければならないことが、厚生労働省より義務づけられた。 予想

□ ❺ 主任児童委員は、児童委員のうちから、都道県知事の指名を受けて、児童の福祉に関する機関と児童委員との連絡調整を行うとともに、児童委員の活動に対する援助及び協力を行う。 R4年（後期）改

□ ❻ 母子・父子自立支援員は、配偶者のいない者で現に児童を扶養しているもの及び寡婦に対して、相談に応じている。 R6年（前期）

A

❶ × 児童福祉法18条の4「保育士の名称を用いて、専門的知識及び技術をもって、児童の保育及び児童の保護者に対する保育に関する指導を行うことを業とする者をいう」と位置づけられている。

❷ ○

❸ × 内閣府の「子ども・子育て本部」と厚生労働省の「子ども家庭局」が子ども家庭庁に移管された。

❹ ○ 第三者評価の全国共通基準が作成されたが、各都道府県では全国共通基準に基づいた独自の第三者評価基準を作成することもできる。

❺ × 主任児童委員は厚生労働省大臣が指名する。

❻ ○

子ども家庭福祉　③ 子ども家庭福祉の制度と実施体系

133

D

憲法第11条（基本的人権の保障）
国民は、すべての基本的人権の享有を妨げられない。この憲法が国民に保障する基本的人権は、侵すことのできない永久の権利として、現在及び将来の国民に与へられる。

憲法第13条（個人の尊重と生命、自由及び幸福追求権の尊重）
すべて国民は、個人として尊重される。生命、自由及び幸福追求に対する国民の権利については、公共の福祉に反しない限り、立法その他の国政の上で、最大の尊重を必要とする。

憲法第25条（国民の生存権と国の保障義務）＊2
1. すべて国民は、健康で文化的な最低限度の生活を営む権利を有する。
2. 国は、すべての生活部面について、社会福祉、社会保障及び公衆衛生の向上及び増進に努めなければならない。

社会福祉という言葉は、①社会福祉の目的として憲法第25条に示されているような抽象的な「理念」として使う場合と、②具体的に社会福祉法など法律や社会福祉制度などを指す場合があります。前者を「目的（目標）概念としての社会福祉」と呼び、後者を「実体概念としての社会福祉」と呼びます。

また、現在の社会福祉の理念として、次の3つがあげられます。①基本的人権の尊重＊3、②ナショナルミニマム、③ノーマライゼーション＊4 ＊5 です。①の基本的人権の尊重は憲法第11条に示されています。②のナショナルミニマムは国民に対し、自国の生活水準と比較して最低限必要なレベルの生活を保障することで、憲法第25条第1項に示されています。③のノーマライゼーションは障害の有無にかかわらず、誰もが地域で普通に暮らせる社会を目指す理念です。デンマークのバンク・ミケルセンらによって提唱されました。

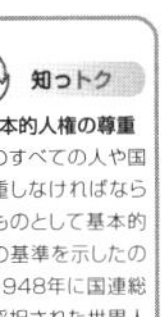

知っトク

＊3 **基本的人権の尊重**
世界のすべての人や国が尊重しなければならないものとして基本的人権の基準を示したのは、1948年に国連総会で採択された世界人権宣言です。

ココが出た！
＊4 **ノーマライゼーション**
R4年(前)　R4年(後)

ココが出た！
＊5 **ノーマライゼーション7か年戦略**
R4年(後)
1995(平成7)年に、国の障害者施策推進のために定められた「障害者プラン」のこと。リハビリテーションの理念とノーマライゼーションの理念を踏まえつつ、プランの視点及び具体的な施策目標が掲げられています。

社会福祉　① 現代社会における社会福祉の意義と歴史

7

C

● 赤いシート

付録の赤いシートを使って効率よく暗記しましょう。

● 法令等の基準について

本書の記載内容は、2024年6月現在の法令等に基づいています。変更される場合もありますので、厚生労働省、各都道府県・市町村の公表する情報をご確認ください。

● 表記

- **同法**：同法という場合は、それより以前に記載されている法律と同じ法のことを指しています。
- **和暦・西暦**：保育士国家試験では、年代は和暦で出題されることが多いです。本書では、覚えやすいように、西暦と和暦を併記しています。和暦表記は江戸時代以前は不要とし、明治時代以降のものについて併記しています（海外のできごとや江戸時代以前の年数は西暦表記のみ）。

資格・試験について

● 保育士について

■ 保育士とは

保育士とは、専門的知識と技術をもって子どもの保育を行うと同時に、子どもの保護者の育児の相談や援助を行うことを仕事としている人のことをいいます。保育士の資格は児童福祉法で定められた国家資格で、資格を持っていない人が保育士を名乗ることはできません。

女性が社会進出するのが当たり前になり、また子どもを育てる社会の支え合いの慣行がなくなってきつつある今日、保育の仕事は、その必要性が急速に高まっており、毎年数万人の人が資格を取得しています。また、保育所などで働いている保育士は約65.9万人にもなります。

■ 保育士の職場

保育の仕事の場は圧倒的に保育所が多いのですが、保育所は一律ではなく、大きく認可保育所と認可外保育所があります。認可保育所は現在、約２万4,000か所あります。認可保育所には公立と社会福祉法人立（私立）そして企業が経営しているものがあります。

また病院や種々の福祉関係の施設でも保育士が働いています。法的には保育の対象は18歳までの子どもです。最近は保育ママとして家庭的な保育の場で働く人も増えています。また、幼保連携型の認定子ども園を増やしていくことが国の方針になっていますので、認定子ども園で保育士を募集するところが増える可能性があります。幼稚園教諭免許と併有が条件ですが、2015（平成27）年からの10年間は特例で保育士資格だけでも働けます。

● 保育士になるには

■ 保育士試験による資格取得

保育士の資格を手にするには２つの方法があります。ひとつは厚生労働大臣の指定する保育士を養成する学校（短大、大学など）やその他の施設（指定保育士養成施設）を卒業する方法です。もうひとつは保育士試験に合格する方法です。働いていたりすると前者は難しく、後者が有力な方法になります。2024（令和６）年は４月と10月に筆記試験の実施が予定されています。2025（令和７）年の実施予定については刊行時点では未定となっていますので、詳細は保育士養成協議会のホームページを確認してください。

地域限定保育士試験は保育士試験と同じ実施機関、同じレベルの試験ですが、資格取得後３年間は受験した自治体のみで働くことができ、４年目以降は全国で働くことができるようになる資格です。

■ 受験資格

保育士試験の受験資格は、受験しようとする人の最終学歴によって細かく規定されています。学歴だけでなく、年齢、職歴等も関係してきますので、受験しようとする人は全国保育士養成協議会のホームページをぜひ参照してください。

http://hoyokyo.or.jp/exam/

受験の際には、受験の申し込みをしなければなりません。受験申請書を取り寄せ、記入して郵送する必要がありますから、申請の締切日に注意してください。上記、保育士養成協議会のホームページを必ず参照してください。

● 試験の実施方法

■ 試験方法

試験は、筆記試験と実技試験があり、筆記試験に合格した人だけが実技試験を受けることができます。実技試験に合格すると保育士の資格を得ることができます。

■ 試験会場

保育士試験：47都道府県、全国に会場が設けられます。筆記試験、実技試験とも同一都道府県での受験となります。

地域限定保育士試験：実施する自治体のみに会場が設けられます。

■ 筆記試験の出題形式

マークシート方式です。従来は選択肢の中から正解を１つ選ぶ方式でしたが、2024（令和６）年後期試験からは、問題文で指示された正答数の数だけ選択肢の番号に対応するマークを塗りつぶす形式となる予定です。

■ 試験日と試験科目、問題数、試験時間

試験日	科目		試験時間
4月、10月の2日間	1）	保育の心理学	60分
	2）	保育原理	60分
	3）	子ども家庭福祉	60分
	4）	社会福祉	60分
	5）	教育原理	30分
	6）	社会的養護	30分
	7）	子どもの保健	60分
	8）	子どもの食と栄養	60分
	9）	保育実習理論	60分

実技試験 ※幼稚園教諭免許所有者を除く、筆記試験全科目合格者のみ行います。		
7月、12月	音楽に関する技術 造形に関する技術 言語に関する技術	(幼稚園教諭免許所有者以外は、受験申請時に必ず2分野を選択する)

※令和6年保育士試験の実施予定は未定（2024年6月時点）

■ 合格基準と配点

・合格基準

各科目において、満点の６割以上を得点した者が合格となります。

※幼稚園教諭免許所有者は、「保育の心理学」・「教育原理」・「実技試験」に加え、幼稚園等における実務経験により「保育実習理論」が試験免除科目になります。

※社会福祉士、介護福祉士、精神保健福祉士の資格所有者は、「社会的養護」「子ども家庭福祉」「社会福祉」が試験免除科目になります。

■ 過去の受験者数と合格者数

	平成31／令和元年	令和2年	令和3年	令和4年	令和5年
受験者数	7万7,076名	4万4,915名	8万3,175名	7万9,378名	6万6,625名
合格者数	1万8,330名	1万890名	1万6,600名	2万3,758名	1万7,955名
合格率	23.8%	24.2%	20.0%	29.9%	26.9%

※令和2年の前期試験については、新型コロナウイルス感染症の状況を踏まえ全都道府県において筆記試験が中止となったため、実技試験のみの実施状況となっています

● 学習方法について

各科目ごとの出題傾向や対策については、それぞれテキストの各科目の中で説明されていますので必ず目を通しておいてください。ここでは受験のための勉強全般について述べます。

(１)

養成校に通わないでテキストで勉強し、保育士試験を受けて資格を取るという方法の最大のメリットは、自分の好きなときに好きなペースで勉強できるということです。毎日学校に通って勉強するよりはその意味で楽なのですが、このことが逆に自分を甘やかしてしまう最大の要因になりがちです。試験に向けて計画をしっかり立て、自分で自分を勇気づけて、サボらないで勉強し続けることが何よりも大事だということを、勉強を始める前に自分にしっかり言い聞かせましょう。計画性と意志の持続こそが試されます。

(2)

９科目も専門の勉強を続けるのは正直たいへんです。ですが、どれ

も保育士に必要な知識であるから課されるわけで、それをしっかり覚えておくことがあとで生きてくると納得しておくことが必要です。たとえば子どもの病気と対応の仕方の知識があるかないかで、大げさに言えば子どもの命を救えたり救えなかったりします。歴史の知識なども、実際につとめてもっとよい保育をしたいと思い始めると、そうした知識のあるなしで発想がまったく異なってくることがわかります。試験の勉強をしながらも、興味を持ったことは自分でもっと勉強してみようというぐらいの姿勢で学ぶことが合格への近道です。

(3)

どういう勉強の仕方が自分に合っているかということは、人によって違うでしょう。しかし、保育士試験の大部分は内容を理解した上で覚えておくことが要求されます。このことを常に念頭に置いておきましょう。短期にたくさんの知識を覚えなければならないわけですから、そのためには、自分でノートやカードに知識を整理するなど、書く努力をいとわないことが大事です。書くことで知識が定着する可能性が飛躍します。そしてその際、知識を自分なりに整理することができれば、合格の可能性は一段と高くなるでしょう。

(4)

似た内容が、別の科目でも何度も出てきます。一度見たことでも別の科目で登場したら、何度も反復学習し、違う側面から記憶にとどめていくと真の力がつくでしょう。「保育所保育指針」は、ほとんどの科目が関係しています。

(5)

できれば、土曜日などに、実際の保育の現場を見せてもらったり、手伝わせてもらったりして、保育の実際についてのイメージを持つといいでしょう。保育士試験受験者が養成校で学ぶ人に比べて不十分になるのは、現場の体験が少ないということだからです。保育の現場で自分が保育士になったらということをイメージしながら、子どもや保育の実際、保育の環境などを観察させてもらえば、テキストに書かれている知識に別の意味が見えてきたりします。

COLUMN

保育所保育指針の改定について（2018（平成30）年4月施行）

現在の保育所保育指針は2018（平成30）年に改訂実施されたものですが、それ以前の保育所保育指針に比べて、次のような特徴を持っています。

① 3歳以上の保育の目標・内容・方法が、幼稚園、認定こども園とほぼ同じ内容で改訂され、整合性が図られました。そのため、今回、保育所は「幼児教育を行う施設」という定義が文書に書き込まれました。保育所も幼稚園と異なるところがない、幼児教育施設であると認められるようになったということです。

② 同時に保育所は児童福祉施設でもあります。「福祉施設」ということを強調するために、今回「養護」機能を果たすことが重要であることが強調されました。養護というのは子どもたちの生命をていねいに保持することや、子どもたちの情緒の安定を図るために、保育士等が行う援助や働きかけのことです。わかりやすくいえば、どの子も自分は保育士等によって守られている、保護されている、愛されていると深く感じることができるような環境をつくり、日常的にそうした雰囲気のもとで保育を行うことです。そうした環境と配慮がある教育を行う施設が保育所であるということが強調されました。

③ 0歳児（乳児）の保育と3歳未満児の保育についての記述が充実しました。従来の保育所保育指針には、この0、1、2歳児の保育のねらいや内容は特段他の年齢と区別して書かれていなかったのですが、やはり4、5歳児等の保育とねらいや内容、方法が異なりますので、今回この部分が詳しく書かれました。このことは、幼い子の保育は、できるだけていねいに、温かく、受容的で応答的に行うべきであるという期待

とセットになっています。

④「幼児教育を行う施設」としての保育所への期待が５領域の「ねらい」の変化に現れています。今回、小学校以降の教育でも採用された「資質・能力」を育てるという立場が幼児教育でも採用され、５領域の各ねらいはこの「資質・能力」の３つの柱が書かれることになりました。具体的には「知識及び技能の基礎」「思考力、判断力、表現力の基礎」「学びに向かう力、人間性等」の３つで、詳細は巻末に掲載されている保育所保育指針を参照してください。「これまで以上に、子どもたちの広義の知的スキルについての育ちを細かに評価することが課せられたといっていいでしょう。

⑤ ④と関連して、「幼児の終わりまでに育つことが期待される姿」というカテゴリーが新たに登場しました。これは、学習指導要領の改定の方針を決めた中教審の答申（2016（平成28）年12月21日）で強調された「これからの教育は『社会に開かれた教育課程』を重視し、子どもたちが活躍する将来の社会に必要な能力をていねいに吟味して、その上でその基礎を幼い頃から育てていこうとする立場で行う」とされたことの具体化ですが、合わせて、小学校の低学年の生活課等と保育所の年長児のカリキュラムをできれば合同で開発していく際に共通に理解できる言葉による目標群として考案されたものです。幼児教育で考えられた「将来必要な能力の基礎」は10項目あり、それが「姿」（10の姿）という形で示されています。詳細は巻末に掲載されている保育所保育指針を参照してください。

⑥ キャリアパスづくりが課せられます。キャリアパスというのは職場で一定以上の勤務経験をつんだ人が定められた研修を受けた場合、たとえば○○主任という職位を与え給与も上げるといった仕組みのことです。従来の保育所等でのキャリア

パスは充実しているとはいえない状況でしたが、これからはきちんとキャリアパスをつくって、それによって職員の質を上げるとともに、働く人たちのモラールの向上を図ることになります。

以上のほかにも細かな変更点はありますが、最も大事なことは保育所が、幼稚園、こども園と同じように日本の大事な幼児教育機関として本格的に期待されるようになったことでしょう。2019（令和元）年10月から始まった幼児教育の無償化によって、保育所の公的責務は一層大きくなりましたが、そのことを自覚した働き方が求められます。

なお、厚生労働省は、指針の告示を行ったあと、保育の質を向上させる検討会を開いており、そこで話し合われた内容は、次のような報告書やガイドラインなどとして公表されています。

1）保育所等における保育の質の確保・向上に関する検討会
- 「子どもを中心に保育の実践を考える ～保育所保育指針に基づく保育の質向上に向けた実践事例集～」
- 「保育士の自己評価ガイドライン」の改定、そしてそれをわかりやすく説明した「保育をもっと楽しく 保育所における自己評価ガイドラインハンドブック」

2）保育の現場・職業の魅力向上検討会
- 厚生労働省のHPで報告書が公表されています

3）地域における保育所・保育士等の在り方に関する検討会
- 子どもの絶対数が減ったあとの保育所経営の案等について提案されています。これも厚生労働省のHPに掲載されています

これらについても、検討会の名前や資料名をインターネット上で検索することで、誰でも閲覧できますので、保育士試験を受ける人にぜひ目を通してほしいと考えています。

監修　汐見稔幸

試験に合格したら読みたい「先輩が教えてくれる」シリーズ

保育の先輩たちが「新人のときにこれを教えてほしかった！」という仕事のコツを集めて、わかりやすく解説したシリーズです。

「現場で必要な保育の知識や実習経験がないから、働くのが不安……」という方に、ぜひ読んでほしい情報が詰まっています。

「保育技術のきほん」だけでなく、園長や先輩とのコミュニケーションの取り方、仕事の優先順位の付け方、そして、気分転換の方法までを紹介しています。

【主な内容】

- □ 保育現場の仕事の流れは？
- □ 保護者の顔を覚えるコツは？
- □ おたよりを書くポイントは？
- □ 仕事の優先順位の付け方は？
- □ 仕事を家に持ち帰らないためには？ など

連絡帳を上手に書くコツとともに、保護者に信頼される文章を書くための、"一生使えるきほん"が身につきます！

【主な内容】

- □ 保護者の信頼を得る！連絡帳10のルール
- □ 文章の「きほん」&時短テクニック
- □ 実例でわかる！難しい質問・要望への応え方
- □ 間違えると恥ずかしい！紛らわしい漢字・表現一覧
- □ 印象がガラっと変わる！ポジティブワード変換表
- □ これなら簡単！丁寧語、敬語変換表　など

実際の文例を使って、文章を書くときの注意点とコツをわかりやすく紹介しています！

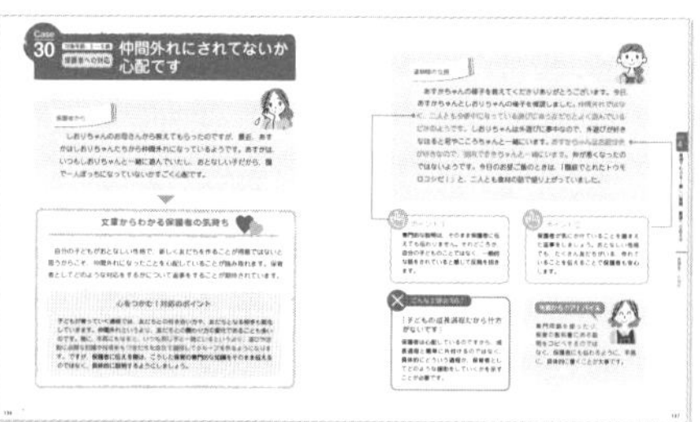

イラスト：うつみちはる

社会福祉

支援（配慮）が必要な子どもの背景には、支援（配慮）が必要な保護者の存在があることも少なくありません。この科目で学ぶ、社会福祉制度の全体像や相談支援技術の知識は、保育士になった後にそうしたケースに出合ったときに大きな助けになってくれるはずです。
近年では事例問題も多くなってきました。また、各種法律や社会保障制度など覚えることも多くて大変な科目ですが、一緒に頑張りましょう！

出題の傾向と対策

過去5回の出題傾向と対策

① 現代社会における社会福祉の意義と歴史的変遷

社会福祉の各種法律の内容や歴史的事象との関係、欧米や日本における、社会福祉の歴史に関する基本的な流れ（社会福祉推進政策）などが出題されています。また、社会福祉の主体と対象、福祉ニーズの変容、社会構造、家族形態の現状、ノーマライゼーション、ソーシャルインクルージョンなどから出題されています。さらに、社会福祉の基本理念や社会福祉に貢献した人物とその業績の内容などについても出題されています。

子ども家庭支援として、地域子育て支援、保護者支援、少子高齢化の現状、合計特殊出生率の変遷、児童家庭支援センターの業務と役割（事例問題を含む）、児童福祉施設の設備及び運営に関する基準や苦情解決などが出題されています。

② 社会福祉の制度と実施体系

最も多く出題されているのが社会福祉の制度や動向に関する問題です。特に社会福祉法を中心に児童福祉法などの社会福祉関連法は条文も含めて毎年出題されています。また、社会保障制度の動向や機能、公的年金制度、医療（社会）保険制度や生活保護制度、社会福祉事業、行政計画、社会手当などに関する問題が出ています。さらに、各種法制度と社会福祉従事者との関係や社会保障制度と福祉サービスの関係、社会保障給付費、育児休業制度、雇用保険制度などについて出題されています。

③ 社会福祉における相談援助

保育士の相談援助に際しての基本的な考え方や、高齢者、障害者支援についての相談事例を通じた相談援助の理念や価値（バイスティック（Biestek, F.P.）の７つの原則など）、知識や技術に関する問題が出ています。また、ソーシャルワーク（相談援助）の定義、実践モデル、展開過程、アプローチ方法の種類とその内容、面接技法、個別援助技術（ケースワーク）、集団援助技術（グループワーク）、関連援助技術、ケアマネジメント、スーパービジョンなどについても問われています。

④ 社会福祉における利用者保護にかかわる仕組み

児童の人権擁護、第三者評価、成年後見制度、情報提供、苦情解決、アカウンタビリティ、情報リテラシーなどについて各種法律とその関係、条文との組み合わせなどが例年問われています。利用者保護については、保育所だけでなく、成年後見制度や社会福祉関連施設における問題が出されています。運営適正化委員会、福祉サービス利用者の権利擁護、関連する法律や条文など幅広く出題されています。

⑤ 社会福祉の動向と課題

少子高齢化の現状、合計特殊出生率の変遷、人口動態統計（日本の将来推計人口）、国民生活基礎調査の概況、各種白書、社会福祉協議会の役割、民生委員・児童委員、ボランティア、共同募金、地域福祉計画等に関する問題が出ています。また、社会福祉基礎構造改革を含めて歴史的変遷や動向についても出題されています。人口動態統計や厚生労働白書などの内容については目を通しておきましょう。世界保健機関（WHO）や国際生活機能分類（ICF）における障害の考え方、共生社会などについても理解を深めておきましょう。

原典を確認しておきたい法律・資料

出題頻度が高い法律、ガイドライン、統計データ等の原典を確認できるQR コードを紹介します。原典を確認しておくと、実際の試験で難しい設問に出合ったときの対応力が上がります。

※こども福祉と特に関連が深い法律・資料は「子ども家庭福祉」の科目で紹介していますので、そちらも確認してください。

「社会福祉」の過去5回の出題キーワード

問題	R6（前期） 2024年	R5（後期） 2023年	R5（前期） 2023年	R4（後期） 2022年	R4年（前期） 2022年
1	社会福祉法	社会福祉の基本的な考え方	法律の制定順	戦前の社会福祉事業	社会福祉の戦後の法律
2	社会福祉の歴史	社会福祉の歴史	社会福祉の対象	日本国憲法	児童福祉に関する法律名と内容
3	児童福祉法	子育て支援	福祉の専門職としての保育士	社会保障制度に関する勧告	日本の人口動態
4	地域福祉を推進しようとする専門職や団体	保護者支援・子育て支援	日本の社会保険制度	社会福祉の理念	地域福祉・在宅福祉の推進
5	「令和4年版　厚生労働白書」による社会福祉制度	社会保障制度	保育所保育指針、児童相談所長など	子ども家庭支援の目的	保育と相談援助
6	社会福祉の機関と業務内容	社会福祉法における施設の種別と事業	社会福祉における専門職	児童福祉に関連する法令	社会福祉施策とその根拠法令
7	社会保険制度	社会福祉施設職員の配置基準	市町村社会福祉協議会	児童相談所	「社会福祉法」における第一種社会福祉事業
8	日本の高齢化社会対策	社会保険	児童心理治療施設	社会福祉法	婦人相談所
9	相談援助のアセスメント	相談援助「インテーク」	児童扶養手当法	社会福祉施設	国民年金制度
10	相談援助の原理・原則	バイスティックの7原則	社会福祉における専門職	保育士の業務等	介護保険制度
11	相談援助のエバリュエーション	相談援助の方法・技術等	相談援助（ウェルビーイング、ソーシャルアクションなど）	相談援助の展開過程「ケース発見」	相談援助の展開過程
12	福祉における相談援助の過程	ソーシャルワークの社会資源	ソーシャルワークの定義	相談援助の展開過程	コノプカのグループワークの定義
13	福祉サービス第三者評価	福祉サービスの第三者評価	バイスティックの7原則	相談援助の専門性とその進め方	相談援助の方法・技術
14	成年後見制度	成年後見制度	パールマンが著したソーシャル・ケースワークの4つの要素	相談援助の方法・技術	ケアカンファレンス
15	福祉サービス利用援助事業（日常生活自立支援事業）	福祉サービス利用援助事業（日常生活自立支援事業）	コノプカによるグループワークの過程	ソーシャルワークの方法・技術	ソーシャルワークの理論
16	福祉サービスにおける苦情解決	福祉サービスにおける苦情解決	福祉サービス利用援助事業（日常生活自立支援事業）	「社会福祉法」で定めている福祉サービスの情報提供等	福祉サービス第三者評価事業
17	令和4年版男女共同参画白書	子ども・子育て支援	苦情解決制度	成年後見制度	福祉サービス利用援助事業（日常生活自立支援事業）
18	市町村社会福祉協議会の活動や事業	「社会福祉法」第4条	各種計画と法律の組み合わせ	障害者に関する施策	障害者基本法
19	共同募金	「2021（令和3）年 国民生活基礎調査の概況」	民生委員	社会福祉協議会	各種センターと法律名の組み合わせ
20	こども基本法	地域生活課題	法律名とその法律の条文の見出し	「社会福祉法」第4条（地域福祉の推進）	各種会議名と法律名の組み合わせ

1 現代社会における社会福祉の意義と歴史

頻出度

社会福祉の原理・原則を理解しましょう。日本国憲法やその他の社会福祉に関する法律の条文を中心に社会福祉と国民生活のかかわりから出題される傾向があります。また、社会福祉の発展過程と時代背景を日本、イギリス、アメリカを中心に整理しておきましょう。そして、社会福祉関連法令を年代別におさえておきましょう。

①基本的人権の尊重

②ナショナルミニマム　③ノーマライゼーション

*1 **日本国憲法**
R4年(後)（11条、12条、13条、25条 ）
R5年(後)（25条）
R6年(前)（25条）

知っトク

*2 **日本国憲法第25条**
生存権及び国民生活の社会的進歩向上に努める国の義務について定め、初めて条文に社会福祉が使われました。

社会福祉の理念と概念

社会福祉という言葉は、1947（昭和22）年に施行された日本国憲法[*1]（以下、憲法）で初めて使用されました（第25条）。憲法はわが国の社会福祉の発展に寄与しており、第11条で「基本的人権の保障」、第12条で「自由及び権利の保持義務と公共の福祉を利用する責任」、第13条で「個人の尊重と生命、自由及び幸福追求権の尊重」、第25条で「国民の生存権と国の保障義務」を明示しています。

憲法第11条（基本的人権の保障）
国民は、すべての基本的人権の享有を妨げられない。この憲法が国民に保障する基本的人権は、侵すことのできない永久の権利として、現在及び将来の国民に与へられる。

憲法第13条（個人の尊重と生命、自由及び幸福追求権の尊重）
すべて国民は、個人として尊重される。生命、自由及び幸福追求に対する国民の権利については、公共の福祉に反しない限り、立法その他の国政の上で、最大の尊重を必要とする。

憲法第25条（国民の生存権と国の保障義務）*2
1. すべて国民は、健康で文化的な最低限度の生活を営む権利を有する。
2. 国は、すべての生活部面について、社会福祉、社会保障及び公衆衛生の向上及び増進に努めなければならない。

社会福祉という言葉は、①社会福祉の目的として憲法第25条に示されているような抽象的な「理念」として使う場合と、②具体的に社会福祉法など法律や社会福祉制度などを指す場合があります。前者を「目的（目標）概念としての社会福祉」と呼び、後者を「実体概念としての社会福祉」と呼びます。

また、現在の社会福祉の理念として、次の３つがあげられます。①基本的人権の尊重*3、②ナショナルミニマム、③ノーマライゼーション*4 *5 です。①の基本的人権の尊重は憲法第11条に示されています。②のナショナルミニマムは国民に対し、自国の生活水準と比較して最低限必要なレベルの生活を保障することで、憲法第25条第１項に示されています。③のノーマライゼーションは障害の有無にかかわらず、誰もが地域で普通に暮らせる社会を目指す理念です。デンマークのバンク・ミケルセンらによって提唱されました。

知っトク

*3 **基本的人権の尊重**
世界のすべての人や国が尊重しなければならないものとして基本的人権の基準を示したのは、1948年に国連総会で採択された世界人権宣言です。

*4 **ノーマライゼーション**
R4年(前)　R4年(後)

*5 **ノーマライゼーション7か年戦略**
R4年(後)
1995(平成7)年に、国の障害者施策推進のために定められた「障害者プラン」のこと。リハビリテーションの理念とノーマライゼーションの理念を踏まえつつ、プランの視点及び具体的な施策目標が掲げられています。

○ 社会福祉の理念に関連する用語

ノーマライゼーション	・障害の有無にかかわらず、誰もが地域で普通に暮らせる社会を目指す理念 ・デンマークのバンク・ミケルセンによって提唱された ・障害者福祉分野に限らず日本の社会福祉分野全般の共通基礎理念として位置づけられている
ソーシャルインクルージョン	・社会的に排除されやすい人などを含むすべての人々を地域社会で支え合いながら暮らしていこうとする考え方。「社会的包摂」などと訳される
ウェルビーイング*6	・個人の権利や自己実現が保障され、その個人が身体的・精神的・社会的により良い状態にあることを意味する言葉 ・ノーマライゼーションもインクルージョンもウェルビーイング実現を目指しているという点で共通している
ナショナルミニマム	・国が国民に対して保障するべき最低限の生活水準のことで、日本国憲法第25条に規定されている
シビルミニマム	・自治体が住民のために保障しなければならない、最低限度の生活の保障のこと
バリアフリー	・高齢者や障害をもつ人などが生活していく上で障壁（バリア）となるものを除去すること、あるいは、除去されたもの
ユニバーサルデザイン	・年齢、性別、文化の違い、障害の有無によらず、誰にとってもわかりやすく、使いやすい設計のこと ・ユニバーサルデザインの概念はアメリカのロナルド・メイスによって提唱された

ココが出た！

*6 ウェルビーイング
R5年（前）

知っトク

***7 要保護児童・要支援児童**
要保護児童・要支援児童については児童福祉法で定義されています。要保護児童・要支援児童は乳児院や児童養護施設などだけでなく、保育所でもかかわる場合がありますので、対象児童を支える仕組みについては、科目「子ども家庭福祉」も参照しておくとよいでしょう。

1 社会福祉の対象

社会福祉の対象は時代とともに変化しています。戦前は病人や貧困者、孤児など一部の生活課題や問題を抱えた人々が対象とされてきました。しかし、戦後は日本国憲法が制定され、日本の社会福祉政策や国民の社会福祉問題のとらえ方も変化し、貧困者や要保護児童*7 など限定された対象者だけでなく一般市民にまでその対象は拡大しています。また、個人が生活問題や課題を抱えることを防ぐために予防的な機能も重視されつつあり、対象はさらに広がりをみせています。つまり、就労問題や格差社会、あるいは子育て家庭への支援のあり方など、個人の生活上の諸問題も社会福祉の対象となります。

ノーマライゼーションとインクルージョンの思想は違うのか？

ノーマライゼーション思想の１つに、障害のある人が排除されない、誰もが参加できる社会を目指すことがあります。この思想は社会福祉、特に障害者福祉にとって歴史的にもっとも重要かつ画期的な思想であったといえます。

また、インクルージョン思想は、すべての人々を包含しその多様性を認め、誰もが参画するチャンスがあることを目指したものです。

つまり、両者は、障害の有無や人種、性別、能力に関係なく、機会の平等の実現に向けた思想であるという点で共通しています。時代背景や社会の状況の変化によって、両者には違いがあるとする考え方もありますが思想の根底は通じ合うものがあるといえるでしょう。

2 社会福祉の主体

わが国の社会福祉の主体は、①政策主体、②経営（事業）主体、③実践主体の３つです。

経営（事業）主体として1970年代までは国、地方自治体、社会福祉法人*8 の３主体が社会福祉サービスを提供していました。1980年代前後から高齢者福祉領域で福祉サービスの需要が急激に増大した結果、特定非営利活動法人や民間企業の参入が始まりました。

○ 社会福祉の主体

政策主体	社会福祉政策を計画・策定し、実行・展開する主体である、国や地方自治体のこと
経営主体	社会福祉の事業を経営する主体。福祉事業を行う施設や機関は公営と民営に分けられ、公営の場合は国や地方自治体であり、民営の場合は社会福祉法人や財団法人、特定非営利活動法人（NPO法人）など
実践主体	社会福祉現場の担い手。援助主体と呼ばれることもある。社会福祉従事者、ソーシャルワーカーなどの専門職のほか、現在ではボランティアやセルフヘルプグループ*9 も実践主体として含まれるようになっている

用語解説

***8 社会福祉法人**
社会福祉法人は、社会福祉法第24条において、「社会福祉事業の主たる担い手としてふさわしい事業を確実、効果的かつ適正に行うため、自主的にその経営基盤の強化を図るとともに、その提供する福祉サービスの質の向上及び事業経営の透明性の確保を図らなければならない」と示されています。

知っトク

***9 セルフヘルプグループ**
セルフヘルプとは同じ障害や疾病を持つ者同士がグループや団体を結成し情報交換をしたり、助け合ったりすることです。

知っトク

*10 潜在的ニーズ
潜在的ニーズを持つ利用者のもとに積極的に出向き、ニーズを顕在化させることを目指す手法の一つにアウトリーチがあります。

3 福祉ニーズの変容

福祉ニーズとは、国民が日常生活を営む上で生じる要求が満たされることが本来、必要であるにもかかわらず、個人の力では充足できていない状態をいいます。

支援者としては、本人も必要性を自覚していない潜在的な福祉ニーズ[*10]があることに注意しましょう。

さらに、わが国の人口構造（少子高齢化など）や社会環境（家庭機能など）の変化は新たな福祉ニーズを生み出しています。そこで、多様化する福祉ニーズに対応するため、福祉サービスの多様化、拡大化が必要となっています。

ココが出た！

*11 社会福祉の歴史
R6年(前)
近代社会の発展の中で成立しましたが、それ以前の相互扶助や宗教的な慈善事業も重要な役割を担っていたことが問われました。

4 社会福祉の発展

■ 日本における社会福祉の歴史[*11]

①社会事業成立以前（慈善事業から感化事業[*12]）

日本の社会福祉の歴史をみると、社会事業が成立する以前にも、近隣、親族による相互扶助や宗教を背景とした慈善救済活動が行われてきました。日本における社会福祉の始まりは、明治初期に貧困対策として恤救規則（じゅっきゅう）[*13]が制定されたことがあげられます。恤救規則は日本で初めての国家による公的救済制度です。ただし、救済の対象（障害者と70歳以上の重病の者などで相互扶助の対象から外れた者など）及び救済の内容は限定的でした。

知っトク

*12 感化事業
非行（不良行為や犯罪行為など）の少年・少女を保護・教育して、矯正する事業です。感化救済事業ともいいます。

②社会事業の成立期

大正から昭和初期にかけて、官民一体となって社会事業の組織化を推進したのが、大阪の社会事業推進者の一人である小河滋次郎[*14]らによって考案された方面委員制度[*15]です。これが現在の民生委員制度の先駆けとなりました。

また、1929（昭和４）年に貧困により生活できない人の生活保護を目的とした救護法[*16]が公布されましたが、財政難のため1932（昭和７）年からの施行となりました。その他の社会事業関連の法律としては、1927（昭和２）

ココが出た！

*13 恤救規則
R5年(後)

*14 小河滋次郎（方面委員制度）
R4年(後)

*15 方面委員制度
R4年(後)

*16 救護法
R4年(前)　R5年(前)
R5年(後)

年に公益質屋法、1933（昭和８）年に（旧）児童虐待防止法、少年教護法（感化法から改称）、1936（昭和11）年に方面委員令、1937（昭和12）年に、母子保護法が制定・公布されました。

○ 社会福祉の歩み（明治～第二次世界大戦前）

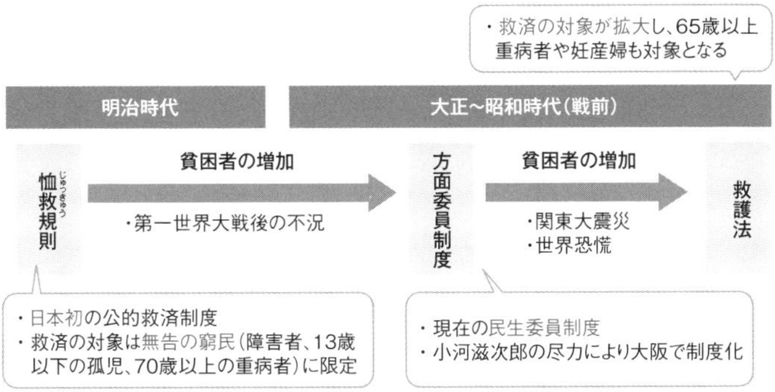

明治時代		大正～昭和時代（戦前）		
恤救規則（じゅっきゅうきそく）	貧困者の増加 ・第一世界大戦後の不況	方面委員制度	貧困者の増加 ・関東大震災 ・世界恐慌	救護法

恤救規則：
・日本初の公的救済制度
・救済の対象は無告の窮民（障害者、13歳以下の孤児、70歳以上の重病者）に限定

方面委員制度：
・現在の民生委員制度
・小河滋次郎の尽力により大阪で制度化

救護法：
・救済の対象が拡大し、65歳以上重病者や妊産婦も対象となる

○ 日本の慈善事業家とその慈善事業

人物	年代	施設名	事業
石井十次*17	1887（明治20）年	岡山孤児院	現在の児童養護施設
石井亮一*18	1891（明治24）年	滝乃川学園	現在の知的障害児施設
アリス・ペティー・アダムス	1891（明治24）年	岡山博愛会	セツルメントハウス
片山潜	1897（明治30）年	キングスレー館	セツルメントハウス
留岡幸助*19	1899（明治32）年	東京の巣鴨の家庭学校	現在の児童自立支援施設
野口幽香（ゆか）・森島峰	1900（明治33）年	二葉幼稚園	保育園の原型施設を開設
糸賀一雄	1946（昭和21）年	近江学園	知的障害者施設

ココが出た！

*17 **石井十次（岡山孤児院）**
R4年（後）

*18 **石井亮一（滝乃川学園）**
R4年（後）

*19 **留岡幸助（家庭学校）**
R4年（後）

③社会福祉関連法の成立期

戦後の引揚者などへの公的扶助、戦災孤児、戦争による身体障害者問題などに対する対応策として福祉三法が整備されました。それにより、国家の責任として、社会福祉の推進が図られました。また、1951（昭和26）年には社会福祉事業法（現：社会福祉法）が制定され、さまざまな福祉サービスの基本理念と原則が定められました。

○ 福祉三法

（旧）生活保護法 （新）生活保護法	1946（昭和21）年 1950（昭和25）年
児童福祉法	1947（昭和22）年
身体障害者福祉法	1949（昭和24）年

1960年代の日本は高度成長期（高度経済成長）に突入し、高齢化問題、公害問題、核家族化問題など、さまざまな生活問題が出現した時期でもあります。そこで、国民の生活問題に対応した福祉六法体制（上表の福祉三法と下表の三法）が確立されました。

○ 福祉六法（福祉三法と合わせて福祉六法となる）

精神薄弱者福祉法（現在の知的障害者福祉法）	1960（昭和35）年
老人福祉法*20	1963（昭和38）年
母子福祉法（現在の母子及び父子並びに寡婦福祉法）	1964（昭和39）年

また、1958（昭和33）年12月に国民健康保険法が可決成立し1959（昭和34）年1月に施行され、1961（昭和36）年から国民皆保険体制となりました。1959（昭和34）年には国民年金法が制定され、1961（昭和36）年から国民皆年金体制となりました。

さらに、1990（平成2）年に福祉関係八法改正*21（老人福祉法等の一部を改正する法律）が行われ、この改正では在宅福祉サービスと施設福祉サービスの一元化が図られ、計画的なサービスの提供ができる体制が作られました。この改正と、1995（平成7）年の地方分権推進法の成立により、社会福祉分野では地域住民に一番近い市町村の責任において地域福祉の推進が図られることとなりました。

④地域福祉の推進*22 と多様化する福祉サービス*23

1990年代後半には多様化する社会福祉問題に対応するため、1998（平成10）年に「社会福祉基礎構造改革について（中間まとめ）」が公表され、1997（平成9）年に介

*20 **老人福祉法**
R6年（前）

知っトク

*21 **福祉関係八法改正**
八法とは次の法律です。
① 老人福祉法
② 身体障害者福祉法
③ 精神薄弱者（知的障害者）福祉法
④ 児童福祉法
⑤ 母子及び父子並びに寡婦福祉法
⑥ 社会福祉事業法（現：社会福祉法）
⑦ 老人保健法（現：高齢者の医療の確保に関する法律）
⑧ 社会福祉・医療事業団法

ココが出た!

*22 **地域福祉の推進**
R4年（前）

知っトク

*23 **社会福祉の経営（供給）主体の変容**
社会福祉の経営（供給）主体は、これまでの公営（国、地方公共団体）、民営（社会福祉法人、NPO）から株式会社などの一般企業も経営（供給）主体になってきています。高齢者福祉、障害者福祉、児童福祉分野においても経営主体は広がりをみせています。

護保険法が成立し、2000（平成12）年から施行、2000（平成12）年、社会福祉事業法が社会福祉法に改正されました。

◯ 第二次世界大戦以後の社会福祉の歩み

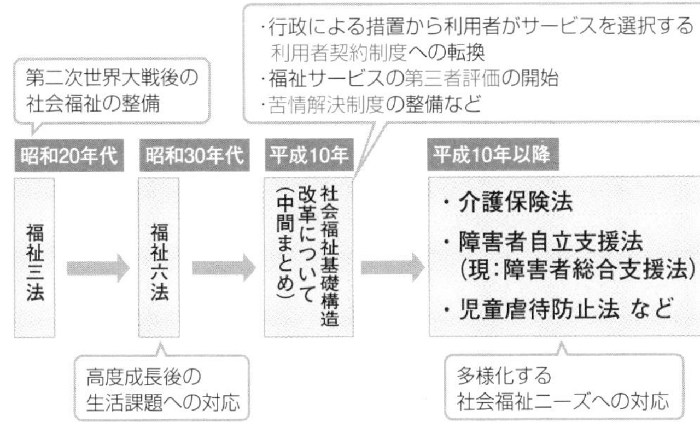

2005（平成17）年には障害者自立支援法が制定されました。その後、2013（平成25）年から障害者総合支援法に改正され障害者の定義に難病等が追加されました。2013（平成25）年に「障害を理由とする差別の解消の推進に関する法律（障害者差別解消法）」が制定され、2016（平成28）年から施行されました。すべての国民が、障害の有無によって分け隔てられることなく、相互に人格と個性を尊重し合いながら共生する社会*24 の実現に資することを目的としています。

また、子ども家庭福祉の分野では、子育てに関する問題が顕在化し、児童虐待に対応するため2000（平成12）年には「児童虐待の防止等に関する法律」が制定されました。さらに、待機児童問題や地域子育て支援についても関心が集まってきた時期です。2001（平成13）年の児童福祉法改正では、保育士資格が法定化されました。

さらに、2012（平成24）年に成立した子ども・子育て関連三法*25 に基づき、2015（平成27）年から「子ども・子育て支援新制度」が施行されました。

知っトク

*24 **共生社会**
共生社会を支える理念のひとつとしてソーシャルインクルージョンがあります。日本では、2000（平成12）年の厚生省（現：厚生労働省）の報告書でこの理念を進めることが提言されています。また、2013（平成25）年には障害者差別解消法が制定され、障害のある人が社会生活を円滑におくれるよう合理的配慮の提供について定められました。

知っトク

*25 **子ども・子育て関連三法**
「子ども・子育て支援法」「認定こども園法の一部改正」「子ども・子育て支援法及び認定こども園法の一部改正法の施行に伴う関係法律の整備等に関する法律」の三法です。

■ イギリスにおける社会福祉の歴史

1601年にイギリスでは、エリザベス救貧法が制定されました。この法律により、これまでの教区による救済とは別に、全国的に統一された救貧行政が実施されました。また、労働能力を基準に①有能貧民、②無能力貧民、③児童の3つに区分し、有能貧民については強制労働などを課しました。

1834年にはエリザベス救貧法に代えて、新救貧法が成立しました。その内容は、救済水準を全国一律とする、劣等処遇の原則*26によると定めています。

この当時のイギリスは貧困者が増加しており、民間による活動が活発になりました。1869年、ロンドンに慈善団体の連絡・調整、協力、貧民の救済を目的に慈善組織協会（COS：Charity Organization Society）*27が設立され救済の適正化が図られました。また、セツルメント運動も民間の活動として行われました。セツルメント運動とは、大学教員や学生、教会などに属する人たちが、地域の貧困地域（スラム）に住み込み、貧困に苦しむ人々の生活改善を試みる運動です。この頃、バーネット夫妻らが世界最初のセツルメントハウスである「トインビーホール」を設立しました。これらの活動は、後のグループワークやコミュニティワークへと発展していきます。

また、貧困の科学的解明を目指した社会調査も、社会福祉の発展に大きな影響を与えています。1886年にチャールズ・ブースがロンドンで実施した貧困調査*28は「ロンドン市民の生活と労働」として発表され、ロンドン市民の3分の1が貧困線*29以下の生活をしている実態を明らかにしました。この調査で貧困は個人の責任ではなく、雇用や低賃金などに起因することがわかりました。また、シーボーム・ラウントリーは貧困調査を行い、1901年に「貧困－都市生活の研究」を発表し貧困状態を第一次貧困と第二次貧困に分けています*30。

*26 **劣等処遇の原則**

救済を受ける者の生活水準が、救済を受けていない者の生活水準を超えてはならないとする考えです。これは一見合理的ですが、底辺の生活をしている者が十分に救済されていない場合は、この原則に適合するには最底辺の労働者の生活水準よりもさらに劣る程度の救済しか行うことができません。この劣等処遇の原則は、新救貧法が最初となります。

*27 **イギリスのCOS（慈善組織協会）**

R6年（前）

都市に急増した貧困者、浮浪者等に対する慈善の濫救、漏救を防ぎ、効率的に慈善を行う意図があった創設の意図が問われました。

*28 **ブース（Booth, C.j.）の貧困調査**

R6年（前）

イギリス（ロンドン）の貧困調査で貧困の原因について問われました。

その後、1942年にはウィリアム・ベヴァレッジが「社会保険および関連サービス」（ベヴァリッジ報告*31）と題した報告書を提出し、社会生活を脅かす５つの巨悪として「無知、貧困、怠惰、疾病、不潔」をあげています。また、公的な社会福祉サービスとして1911年に国民保険法、1946年に国民保険サービス法が制定され、「ゆりかごから墓場まで」を合言葉にイギリスの社会保障の体系が示されました。

○ イギリスにおける社会福祉の歴史

年代	できごと	内容
1601年	エリザベス救貧法*32の制定	世界初の国家による貧困対策制度。
1834年	新救貧法の制定	劣等処遇、均一処遇、院内保護の原則が採用され、エリザベス救貧法よりも救済内容を制限した。
1869年	慈善組織協会（COS）の設立	濫給(らんきゅう)、漏給(ろうきゅう)*33を防ぐために、民間で行われている複数の救済活動の調整を行った。
1884年	トインビーホールの設立	バーネット夫妻らがスラム街に世界初のセツルメントハウスを設立し、住み込みながら貧困者の支援を行った。
1880～1900年代	ブース、ラウントリーによる貧困調査	貧困の実態調査を行い、貧困の原因が個人ではなく、賃金などの社会にあることを明らかにした。 ブース「ロンドン市民の生活と労働」（貧困線） ラウントリー「貧困―都市生活の研究」
1911年	国民保険法の制定	健康保険と失業保険を含む社会保険制度を実現させた。
1942年	ベヴァリッジ報告の提出	この報告書により「ゆりかごから墓場まで」というイギリスの社会福祉政策のスローガンが生まれた。

■ アメリカにおける社会福祉の歴史

アメリカのセツルメント運動は、1886年にニューヨークの貧民居住地区に、スタントン・コイツが「ネイバーフッド・ギルド」を設立したことに始まります。また、慈善組織化運動の一つである、友愛訪問を実施しています。友愛訪問とは、ボランティアの訪問員が貧困者や高齢者などを個別に訪問し援助を行うことで、ケースワークの草分けで

用語解説

*29 **貧困線**
貧困線とは、日常生活を送る上で最低限必要な品物を購入することができる最低水準の収入があることを表す指標のことです。

知っトク

*30 **貧困状態の分類**
一次貧困とは、生活に必要な収入がない状態、二次貧困とは、生活に必要な収入があるが、飲酒などの浪費により貧困に陥ってしまっている状態のことです。

ココが出た！

*31 **ベヴァリッジ報告**
R5年（後）　R6年（前）
イギリスの福祉政策等の年代を問う問題としてベヴァリッジ報告が出題されました。

ココが出た！

*32 **救貧法**
R5年（後）

用語解説

*33 **濫給(らんきゅう)・漏給(ろうきゅう)**
濫給は必要のない人が支援・援助を受けることで、漏給は必要な人に支援・援助が届いていないことです。

もあります。さらに、1889年、シカゴにジェーン・アダムズが「ハルハウス」を設立しました。時を同じくしてメアリー・リッチモンド*34がケースワーク論を確立し、ソーシャルワークの科学化を推進しています。リッチモンドは「ケースワークの母」と呼ばれています。

ココが出た！
*34 **メアリー・リッチモンド**
R5年(前)
ケースワークの母と呼ばれ、『社会診断』『ソーシャル・ケースワークとは何か』を執筆しました。

また、アメリカではこれまで、個人の生活問題は個人の責任としてきましたが、1929年の経済恐慌により多くの失業者が発生し、その対策として、F.ルーズベルト大統領による貧困救済や公共事業による失業対策などを目標としたニューディール政策が実施された歴史があります。これについては、経済の回復がみられたとする見解と、経済の立て直しとしては適切な方策ではなかったとする見解の両方があります。

子ども家庭支援と社会福祉

現代では、子どもの発達保障といった保育を前提として、子どもが育つ家庭（保護者）を支える子ども家庭福祉の重要性が指摘されています。保育士は保育の専門性と同時にソーシャルワークの視点を持ち、家族や保護者の支援を行うことが必要となっています。家庭が抱える子育て問題だけでなく、それぞれの生活問題や課題についても支援していくことが求められています。つまり、家庭機能を支援していく役割を担っているということです。

また、要保護児童とその家庭の支援の重要性を理解し、子どもの虐待や不適切な養育等について、予防的対応も含めて家庭を支援していくことが必要となっています。家庭支援では、家族の養育機能だけでなく保護者と子どもの関係改善等について関係機関と連携協力しながら支援していくことが求められます。

■ 子ども・子育てビジョン

子どもと子育てを応援する社会に向けて、2010（平成22）

年に「子ども・子育てビジョン」が、少子化社会対策基本法に基づく「大綱」として定められました。「社会全体で子育てを支える」ことを基本的な考えとしています。

■ 子ども・子育て支援新制度*35

子ども・子育て支援新制度は2012（平成24）年に成立した子ども・子育て関連三法に基づき、2015（平成27）年から施行されました。子ども・子育て支援新制度では、「量」（必要とするすべての家庭が利用できる支援を目指す）と「質」（幼稚園や保育所、認定こども園などの職員配置の改善、職員の処遇改善など）の両面から子育てを社会全体で支えるとしています。

■ 市町村子ども・子育て支援事業計画*36

子ども・子育て支援法第61条では、市町村が５年間の計画期間における幼児期の学校教育・保育・地域の子育て支援についての需給計画を示す市町村子ども・子育て支援事業計画を作成することが定められています。住民の利用希望を踏まえて、幼児期の学校教育・保育（認定こども園、幼稚園、保育所）、地域子ども・子育て支援事業（利用者支援、地域子育て支援拠点事業、一時預かり事業等）についての計画を作成します。なお、2023（令和５）年のこども基本法の施行により、市町村子ども・若者計画などとあわせて、市町村こども計画として作成することができるようになりました。

■ 子ども・子育て会議*37

有識者、地方公共団体、事業主代表・労働者代表、子育て当事者、子育て支援当事者等（子ども・子育て支援に関する事業に従事する者）が、子育て支援の政策プロセスなどに参画・関与することができる仕組みとして、国に子ども・子育て会議が設置されています。なお、2023（令和５）年のこども家庭庁の設置に伴い、子ども・子育て会議はこども家庭審議会に置き換わることとなりました。

知っトク

*35 **子ども・子育て支援法の理念**

子ども・子育て支援は、父母その他の保護者が子育てについての第一義的責任を有するという基本的認識の下に、家庭、学校、地域、職域その他の社会全体で各々の役割を果たし、相互協力して行われるものであると示されています。

知っトク

*36 **市町村子ども・子育て支援事業計画**

どの法律によって定められているのかが問われたことがありました。「児童福祉法」や「少子化対策基本法」などと混同しないようにしましょう。

*37 **子ども・子育て会議**

R4年（前）

𝄞♪ 児童の人権擁護と社会福祉

■ 児童憲章

児童憲章は1951（昭和26）年に制定されました。冒頭では、次のように子ども福祉の理念について記載されています。

「われらは、日本国憲法の精神にしたがい、児童に対する正しい観念を確立し、すべての児童の幸福をはかるために、この憲章を定める。児童は、人として尊ばれる。児童は、社会の一員として重んぜられる。児童は、よい環境の中で育てられる」

■ 児童の権利に関する条約

児童の権利に関する条約は、1989（平成元）年の第44回国連総会において採択され、日本は1994（平成6）年に批准しています。この条約は、18歳未満を「児童」と定義し、世界の多くの児童が今もなお、貧困等の困難な状況に置かれている状況にかんがみ、世界的な観点から児童の人権の尊重、保護の促進を目指したものです。

第２条「差別の禁止」、第６条「生きる権利、育つ権利」、第12条「意見を表す権利」、19条「虐待・放任からの保護」などがあります。

■ 全国保育士会倫理綱領

保育士の専門性に関する倫理綱領として、全国保育士会倫理綱領が示されています。その中で、「子どもの最善の利益の尊重」「子どもの発達保障」「保護者との協力」「プライバシー保護」「地域子育て支援」「専門職としての責務」などがうたわれています。

児童の権利擁護はなぜ必要かを考える

児童の歴史を振り返ると、過酷な労働、虐待、差別などが存在し、児童の権利が保障されてきたとはいえません。このような背景から「児童憲章」「児童権利宣言」「児童の権利に関する条約」などが制定され児童の権利擁護について世界的に取り組みが行われてきています。

しかしながら、現在でも日本において児童虐待相談対応件数は増加の一途を辿っています。児童の権利擁護を推進するための制度と同時に、社会全体で児童の権利擁護に対する意識を高める必要があると思われます。

なお、2023（令和5）年4月1日に、こども基本法*38 が施行されました。憲法や子どもの権利条約で認められる子どもの権利を包括的に定め、国の基本方針を示すものです。

*38 **こども基本法**
科目「子ども家庭福祉」で第1条の条文とともに紹介していますので、こちらも確認してください。

家庭支援と社会福祉

■ 保育所保育指針*39

保育所保育指針（2009（平成21）年改正）では、「保護者に対する支援」という項目が新たに設けられ、保育所、保育士等には保護者に対する支援が業務として位置づけられました。また、2018（平成30）年に最新の改正内容が施行されました。そこでは、乳児・1歳以上3歳未満児の保育に関する記載が充実しました。また、保育所保育における幼児教育の積極的な位置づけが行われ、養護と教育の定義も示されています。さらに、職員の資質・専門性の向上（職員の倫理観を含む）について、職員の研修機会の確保や職場における研修、外部研修の活用など、より具体的に記載されています。

*39 **保育所保育指針**
R4年(前)　R5(前)
R5年(後)
なお、指針の全文を巻末に、詳しい解説については下巻「保育原理」に掲載しているので、確認しておきましょう。

■ 親権者

親権*40 とは、民法によると、成年に達していない子どもを監護、教育し、その財産を管理するため、その父母に与えられた身分上及び財産上の権利・義務のことです。具体的な親権の内容として、財産管理権、身上監護権（身分行為の代理権、居所指定権、職業許可権ほか）などがあります。未成年の子に対して親権を行う者を親権者といいます。また、子どもが親から虐待を受けている場合など、親権者に親権を行使させることが子どもの利益を害すると判

*40 **親権と親権者**
子どもは親権者の許可がなければ職業を営むことができません。また、親権者には必要な範囲で懲戒権が認められていましたが、児童虐待防止の観点から、2022(令和4)年の民法改正で懲戒権の規定が削除されました。同時に親権者は「体罰等の、子の心身の健全な発達に有害な影響を及ぼす言動をしてはならない」ことが明記されました。

断された場合、児童福祉法にもとづき、児童相談所の長は裁判所に親権喪失審判請求を行うことができます。通常、親権は父母が共同して行使しますが、離婚等の場合は共同して行使することはできません。父母のどちらかを親権者として定める必要があります*41。

知っトク

*41 **共同親権**
2024(令和6)年5月に民法が改正され、離婚後に従来通りの単独親権とするか、共同親権とするか選択できるようになりました。法律の施行は改正から2年以内とされています。

成年に達していない子ども

民法等改正により，2022（令和４）年４月１日から、成年年齢が20歳から18歳に引き下げられました。成年に達すると、親の同意がなくても、賃貸契約やクレジットカード作成なども自分一人でできるようになります。また、女性が結婚できる最低年齢は16歳から18歳に引き上げられ、結婚できるのは男女ともに18歳以上となりました。一方、成年年齢が18歳になっても、飲酒や喫煙などに関する年齢制限は、これまでと変わらず20歳です。

■未成年後見人

未成年後見人とは、未成年者（未成年被後見人）の法定代理人であり、未成年者の監護養育、財産管理、契約等の法律行為などを行います。親権者の死亡等のため未成年者に対し親権を行う者がない場合に、家庭裁判所は、申立てにより、未成年後見人を選任します。

■ 児童家庭支援センター*42

児童福祉法第44条の２にもとづく、地域の児童の福祉に関する問題について助言・援助を行う施設です。具体的には、児童に関する家庭その他からの相談の中で、専門的な知識および技術を必要とするものに対して、必要な助言を行うほか、児童相談所、児童福祉施設等との連絡調整その他援助を総合的に行う施設として、主に児童養護施設などの児童福祉施設に設置されています。

知っトク

*42 **児童家庭支援センター**
児童家庭支援センターは、児童福祉法に規定される児童福祉施設です。内容面だけでなく、規定されている法律名や施設の分類等は出題されやすいので覚えておきましょう。

■ 子育て支援員

子ども・子育て支援新制度で創設された保育の補助業務を担う者のことです。厚生労働省では次のように説明しています。

「地域において保育や子育て支援等の仕事に関心を持ち、保育や子育て支援分野の各事業等に従事することを希望する者に対し、多様な保育や子育て支援分野に関しての必要な知識や技能等を修得するための全国共通の研修制度を創設し、これらの支援の担い手となる「子育て支援員」の養成を図る」

■ こども家庭センター*43

こども家庭センターは母子保健法*44 を根拠法としています。すべての妊産婦・乳幼児等を対象に妊娠期から子育て期までの切れ目ない支援等を通じて、妊娠や子育ての不安、孤立等に対応し、児童虐待のリスクを早期に発見・低減するための施設です。

母子保健分野と子育て支援分野の両面から支援を行うことが特徴で、具体的には、母子保健法にもとづく母子保健事業、子ども・子育て支援法にもとづく利用者支援事業、児童福祉法にもとづく子育て支援事業を行います。

■ ファミリー・サポート・センター事業

子育てを地域において会員同士で支え合う事業です。子育て中の就業者や主婦等（保護者）を会員として、子どもの預かり等の援助を受けることを希望する会員と、援助することを希望する会員との相互援助活動に関する連絡、調整などの事業を行い、市区町村で実施されています。「子ども・子育て支援新制度」の開始に伴い、2015（平成27）年度からは、「地域子ども・子育て支援事業」として実施されています。なお、利用料が設定されています。

■ 児童発達支援センター*45

障害児が身近な地域で支援を受けられるように児童発達支援が再編されました。これまでの知的障害児通園施設、肢体不自由児通園施設等が児童発達支援センターとして、施設が有する専門機能を生かした支援を行っています。児童福祉法第43条に定められた児童福祉施設です。

■ 母子生活支援施設*46

児童福祉法第38条に定められた児童福祉施設です。配

*43 **こども家庭センター**
児童家庭支援センターとは異なり、根拠法が母子保健法で、児童福祉施設ではないことに注意しましょう。なお、以前は母子健康包括支援センター（子育て世代包括支援センター）という名称でした。

*44 **母子保健法**
R4年（前）

*45 **児童発達支援センター**
R4年（前）
児童福祉法に規定される児童福祉施設です。名称に「センター」という言葉がついている児童福祉施設は、この児童発達支援センターと児童家庭支援センターと里親支援センターの3つです。

*46 **母子生活支援施設**
R4年（前）

偶者のない女子や監護すべき児童などを入所させて、保護するとともに自立の促進のために生活を支援する施設です。また、母子生活支援施設は、児童福祉施設の設備及び運営に関する基準第29条の３で自己評価、第三者評価の実施と、それらの結果の公表が義務づけられています。

理解度チェック　一問一答

全問クリア　　月　　日

Q

□ ❶ 知的障害児を対象とした「滝乃川学園」は石井十次が設立した。 R4年（後期）

□ ❷ ノーマライゼーションとは、障害の有無にかかわらず、誰もが地域で普通に暮らせる社会を目指す理念である。 R5年（前期）

□ ❸ 「保育所保育指針」では、保育士の倫理観について言及している。 R5年（前期）

□ ❹ 社会福祉の歴史的な事柄として、ベヴァリッジ報告では、貧困を生みだす5つの要因に対して、新たな社会保障システムを打ち出した。 R6年（前期）

□ ❺ 「救護法」（1929（昭和4）年）では、保護の対象を13歳以下の幼者のみと規定した。 R5年（後期）

A

❶ × 「滝乃川学園」（現在の知的障害児施設）を設立したのは「石井亮一」である。

❷ ○

❸ ○

❹ ○

❺ × 救護法では、救護の対象を13歳以下の幼者、65歳以上の老衰者、妊産婦、身体・精神などの障害があり業務遂行が困難な者とした。

2 社会福祉の制度と実施体系

頻出度 ✤✤✤

さまざまな法制度から出題されるので、社会福祉法制度を体系的に理解しましょう。各関連法の条文を熟読し、特に目的や定義、基本理念などについて細かくみておくことが必要です。また、社会福祉制度と根拠法の組み合わせなど、概念や用語を含めて理解を深めましょう。

社会福祉関連法の体系

社会福祉にかかわる法律は、福祉六法など複数あります。

○ 社会福祉関連法の体系

障害者福祉				子ども家庭福祉		高齢者福祉		生活保護
身体障害者福祉法	知的障害者福祉法	精神障害者福祉法（精神保健及び精神障害者福祉に関する法律）	発達障害者支援法	児童福祉法	母子及び父子並びに寡婦福祉法	老人福祉法	介護保険法	生活保護法
障害者総合支援法						高齢者の医療の確保に関する法律		
社会福祉法								

□：「福祉六法」を構成する法律

その中心となるのが社会福祉法であり、社会福祉関連法の土台となっています。また、介護保険法や高齢者の医療の確保に関する法律のように、社会保障と社会福祉の両方にまたがっている法律もあります。

■ 社会福祉法*1

日本の社会福祉の中心となる法律であり、わが国の福祉サービスの基本理念や原則、社会福祉事業の範囲、社会福祉の実施体制･組織について規定しています。また、福祉サービス事業の適正な運営等に関する事柄として、苦情解決や人材確保などが定められています。

> **第1条（目的）**
> この法律は、社会福祉を目的とする事業の全分野における共通的基本事項を定め、社会福祉を目的とする他の法律と相まつて、福祉サービスの利用者の利益の保護及び地域における社会福祉（以下「地域福祉」という。）の推進を図るとともに、社会福祉事業の公明かつ適正な実施の確保及び社会福祉を目的とする事業の健全な発達を図り、もつて社会福祉の増進に資することを目的とする。

第２条では、社会福祉事業について「第一種社会福祉事業*2」および「第二種社会福祉事業*3」に分けて説明しています。第一種社会福祉事業は、利用者への影響が大きく、安定した経営が求められ、利用者保護の必要性が高い事業（入所施設サービス等）です。そのため、経営主体は原則として行政および社会福祉法人に限られており、施設を経営する場合は都道府県知事等への届け出が必要です。また、第二種社会福祉事業は、第一種社会福祉事業以外の社会福祉事業で比較的利用者への影響が小さく、公的な規制の必要性が低い事業（在宅サービス等）で、経営主体の制限はありません。保育所、幼保連携型認定こども園などの経営は第二種社会福祉事業になります。

第２条第３項第12号には福祉サービス利用援助事業*4（日常生活自立支援事業）が規定されています。対象者は、判断能力が不十分な方（認知症高齢者、知的障害者、精神障害者など、意思表示を本人のみでは適切に行うことが困

ココが出た！

***1 社会福祉法**
R4年(後)　R5年(前)
R6年(前)
ほぼ毎年、社会福祉法に関する問題が出ています。

***2 第一種社会福祉事業**
R4年(前)　R4年(後)
該当する事業の種類や経営主体が原則として行政および社会福祉法人に限られていることをおさえておきましょう。

***3 第二種社会福祉事業**
R4年(後)
社会福祉法人だけでなく、株式会社が運営している保育所があることからもわかるように、経営主体に制限がないという点を特に気を付けて覚えておきましょう。

***4 福祉サービス利用援助事業**
R4年(前)　R5年(後)
R6年(前)
サービス開始から利用者が増加傾向であることが出題されました。

難な方）で、援助内容は福祉サービスや苦情解決制度の利用援助を行います。事業の実施主体は都道府県・指定都市社会福祉協議会で、利用希望者は実施主体に対して申請（相談）を行います。

第３条（福祉サービスの基本理念）では、「福祉サービスは、個人の尊厳の保持を旨とし、その内容は、福祉サービスの利用者が心身ともに健やかに育成され、又はその有する能力に応じ自立した日常生活を営むことができるように支援する」とされています。また、第４条（地域福祉の推進）第１項に「地域福祉の推進は、地域住民が相互に人格と個性を尊重し合いながら、参加し、共生する地域社会の実現を目指して行われなければならない」と示され、第３項で「福祉サービスを必要とする地域住民及びその世帯が抱える福祉、介護、介護予防、保健医療、住まい、就労及び教育に関する課題、福祉サービスを必要とする地域住民の地域社会からの孤立その他の福祉サービスを必要とする地域住民が日常生活を営み、あらゆる分野の活動に参加する機会が確保される上での各般の課題を把握し、地域生活課題の解決に資する支援を行う関係機関との連携等によりその解決を図るよう特に留意するものとする」とされています。

○ 社会福祉事業（一部抜粋）

第一種社会福祉事業	第二種社会福祉事業
・生活保護法に規定する救護施設、更生施設・授産施設 ・児童福祉法に規定する乳児院*5、母子生活支援施設*6、児童養護施設*7、障害児入所施設、児童心理治療施設又は児童自立支援施設 ・老人福祉法*8に規定する養護老人ホーム、特別養護老人ホーム又は軽費老人ホーム ・障害者の日常生活及び社会生活を総合的に支援するための法律に規定する障害者支援施設 ・困難な問題を抱える女性への支援に関する法律で規定する女性自立支援施設 ・共同募金*9を行う事業（第113条） ・授産施設を経営する事業及び生計困難者に対して無利子又は低利で資金を融通する事業 **第一種社会福祉事業の特徴** ・利用者保護の必要性が高い事業が多い（入所施設サービスなど） ・経営主体は行政または社会福祉法人 ・都道府県に届出が必要	・生計困難者に対して、その住居で衣食その他日常の生活必需品若しくはこれに要する金銭を与え、又は生活に関する相談に応ずる事業。生活困窮者自立支援法に規定する認定生活困窮者就労訓練事業 ・児童福祉法に規定する障害児通所支援事業、放課後児童健全育成事業、子育て短期支援事業、乳児家庭全戸訪問事業、保育所*10又は助産施設*11、児童家庭支援センター*12など ・就学前の子どもに関する教育、保育等の総合的な提供の推進に関する法律に規定する幼保連携型認定こども園を経営する事業 ・母子及び父子並びに寡婦福祉法に規定する母子・父子福祉施設を経営する事業など ・老人福祉法に規定する老人居宅介護等事業、老人デイサービス事業、老人短期入所事業、小規模多機能型居宅介護事業又は複合型サービス福祉事業など ・障害者の日常生活及び社会生活を総合的に支援するための法律に規定する障害福祉サービス事業、一般相談支援事業又は、地域活動支援センターなど、 ・身体障害者福祉法に規定する身体障害者生活訓練等事業、手話通訳事業又は介助犬訓練事業、視聴覚障害者情報提供施設など ・知的障害者福祉法に規定する知的障害者の更生相談に応ずる事業など ・福祉サービス利用援助事業

社会福祉法人は社会福祉法第22条に「社会福祉事業を行うことを目的として、この法律の定めるところにより設立された法人をいう」と定義されています*13。また、要件として第25条に「必要な資産を備えなければならない」と示されています。なお、社会福祉事業のほか、社会福祉

*5 **乳児院**
R5年（前）

*6 **母子生活支援施設**
R4年（後）

*7 **児童養護施設**
R4年（前）
第一種または第二種のどちらの社会福祉事業に属するのかが問われました。

知っトク

*8 **老人福祉法**
老人福祉法は社会福祉六法の一つです。この法律では「老人福祉施設」として老人デイサービスセンターや特別養護老人ホームなどが記載されています。なお、要介護認定の根拠法は老人福祉法ではなく介護保険法です。

*9 **共同募金**
R4年（前）
実施主体は都道府県共同募金会で、募金の配分計画を策定しています。

*10 **保育所**
R4年（前）

*11 **助産施設**
R4年（後）

*12 **児童家庭支援センター**
R4年（前） R4年（後）

事業に支障がない限り「公益事業及び収益事業」を行うことができます（同法第26条）。

また、2021（令和３）年４月に施行された改正社会福祉法のポイントは、次の２点です。①地域福祉の推進[*14]は「地域住民が主体である」ことが明示されました（同法第４条）。②地域福祉計画[*15]に盛り込むべき事項として「包括的な支援体制の整備に関する事項」が示されました（同法第107条）。その他、重層的支援体制整備事業に関する事項が示されてます。

■ 生活保護法[*16][*17]

現在の生活保護法は、1946（昭和21）年に制定された（旧）生活保護法を1950（昭和25）年に全面的に改正したものです。憲法第25条にある最低限度の生活の保障、自立助長といった生存権の保障を目的としています。

○ 生活保護法の基本原理

国家責任の原理（第1条）	日本国憲法第25条の理念に基づき、国が生活に困窮するすべての国民に対し、その困窮の程度に応じ、必要な保護を行い、その最低限度の生活を保障するとともに、その自立を助長する。
無差別平等の原理（第2条）	すべて国民は、この法律の定める要件を満たす限り、この法律による保護を、無差別平等に受けることができる。
健康的で文化的な最低生活保障の原理（第3条）	この法律により保障される最低限度の生活は、健康で文化的な生活水準を維持することができるものでなければならない。
保護の補足性の原理（第4条）	保護は、生活に困窮する者が、その利用し得る資産、能力その他あらゆるものを、その最低限度の生活の維持のために活用することを要件として行われる。

○ 保護の原則[*18]

申請保護の原則（第7条）	保護を受けるためには必ず申請手続きを要し、本人や扶養義務者、親族等による申請に基づいて保護が開始される
基準及び程度の原則（第8条）	保護は最低限度の生活基準を超えない枠で行われ、厚生労働大臣の定める保護基準により測定した要保護者の需要をもとに、その不足分を補う程度の保護が行われる

（つづく）

ココが出た！

＊13 **社会福祉法人**

R6年（前）

「令和4年厚生労働省白書」の文言から「福祉サービスの供給確保の中心的な役割を果たしてきた」ことが出題されました。

＊14 **地域福祉の推進**

R4年（前）

知っトク

＊15 **地域福祉計画**

地域福祉計画については、社会福祉法第107条、第108条に位置づけられており、市町村地域福祉計画及び都道府県地域福祉支援計画策定は努力義務であり、義務ではありません。

ココが出た！

＊16 **生活保護法**

R4年（後）　R5年（前）

ほぼ毎年出題されています。基本原理と保護の種類については確実におさえておきましょう。

必要即応の原則（第9条）	要保護者の年齢や性別、健康状態等その個人または世帯の実際の必要の相違を考慮して、有効かつ適切に行われる
世帯単位の原則（第10条）	世帯を単位として保護の要否及び程度が定められる。また、特別な事情がある場合は世帯分離を行い個人を世帯の単位として定めることもできる

○ 生活保護の種類 *19

生活扶助	衣食、光熱費等の日常生活費が支給される。金銭給付
教育扶助	義務教育を受けている子どもに必要な学用品や給食費などの費用等が支給される。金銭給付
住宅扶助	アパートを借りた場合の家賃、地代、転居費、住居の補修などの費用が支給される。金銭給付。なお、宿所提供施設などの現物支給の場合もある
介護扶助	介護保険による要介護者及び要支援者で保険料や利用の負担が困難な場合、介護保険と同じ介護サービスを支給する。現物給付
出産扶助	出産に必要な費用が支給される。金銭給付
生業扶助	生業費、技能習得費、就職支度金等の費用が支給される。金銭給付
葬祭扶助	葬祭ができない場合、葬祭に必要な費用が支給される。金銭給付を原則とする
医療扶助	入院、通院などの医療に必要な費用が支給される。原則は現物給付であるが、治療費や治療材料は金銭給付

○ 保護施設

救護施設	【対象】身体上又は精神上著しい障害があるために日常生活を営むことが困難な要保護者 【支援内容】入所させて、生活扶助を行う
更生施設	【対象】身体上又は精神上の理由により養護及び生活指導を必要とする要保護者（近い将来社会復帰ができる見込みのある者） 【支援内容】入所させて、生活扶助を行う
医療保護施設	【対象】医療を必要とする要保護者 【支援内容】医療の給付を行う
授産施設*20	【対象】身体上、精神上の理由、又はその他就業能力の限られている要保護者 【支援内容】就労や技能の修得のために必要な機会を与え、自立を支援する（通所施設）
宿所提供施設	【対象】住居のない要保護者の世帯 【支援内容】住宅扶助を行う

なお、保護費の負担割合は、4分の3は国が負担し、残

*17 **生活保護の優先事項**
民法上の親族等の扶養義務者から援助を受けることができる場合は優先されます（扶養義務者の優先）。また、他の制度、法律によって給付が受けられる場合はそれらが優先されます（他方優先）。

*18 **生活保護の原則**
R5年（後）

*19 **生活保護の種類、各扶助の給付**
介護扶助と医療扶助は基本的に現物給付であることを覚えておきましょう。

*20 **授産施設**
R4年（後）

り4分の1を自治体が負担します。要保護者の保護の実施機関は福祉事務所です。

2018（平成30）年に生活保護法の一部が改正されました。改正では、進学準備給付金の支給、後発医薬品の使用原則化、生活困窮者自立支援制度に係る情報提供等があります。また、2021（令和3）年1月から被保護者健康管理支援事業が創設されています。

生活保護の受給者数は、令和5年版「厚生労働白書」では、1995（平成7）年を底に増加し、2015（平成27）年3月に過去最高を記録しました。以降減少に転じ、2023（令和5）年2月には約202.2万人となり、ピーク時から約15万人減少していると示されています。

■ 生活困窮者自立支援法*21

生活困窮者自立支援法は、生活保護に至る前の段階にある生活困窮者を対象に、その自立支援を強化するため、2015（平成27）年に施行されました。生活困窮者支援事業として、自立相談支援、住居確保給付金の支給、就労準備支援、家計改善支援、就労訓練、生活困窮世帯の子どもの学習・生活支援、一時生活支援などがあります。

また、2018（平成30）年の一部改正では、生活困窮者等の一層の自立の促進を図るため、生活困窮者に対する包括的な支援体制の強化等が行われています。

■ 児童福祉法*22 *23

児童の健全育成と福祉の増進を図るため1947（昭和22）年に児童福祉法が制定されました。なお、児童福祉法では、児童を、満18歳に満たない者と定めています。児童福祉法の基本理念として、「全て児童は、児童の権利に関する条約の精神にのつとり、適切に養育されること、その生活を保障されること、愛され、保護されること、その心身の健やかな成長及び発達並びにその自立が図られることその他の福祉を等しく保障される権利を有する」（同法第1条）とされています。

*21 **生活困窮者自立支援法**
R6年(前)
生活保護法と支援内容を混同しやすいので、注意が必要です。

*22 **児童福祉法**
R5年(前)

*23 **児童福祉法の年齢の定義**
児童とは、満18歳に満たない者をいい、乳児を満1歳に満たない者、幼児を満1歳から小学校就学始期に達するまでの者、少年を小学校就学始期から、満18歳に達するまでの者と定義しています。

子どもの意見の尊重についても「児童の年齢及び発達の程度に応じて、その意見が尊重され、その最善の利益が優先して考慮され」ることを規定しています（同法第２条）。

○ 児童福祉法の主な改正

2016（平成28）年
・児童福祉法の理念の明確化等 ・家庭と同様の環境における養育の推進 ・市町村・都道府県・国の役割と責務の明確化 ・国による要保護児童にかかわる調査研究の推進 ・医療的ケアを要する障害児を支援するための体制の充実
2018（平成30）年
・障害児支援のニーズの多様化へのきめ細かな対応＊24 ・居宅訪問型児童発達支援の創設 ・保育所等訪問支援の支援対象の拡大 ・自治体における障害児福祉計画＊25 の策定
2019（令和元）年
・児童の権利擁護（体罰禁止は児童福祉施設の長も含む。児童相談所の業務として児童の安全の明文化など） ・児童相談所の体制強化及び関係機関間の連携強化等（弁護士の助言、児童相談所の質の評価など）
2022（令和4）年改正
・子育て世帯に対する包括的な支援のための体制強化及び事業の拡充 ・一時保護所及び児童相談所による児童への処遇や支援 ・児童の意見聴取等の仕組みの整備 ・一時保護開始時の判断に関する司法審査の導入 ・児童をわいせつ行為から守る環境整備
2024（令和6）年改正
子育て世代包括支援センターの見直しが行われ、こども家庭センターとなる ・児童発達支援センターについて、障害種別にかかわらず障害児を支援できるよう児童発達支援の類型（福祉型、医療型）が一元化される ・児童福祉施設として新たに里親支援センターが位置づけられる ・子育て支援事業として、子育て世帯訪問支援事業（訪問による生活の支援）、児童育成支援拠点事業（学校や家以外の子どもの居場所支援）、親子関係形成支援事業（親子関係の構築に向けた支援）が追加される

■ 母子保健法＊26

「母性並びに乳児及び幼児の健康の保持及び増進を図るため、母子保健に関する原理を明らかにするとともに、母性並びに乳児及び幼児に対する保健指導、健康診査、医療

＊24 **障害児が利用できる福祉サービス**
児童発達支援、放課後等デイサービス、居宅訪問型児童発達支援、保育所等訪問支援、障害児相談支援、などがあります。また、障害者総合支援法に規定された居宅介護、同行援護、行動援護も利用できます。

＊25 **障害児福祉計画**
R5年（前）
都道府県障害児福祉計画・市町村障害児福祉計画（児童福祉法第33条の20及び第33条の22）があります。R5年（前）に都道府県障害児福祉計画と根拠法の組み合わせの問題が出ています。

＊26 **母子保健法**
R4年（前）

その他の措置を講じ、もつて国民保健の向上に寄与することを目的」(第1条)とする法律です。第2条では「母性は、すべての児童がすこやかに生まれ、かつ、育てられる基盤であることにかんがみ、尊重され、かつ、保護されなければならない」と母性の尊重が明示されています。また、2021(令和3)年4月に施行された改正法では、市町村には、産前産後の身体的・精神的に不安定な時期の産後ケア事業の努力義務が示されています。

■ **母子及び父子並びに寡婦福祉法(旧・母子及び寡婦福祉法)**[*27]

2014(平成26)年に母子及び寡婦福祉法が母子及び父子並びに寡婦福祉法に改正・改称されました。法改正のポイントは①母子家庭等に対する支援の拡充、②父子家庭への支援の拡大、拡充となっています。改正後は、第4章に「父子家庭に対する福祉の措置」が新設され、父子家庭への支援が明確に示されています。

また、母子家庭(第17条)、父子家庭(第31条の7)、寡婦(第33条)に日常生活支援事業が規定され、都道府県または市町村は、「乳幼児の保育(寡婦は除く)若しくは食事の世話若しくは専門的知識をもつて行う生活及び生業に関する助言、指導」を供与する、または委託することができると示されています。上記の役割を担うのが同法第8条に規定された母子・父子自立支援員です。また、2020(令和2)年に施行された改正法では、福祉資金貸付金の貸付限度額の引上げなどが行われています。なお、同法第30条で母子家庭就業支援事業等について定められています。また、同法39条では、母子・父子福祉施設として、母子・父子福祉センター[*28]、母子・父子休養ホーム[*29]について規定しています。

■ **配偶者からの暴力の防止及び被害者の保護等に関する法律(DV防止法)**

「配偶者からの暴力の防止及び被害者の保護に関する法

*27 **母子及び寡婦福祉法(現在は母子及び父子並びに寡婦福祉法に改称)**
R4年(後)
近年、よく出題されていますので、法律に基づく支援内容や専門職について覚えておきましょう。

*28 **母子・父子福祉センター**
R4年(後)

*29 **母子・父子休養ホーム**
R4年(後)

律」は2001（平成13）年に施行されました。その目的は、配偶者からの暴力にかかわる通報、相談、保護、自立支援体制を整備し、配偶者からの暴力を防止し、被害者を保護することです*30。2004（平成16）年に一次改正、2008（平成20）年に二次改正が行われています。二次改正の概要は、市町村への市町村基本計画の策定及び配偶者暴力相談支援センターの業務の実施の努力義務、保護命令制度の拡充として、生命等に対する脅迫を受けた被害者への保護命令、電話などの禁止命令、被害者の親族等への接近禁止命令などです。また、2014（平成26）年に同法の一部が改正・改称され「配偶者からの暴力の防止及び被害者の保護等に関する法律」となり、その適用対象が拡大されました。

＊30 配偶者暴力相談支援センター
配偶者暴力相談支援センターでは、配偶者からの暴力の防止及び被害者の保護を図るため、相談や相談機関の紹介、カウンセリング、被害者及び同伴者の緊急時における安全の確保及び一時保護等の暴力被害女性等の保護を行います。

■ 児童虐待の防止等に関する法律（児童虐待防止法）*31

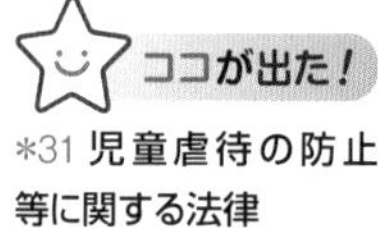

＊31 児童虐待の防止等に関する法律
R4年（後）

児童虐待の防止等に関する法律が2000（平成12）年に施行されました。同法第２条では児童虐待の定義として、保護者（児童養護施設の施設長などを含む）が身体的虐待、性的虐待、ネグレクト、心理的虐待の４種類の行為を行うこととされています。2008（平成20）年に一部改正が行われ、立入調査等の強化、保護者に対する面接・通信等の制限の強化、保護者が指導にしたがわない場合の措置が明確化されています。なお、同法の改正と同時に、児童福祉法も一部改正が行われています。

また、2022（令和４）年に民法改正で親権の記載内容から懲戒権が削除されたことから、児童虐待防止法でも懲戒権について記載していた第14条が変更になりました。

> **第14条（児童の人格の尊重等）**
> 1　児童の親権を行う者は、児童のしつけに際して、児童の人格を尊重するとともに、その年齢及び発達の程度に配慮しなければならず、かつ、体罰その他の児童の心身の健全な発達に有害な影響を及ぼす言動をしてはならない。
> 2　児童の親権を行う者は、児童虐待に係る暴行罪、傷害罪その他の犯罪について、当該児童の親権を行う者であることを理由として、その責めを免れることはない。

■ 子どもの貧困対策の推進に関する法律

「子どもの貧困対策の推進に関する法律」が2013（平成25）年公布され、翌年施行されました。

> 第1条（目的）
> 子どもの現在及び将来がその生まれ育った環境によって左右されることのないよう、全ての子どもが心身ともに健やかに育成され、及びその教育の機会均等が保障され、子ども一人一人が夢や希望を持つことができるようにするため、子どもの貧困の解消に向けて、児童の権利に関する条約の精神にのっとり、子どもの貧困対策に関し、基本理念を定め、国等の責務を明らかにし、及び子どもの貧困対策の基本となる事項を定めることにより、子どもの貧困対策を総合的に推進することを目的とする

また，子どもの貧困対策の取り組みの一つとして，子どもの貧困対策会議＊32 が創設されましたが、こども基本法の施行により新設されたこども政策推進会議に移管されました。

■ 児童福祉施設の設備及び運営に関する基準（厚生労働省令）

児童福祉施設の設備及び運営に関する基準では、児童福祉施設の最低基準が示され（第４条）、児童福祉施設の一般原則として、児童福祉施設に入所する者の人権への配慮、人格を尊重した運営について（第５条）、秘密保持（第14条の２）、苦情対応（第14条の３）等が明示されています。

また、第７条に「児童福祉施設に入所している者の保護に従事する職員は、健全な心身を有し、豊かな人間性と倫理観を備え、児童福祉事業に熱意のある者であつて、できる限り児童福祉事業の理論及び実際について訓練を受けた者でなければならない」という、職員の一般的要件も明示されています。

さらに、第５条第３項では、「児童福祉施設は、その運営の内容について、自ら評価を行い、その結果を公表するよう努めなければならない」と規定されています＊33。

■ 子ども・子育て支援法＊34

目的、および、基本理念について次ページのように記載

＊32 **子どもの貧困対策会議**
R4年（前）

＊33 **児童福祉施設の自己評価**
児童福祉施設のうち、社会的養護関係施設とされる以下の施設では、厚生労働省の通知により、3年に1回以上の第三者評価の受審と公表が義務づけられています。
<社会的養護関係施設>
乳児院、児童養護施設、児童自立支援施設、児童心理治療施設、母子生活支援施設
なお、2024(令和6)年に新設された里親支援センターでは、第三者評価の受審が義務付けられています。

＊34 **子ども・子育て支援法**
R4年（後）　R5年（前）
児童福祉に関する法律を成立順に並べる問題のほか、地域子ども・子育て支援事業について出題されています。

されています。

> **第1条（目的）**
> 我が国における急速な少子化の進行並びに家庭及び地域を取り巻く環境の変化に鑑み、児童福祉法その他の子どもに関する法律による施策と相まって、子ども・子育て支援給付その他の子ども及び子どもを養育している者に必要な支援を行い、もって一人一人の子どもが健やかに成長することができる社会の実現に寄与することを目的とする
>
> **第2条（基本理念）**
> 子ども・子育て支援は、父母その他の保護者が子育てについての第一義的責任を有するという基本的認識の下に、家庭、学校、地域、職域その他の社会のあらゆる分野における全ての構成員が、各々の役割を果たすとともに、相互に協力して行われなければならない

■ 少子化社会対策基本法

施策の基本理念として第2条に「少子化に対処するための施策は、父母その他の保護者が子育てについての第一義的責任を有するとの認識の下に、国民の意識の変化、生活様式の多様化等に十分留意しつつ、男女共同参画社会の形成とあいまって、家庭や子育てに夢を持ち、かつ、次代の社会を担う子どもを安心して生み、育てることができる環境を整備することを旨として講ぜられなければならない」と記載されています。また、同法では「内閣府に、特別の機関として、少子化社会対策会議*35を置く」と定められ、少子化社会対策大綱の案の作成、少子化対策について必要な関係行政機関相互の調整並びに少子化対策に関する重要事項の審議及び少子化に対処するための施策の実施の推進が行われていました。しかし、こども基本法の施行により新設されたこども政策推進会議に移管されました。

■高齢社会対策基本法*36

1995（平成7）年に施行され、高齢社会対策の基本的枠組みを作りました。

■ 介護保険法*37～41

介護保険法は2000（平成12）年から施行され、ほぼ3年ごとに法改正や報酬改定が行われてきました。そのポイントは次ページのようになります。

＊35 少子化社会対策会議
R4年(前)

＊36 高齢社会対策基本法
R6年(前)

＊37 介護保険法
R4年(前)　R5年(前)
R6年(前)
保険者と被保険者の定義、サービス費の利用者負担などについておさえておきましょう。

＊38 介護支援専門員（ケアマネジャー）
介護保険法に定められた職種で、要介護者等の相談に応じ、心身の状態や本人や家族の希望などから適切な介護サービスが利用できるように市町村や介護サービス事業者等との連絡調整を行う専門職です。

＊39 地域包括支援センター
市町村において総合相談や介護予防などを担う中核機関である地域包括支援センターが創設され、保健師や社会福祉士、主任ケアマネジャーといった専門職が配置されることとなりました（平成18年度施行改正介護保険法）。

◯ 介護保険法の主な改正

2017（平成29）年改正

Ⅰ　地域包括ケアシステムの深化・推進
①自立支援・重度化防止に向けた保険者機能の強化等の取組の推進（介護保険法）
②医療・介護の連携の推進等（介護保険法、医療法）
③地域共生社会の実現に向けた取組の推進等
（社会福祉法、介護保険法、障害者総合支援法、児童福祉法）

Ⅱ　介護保険制度の持続可能性の確保
①2割負担者のうち特に所得の高い層の負担割合を3割に引き上げ（介護保険法）
②介護納付金への総報酬割の導入（介護保険法）

2020（令和2）年 改正

Ⅰ　地域住民の複雑化・複合化した支援ニーズに対応する市町村の包括的な支援体制の構築の支援
①市町村において、既存の相談支援等の取組を活かしつつ、地域住民の抱える課題の解決のための包括的な支援体制の整備を行う

Ⅱ　地域の特性に応じた認知症施策や介護サービス提供体制の整備等の推進
①認知症施策の地域社会における総合的な推進に向けた国及び地方公共団体の努力義務を規定する
②市町村の地域支援事業における関連データの活用の努力義務を規定する

Ⅲ　医療・介護のデータ基盤の整備の推進
①介護保険レセプト等情報・要介護認定*42 情報に加え、厚生労働大臣は、高齢者の状態や提供される介護サービスの内容の情報、地域支援事業の情報の提供を求めることができると規定する

Ⅳ　介護人材確保及び業務効率化の取組の強化
①介護保険事業（支援）計画*43 の記載事項として、介護人材確保及び業務効率化の取組を追加する
②有料老人ホームの設置等に係る届出事項の簡素化を図るための見直しを行う

2024年度（令和6年度介護報酬改定に関する審議報告から）

1. 地域包括ケアシステムの深化・推進：質の高いケアマネジメントや必要なサービスが切れ目なく提供されるよう、地域の実情に応じた柔軟かつ効率的な取組を推進
2. 自立支援・重度化防止に向けた対応：多職種連携やデータの活用等を推進
3. 良質なサービスの効率的な提供に向けた働きやすい職場づくり：処遇改善や生産性向上による職場環境の改善に向けた先進的な取組を推進
4. 制度の安定性・持続可能性の確保：全ての世代にとって安心できる制度を構築

知っトク

***40 地域包括ケアシステム**
要介護者が住み慣れた地域で安心した暮らしを営めるように、日常生活圏で、医療、介護、予防、住まい、生活支援サービスを一体的に提供する体制を地域包括ケアシステムといいます。

***41 認知症高齢者グループホーム**
2006（平成18）年の介護保険法改正の施行により創設されたサービスで、認知症高齢者や中重度の要介護高齢者等ができる限り住み慣れた地域での生活が継続できるようにするものです。

***42 介護保険レセプト等情報・要介護認定**
要介護認定は介護保険制度における介護保険法が根拠法となります。老人福祉法と間違えないようにしましょう。

ココが出た！

***43 介護保険事業支援計画**
R5年（前）
介護保険法第117条に市町村介護保険事業計画、同法118条に都道府県介護保険事業計画が規定されています。

また、介護保険の基本理念である「利用者本位」を実現するサービス提供の手法として、「居宅介護支援サービス（ケアマネジメント）」があります。介護支援専門員（ケアマネジャー）が中心となってケアマネジメントが行われます。

さらに、高齢者が住み慣れた地域で安心して過ごすことができるように（高齢者が自立した生活を送るための各種総合相談窓口）、地域包括ケアの中心的役割を果たす地域包括支援センター（同法第115条の46）があります。介護サービス情報の報告及び公表について、同法第115条の35に定められています。

*44 **介護保険制度**
R4年(前) R5年(前) R5年(後) R6年(前)
介護給付サービスには、訪問介護、訪問入浴介護、訪問リハビリ介護、居宅療養管理指導、訪問リハビリテーションなどがあります。

*45 **介護保険の第2号被保険者**
すべての人に保険料の支払い義務はありますが、サービスの受給は政令で定められた特定疾病が原因で要介護・要支援認定を受けた人に限られます。

*46 **介護認定審査会**
市町村長が任命した認定審査委員会が、74項目の認定調査に基づいたコンピュータによる「一次判定結果」と「主治医意見書」をもとに要介護度を判定します。

○ 介護保険制度*44

保険者	市町村及び特別区		
対象者（被保険者）	第1号被保険者	第2号被保険者*45	費用負担
	65歳以上	40歳～64歳まで	利用者負担は1割（高所得者層は2割または3割）
サービス	居宅サービス	施設サービス	地域密着型サービス
	·訪問介護 ·通所介護 ·訪問看護など	·介護老人保健施設 ·特別養護老人ホーム ·介護医療院	·定期巡回·随時対応型訪問介護看護など
要介護認定	要介護認定の区分	要介護認定	要介護認定の仕組み
	·要支援1～2 ·要介護1～5	市町村が行う	一次判定→二次判定→申請→要介護認定

※要支援・要介護の認定は市区町村の介護認定審査会*46 が行います。認定の有効期間は新規申請は原則6か月（最長1年）、更新申請は原則1年間（最長4年）です。
※認定に不服があるときは、都道府県の介護保険審査会に審査請求をすることができます。

■ 高齢者虐待の防止、高齢者の養護者に対する支援等に関する法律（高齢者虐待防止法）*47

「高齢者虐待の防止、高齢者の養護者に対する支援等に関する法律」は、2005（平成17）年に成立、2006（平成18）年に施行されました。高齢者に対する虐待が深刻な状況にあるという認識のもと、議員立法で制定されたものです。この法律における高齢者とは65歳以上の者をいい、高齢者虐待*48 とは、「養護者による高齢者虐待及び養介護施設従事者等による高齢者虐待」としています。また、同法

*47 **高齢者虐待の防止、高齢者の養護者に対する支援等に関する法律**
R6年(前)

第28条では、国や地方公共団体に高齢者の保護並びに財産上の不当取引等で被害にあわないように、成年後見制度の利用促進義務を定めています。

■ 高齢者の医療の確保に関する法律

2008（平成20）年に「老人保健法」からの改正によって成立した法律です。高齢者医療の費用の公平負担、高齢期の健康保持のための保健サービスなどについて示しています。

具体的には、後期高齢者医療制度や40歳から74歳までの国民全員を対象にした特定健診・特定保健指導を定めています。

■ 身体障害者福祉法*49

身体障害者福祉法は、障害者の日常生活及び社会生活を総合的に支援するための法律(障害者総合支援法)と相まって、身体障害者の自立と社会経済活動への参加を促進すること等を目的としています（同法第１条)。また、身体障害者には能力に応じて社会活動に参加するための努力義務があります（同法第２条)。国や地方公共団体および国民においても、身体障害者の自立と社会経済活動への参加を促進するための援助と必要な保護に努めることが求められています（同法第３条)。また、身体障害者の定義は18歳以上で都道府県知事から身体障害者手帳の交付を受けた者としています。ただし、身体障害者の定義については、各法律によって異なります。

■ 知的障害者福祉法

知的障害者福祉法は、「知的障害者の自立と社会経済活動への参加を促進するため、知的障害者を援助するとともに必要な保護を行い、もつて知的障害者の福祉を図ること」を目的としています（同法第１条)。また、知的障害者は能力を活用し、社会経済活動に参加するよう努めなければならないとされています(同法第１条の２第１項)。さらに、社会、経済、文化その他あらゆる分野の活動に参加する機

知っトク

*48 **高齢者虐待**
高齢者虐待には、身体的虐待、心理的虐待、性的虐待、経済的虐待、介護・世話の放棄・放任などがあります。2022(令和4)年度の虐待判断件数は養介護施設従事者等が856件、養護者が16,669件となっています。虐待の内容は双方ともに身体的虐待が最も多いです。

*49 **身体障害者福祉法**
R5年(前)
身体障害者福祉法の条文の見出しについて出題されています。

会を与えられなければならないとしています（同法第１条の２第２項）。また、知的障害者の定義はこの法律では定められていません。

■ 精神保健及び精神障害者福祉に関する法律＊50

この法律の目的については次のように記載されています。

> **第1条（目的）**
> この法律は、障害者基本法の基本的な理念にのつとり、精神障害者の権利の擁護を図りつつ、その医療及び保護を行い、障害者の日常生活及び社会生活を総合的に支援するための法律と相まつてその社会復帰の促進及びその自立と社会経済活動への参加の促進のために必要な援助を行い、並びにその発生の予防その他国民の精神的健康の保持及び増進に努めることによつて、精神障害者の福祉の増進及び国民の精神保健の向上を図ることを目的とする。

精神保健及び精神障害者の福祉に関する知識の普及、調査研究、相談及び指導を行う施設として精神保健福祉センター＊51があります。アルコール相談や心の健康づくり推進事業などの心のケアを行うとされています。

■ 障害者基本法＊52

2011（平成23）年、改正障害者基本法が施行されました。第１条では、障害者基本法の目的として、すべての国民が、障害の有無にかかわらず、等しく基本的人権を享有するかけがえのない個人として尊重されること、障害の有無によって分け隔てなく人格と個性を尊重しながら共生する社会を実現するために、障害者の自立及び社会参加の支援等のための施策に関し基本原則を定め、国及び地方公共団体等の責任を明らかにすることなどが示されています。また、第３条（地域社会における共生等）では、第１号「全て障害者は、社会を構成する一員として社会、経済、文化その他あらゆる分野の活動に参加する機会が確保されること」第２号「全て障害者は、可能な限り、どこで誰と生活するかについての選択の機会が確保され、地域社会において他の人々と共生することを妨げられないこと」第３号「全て

ココが出た！

＊50 **精神保健及び精神障害者福祉に関する法律**
R5年（前）
法律名と法律条文見出しについて出題されています。
同法第46条の2（正しい知識の普及）

＊51 **精神保健福祉センター**
R4年（前）　R6年（前）

＊52 **障害者基本法**
R4年（前）　R4年（後）
R5年（前）
第3条が穴埋めで出題されました。また、法律と条文見出し同法第9条（障害者週間）について出題されています。

障害者は、可能な限り、言語（手話を含む。）その他の意思疎通のための手段についての選択の機会が確保されるとともに、情報の取得又は利用のための手段についての選択の機会の拡大が図られること」と示されています。

第９条（障害者週間）について「国民の間に広く基本原則に関する関心と理解を深めるとともに、障害者が社会、経済、文化その他あらゆる分野の活動に参加することを促進するため、障害者週間を設ける」と示されています。

■ 障害者総合支援法＊53

2013（平成25）年から、障害者自立支援法が「障害者の日常生活及び社会生活を総合的に支援するための法律（障害者総合支援法）」となりました。

> **第1条の2（基本理念）**
> 障害者及び障害児が日常生活又は社会生活を営むための支援は、全ての国民が、障害の有無にかかわらず、等しく基本的人権を享有するかけがえのない個人として尊重されるものであるとの理念にのっとり、全ての国民が、障害の有無によって分け隔てられることなく、相互に人格と個性を尊重し合いながら共生する社会を実現するため、全ての障害者及び障害児が可能な限りその身近な場所において必要な日常生活又は社会生活を営むための支援を受けられることにより社会参加の機会が確保されること及びどこで誰と生活するかについての選択の機会が確保され、地域社会において他の人々と共生することを妨げられないこと並びに障害者及び障害児にとって日常生活又は社会生活を営む上で障壁となるような社会における事物、制度、慣行、観念その他一切のものの除去に資することを旨として、総合的かつ計画的に行わなければならない。

＊53 **障害者総合支援法**
R4年(後)
特定の障害者・児の福祉サービスについて、障害者総合支援法に基づくものなのか、それとも児童福祉法に基づくものなのかという出題がみられます。まずは、数の少ない児童福祉法の障害児向け福祉サービスを覚えるとよいでしょう。

障害福祉サービスには、「介護給付」として居宅介護、重度訪問介護、同行援護、行動援護、療養介護、生活介護、短期入所、施設入所支援などがあります。また、「訓練等給付」として自立生活援助、自立訓練、共同生活援助、就労移行支援、就労定着支援などがあります。

なお、障害者支援施設の利用手続は同法第20条（申請）の通り市町村に対して行います。また、第77条の２（基幹相談支援センター）では、「地域における相談支援の中核的な役割を担う機関」として同条２項で「基幹相談支援センターを設置するよう努めるものとする」と定められています。

■ 障害者の権利に関する条約（障害者権利条約）

日本は2007（平成19）年に、国連において障害者権利条約に署名し、2014（平成26）年に批准しました。外務省は障害者権利条約について、「障害者の人権及び基本的自由の享有を確保し、障害者の固有の尊厳の尊重を促進することを目的として、障害者の権利の実現のための措置等について定める条約です」と示しており、具体的な目標を以下としています。

○ 障害者の権利に関する条約の概要

① 一般原則（障害者の尊厳、自律及び自立の尊重、無差別、社会への完全かつ効果的な参加及び包容等）
② 一般的義務（合理的配慮の実施を怠ることを含め、障害に基づくいかなる差別もなしに、すべての障害者のあらゆる人権及び基本的自由を完全に実現することを確保し、及び促進すること等）
③ 障害者の権利実現のための措置（身体の自由、拷問の禁止、表現の自由等の自由権的権利及び教育、労働等の社会権的権利について締約国がとるべき措置等を規定。社会権的権利の実現については漸進的に達成することを許容）
④ 条約の実施のための仕組み（条約の実施及び監視のための国内の枠組みの設置。障害者の権利に関する委員会における各締約国からの報告の検討）

■ 障害を理由とする差別の解消の推進に関する法律（障害者差別解消法）

国民が障害の有無によって分け隔てられることなく、相互に人格と個性を尊重し合いながら共生する社会の実現に向け、障害を理由とする差別の解消を推進することを目的として、2013（平成25）年、「障害を理由とする差別の解消の推進に関する法律」（障害者差別解消法）が制定され、2016（平成28）年から施行されました。

> **第1条（目的）**
> 障害者基本法の基本的な理念にのっとり、全ての障害者が、障害者でない者と等しく、基本的人権を享有する個人としてその尊厳が重んぜられ、その尊厳にふさわしい生活を保障される権利を有することを踏まえ、障害を理由とする差別の解消の推進に関する基本的な事項、行政機関等及び事業者における障害を理由とする差別を解消するための措置等を定めることにより、障害を理由とする差別の解消を推進し、もって全ての国民が、障害の有無によって分け隔てられることなく、相互に人格と個性を尊重し合いながら共生する社会の実現に資することを目的とする

■ 発達障害者支援法*54

発達障害者支援法*55は2004（平成16）年に公布、2005（平成17）年に施行されました。

> **第1条（目的）※概要のみ掲載**
> ・発達障害者への早期発達支援を行うとともに、切れ目なく発達障害者の支援を行う
> ・上記に関する国および地方公共団体の責務を明らかにする
> ・発達障害者の自立および社会参加のための生活全般の支援を図る
> ・すべての国民が障害の有無にかかわらず人格と個性を尊重しあって共生する社会の実現に役立てる
>
> **第2条、第2条の2（定義）※概要のみ掲載**
> ・発達障害とは自閉症、アスペルガー症候群その他の広汎性発達障害、学習障害、注意欠陥多動性障害、その他これに類する脳機能の障害であり、その症状が通常低年齢において発現するものをいう
> ・発達障害者とは発達障害がある者で、発達障害および社会的障壁により日常生活または社会生活に制限を受けるものをいう
> ・発達障害児とは発達障害者のうち十八歳未満のものをいう
>
> **第9条（放課後児童健全育成事業の利用）**
> 市町村は、放課後児童健全育成事業について、発達障害児の利用の機会の確保を図るため、適切な配慮をするものとする

2016（平成28）年の一部改正では、目的に切れ目なく発達障害者の支援を行うことが重要であると示され、発達障害者は発達障害を持ち社会的障壁により日常生活などに制限を受ける者とされました。また、基本理念が新設され、社会的障壁についても定義されました。その他、国および地方公共団体の責務の追加、国民の責務の改正、教育に関する改正、情報の共有の促進の新設、就労の支援に関する改正などが行われました*56。

*54 **発達障害者支援法**
R5年（前）
法律名と条文の見出しについて出題されています。

知っトク

*55 **発達障害者支援法**
発達障害者支援法第14条に規定される施設が発達障害者支援センターです。各都道府県・指定都市に設置され発達障害者やその家族等に対して、相談支援、発達支援、就労支援及び情報提供等を行っています。

*56 **障害者就業・生活支援センター**
R4年（前）
障害者の職業生活における自立を図るため、雇用、保健、福祉、教育等の地域の関係機関の連携の下、障害者の身近な地域において就業面及び生活面における一体的な支援を行う施設です。2002（平成14）年の障害者雇用促進法改正により創設されています。

*57 **障害者虐待防止法**
R4年(後)

■ 障害者虐待の防止、障害者の養護者に対する支援等に関する法律（障害者虐待防止法）*57

2012（平成24）年に、障害者虐待の防止、障害者の養護者に対する支援等に関する法律が施行されました。この法律では、国や地方公共団体、障害者福祉施設従事者等、使用者などに障害者虐待の防止等のための責務を課すとともに、障害者虐待を受けたと思われる障害者を発見した者に対する通報義務を課すなどしています。同法第32条には、市町村障害者虐待防止センターに関する規定が示されています。

■ 特定非営利活動促進法

特定非営利活動（NPO）の健全な発展を促進し、それによって公益の増進を寄与することを目的に、1998（平成10）年に施行されました。特定非営利活動促進法は、20の活動（保健・医療または福祉の増進、社会教育推進、まちづくりなど）を特定非営利活動と定義しており、これらの活動を行っているボランティア団体が法人格を取得することが可能です。同法では特に資本金の要件は示されてはいません。また、同法第５条では当該特定非営利活動にかかわる事業以外の事業を行うことができるとされており、収益事業が認められています。

■ 育児休業、介護休業等育児又は家族介護を行う労働者の福祉に関する法律（育児・介護休業法）

育児や介護をする必要がある労働者が仕事と育児や介護を両立することができるように配慮し、離職せず働き続けることができるように支援するための法律です*58。最近では2016（平成28）年３月に改正され、2017（平成29）年1月に全面的に施行されました。

また、2021（令和3）年の法改正により、「子の看護休暇・介護休暇」について、すべての労働者が時間単位での取得が可能となりました。

*58 **労働基準法**
育児・介護休業法に加えて、労働基準法もおさえておくとよいでしょう。妊産婦の時間外労働、休日労働、深夜業の制限（同法66条第2項、第3項）、産前・産後休業（同法65条第1項、第2項）などが示されています。

■ 就学前の子どもに関する教育、保育等の総合的な提供の推進に関する法律＊59

2006（平成18）年に成立公布され、「小学校就学前の子どもの教育及び保育並びに保護者に対する子育て支援の総合的な提供を推進するための措置を講じ、もって地域において子どもが健やかに育成される環境の整備に資すること」を目的とし、認定こども園の認定・設置などについて規定されています。

社会福祉のサービス実施体系

■ 福祉事務所＊60 ＊61

福祉事務所は、福祉六法に規定された措置に関する事務を行う行政組織として、都道府県及び市（特別区含む）に設置されています。町村は任意の設置となっています（社会福祉法第14条）。都道府県福祉事務所は生活保護法・児童福祉法・母子及び父子並びに寡婦福祉法の三法を所轄し、市（特別区含む）福祉事務所は、生活保護法・児童福祉法・身体障害者福祉法・知的障害者福祉法・老人福祉法・母子及び父子並びに寡婦福祉法の福祉六法を所轄しています。また、現業を行う所員として任用される者に求められる資格（任用資格）として社会福祉主事（社会福祉法に規定）があります。

■ 児童相談所＊62

児童相談所は、児童福祉法第12条に規定された児童の専門相談機関です。都道府県・指定都市に設置が義務づけられています。児童相談所の役割は、児童に関する相談（障害・保健・不登校など）や調査、児童や保護者への指導、児童福祉施設等（児童養護施設や乳児院など）への入所措置、判定、緊急な保護が必要な児童の一時保護等を行っています。また、上記の援助に当たるのは児童福祉司です。なお、一時保護が行われた児童のうち、親権を行うものや

＊59 **就学前の子どもに関する教育、保育等の総合的な提供の推進に関する法律**
R4年(後)

＊60 **福祉事務所**
R6年(前)
根拠法(社会福祉法)と設置義務がある行政機関(都道府県、市(特別区含む))については確実におさえておきましょう。なお、R6年(前)では、福祉事務所の業務内容について、知的障害者援護に関する問題が出ています。

＊61 **福祉事務所の役割**
福祉事務所にはさまざまな役割がありますが、例えば、生活保護や母子生活支援、各種障害などの相談支援を行います。

＊62 **児童相談所**
R4年(後)　R5年(前)
R6年(前)
R5年(前)では、児童相談所長の親権について、R6年(前)では業務内容について問われています。

未成年後見人がない児童については、児童相談所長が親権を行います（児童福祉法第33条の２第１項）。

*63 **女性相談支援センター（旧 婦人相談所）**
R4年（前）

■ 女性相談支援センター（旧 婦人相談所）*63

困難な問題を抱える女性への支援に関する法律（女性支援新法）により各都道府県に設けられた行政機関で、婦人保護事業を行う機関です。また、DV防止法第３条第１項に基づき配偶者暴力相談支援センターとしてDV被害者の支援機能があります。さらに、母子生活支援施設との連携も可能となっています。

■ 女性自立支援施設（旧 婦人保護施設）

困難な問題を抱える女性への支援に関する法律（女性支援新法）に基づき各都道府県や社会福祉法人などにより設置されます。もとは売春を行う恐れのある女子を収容する施設で、現在ではさまざまな事情により社会生活を営む上で問題を抱えている女性も保護の対象となっています。また、DV防止法により、配偶者からの暴力の被害者の保護を行うことができるようになりました。このような相談、援助、指導等にあたるのが女性支援新法第11条に規定された女性相談支援員です。

■ 母子生活支援施設

児童福祉法第38条で「母子生活支援施設は、配偶者のない女子又はこれに準ずる事情にある女子及びその者の監護すべき児童を入所させて、これらの者を保護するとともに、これらの者の自立の促進のためにその生活を支援し、あわせて退所した者について相談その他の援助を行うことを目的とする施設とする」と示されています。

■ 助産施設

児童福祉法第36条で「助産施設は、保健上必要があるにもかかわらず、経済的理由により、入院助産を受けることができない妊産婦を入所させて、助産を受けさせることを目的とする施設とする」と示されています。

■ **身体障害者更生相談所**＊64

身体障害者福祉法の規定により、都道府県は身体障害者更生相談所を設けることが義務とされています（同法第11条）。また、身体障害者福祉司を置かなければならないとされています（同法第11条の２）。その業務は身体障害者に関して専門的な知識及び技術を必要とすることについての相談及び指導、身体障害者の医学的、心理学的及び職能的判定、補装具の処方及び適合判定などを行います。

■ **知的障害者更生相談所**

知的障害者福祉法の規定により都道府県は、知的障害者更生相談所を設けなければならないとされています（同法第12条）。また、その業務を担う者として知的障害者福祉司を置かなければならないとされています（同法第13条）。その業務内容は、知的障害者に関して専門的な知識及び技術を必要とすることについての相談および指導、知的障害者の医学的、心理学的および職能的判定を行います。必要に応じて巡回指導を行うことがあります。

■ **発達障害者支援センター**

発達障害者支援センターは、発達障害者支援法を根拠法とする施設です。発達障害の早期発見、早期支援など発達障害児（者）への支援を総合的に行うことを目的としています。

■ **保健所**

地域保健法第５条により、都道府県、指定都市、中核市等または特別区に設置するとされています。その業務内容は、地域住民の健康の保持増進、快適な生活環境の確保及び薬物問題・廃棄物・食品衛生・犬や猫等の引き取り・精神保健福祉・思春期・乳幼児発達・難病・エイズなどの相談、調整、指導などです。

■ **その他の社会福祉施設**

ここで紹介した以外にも様々な社会福祉施設があります＊65。特に児童福祉施設については科目「子ども家庭福祉」で確認しておきましょう。例えば、児童福祉法に基づく、

＊64 **身体障害者更生相談所**
R6年（前）
都道府県に設置が義務づけられていること、身体障害者福祉司を置かなければいけないことを覚えておきましょう。なお、障害者支援施設への入所については、市町村福祉課などに申し込み、市町村の審査・判定を受けます。

知っトク

＊65 **地域生活定着支援センター**
地域生活定着支援センターとは、高齢又は障害により支援を必要とする矯正施設退所者に対して、保護観察所と協働し退所後直ちに福祉サービス等につなげる施設です。

児童厚生施設（児童遊園、各種児童館など）があります。

社会福祉サービスの評価と情報提供

1 社会福祉サービスにおける情報提供

社会福祉サービス事業では、1994（平成6）年の老人福祉法の改正によって初めて情報提供について規定されました（同法第5条の4第2項第2号）。これは、福祉サービスの質の向上と利用者本位の福祉サービスの整備を目的としています。また、1997（平成9）年の児童福祉法改正でも、情報提供が法的に規定されています。ここでは、保育所への入所が措置制度*66から利用契約制度*67へと移行したことが背景となっています。さらに、民生委員法14条第3号に「援助を必要とする者が福祉サービスを適切に利用するために必要な情報の提供その他の援助を行うこと」*68と定められています。

2 社会福祉法における情報提供*69

社会福祉法第75条で、社会福祉事業の経営者は、福祉サービス利用者が適切かつ円滑にサービスを利用できるように、社会福祉事業に関する情報を提供するよう努めなければならないとしています。また、同法第75条第2項で、「国及び地方公共団体は、福祉サービスを利用しようとする者が必要な情報を容易に得られるように、必要な措置を講ずるよう努めなければならない」とされています。さらに、同法76条には利用契約の申し込み時の説明、第77条には利用契約の成立時の書面の交付が規定されています。この社会福祉法の規定を受け、児童福祉法、身体障害者福祉法、知的障害者福祉法等では、都道府県が市町村に対し情報提供すること、かつ、市町村はそれぞれの福祉に関する情報を提供することが義務付けられています。

知っトク

*66 **措置制度**
児童養護施設など、保護者からの申し込みがなくても、入所を検討すべき児童福祉施設については、現在も措置制度がとられています。廃止されたわけではありませんので注意が必要です。

知っトク

*67 **利用契約制度**
利用者がサービス提供者との契約にもとづいてサービスを利用する制度。従来の社会福祉サービスでは受給要件を行政が判断しサービスを提供する措置制度が多く採用されていましたが、利用者側の意思が尊重されにくいということで利用契約制度への移行が進んでいます。

*68 **民生委員法**
R6年（前）
第14条第3号の内容が出題されました。

*69 **社会福祉法における情報提供**
R4年（後）

3 社会福祉サービスの評価

国民が社会福祉に関心を持ち、ノーマライゼーション*70の理念が浸透してくると、「福祉サービスの質」に関する議論が始まりました。1990（平成２）年、社会福祉法改正で社会福祉の理念が新たに規定され、同法第３条「福祉サービスの基本的理念」、第５条「福祉サービスの提供の原則」、第78条「福祉サービスの質の向上のための措置等」などが示されました。この「福祉サービスの質」は、サービス利用者の自立支援を目指すものです。

用語解説

***70 ノーマライゼーションの理念**
ノーマライゼーションとは、障害者が健常者と同様に社会の一員としてさまざまな分野において社会参加できること、障害の有無にかかわらず、すべての人がノーマルな生活が送れる社会を目指す考え方です。

社会福祉の財政と費用負担

1 社会福祉の財政

2024（令和６）年度一般会計歳出総額は約112.6兆円です。社会保障関係費は約37.7兆円で2023年度予算より8506億円増えて過去最大となっています。

○ 社会保障関係予算（単位：億円）

	2023（令和5）年度	2024（令和6）年度	増△減
社会保障関係費	368,687	377,193	8,506
年金給付費	130,857	134,020	3,163
医療給付費	121,517	122,366	849
介護給付費	36,809	37,188	379
少子化対策費	31,412	33,823	2,411
生活扶助等社会福祉費	43,093	44,912	1,819
保健衛生対策費	4,552	4,444	△108
雇用労災対策費	447	440	△7

出典：「令和６年度社会保障関係予算のポイント」（令和６年１月　端本主計官・松本主計官）筆者一部改変

2 わが国の社会保障費用

高齢化の進展にともない、日本における社会保障費用は増加しています。実際に、2024（令和6）年度の社会保障給付費（予算ベース）は137.8兆円であり、2012（平成24）年の約1.2倍となっています。

なお、社会保障給付費の内訳は「年金」「医療」「福祉」の順に給付額が大きく、「年金」と「医療」だけで全体の75％を超えています。また、財源としては、保険料が約60%、税金が約40％となっています。国民負担率については社会保障給付費の増大にともない拡大傾向にあります。

○ 社会福祉の財政に関する用語の大まかなイメージ

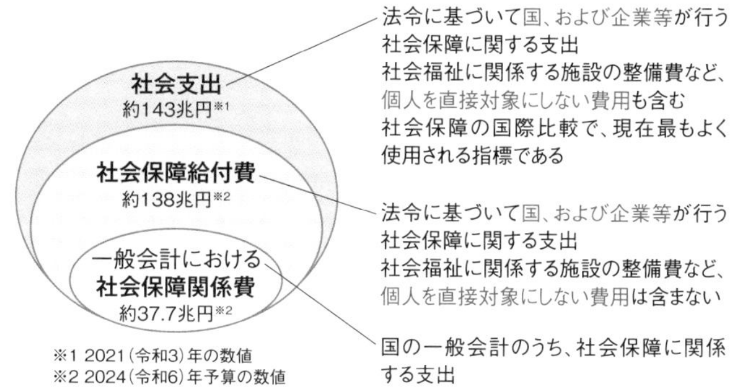

○ 社会保障給付費と負担の現状

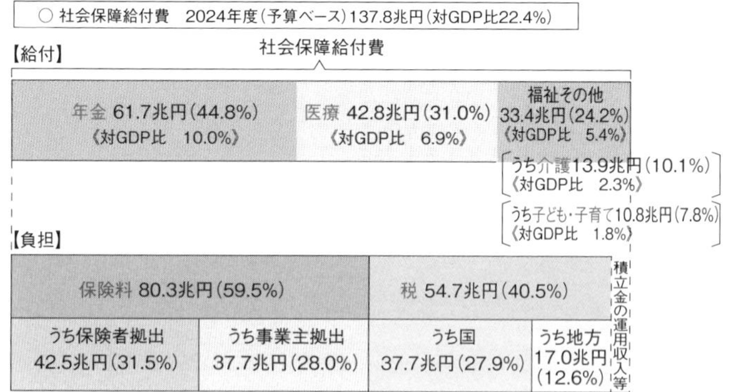

出典：厚生労働省「社会保障給付と負担の現状」筆者一部改変

3 地方公共団体の社会福祉財源

■ 財源の負担割合

社会福祉の法律や制度の立案・決定は国が行いますが、実際の社会福祉に関する運営は、地方公共団体が行います。なお財源に関しては、社会福祉施設の整備費は国が２分の１、都道府県（指定都市、中核市含む）が４分の１、社会福祉法人が４分の１を負担します。また、社会福祉施設の運営にあたっては、利用契約制度による介護保険制度の「介護給付費」で運営される介護老人保健施設*71、自立支援給付制度の「介護給付費」「訓練等給付費」により運営される身体障害者社会参加支援施設*72などがあります。その他にも措置制度により運営される、児童養護施設、乳児院など社会的養護関係施設や生活保護法による各施設があります。

■ 民生費の決算額とその内訳

地方公共団体は、社会福祉の充実を図るため、児童、高齢者、障害者などのための福祉施設の整備及び運営、生活保護の実施等の施策を行っており、そのような目的で支出される費用を民生費といいます。令和６年度版地方財政白書によると、2022（令和４）年度の民生費の決算額は30兆2,720億円で、新型コロナウイルス感染症対応に係る事業費の減少等により、前年度と比べると3.3%減となっています。なお、民生費の歳出総額に占める割合は25.8%で、目的別歳出の中で、最も大きな割合となっています。

***71 介護老人保健施設**
介護老人保健施設は、介護保険法第8条第28項を根拠法とする施設です。看護、医学的管理の下における介護及び機能訓練、その他必要な医療並びに日常生活上の世話を行うことを目的とする施設です。

***72 身体障害者社会参加支援施設**
身体障害者社会参加支援施設は、身体障害者福祉法第5条に規定される、身体障害者福祉センター、補装具製作施設、盲導犬訓練施設及び視聴覚障害者情報提供施設のことをいいます。

社会福祉サービスにおける公私の役割

1 在宅福祉サービス

ホームヘルプサービスなど、在宅福祉を支えている事業は、社会福祉協議会、特定非営利活動法人（NPO法人）、生活協同組合や、営利を目的とする有限会社、株式会社などさまざまな主体がサービスを提供しています。

社会福祉基礎構造改革では、社会福祉の活性化のため「多様な主体の参入促進」を掲げています。

2 福祉サービスの公私の協働

社会福祉は、基本的には国や地方公共団体の責任で推進されるものですが、地域福祉などでは住民の参加や多様な主体の参入など公私の協働により推進されることも重要になっています。

社会保障および関連制度の概要

1 社会保障制度

社会保障制度とは、医療・年金・福祉など国民の生活にかかわるさまざまな保障制度のことです。また、社会保障は各国やその時代により大きく異なっています。

平成24年厚生労働白書では、社会保障の目的と機能について、国民が安心できる生活を保障することが目的であり、機能として、主に①生活安定・向上機能、②所得再分配機能、③経済安定機能の３つがあるとしています。

○ 社会保障制度の体系

医療	医療保険、生活保護（医療扶助）、労働者災害補償保険、公費負担医療、公衆衛生サービス（一般保険、生活環境、労働衛生、環境保健、学校保険など）など
年金	年金保険（国民年金、厚生年金保険）、労働者災害補償保険（年金給付）
福祉その他	生活保護（医療扶助以外の各種扶助）、児童福祉（保育所、児童相談所など）、母子福祉、障害者福祉、老人福祉、介護保険、雇用保険、労働者災害補償保険（休業補償給付）など

（資料：厚生労働省統計協会編「国民の福祉と介護の動向」2015/2016より作成）

2 所得保障制度

わが国の所得保障は年金保険制度を中心に、公的年金保険制度とその他の所得保障制度に分けられます。

年金給付*73 には、老齢（基礎・厚生）年金、障害（基礎・厚生）年金*74、遺族（基礎・厚生)年金があります。老齢年金は原則として65歳以上が対象となります。

公的年金保険制度

国民年金	日本国内に住所を有する20歳以上60歳未満のすべての人が加入するもので、老齢・障害・死亡により「基礎年金」を受けることができる。国民年金には、「第1号被保険者：自営業者、農業や漁業の従事者など」「第2号被保険者：会社員や公務員など」「第3号被保険者：会社員や公務員などに扶養されている配偶者」と3種類があり、どの制度に加入するかにより、保険料の納め方が異なる。老齢基礎年金の支給開始年齢は原則65歳（60歳から65歳までの繰上げ受給、66歳から75歳までの繰下げ受給もある）から受け取ることができます。
厚生年金	厚生年金は、厚生年金制度を通じて国民年金に加入する第2号被保険者に分類され、国民年金の給付である「基礎年金」に加えて、「厚生年金」を受けることになる。対象者は民間会社員や公務員、私学教職員である。以前は公務員や私学教職員は「共済年金」に加入していたが、2015(平成27)年に「被用者年金一元化法」が施行されたことにより、「共済年金」が廃止され「厚生年金」に一元化された

その他の所得保障制度

労働保険	雇用保険*75（育児休業給付金、介護休業給付金など)、労働者災害補償保険*76（労災保険、通勤中（通勤として認められたものなど）の事故による負傷、疾病、障害または死亡について、通勤災害として労災補償の給付対象となる)。労働者災害補償保険制度では、原則として業種の規模や正規・非正規職員の別などの雇用形態を問わず、労働者のすべてに適用される。
児童手当	支給対象は、中学校卒業まで（15歳の誕生日後の最初の3月31日まで）の児童を養育している方である。原則として児童が日本国内に住んでいる場合に支給される。 なお、2024（令和6）年10月からは所得制限の撤廃、支給期間の高校生年代までの延長、多子加算として第3子以降3万円支給など、手当の拡充が検討されている。

（つづく）

ココが出た！

*73 **国民年金の保険給付**

R5年(後)　R6年(前)

老齢基礎年金、障害基礎年金、遺族基礎年金について出題されています。また、被保険者の年齢についても出題されています。

知っトク

*74 **障害(基礎・厚生)年金**

国民年金には「学生納付特例制度」があり、申請し承認された期間は、保険料を納めた期間と同様の受給要件の対象期間となりますが、障害基礎年金についても同様です。

知っトク

*75 **雇用保険**

失業等給付には、求職者給付、就職促進給付、教育訓練給付、雇用継続給付の4つがあります。また、失業の予防、労働者の能力の開発及び向上その他労働者の福祉の増進等をはかるための二事業を行っています。

*76 **労働者災害補償保険**
R5年(前)　R6年(前)
支給対象、保険給付の種類について出題がありました。なお、労働者災害補償給付には、療養補償給付、休業補償給付、障害補償給付、遺族補償給付、介護補償給付があります。

*77 **児童扶養手当**
R4年(前)
父または母が日本国内に住所を有しないときは支給されません(同法第4条支給要件)。また、所得制限(同法第9条支給の制限)もあることを理解しておきましょう。なお、支給額は同法第5条に示されています。

*78 **医療保険制度**
R5年(前)

*79 **健康保険の保険給付の種類**
R6年(前)
保険給付の種類として、被保険者：療養の給付・療養費・移送費・傷病手当金・出産育児一時金・埋葬料(費)などがあります。保険給付の種類と内容については確認しておきましょう。

児童扶養手当*77	児童扶養手当とは、父母の離婚などで、父または母と生計を同じくしていない子どもが育成される家庭（ひとり親家庭）の生活の安定と自立の促進への寄与と児童の福祉増進のために、18歳未満の児童等を養育する家庭に支給される。児童扶養手当法改正により、母子家庭だけでなく、父子家庭、DVで裁判所からの保護命令が出された場合も支給される。また、児童扶養手当の支給を受けた父又は母は、自ら進んでその自立を図り、家庭の生活の安定と向上に努めなければならない。
特別児童扶養手当	特別児童扶養手当は、精神または身体に障害を有する児童について手当を支給することにより、これらの児童の福祉の促進を図ることを目的にしている。また、支給要件は、20歳未満で精神または身体に障害を有する児童を家庭で監護、養育している父母等に支給される。（特別児童扶養手当等の支給に関する法律）
障害児福祉手当	精神または身体に重度の障害を有するため、日常生活において常時の介護を必要とする状態にある在宅の20歳未満の者に支給される。（特別児童扶養手当等の支給に関する法律）

3 医療保険制度*78

我が国の医療保険制度は、社会保険方式によって、すべての国民を公的医療保険で保障するものです（国民皆保険制度）。国民は公的保険に加入し保険料を納付する義務があります。この国民皆保険制度*79によって、誰もが安心して医療を受けられる仕組みです。「令和３（2021）年度国民医療費の概況」（厚生労働省）によると、2021（令和３）年度の国民医療費は45兆359億円であり、前年度の42兆9,665億円に比べ２兆694億円、4.8％増加しています。人口１人当たりの国民医療費は35万8,800円、前年度の34万600円に比べ１万8,200円、5.3％の増加となっています。国民医療費の国内総生産（GDP）に対する比率は8.18％（前年度7.99％）となっています。

年齢階級別国民医療費は、０～14歳は２兆4,178億円（構成割合5.4％）、15～44歳は５兆3,725億円（同11.9％）、45～64歳は９兆9,421億円（同22.1％）、65歳以上は27兆3,036億円（同60.6％）となっています。人口１人当たり国民医療費をみると、65歳未満は19万

8,600円、65歳以上は75万4,000円となっています。

また、原則として患者の負担割合は義務教育就学前（小学校入学前）までが２割、義務教育就学から69歳までが３割、70～74歳は所得に応じて２割から３割、75歳以上は１割から３割となります。医療保険制度の仕組みは職域をもとにした各種被用者保険と、居住地（市町村）をもとにした国民健康保険、75歳以上の高齢者等が加入する後期高齢者医療制度*80 に大きく分けられます。基本的な給付の内容は同じです*81 。被用者保険は職業によっていくつかの種類があり、企業の社員が加入する健康保険組合と協会けんぽ、公務員が加入する共済組合などに分かれています*82 。

○ 医療保険制度の加入者等

国民健康保険	都道府県・市町村国保	自営業者、年金生活者、非正規雇用者等 約2,537万人
	国保組合	
被用者保険	全国健康保険協会（協会けんぽ）	中小企業のサラリーマン 約4,027万人
	健康保険組合	大企業のサラリーマン 約2,838万人
	共済組合	公務員、私立学校教職員 約869万人
後期高齢者医療制度		75歳以上 約1,843万人

（出典：厚生労働省「我が国の医療保険について」及び「後期高齢者医療事業状況報告」をもとに作成）

社会福祉従事者の概要

社会福祉従事者の国家資格には、次に示す資格があります。注意したいのはこれらの資格が名称独占*83 であるということです。

知っトク

＊80 後期高齢者医療制度の根拠法
後期高齢者医療の根拠法は「高齢者の医療の確保に関する法律」です。

＊81 高額医療費制度
R5年（後）
国民健康保険及び健康保険には、保険給付として、高額療養費制度があります。

知っトク

＊82 社会保障制度に関する勧告
感染症予防・公衆衛生及び医療は社会保険には含まれません。また、予防接種は社会福祉ではなく公衆衛生及び医療に含まれます。

用語解説

＊83 名称独占
医師や看護師などの業務独占資格のようにその資格を持たなければできない業務があるわけではありませんが、資格保持者でなければ、名乗ることができない資格のことです。例えば、保育士の資格を持たない者が、保育士であるなどとその資格を名乗ってはならないという意味です。

◎ 従事者の国家資格（専門資格）

社会福祉士*84	心身の障害がある、又は環境上の理由により日常生活を営むのに支障がある者の福祉に関する相談に応じ、助言、指導、福祉サービスを提供する者（社会福祉士及び介護福祉士法）
介護福祉士*85	心身の障害があるため、日常生活を営むのに支障がある者につき心身の状況に応じた介護や介護に関する指導を行う者（社会福祉士及び介護福祉士法）
介護支援専門員（ケアマネジャー）	要介護者又は要支援者からの相談に応じ、適切な介護サービスを利用できるよう市町村や福祉サービスの事業者等との連絡調整等を行う者であって、要介護者等が自立した日常生活を営むのに必要な援助に関する専門的知識及び技術を有する者（介護保険法）
精神保健福祉士	精神障害者に関する専門的知識及び技術をもって、精神病院その他の医療施設において、その施設を利用する者の社会復帰に関する相談に応じ、助言、指導、日常生活への適応のために必要な訓練その他の援助を行う者（精神保健福祉士法）
保育士*86	保育士の名称を用いて、保育の専門的知識及び技術をもって、児童の保育及び児童の保護者に対する保育に関する指導を行う者（児童福祉法）

◎ その他の専門職*87

家庭支援専門相談員*88	家庭支援専門相談員（ファミリーソーシャルワーカー）は、乳児院や児童養護施設、児童心理治療施設、児童自立支援施設に配置が義務づけられている。（児童福祉施設の設備及び運営に関する基準）
児童福祉司	児童相談所において、児童の相談に応じ、必要に応じて指導を行う者（児童福祉法第13条）
児童指導員*89	児童福祉施設で児童の生活指導を行う者に要求される資格である（児童福祉施設の設備及び運営に関する基準第43条） 資格要件として、社会福祉士の資格を有する者などがある。
母子・父子自立支援員	福祉事務所等に配置され、ひとり親家庭や寡婦家庭に対し、相談に応じ、その自立に必要な情報提供及び指導などを行う者（母子及び父子並びに寡婦福祉法第8条）
身体障害者福祉司	身体障害者更生相談所や福祉事務所で身体障害者の福祉に関して、専門的な知識及び技術を必要とする業務を行う者（身体障害者福祉法第11条の2）

*84 **社会福祉士**
R5年（前）
児童指導員の資格要件について問われています。

知っトク

*85 **介護福祉士**
介護保険法に規定された資格ではないことに注意しましょう。

*86 **保育士**
R4年（後） R6年（前）
保育士登録申請手続きに関して出題されています。保育士登録の手続きに期限はありません。

知っトク

*87 **スクールソーシャルワーカー**
いじめ、不登校、暴力行為、児童虐待など生徒指導上の課題に対応するため、教育分野に関する知識に加えて、社会福祉等の専門的な知識や経験を用いて児童生徒が置かれた様々な環境へ働きかけたり、関係機関等とのネットワークを活用したりして、問題を抱える児童生徒への支援を行います。

知的障害者福祉司	知的障害者更生相談所や福祉事務所で知的障害者の福祉に関して、専門的な知識及び技術を必要とする業務を行う者（知的障害者福祉法第13条）
社会福祉主事*90	福祉事務所現業員として任用される者に要求される資格である（社会福祉法第18条）
身体障害者相談員	身体に障害のある者の相談に応じ更生のために必要な援助を行う者（身体障害者福祉法第12条の3）
知的障害者相談員	知的障害者又はその保護者の相談に応じ更生のために必要な援助を行う者（知的障害者福祉法第15条の2）
女性相談支援員	福祉事務所や女性相談支援センターで要保護女子等の発見、相談、指導等を行う（女性支援新法第11条）、また、配偶者からの暴力被害者相談、指導を行う者（DV防止法第4条）

社会福祉従事者の専門性と倫理

保育士をはじめ福祉の仕事にかかわる職種は専門職であるといわれています。専門職には各専門職業に必要とされる固有の知識と専門性が必要ですが、同時に専門職には高い倫理観が求められます。専門職にとって守るべき行動規範が「倫理綱領」です。倫理綱領は、社会福祉士、看護師、保育士等、職種別に策定されています。

1 全国保育士会倫理綱領

全国保育士会では、全国保育士会倫理綱領を出しています。そこでは、自らの人間性と専門性の向上に努め、一人ひとりの子どもを心から尊重し、子どもを育て、保護者の子育てを支え、子どもと子育てにやさしい社会を作るとされています。具体的な項目として、①子どもの最善の利益の尊重、②子どもの発達保障、③保護者との協力、④プライバシーの保護、⑤チームワークと自己評価、⑥利用者の代弁、⑦地域の子育て支援、⑧専門職としての責務が掲げられています。

*88 **家庭支援専門相談員**
R4年（後）
資格要件として、保育士資格がなくてもその職に就くことができるかを問われています。

*89 **児童指導員**
R5年（前）
児童指導員の資格要件について問われています。

*90 **社会福祉主事**
R5年（前）
配置される社会福祉機関について問われています。

2 保育士の信用失墜行為の禁止や守秘義務

*91 **日本版DBS制度**
性犯罪歴という特に配慮が必要な個人情報を照会する制度で、学校や保育所等が対象となります。

保育士には、信用失墜行為の禁止（児童福祉法第18条の21）や守秘義務（同法第18条の22）といった対人援助専門職としての義務が課せられています。また、それらに違反した者に対しては罰金や保育士登録の取り消しなどの罰則規定が設けられています*91。

理解度チェック　一問一答

全問クリア　　月　　日

Q

□ ❶ 国民年金の保険給付には、老齢基礎年金、障害基礎年金、遺族基礎年金等がある。 R6年（前期）

□ ❷ 児童扶養手当法は，ひとり親家庭の家庭生活の安定のために支給される手当について規定している。 R4年（前期）

□ ❸ 社会福祉士資格を持つ者は、児童指導員として児童養護施設等で働くことができる。 R5年（前期）

□ ❹ 通勤により負傷した場合は、労働者災害補償保険における保険給付の対象とならない。 R3年（後期）

A

❶ ○ 設問のとおり、老齢基礎年金、障害基礎年金、遺族基礎年金等がある。

❷ ○ 児童扶養手当法第1条に「父又は母と生計を同じくしていない児童が育成される家庭の生活の安定と自立の促進に寄与するため、当該児童について児童扶養手当を支給し、もつて児童の福祉の増進を図ることを目的とする」と示されている。

❸ ○ 児童福祉施設（児童養護施設など）に置かれる児童指導員任用資格は、資格要件の一つとして、社会福祉士の資格がある。

❹ × 労働者災害補償保険では、通勤として認められたものは負傷も原則として給付対象となる。

□ ❺ 労働者災害補償保険制度では、原則として業種の規模や正規・非正規職員の別などの雇用形態を 問わず、労働者のすべてに適用される。 R5年（前期）

□ ❻ 児童手当は児童の住所が日本国外である場合も支給対象となる。 R5年（前期）

□ ❼ 「社会福祉法」に基づく市町では、村社会福祉協議会の活動や事業では、社会福祉を目的とする事業に調査、普及、宣伝、連絡、調整及び助成を行うこととされている。 R6年（前期）

□ ❽ 社会福祉における自立支援は、障害者福祉の分野ばかりでなく、高齢者福祉、子ども家庭福祉の 分野にも共通の理念と考えられている。 R5年（後期）

□ ❾ 児童福祉法では、児童を心身ともに健やかに育成することについての第一義的責任は保護者にあり、国や地方公共団体は責任を一切負わない。 R6年（前期）

❺ ○ 労働基準法上の労働者を対象としているため、パート、アルバイト等の就業形態にかかわらず事業主との間に雇用関係があり、賃金を得ていれば、業務又は通勤により負傷した場合などは、一般の労働者と同様に労災保険給付を受けることができる。また、原則として 一人でも労働者を使用する事業は、業種の規模にかかわらず、すべてに適用される。

❻ × 児童扶養手当法第四条の2第1項、同法同条第3項に日本国内に住所を有しないときは支給しない、と規定されている。

❼ ○ 社会福祉法第109条第1項第3号に「社会福祉を目的とする事業に関する調査、普及、宣伝、連絡、調整及び助成」との記載がある。

❽ ○ 設問の通り、自立支援の考え方は、障害者福祉、高齢者福祉、子ども家庭福祉など社会福祉関連分野の基本的共通の理念である。

❾ × 児童福祉法第2条第3項に「国及び地方公共団体は、児童の保護者とともに、児童を心身ともに健やかに育成する責任を負う」と示されている。

3 社会福祉における相談援助

相談援助に関する人物名とその業績がよく出題されます。歴史的変遷を整理しましょう。また、ケースワークやグループワークなどの相談援助技術の形態と原理・原則を理解しましょう。

頻出度

相談援助の理論

相談援助技術は、1869年に始まったイギリスの慈善組織協会（COS）の活動とセツルメント運動がその始まりといわれています。この慈善組織協会が行った、援助の濫給・漏給を防ぐための「慈善団体の連絡、調整、協力の組織化」が現在の地域援助技術（コミュニティワーク）*1 へとつながり、同組織の友愛訪問員の活動が個別援助技術（ケースワーク）へと発展していきました。また、セツルメント運動の原点であるロンドンに設立されたトインビーホールは、集団援助技術（グループワーク）や地域援助技術に影響を与えたとされています。

ココが出た！
*1 **コミュニティワーク**
R5年(前)
援助過程について出題されています。

1 個別援助技術（ケースワーク）

ケースワークは、19世紀後半にイギリス・ロンドンから始まった慈善組織協会（COS）が始まりです。また、ケースワークはイギリスで始まり、その後、アメリカへ渡りメアリー・リッチモンドによって理論化・体系化が図られました。リッチモンドはケースワークを「人と社会環境との間を個別に意識的に調整することを通して、パーソナリティを発達させる過程」であると定義しました。

その後、1920年代になるとジークムント・フロイトの精神分析理論（診断派）が導入されました。1930年代にはオットー・ランクの意志心理学（機能派）が導入され、ケースワークの発展に影響を与えました。1950年代は診断派と機能派が統合を試みた時代です。心理学や精神医学に偏りすぎた反省から「リッチモンドに帰れ」と原点に帰ることを目指しました。1970年代は障害者や貧困高齢者の権利意識も高まり、貧困は個人の問題ではなく社会問題であることが再認識され、ケースワークに対する批判が高まった時期でもあります。1980年代以降は利用者の権利要求やニーズを積極的に発見し、サービス提供機関につなげるなどの仲介機能*2 や自分でサービス要求ができない利用者の代弁機能*3 が重視されました。

パールマン*4 はケースワークの4つの構成要素として「4つのP（人、問題、場所、過程）」を示しました。

2 集団援助技術（グループワーク）*5

グループワークの始まりは、19世紀半ばから20世紀初めのイギリスやアメリカにおける社会改良運動*6 からです。その代表的なものが青少年団体活動として1844年にロンドンで誕生したYMCA（キリスト教青年会）や1855年に発足したYWCA（キリスト教女子青年会）です。その後、1920年代にはG.コイルによって、グループワークが

用語解説

＊2 仲介機能
利用者と社会資源との仲介者としての役割です。

＊3 代弁機能
権利擁護やニーズを自ら表明できない利用者に代わって代弁者となる役割です。

＊4 パールマン
R4年（前）　R5年（前）
4つのP（人、問題、場所、過程）などについて出題されています。
人（Person）支援を必要とする人
問題（Probrem）利用者の問題や課題
場所（Place）支援が展開される場所
過程（Process）支援の展開過程

＊5 コノプカのグループワークの援助過程
R5年（前）
準備期：支援の準備と波長合わせを始める
開始期：グループ目標に向かってメンバーの参加を支援する
作業期：グループを活用してメンバーの問題や課題の支援に取り組む
終結期：メンバーと支援者がともに活動を評価し今後の課題を明確にする

用語解説

*6 **社会改良運動**
社会改良運動は、資本主義制度における労働問題などの社会問題を解決しようとする運動です。

知っトク

*7 **ソーシャルワーク（専門職）のグローバル定義（2014年）**
グループワークの定義としては，コノプカが定義した「グループワークは意図的なグループ経験を通じて、個人の社会的に機能する力を高め、また個人・集団・地域社会の問題により効果的に対処しうるよう、人々を援助するものである」があります。

理論化・体系化され、1935年にアメリカの全国社会事業会議（NCSW）がグループワーク部会を設置し、初めてグループワークがソーシャルワークの一つとして認められました*7。1946年には、アメリカ・グループワーク協会が発足し、1955年にはソーシャルワーカーの専門職団体とともに全米ソーシャルワーカー協会が設立されました。

国際ソーシャルワーカー連盟（IFSW）によるソーシャルワーク（専門職）のグローバル定義（2014年）として、日本ソーシャルワーカー連盟（JFSW）は、次のように示しています。「ソーシャルワークは、社会変革と社会開発、社会的結束、および人々のエンパワメントと解放を促進する、実践に基づいた専門職であり学問である。社会正義、人権、集団的責任、および多様性尊重の諸原理は、ソーシャルワークの中核をなす」。

相談援助の意義と機能

相談援助技術は直接援助技術、間接援助技術、関連援助技術に分けられます。さらに、直接援助技術には個別援助技術（ケースワーク）と集団援助技術（グループワーク）があり、これらは援助が必要な人に直接働きかける援助方法になります。間接援助技術には地域援助技術、社会活動法、社会福祉計画法、社会福祉調査法、社会福祉運営管理の5つがあります。これは、地域社会の問題や課題を発見、解決するために、地域活動の展開などを通じて援助を必要とする人々に対して間接的に援助するものです。関連援助技術には、ケアマネジメント、スーパービジョン、カウンセリング、コンサルテーション、ソーシャル・ネットワークなどがあります。

○ 直接援助技術

個別援助技術（ケースワーク）	生活問題や課題を抱える利用者に対して援助者が環境改善や調整を行うなど個別（個人）に援助するもの
集団援助技術（グループワーク）	援助者と利用者が小集団（グループ）の相互作用を通して、問題や課題を解決するための援助方法

○ 間接援助技術

地域援助技術（コミュニティワーク）	地域の問題や福祉ニーズなどを発見し、援助者が地域住民や関係機関に働きかけ解決を図る技術
社会活動法（ソーシャル・アクション）	地域社会の生活課題などの改善や施策の策定など社会改良を目標として取り組む技術
社会福祉計画法（ソーシャル・プランニング）	社会福祉を合理的及び段階的に進めるために計画する技術
社会福祉調査法（ソーシャルワーク・リサーチ）*8	地域の生活ニーズの把握や現在行われているサービスを検証するため各種統計調査や事例研究を通じて課題解決を図るもの
社会福祉運営管理（ソーシャル・アドミニストレーション）*9	社会福祉施設などが、効果的で合理的なサービスを提供するために作成するサービス計画や供給方法の技術（組織運営管理）

○ 関連援助技術

ケアマネジメント *10	利用者が適切なサービスを利用できるように、利用者のニーズをもとにサービスを調整したり、組み合わせたりする技術
スーパービジョン *11	専門職（スーパーバイジー：指導を受ける側）が技術を向上させ、専門職として成長するために専門家（スーパーバイザー：指導者）の支持・教育・指導を受けること
カウンセリング *12	利用者の心理的な問題を解決するため、面接などで心理学的な手法を用いて問題解決を図る手法
コンサルテーション	援助者が、医師や弁護士などの福祉以外の専門家に指導を受け、利用者の援助に役立てること
ソーシャル・ネットワーク*13	利用者が効果的な支援を受けることができるように、相互連携して援助者や関連サービス施設が支援組織を作り上げること

*8 **社会福祉調査法（ソーシャルワーク・リサーチ）**
R4年（後） R6年（前）

*9 **ソーシャル・アドミニストレーション**
R4年（後）

*10 **ケアマネジメント**
R4年（前） R4年（後）

*11 **スーパービジョン**
R4年（後）
スーパービジョンの機能には、①管理的機能、②教育的機能、③支持的機能があります。

*12 **要約記録**
相談援助において利用者と援助者で交わされた会話内容やその結果を援助者が要約して記録したものを要約記録といいます。

*13 **ソーシャル・ネットワーク**
R4年（後）

○ 相談援助〈ソーシャルワーク〉の実践モデル

治療モデル	1917年のリッチモンド（Richmond, M. E.）の社会診断にはじまりがある。「調査→社会診断→処遇」の過程をたどるアプローチ法
生活モデル	1980年代に提唱されはじめたもので、ソーシャルワークに生態学的な考えを取り入れたもの。人と環境の相互作用を取り入れたアプローチ法
ストレングスモデル	1980年代後半から提唱されたもので、利用者の強みに着目し、利用者の回復する力や本来の能力を引き出すアプローチ法

○ ソーシャルワークのアプローチ

アプローチ	説明
診断主義アプローチ	利用者の問題を病のある状態と捉え、治療することを目的とした専門職中心の医学モデル
エコロジカルアプローチ	人と環境の相互作用に着目した援助方法。利用者の課題や問題にのみ着目するのではなく、環境にも焦点を当てて支援方法を考える
心理社会的アプローチ	ホリスによって「状況の中の人」という視点を用いて広められた
機能的アプローチ	利用者の意思や潜在的可能性などで問題解決できるように援助するアプローチ
課題中心アプローチ	利用者自身が問題を解決するための「いま、ここに」焦点を当て、課題の解決を目指すアプローチ
エンパワメント*14アプローチ	利用者が潜在能力に気づいて対処することにより問題解決を図るアプローチ

ココが出た！

*14 **エンパワメント**

R5年(前)

人が本来持っている力を発揮できない状態に陥っているとき、その力を発揮できるようになっていくことです。

相談援助の対象

保育士の役割には子どもの保育と同時にその子どもと子どもの家庭や保護者への支援が求められています。つまり、相談援助の対象は子ども、保護者、家庭といえます*15。

子どもの相談援助にあたっては保育と家庭との連続性を考慮した支援、かつ子どもが主体となる支援が必要です。保護者の支援では、保護者の気持ちに寄り添い信頼関係を築きながら関わること、そして、地域の専門機関（地域資源）と連携協力しながら支援することが大切です。支援の方法としては、ソーシャルワークの知識と技術を用いた支

*15 **保護者支援・子育て支援**

家庭支援や子育て支援は親子と地域社会の良好な関係や社会から孤立しないことも重要な視点です。

援が有効です[*16]。

𝄞♪ 相談援助（ソーシャルワーク）の方法と技術

1 相談援助（ソーシャルワーク）活動の近年の動向

社会福祉制度が措置制度から利用契約制度へと変わり、社会福祉の実践においても援助のあり方に変化が出てきています。社会福祉サービス利用者のニーズを適切にとらえニーズに沿った援助をすることが求められるようになってきています。

2 保育士に求められる相談援助（ソーシャルワーク）活動

保育士資格の法定化により、保育士には児童の保育だけでなく児童の保護者に対する保護者支援、地域子育て支援をすることが求められるようになりました。子育て中の親に対する保育相談や保育指導をすることが保育士に求められています[*17]。

また、保育所保育指針[*18]では、第４章に「子育て支援」が明示され、「保育所の特性を生かした子育て支援」、「保育所を利用している保護者に対する子育て支援」、「地域の保護者等に対する子育て支援」が示されています。そこでは、保育所における子育て等の支援において相談･助言などソーシャルワーク機能を果たすことも必要と述べられており、ソーシャルワークの原理（態度）、知識、技術等への理解を深めた上で、援助を展開することが必要であるとしています。

3 保育と相談援助（ソーシャルワーク）

保育現場では、ソーシャルワーク[*19]の知識と技術を用いた支援の必要性が指摘されています。保護者支援や子育て支援だけでなく、子どもの保育においても重要な視点と

＊16 保護者に対する支援の留意点
子どもの利益に反しない限りにおいて、保護者や子どものプライバシーの保護、知り得た事柄の秘密保持に留意します。

＊17 保育士の役割
R4年(後)
保育士（保育士に限らないが）が児童虐待を発見した場合は、児童相談所への通報を匿名で行うことができます。

ココが出た！

＊18 保育所保育指針
R4年(前)　R5年(後)
2018（平成30）年施行の保育所保育指針でも第4章「子育て支援」で「保育所における子育て支援に関する基本事項」「保育所を利用している保護者に対する子育て支援」「地域の保護者等に対する子育て支援」が示されています。保育所の業務として地域子育て支援の取り組みが求められており、地域福祉推進の役割を担うとされています。

なります。入園当初の子どもが保育所になじまない、仲間に入れないなどの場面では、保育者は子どもの人間関係を調整する役割があります。また、特別な支援が必要な子どもの保育においても、他の専門機関との連絡調整や保護者への支援など、ソーシャルワークの実践が求められているといえます。

さらに、保育所保育指針には「保護者の気持ちを受け止め、相互の信頼関係を基本に、保護者の自己決定を尊重すること」「地域の関係機関等との連携及び協働を図り」とあり相談援助の基本が示されています。

なお、保育所保育指針解説では、「保育士等は、一人一人の子どもの発達及び内面についての理解と保護者の状況に応じた支援を行うことができるよう、援助に関する知識や技術等が求められる。内容によっては、それらの知識や技術に加えて、ソーシャルワークやカウンセリング等の知識や技術を援用することが有効なケースもある。」と解説されています。

また、親子関係の調整及び介入なども支援の一つとなります。さらに、妊娠中の支援、出産などの医療保険制度や各種手当制度の相談・助言なども保育の相談援助に含まれます。

4 ソーシャルワークのアプローチ

ソーシャルワークには以下のアプローチがあります[*20]。

相談援助では、対象者への支援に際しさまざまな働きかけを行います。その働きかけの方法や技術の1つとして次に掲げるものがあります。

○ 保育士の相談援助の方法と技術の概要

方法・技術	概要
面接	問題の状況、要因、問題へのアプローチなどの情報を収集するための関わり。

*19 **ソーシャルワーク**
R4年（前）
ソーシャルワークの実践は社会福祉援助技術とも呼ばれています。その中の技術にケースワーク、グループワークなどがあります。ソーシャルワークの実践では、生活課題や問題を抱える利用者と、その利用者が必要とする社会資源等との関係を調整したり、相談支援などを行うことで、課題解決を図り、よりよく生きるための支援を行うものです。

*20 **相談援助の原理・原則**
R6年（前）
社会福祉士会等、各種ソーシャルワーク団体の倫理綱領には、Ⅰ（人間の尊重）、Ⅱ（人権）、Ⅲ（社会正義）が相談援助の原理・原則として示されています。

*21 **ケアマネジメント**
R5年（後）

*22 **アウトリーチ**
R4年（前）　R6年（前）
ソーシャルワーカーが、支援が必要な利用者の居宅や地域に直接出向いて援助することです。ケースの発見につながります。

方法・技術	概要
ケアマネジメント*21	ケアを必要とする子どもや保護者に効果的・効率的なサービスや資源の提供を行うこと。
アウトリーチ*22	支援が必要な状態であるが適切な支援を受けていない保護者等に対して、保育士から積極的に出向いたり、関わりながら援助につなげること（潜在的ケースの発見）*23。
ケアカンファレンス*24（ケース会議）	支援が必要な子どもや保護者などについて、問題や課題、現状等を話し合い、情報共有や問題解決を図る会議。
ネットワーキング*25	関係者、関係機関、地域住民、専門職等が支援の必要な子どもや保護者の情報を共有し問題解決を図るための手立て。
ソーシャルアクション*26	子どもや保護者の困りごと等への働きかけとして組織を作り必要なサービスや既存のサービスの変更や創設等を求めたりすること。
チームアプローチ*27	チームの強みを活かして意図的に活用して、利用者の支援を行うこと。

5 個別援助技術（ケースワーク）

■ ケースワークの原則

ケースワークを行う際の利用者と援助者の望ましい援助関係を示した代表的な原則として「バイスティックの7つの原則*28」があります。

○ バイスティックの7つの原則

個別化	利用者を一人の個人として個別性を尊重する
意図的な感情表出	利用者がありのままの感情を表すことができるように援助する
統制された情緒関与	利用者の感情や言葉を理解し、援助者は意図的に反応する
受容	利用者のあるがままの行動や態度を受け止める
非審判的態度	利用者の行動を良い悪いで判断しない
自己決定	利用者の自己選択・自己決定を尊重する
秘密保持	利用者の情報を、利用者の許可なしには漏らさない

*23 **潜在的なニーズの把握**
潜在的なニーズを把握するためにはアウトリーチが有効です。相談援助者は積極的にケースの発見に努めることが求められます。

*24 **ケアカンファレンス**
利用者の情報共有や問題解決に向けての支援のあり方などについて本人、支援者、家族などが集まり話し合うことです。利用者、その家族の特徴、実際の問題や課題など情報を共有し、支援目標などを検討します。

*25 **ネットワーキング**
R5年(後)

*26 **ソーシャルアクション**
R5年(前)　R5年(後)
R6年(前)

*27 **チームアプローチ**
R4年(後)

*28 **バイスティックの7つの原則**
R5年(前)　R5年(後)
R6年(前)

バイスティックの７原則は良好な人間関係（社会生活）の基礎にもなる

「バイスティックの７原則」は、ケースワークだけでなく、社会生活を送るすべての人々にとって良好な人間関係を構築するための１つの方法論にもなると思っています。

生活に当てはめてみましょう。①人はそれぞれ違う、②温かい雰囲気づくり、③感情をコントロールしている、④まずは、受け入れる、⑤人を非難したり、裁いたりしない、⑥決めるのは本人、⑦約束（秘密）は守る、どうでしょうか。これができたら人間関係は悪くなりにくいですよね。

＊29 **社会資源**
R5年（後）
相談援助（ソーシャルワーク）では、利用者の問題や課題を解決するために社会資源を活用することも有効です。社会資源には、フォーマル（公的）な社会福祉制度、行政、社会福祉協議会などによる福祉サービスなどだけでなく、家族や近隣、友人などの社会福祉におけるインフォーマル（私的）な社会資源もあります。

＊30 **ケースの発見**
R4年（後）
地域住民の課題や問題などの「ケースの発見」が必要です。ケースの発見では、利用者が自ら相談に来てケースを発見する場合と支援者が積極的に出向いてケースを発見するアウトリーチがあります。

＊31 **ケースワーク（ソーシャルワーク）の展開過程**
R4年（前）

＊32 **インテーク**
R4年（前）　R4年（後）
R5年（後）

■ ケースワークの構造

ケースワークの構造として、次の５つの要素に分けることができます。①利用者（個人や家族など）、②援助者（社会福祉士などの専門家）、③目的（生活問題や課題を解決すること）、④援助関係（対等な援助関係が基本）、⑤社会資源＊29（目的を効果的に達成するために必要な人的・物的・制度など）があります。

■ ケースの発見＊30

ケースワークの展開過程では、利用者の課題や問題を発見する必要があります。この課題や問題をケースと呼びます。ケースの発見からケースワークが展開されていきます。なお、ケース発見の契機は、来所、電話、メール相談、訪問相談など様々です。接近困難などの場合は、アウトリーチとして、こちらから出向くことも必要になることもあります。普段から地域関係機関と連携を強めて、早期発見と利用者との信頼関係作りも意識しておくことが大切です。

■ ケースワーク（ソーシャルワーク）の展開過程＊31

ケースワークでは、インテーク＊32（受理面接）による利用者のニーズ把握から援助が開始され、ターミネーション（終結）に至るまでが次の一連の過程で行われます。

相談者を取り巻く家族や地域社会の社会資源の相互関係を図式化（マッピングなど）し、ケースの全体像を把握するため可視化する技法として、エコマップやジェノグラムがあります。

ケースワーク（ソーシャルワーク）の展開過程

① インテーク（受理面接）は、利用者が援助者に初めて相談を持ちかけた時点の面接*33 です。インテークの目的は、信頼関係を構築すること、利用者の問題に対して援助できるかを検討することです。ニーズを多面的に把握することも必要です。主訴を提示、支援者の所属機関や施設の説明、契約等を行います。

↓

② アセスメント*34（事前評価）では、利用者と援助者は収集した情報を精査し整理しながら解決すべき問題を探し、その原因を分析します。問題が複数ある場合は、優先順位をつけることも必要です。また、クライエントのストレングス*35 に着目することも重要です。

↓

③ プランニング*36（援助計画）は、アセスメントで整理された情報をもとに、利用者の問題解決に向けて援助の具体的な方法や実施計画および目標設定をする作業です。

↓

④ インターベンション（介入）では、利用者の問題解決に向けて課題を解決できるようにエンパワメント*37 を高めるための援助を行います。また、フォーマル、インフォーマルな支援とのネットワークを形成することも大切です。

↓

⑤ モニタリング*38（観察・把握）では、計画された援助が予定通り行われているか点検（見守り）を行います。また、利用者のサービスに対する評価は重要な視点となります。

↓

⑥ エバリュエーション*39（事後評価）とは、援助によって利用者の問題や課題が解決されたかを判断する過程のことです。

↓

⑦ ターミネーション（終結）は、利用者の問題が解決された場合や、利用者が終結を望んだ場合などです。援助の終わりを意味します。

■ ケアプラン

介護保険サービスを利用する場合はケアプランの策定が必要です。策定にあたっては、利用者主体の視点を持ち、要介護者の質の高い生活が保障されなければなりません。また、その実施では、支援内容を利用者と振り返り評価することも大切です。

知っトク

*33 **面接**
面接は相談者との信頼関係を構築することが必要です。そのためには、相手の話を「傾聴」し、「共感」し、「受容」することが技術の基本となります。

*34 **アセスメント**
R4年(前)　R4年(後)　R6年(前)
相談援助では、インテークの後にアセスメントを行います。支援を受ける人の解決すべき課題を明らかにするために、利用者の心理・情緒面、生活状況、家族や地域との関係などについて具体的に情報を把握する必要があります。

*35 **ストレングス**
R6年(前)

*36 **プランニング**
R4年(後)　R6年(前)

*37 **エンパワメント**
R4年(後)
相談援助活動では、個人や集団などが自身の力を自覚して行動できるようになることを意味します。

＊38 **モニタリング**
R4年（後）　R6年（前）

＊39 **エバリュエーション**
R4年（前）

＊40 **ピアカウンセラー**
ピアカウンセラーとは、同じような課題や問題を抱える人、あるいは経験した人が、そのような課題や問題を抱える人の相談者となることです。ピアとは仲間であり、仲間を支援する人をピアカウンセラーといいます。

6 集団援助技術（グループワーク）＊40

集団援助技術（グループワーク）は、集団の持つ特性や力を生かして、集団に属する個人の力を引き出し、成長・発達を図るとともに、集団の成長もうながします。集団と個人の双方に働きかける援助方法です。

グループワークの原則を次の表に示します。

○ グループワークの原則

個別化の原則	グループのメンバー個々人の個別性を認め、メンバー一人ひとりを個人として個別化し理解する
受容の原則	メンバー一人ひとりの固有性を認めた上で、それぞれのあるがままの姿を受け入れる
葛藤解決の原則	メンバーに不安や緊張、対立が生じた場合、メンバーがともにその葛藤を解決していくよう援助する
参加の原則	メンバーの能力に応じたグループへの参加をうながす
制限の原則	メンバーが自主的に目標に向けてのルールを策定し参加できるように援助する
経験の原則	メンバーが互いに協力することにより多くの交流体験ができるように援助する

■ グループワークの展開過程

グループワークの展開過程は、①準備期、②開始期、③作業期、④終結期の４つの段階に分けられます。

① 準備期	グループ活動を開始する準備を始め、援助者とメンバーが初めて顔を合わせる前段階
② 開始期	最初の顔合わせからグループとして活動を開始するまでの段階
③ 作業期	グループが本格的に目標達成のための活動を行う段階
④ 終結期	グループ援助の終わりの段階

＊41 **児童家庭支援センター**
児童虐待や不登校など家庭と子どもの問題について、ソーシャルワーカーや臨床心理士などがソーシャルワークやカウンセリングなどの専門技術を用いて、相談に応じ関係機関との連絡調整等を行います。

7 地域援助技術（コミュニティワーク）

コミュニティワークとは、ケースワークやグループワークのように援助者が利用者と直接的にかかわるのではなく、地域社会の生活ニーズの掘り起こしや、施策の策定など間接的にかかわり、住民や専門機関＊41と協働して地域の問題解決を図るために援助していく間接援助技術の一つです。

■ コミュニティワークの活動主体

コミュニティワークの活動主体は地域の住民組織や関連機関の専門職で、主に社会福祉協議会のコミュニティワーカー、ボランティア・コーディネーター、福祉活動専門員*42 などです。

*42 福祉活動専門員
R5年（前）

■ コミュニティワークの原則と構成要素

コミュニティワークの原則として、住民ニーズ基本の原則、住民活動主体の原則、民間性の原則、公私協働の原則があります。また、構成要素は、地域社会、福祉ニーズ、問題解決の主体、援助者と属する機関・施設があります。

理解度チェック　一問一答

全問クリア　　月　　日

Q	A
□ ❶ パールマン（Perlman, H.H.）が著したソーシャル・ケースワークの4つの要素の中にある、過程（plan）とは、支援を行うにあたり必要とされる支援計画である。 R5年（前期）	❶ × 過程とは、利用者と支援者の問題解決への支援過程である。
□ ❷ アセスメントは、利用者の抱える問題や課題を分析するため、利用者の持っているストレングスに注目することは必要としない。 R6年（前期）	❷ × アセスメントは利用者の持つストレングスに注目して支援を行うことも重要になるため間違い。
□ ❸ 相談援助に際しての原則としては、バイスティック（Biestek, F.P.）の7つの原則が重要である。 R6年（前期）	❸ ○ ケースワークの原則でもある、バイスティックの7つの原則は相談援助の基本原則である。
□ ❹ インテークでは、相談者から発せられた非言語的表現に左右されることなく、相談者の発言から困っていることを明らかにする。 R5年（後期）	❹ × 相談援助では、相談者から発せられた言語的表現だけでなく、表情や態度、口調など非言語表現に十分に留意して対応する必要がある。

4 利用者保護にかかわる仕組み

利用者保護制度がどのように行われているかを、第三者評価や苦情解決制度などから整理しましょう。また、利用者の権利擁護や情報提供についての留意点などをまとめ、学びを深めましょう。

頻出度

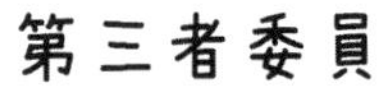

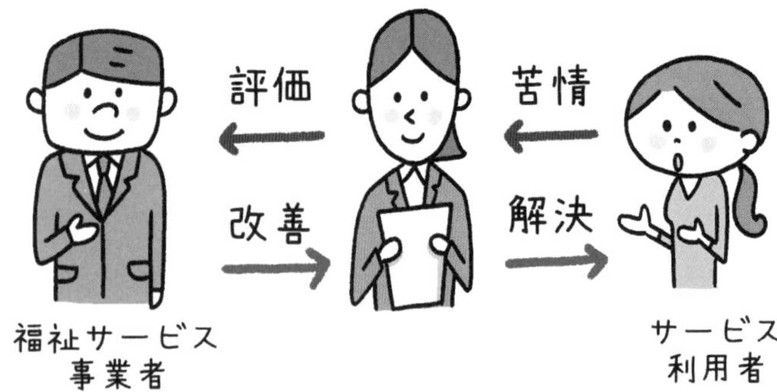

*1 第三者評価
R3年（前） R4年（前）
R6年（前）
児童福祉施設の第三者評価は社会的養護関係施設では3年に1回の受審が義務ですが、保育所は努力義務となっています。
なお、2024（令和6）年に新設された里親支援センターについては第三者評価の受審が義務となっています。

情報提供と第三者評価

1 第三者評価*1

第三者評価とは、福祉サービスの質の評価を行うための専門的な知識を有する第三者機関が、客観的な基準に基づいてサービスの質の評価を行い、その結果を公表し、利用者に情報を提供するものです。

社会福祉法第78条において、「社会福祉事業の経営者は、自らその提供する福祉サービスの質の評価を行うこと*2その他の措置を講ずることにより、常に福祉サービスを受ける者の立場に立つて良質かつ適切な福祉サービスを提供するよう努めなければならない」と示され、福祉サービスの質の向上のための措置であるとしています。

2012（平成24）年度から児童福祉法に定められる児童福祉施設のうち、社会的養護関係施設（乳児院、母子生活支援施設、児童養護施設、児童心理治療施設*3 及び児童自立支援施設）は、第三者評価を3年に1回以上受け、その結果を公表することが義務付けられました*4。また、第三者評価基準については、おおむね3年ごとに見直すこととなっています。また、保育所は自己評価を行うなど、福祉サービスの質の向上に向けて努力することが義務づけられています。第三者評価は努力義務となっています。評価結果の公表は義務ではありませんが、利用者のサービス選択に利用されます。

なお、第三者評価事業*5 *6 は、福祉サービス提供事業者の提供するサービスの質を当事者以外の第三者評価機関が、専門的かつ客観的な立場から評価する事業です。第三者評価における評価者は評価調査者養成研修を受講し修了する等の要件を満たす必要があります。

2 第三者委員

第三者委員は、社会福祉事業の経営者が、苦情解決を図ることを目的に置かなければならないとされている委員のことです。その目的は、苦情解決に客観性を確保し、利用者の立場や特性に配慮した適切な対応を推進するためとされています。第三者委員は、経営者の責任において選任することとなっています。

また、第三者委員は家族や利用者でない者、サービス提供者ではない者（地域の民生委員等）を事業者が選出します。

知っトク

*2 自己評価

厚生労働省「社会的養護関係施設における第三者評価及び自己評価の実施について」では、社会的養護関係施設（児童養護施設、乳児院、児童心理治療施設、児童自立支援施設及び母子生活支援施設）は、「児童福祉施設の設備及び運営に関する基準」により、第三者評価基準の評価項目に沿って、毎年度、自己評価を行わなければならない、とされています。

*3 児童心理治療施設

R5年（前）

児童心理治療施設入所の被虐待児の割合、児童委託経路などが問われています。

詳細については、科目「子ども家庭福祉」や「社会的養護」を参照してください。

*4 **被措置児童等虐待届出等制度**
R3年(前)
社会的養護の施設等では、体罰や虐待、不適切なかかわりは禁止されています。平成21年4月から施設職員等による被措置児童等虐待について、都道府県市等が児童本人からの届出や周囲の人からの通告を受けて、調査等の対応を行う制度が法定化されています。

*5 **第三者評価事業**
R5年(後)
厚生労働省から平成30年「「福祉サービス第三者評価事業に関する指針」の全部改正について(通知)」が示され適用されています。第三者評価については、各種評価基準ガイドラインなどが策定されています。

*6 **推進組織**
福祉サービス第三者評価機関認証ガイドラインでは、推進組織は、都道府県、都道府県社会福祉協議会などに設置するこものと示されています。なお、ガイドラインは全国社会福祉協議会が策定・更新します。

苦情解決

1 苦情解決*7

2000（平成12）年の社会福祉法改正に伴って、福祉サービス利用者の利益を保護し権利を擁護することを目的に「苦情解決」の仕組みが義務づけられました。社会福祉法第82条「社会福祉事業の経営者による苦情の解決」では、提供する福祉サービスについて、利用者等からの苦情に対して適切な解決に努めなければならないとしています。

苦情解決体制*8として、苦情解決責任者、苦情受付担当者、第三者委員が必要となります。苦情解決の手順は、①利用者への周知、②苦情の受付、③苦情受付の報告・確認、④苦情解決に向けての話し合い、⑤苦情解決の記録、報告、⑥解決結果の公表です。これは、2000（平成12）年厚生省（現：厚生労働省）通知「社会福祉事業の経営者による福祉サービスに関する苦情解決の仕組みの指針」で示されています。なお、事業の対象とする福祉サービスの範囲は、「社会福祉法第２条に規定する社会福祉事業において提供されるすべての福祉サービスとすること。ただし、事業の実施に支障を及ぼさないと認められる場合には、対象範囲を拡大しても差し支えない。また、解決結果の公表はインターネットや報告書、広報誌などで事業所が行う」となっています。

2 運営適正化委員会*9 *10

福祉サービス利用援助事業の適正な運営を確保するとともに、福祉サービスに関する利用者等からの苦情を適切に解決するため、都道府県社会福祉協議会に運営適正化委員会が設置されています（社会福祉法第83条）。福祉サービスに関する苦情について解決の申出があった時は、その相談に応じ、申出人に必要な助言をし、当該苦情にかかる事情を調査するものです（同法第85条）。

運営適正化委員会の行う福祉サービス利用援助事業に関する助言等として、「福祉サービス利用援助事業を行う者に対して必要な助言又は勧告をすることができる」（同法第84条）とされています。

3 児童福祉施設の設備及び運営に関する基準

児童福祉施設の設備及び運営に関する基準では、第14条の3において、児童福祉施設は、入所している者またはその保護者からの苦情に適切に対応するため、苦情受け付け窓口を設置することが義務となっています。また、同法第14条の3第2項では、乳児院、児童養護施設、障害児入所施設、児童発達支援センター、児童心理治療施設及び児童自立支援施設は、苦情の解決に当たって当該児童福祉施設の職員以外の者を関与させなければならない、と示されています。

4 保育所保育指針

保育所保育指針第１章「総則」１「保育所保育に関する基本原則」（５）で「保育所は、入所する子ども等の個人情報を適切に取り扱うとともに、保護者の苦情などに対し、その解決を図るよう努めなければならない」と示されています[*11]。

苦情は利用者満足度を高めることにつながるか？

福祉サービスを提供する場合、利用者の保護の１つとして苦情解決の仕組みがあります。利用者からの苦情を「クレーマー」「非難」「恥」と捉えるのか、宝と捉えるかでは大きな違いがあります。苦情はまず、受入、解決策を模索し改善し、次のサービスにつなげることが大切です。苦情には、課題や問題点の改善のきっかけがあります。利用者満足度を高めるためにも苦情を宝として受け止めることも大切です。

*7 **苦情解決**
R3年(前)　R3年(後)
R5年(前)　R6年(前)

*8 **苦情解決体制**
R3年(前)
苦情解決責任者は施設長や理事がふさわしいとされています。また、苦情受付担当者は、当該事業所職員が担当します。R3年(前)に苦情解決体制について出題されています。

*9 **運営適正化委員会**
R3年(後)　R5年(後)
R6年(前)
社会福祉法第86条で「運営適正化委員会は、苦情の解決に当たり、当該苦情に係る福祉サービスの利用者の処遇につき不当な行為が行われているおそれがあると認めるときは、都道府県知事に対し、速やかに、その旨を通知しなければならない」と示されています。

知っトク

*10 **運営適正化委員会**
社会福祉法第83条で「人格が高潔であって、社会福祉に関する識見を有し、かつ、社会福祉、法律又は医療に関し学識経験を有する者で構成される」と明記されています。R５年(後)に出題されています。

*11 **保育所保育指針における苦情解決**
R6年（前）

*12 **権利擁護**
R4年（後）
社会福祉における権利擁護について、福祉サービス第三者評価事業や成年後見制度、苦情解決制度などについて出題されています。

用語解説

*13 **アドボカシー**
アドボカシーとは、自らの権利を表明することが困難な利用者に代わって援助者が権利を擁護することです。

用語解説

*14 **成年後見制度**
成年後見制度は民法と任意後見契約に関する法律を根拠として2000（平成12）年4月から施行された制度です。

権利擁護*12（アドボカシー）*13

社会福祉制度の動向から権利擁護をみると、1998（平成10）年の「社会福祉基礎構造改革について（中間まとめ）」の中で、成年後見制度*14 *15とあわせ、「社会福祉分野において、各種サービスの適正な利用を援助するなどの権利擁護の制度を導入・強化する」とされています。社会福祉分野における権利擁護制度については、「地域福祉権利擁護事業」（国庫補助事業）が全国の都道府県社会福祉協議会を実施主体として1999（平成11）年から実施されました。その後、2007（平成19）年から「福祉サービス利用援助事業（日常生活自立支援事業*16）」に名称変更されています。

社会福祉法第２条第３項に基づく権利擁護事業で、対象は判断能力が不十分な方（認知症高齢者、知的障害者等）で、この事業の契約について判断できると認められている方となっています。実施主体は、都道府県・指定都市社会福祉協議会です（窓口業務等は市町村の社会福祉協議会等で実施）。援助内容は、福祉サービスの利用援助、苦情解決制度の利用援助、住宅改造、居住家屋の賃借、日常生活上の消費契約および住民票の届け出等の行政手続に関する援助等、先述の援助として預金の払い戻し、預金の解約、預金の預け入れ手続等利用者の日常生活費の管理などです。全国社会福祉協議会によると、「事業の契約件数（利用者数）は事業開始以降一貫して増加し、平成28年度以降その伸びは鈍化傾向にある」と報告しています。

◯ 日常生活自立支援事業（福祉サービス利用者援助事業）

対象		・認知症がある高齢者、知的障害者、精神障害者などの十分な判断能力がなく、適切な福祉サービスを受けることができない者であって、日常生活自立支援事業の契約内容について判断し得る能力を有している者
援助までの流れ		・利用者が実施主体である都道府県・指定都市社会福祉協議会と契約を締結する ・専門員は初期相談から支援計画の策定、利用契約の締結業務を行う ・生活支援員は契約内容に基づき、具体的な援助を行う
援助の内容	生活支援	・要介護認定などの申請手続きの援助、サービス事業者との契約締結の援助など
	行政手続きの援助	・行政手続きの代行
	日常的金銭管理*17	・通帳・印鑑などの預かり、公共料金や家賃の支払、預貯金の引き出し　など
	書類などの預かり	・大切な書類などの保管
根拠法		・社会福祉法

社会福祉サービスの情報提供*18

1 アカウンタビリティ

アカウンタビリティとは説明責任のことをいいます。多くの福祉サービスは措置制度から利用契約制度へと移行し、利用者自身が集めた情報によってサービスの利用を判断していることからも、利用者への説明責任は重要であるといえます。

2 社会福祉サービスにおける情報提供

社会福祉サービス提供者は、利用者が福祉サービスを利用する際の判断材料となる情報*19 を提供しなければなりません。社会福祉法では、誇大広告の禁止として、社会福祉事業の経営者は、その提供する福祉サービスについて事

*15 **成年後見制度**
R4年(後)　R5年(後)　R6年(前)
判断能力が不十分な成年者(障害者、認知症高齢者など)の権利を保護し支援する法定後見制度で、後見、補佐、補助の3類型があります。また、本人の判断能力がある前に後見契約を行い、判断能力が衰えた後に後見効力を発動させる任意後見制度があります。

*16 **福祉サービス利用援助事業（日常生活自立支援事業）**
R4年(前)　R5年(前)　R5年(後)　R6年(前)
自立支援事業を生活保護受給世帯が利用する際は、無料、減額等があります。また、利用料は実施主体で異なります。

知っトク

*17 **日常的金銭管理**
法定後見制度と異なり契約の代行や取り消しは行えません。

ココが出た！

*18 **社会福祉サービスの情報提供**
R4年(後)

実と異なるような表示をしてはならないとされています（同法第79条）。

また、母子及び父子並びに寡婦福祉法では、母子・父子自立支援員の役割として、ひとり親世帯の相談に応じるとともに自立に必要な情報を提供することが示されています（同法第８条第２項１号）。児童福祉法では、1997（平成９）年の改正により、同法48条の４で「保育所は、当該保育所が主として利用される地域の住民に対して、その行う保育に関し情報の提供を行わなければならない」「保育所は、当該保育所が主として利用される地域の住民に対して、その行う保育に支障がない限りにおいて、乳児、幼児等の保育に関する相談に応じ、及び助言を行うよう努めなければならない」と示され、保育所には地域への情報提供*20及び保育に関する相談・助言の努力義務が課せられました。その他、身体障害者福祉法、知的障害者福祉法、障害者総合支援法でも、市町村の責務として福祉に関する情報提供を行うこととされています。

用語解説

*19 情報リテラシー
情報リテラシーとは、ある目的のために情報を収集、分析し活用する能力のことです。

*20 WAM NET
WAM NETとは、独立行政法人福祉医療機構が高齢者福祉情報、障害者福祉情報、児童福祉情報などを発信しているWebサイトです。

■ 成年後見制度*21

成年後見制度は、法務省が所管し、障害や認知症の程度に応じて、「補助」「保佐」「後見」の３つの種類（類型）があります。対象は認知症、知的障害、精神障害等により、判断能力が不十分な人です。法定後見は民法、任意後見は任意後見契約法が根拠法となります。また、法定後見制度の申し込みは本人、配偶者、４親等内の親族、市区町村長，検察官、成年後見人などです。

*21 成年後見制度
R4年（後） R6年（前）
成年後見に、保佐人、補助人の選任は家庭裁判所が行うことができます。R6年（前）に出題されています。
成年後見制度は、その前の禁治産者・準禁治産者制度から1999（平成11）年に民法が改正され、2000年（平成12）に施行されました。

○ 成年後見制度

法定後見制度

対象	・認知症、知的障害、精神障害等により、判断能力が不十分な者
申し立てができる人	・本人、配偶者、4親等内の親族、成年後見人等、任意後見人、任意後見受任者、成年後見監督人等、市区町村長、検察官

理解度チェック　一問一答

全問クリア　　月　　日

Q

□ ❶ 成年後見制度を利用する際に申し立てができるのは、本人と配偶者、四親等以内の親族に限られる。 R6年（前期）

□ ❷ 福祉サービス利用援助事業（日常生活自立支援事業）では、支援内容に、日常的な金銭管理は含まれない。 R6年（前期）

□ ❸ 福祉サービス利用援助事業（日常生活自立支援事業）は、すべての高齢者を利用対象者としている。 R5年（前期）

□ ❹ 児童養護施設等の社会的養護関係施設については、福祉サービス第三者評価を受けることが義務付けられている。 R4年（前期）

□ ❺ 苦情解決体制は、苦情解決責任者、苦情受付担当者、および第三者委員で構成され、そのうち、第三者委員は、市区町村長の責任において選任されている。 R5年（前期）

A

❶ × 法定後見制度の申し立ては本人、配偶者、四親等内の親族、市区町村長，検察官、成年後見人などである。

❷ × 援助として預金の払い戻し、預金の解約、預金 の預け入れ手続等利用者の日常生活費の管理などがある。

❸ × 利用対象者は、判断能力が不十分であること、日常生活自立支援事業の利用契約の内容について、理解できることの2つである。

❹ ○ 第三者評価を3年に1回以上受け、その結果の公表が義務となっている。

❺ × 第三者委員は市区町村長の選任ではなく、事業者が選任する。

5 社会福祉の動向と課題

少子高齢化を中心に現状と今後の課題などを整理しましょう。また、地域福祉を推進する社会福祉協議会の役割や地域福祉計画などについても理解を深めましょう。

頻出度

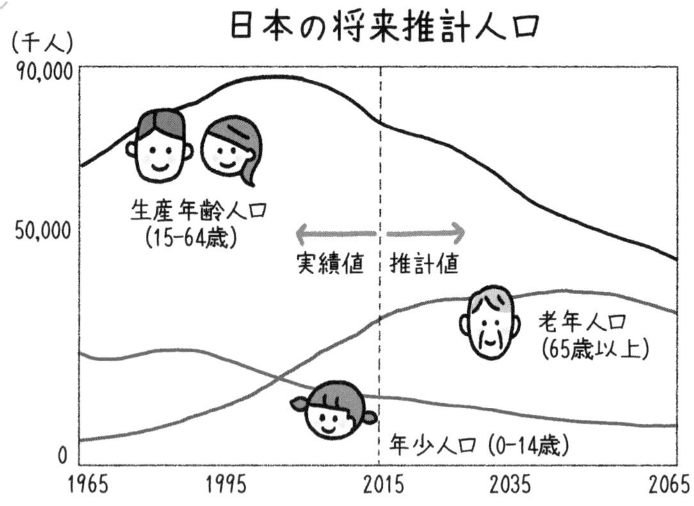

少子高齢社会への対応

1 高齢化の現状

日本の社会は、世界に類をみない少子高齢化が進行しています。1970（昭和45）年に「高齢化社会」となり、1996（平成８）年に「高齢社会」となりました。2024（令和６）年版高齢社会白書（内閣府）によると、2023（令和５）年10月１日現在、65歳以上の高齢者人口は3,623万人となり、総人口に占める割合（高齢化率*1）も29.1％と過去最高となっています。高齢化の要因は大きく分けて、①死亡率の低下による65歳以上人口の増加と、②少子化

用語解説

*1 高齢化率
国連の報告書によれば、65歳以上の高齢者比率が総人口の7%を超えた社会を「高齢化社会」、14%を超えた社会を「高齢社会」、最近では、20%を超える社会を「超高齢社会」と称しています。

の進行による若年人口の減少の２つであると指摘されています。また、高齢化に伴い社会保障費も増加しています。

2 少子化の現状

2022（令和４）年版少子化社会対策白書（内閣府）によると、日本の年間出生数は、1975（昭和50）年に200万人を割り込み、それ以降、毎年減少を続けています。1984（昭和59）年には150万人を割り込み、1991（平成３）年以降は、増減はあるものの減少傾向となっています。

このような少子化を受けて1994（平成６）年に「今後の子育て支援のための施策の基本的な方向性について」（エンゼルプラン）が、1999（平成11）年に「重点的に推進すべき少子化対策の具体的実施計画」（新エンゼルプラン*2）が策定されました。しかし、その後も少子化の進展は続き、2003（平成15）年に次世代育成支援対策推進法*3 が策定されました。2004（平成16）年に「少子化社会対策大綱に基づく具体的な実施計画について」（子ども・子育て応援プラン）、2010（平成22）年には、「子ども・子育てビジョン*4」が策定されています。

さらに、「子ども・子育て支援新制度」が、2015（平成27）年から本格的に開始しました。この制度は、2012（平成24）年に成立した「子ども・子育て支援法*5」「認定こども園法の一部改正」「子ども・子育て支援法及び認定こども園法の一部改正法の施行に伴う関係法律の整備等に関する法律」の子ども・子育て関連３法に基づく制度のことです。市町村が実施主体となり、地域の実情にあった保育サービス等が利用できるようになります。また、認定こども園、幼稚園、保育所を通じた共通の給付（施設型給付）及び小規模保育等への給付（地域型保育給付）が創設されました。巻頭のivページの表を参考に、流れを理解しておきましょう。なお、新たにこども家庭庁*6 が設置されました。これにより少子化対策がより一層強化されることが期待されます。

*2 **新エンゼルプラン**
R5年(後)

*3 **次世代育成支援対策推進法**
R4年(後)　R5年(後)

*4 **子ども・子育てビジョン**
R5年(後)

*5 **子ども・子育て支援法**
R5年(前)

*6 **こども家庭庁**
科目「子ども家庭福祉」でも紹介していますので、こちらも確認してください。

■ 人口動態統計*7

人口動態統計とは、我が国の人口動態*8 を把握し、人口及び厚生労働行政施策の基礎資料を得ることを目的とするとされています。出生、死亡、婚姻、離婚など人口動態の推移を知ることができます。

○ 人口動態統計

	2022（令和4）年（人）	2021（令和3）年（人）	対前年増減	
			増減数（人）	増減数（%）
出生数*9	770,759	811,622	−40,863	−5.0%
死亡数	1,569,050	1,439,856	129,194	9.0%
合計特殊出生率*10	1.26	1.30		
婚姻（組）	504,930	501,138	3,792	0.8%
離婚（組）	179,099	184,384	−5,285	−2.9%

出典：厚生労働省「令和4年（2022）人口動態統計（確定数）の概況」

○ 人口推計*11

2024（令和6）年6月1日現在（概算値）				
総人口	1億2,389万人	前年同月に比べ減少	−62万人	−0.50%
2023（令和5）年1月1日現在（確定値）				
総人口	1億2414万3千人	前年同月に比べ減少	−60万9千人	−0.49%
15歳未満人口	1408万9千人	前年同月に比べ減少	−34万3千人	−2.38%
15歳〜64歳人口	7384万5千人	前年同月に比べ減少	−30万1千人	−0.41%
65歳以上人口	3620万9千人	前年同月に比べ減少	3万6千人	0.10%
日本人人口	1億2105万2千人	前年同月に比べ減少	−84万1千人	−0.69%

出典：総務省統計局「人口推計―2024年（令和6年）1月確定値、2024年（令和6年）6月概算値」
※総人口は2011（平成23）年以降，継続して減少している。

○ 国民生活基礎調査　2022（令和4）年6月2日現在 世帯構造*12 及び世帯類型の状況

世帯別		
全国総世帯数（世帯）	54,310,000	

*7 **人口動態統計**
R3年（前）　R3年（後）
出生数と合計特殊出生率の推移についてはよく出題されますので、どのように変化してきたのかを含めておさえておきましょう。

*8 **人口動態統計の年齢区分**
年齢3区分には年少人口（0〜14歳）、生産年齢人口（15〜64歳）、老年人口（65歳以上）があります。

*9 **出生数**
2016（平成28）年には約97.7万人と、統計開始以来はじめて100万人を割りました。また、2022（令和4）年は80万人を割り込んでいます。

単独世帯（世帯）	17,852,000	（全世帯の32.9%）
夫婦と未婚の子のみの世帯（世帯）	14,022,000	（全世帯の25.8%）
夫婦のみの世帯	13,330,000	（全世帯の24.5%）
世帯類型		
高齢者世帯（世帯）	16,931,000	（全世帯の31.2%）
母子世帯（世帯）	565,000	（全世帯の1.0%）
父子世帯（世帯）	75,000	（全世帯の0.1%）
65歳以上の者のいる世帯の状況		
65歳以上の者のいる世帯（世帯）	27,474,000	（全世帯の50.6%）
65歳以上の者のいる世帯構造		
夫婦のみの世帯（世帯）	8,821,000	（全世帯の32.1%）
親と未婚の子のみの世帯	5,514,000	（全世帯の20.1%）
児童のいる世帯の状況		
児童のいる世帯（世帯）	9,917,000	（全世帯の18.3%）
児童数別		
児童が1人いる世帯（世帯）	4,889,000	（全世帯の9.0%、児童のいる世帯の49.3%）
児童が2人いる世帯（世帯）	3,772,000	（全世帯の6.9%、児童のいる世帯の38.0%）
児童が3人以上いる世帯（世帯）	1,256,000	（全世帯の2.3%、児童のいる世帯の12.7%）
世帯構造「児童のいる世帯の状況」		
夫婦と未婚の子のみの世帯（世帯）	7,744,000	（児童のいる世帯の78.1%）
ひとり親と未婚の子のみの世帯（世帯）	629,000	（児童のいる世帯の6.3%）
三世代世帯（世帯）	1,104000	（児童のいる世帯の11.1%）

出典：厚生労働省「2022（令和4）年国民生活基礎調査の概況」

用語解説

*10 **合計特殊出生率**
合計特殊出生率とは、より平易な表現とするために以下とする。「一人の女性が一生に生む子どもの数を推計したもので」「15～49歳までの女性の年齢別出生率を合計」して計算されます。なお、先進国では2.07を下回ると人口が自然減になるとされています。

*11 **人口推計**
R3年（前）

*12 **国民生活基礎調査の世帯構造**
R3年（前） R5年（後）
2022（令和4）年の世帯構造をみると、単独世帯が最も多く、次いで夫婦と未婚の子のみの世帯、夫婦のみの世帯の順となっています。この点には、留意しておきましょう。

＊13 **ヤングケアラー**
R5年(後)
こども家庭庁はヤングケアラーについて「本来大人が担うと想定されている家事や家族の世話などを日常的に行っているこどものこと。責任や負担の重さにより、学業や友人関係などに影響が出てしまうことがあります。」と説明しています。

少子化と今後の日本社会＊13

少子化の歯止めがかからない日本社会ですが、これからどうなるのでしょうか。年金、医療などの社会保障の課題は山積しています。制度改革も進められていますが、少子化が進行するばかりです。では、今後はどのような対策が必要なのかを考えてみましょう。1ついえることは、保護者の子育て負担を減らすことではないでしょうか。経済的な支援、精神的なサポート、男女の働き方や休み方など、子育てしやすい社会づくりが求められていると思います。

■ 共生社会の実現と障害者施策

共生社会の実現に向けて、障害者基本法第1条では「全ての国民が、障害の有無にかかわらず、等しく基本的人権を享有するかけがえのない個人として尊重されるものであるとの理念にのつとり、全ての国民が、障害の有無によつて分け隔てられることなく、相互に人格と個性を尊重し合いながら共生する社会を実現」と示され、共生社会の実現を目指しています。

また、以下の法律でも共生社会に関連した記述がみられます。

○ 障害者総合支援法

第1条（目的）
障害の有無にかかわらず国民が相互に人格と個性を尊重し安心して暮らすことのできる地域社会の実現に寄与する
第1条の2（基本理念）
障害の有無にかかわらず、等しく基本的人権を享有するかけがえのない個人として尊重されるものである

＊14 **インクルージョンの理念**
R4年(後)
障害をもつ人だけでなく、人種や宗教などの多様性も含めてすべての人を「包摂」するソーシャルインクルージョンの考え方は、これからの時代にますます重要になるものです。

○ 障害者差別解消法

第4条（国民の責務）
障害を理由とする差別の解消の推進に寄与するよう努めなければならない
第5条（社会的障壁の除去の実施についての必要かつ合理的な配慮に関する環境の整備）
社会的障壁の除去の実施についての必要かつ合理的な配慮を的確に行う

■ インクルージョンの理念*14

インクルージョンとは、包摂と訳されます。障害者と健常者を分け隔てすることなく、あらゆる人が自立と社会参加ができる社会を目指す考え方です。インクルージョンは1994年のサラマンカ声明で採択されました。

■ 障害のとらえ方*15

障害のとらえ方は変化してきています。世界保健機構（WHO）が1980（昭和55）年に発表したICIDH（国際障害分類）から2001（平成13）年のWHO総会で承認され改訂された、ICF（国際生活機能分類）があります。ICIDHが「病気の諸帰結」としての分類であったのに対して、ICFは「健康の構成要素」の分類となっています。ICFは、生活機能は心身機能・身体構造、活動、参加の３つの次元からなるとしています。さらに、生活機能は、病気·変調といった健康状態、設備や制度といった環境因子、性別年齢といった個人因子といった背景因子から影響を受けるとして、これを相互作用モデルといいます。

在宅福祉·地域福祉の推進

1 地域福祉の推進

社会福祉法第１条では、「地域における社会福祉の推進を図る」とされ、地域福祉が社会福祉の推進を担う存在であることを示しています。同法第４条*16 では、「福祉サービスを必要とする地域住民が地域社会*17 を構成する一員として日常生活を営み、社会、経済、文化その他あらゆる分野の活動に参加する機会が与えられるように、地域福祉の推進に努めなければならない」と明記されています。地域福祉の推進役の一つとして期待されているのが地域住民です。また地域福祉は、在宅福祉、施設福祉を構成するだけでなく、住民の組織化活動を含む概念としてとらえること

*15 **QOL (Quality of Life)**
「生活の質」などと訳されています。障害の有無などにかかわらずより良い人生を送ることができるか、人生の満足度を表す1つの尺度とされています。

*16 **社会福祉法第4条「地域福祉の推進」**
R6年(前)

*17 **地域の支え合い**
R6年(前)
町内会や自治会は地域の支え合いの仕組みを作り対応していることが出題されています。

*18 **地域福祉計画**
R5年(前)
都道府県地域福祉計画について根拠法との関係が出題されています。

*19 **障害福祉計画**
R5年(前)
都道府県障害福祉計画について根拠法などが問われています。

*20 **社会福祉協議会**
R3年(前)　R3年(後)
R5年(前)
社会福祉協議会の活動内容や設置されている運営適正化委員会に関する問題が出ています。

ができます。なお、地域福祉を推進するためにはボランティアや地域住民などの参加が不可欠といえます。

2 地域福祉計画

社会福祉法では、地域福祉の推進を図るために、同法第107条で、市町村には市町村地域福祉計画*18、同法第108条で都道府県には、市町村地域福祉計画を支援する都道府県地域福祉支援計画を策定することが努力義務として示されました。市町村地域福祉計画では、地域の福祉サービスの利用促進、社会福祉事業の健全な発達、地域福祉活動への住民の参加促進に関する事項などが定められています。都道府県地域福祉支援計画では、市町村の地域福祉の推進を支援するための方針、社会福祉事業従事者の確保または資質の向上について、福祉サービス利用の促進などの事項を定めています。

■ 障害福祉計画*19

障害者総合支援法第88条で「市町村障害福祉計画」及び第89条で「都道府県障害福祉計画」が示されています。市町村障害福祉計画では各年度における指定障害福祉サービス、指定地域相談支援または指定計画相談支援の種類ごとの必要な量の見込み等を定めるとされています。また、都道府県障害福祉計画では各年度の指定障害者支援施設の必要入所定員総数等を定める、としています。

3 社会福祉協議会*20

社会福祉協議会は、社会福祉法第109条で「地域福祉の推進を図ることを目的とする団体」と位置づけられ、民間組織として地域福祉を推進する中心的な役割を担っています。地域住民にとって身近な存在であり、地域福祉活動を住民と協力して推進するなど、直接住民や地域を対象とする市区町村社会福祉協議会*21、都道府県域内での福祉人材の育成や経営指導など地域福祉の充実を図る都道府県・

*21 **市区町村社会福祉協議会**
R6年(前)
市区町村社会福祉協議会は社会福祉を目的とする事業に関する調査、普及、宣伝、連絡、調整及び助成などを行います。
市区町村社会福祉協議会の財源は、市区町村の補助金の他に、地域住民からの会費、個人や企業等の寄付金といった民間財源、共同募金の配分金などがあります。

*22 **都道府県社会福祉協議会**
R6年(前)
ボランティアセンターについて出題されています。

*23 **生活福祉資金貸付制度**
生活福祉資金貸付制度の実施主体は都道府県社会福祉協議会(連絡先など分からない場合は市区町村社会福祉協議会でも可)です。

指定都市社会福祉協議会、全国的に福祉関係者の連絡調整等を行う全国社会福祉協議会があります。

○ 社会福祉協議会

市区町村 社会福祉協議会	地域福祉の推進、社会福祉に関する活動への住民の参加のための援助、社会福祉関係者との調査、普及、連携及びホームヘルプサービス、食事サービス、外出支援サービスなどの在宅福祉サービス、ボランティアの調整などを行う。構成メンバーは、住民、福祉活動に関わる住民組織、社会福祉事業関係者など。
都道府県 社会福祉協議会 *22	市区町村社会福祉協議会の指導や支援、監督、福祉専門職の養成及び福祉サービスの振興のための指導及び助言、市区町村社会福祉協議会の連絡及び調整などを行う*23。構成メンバーは、市町村社協、民生委員･児童委員組織、ボランティア団体、当事者等組織、社会福祉事業経営法人など。

4 共同募金

共同募金*24 *25（赤い羽根募金として親しまれています）は、第一種社会福祉事業*26に位置付けられています。毎年１回、厚生労働大臣が定める期間に募金が行われます（社会福祉法第112条）。共同募金事業は都道府県共同募金会がその区域で実施し、集めた寄付金は原則として都道府県内の社会福祉事業を営む団体等に配分され、高齢者や障害者等を対象とする福祉サービス事業や各種福祉研修等、地域福祉の推進のために利用されています。寄付金の配分については、民間の社会福祉事業を目的とする事業者以外には配分できず、また都道府県共同募金会が設置する配分委員会*27の承認を得る必要があります。

5 民生委員・児童委員*28 *29

民生委員・児童委員は、大阪府で1918（大正７）年に創設された方面委員制度を基礎とするものです。1946(昭和21）年に民生委員と名称を変え、翌1947（昭和22）年に制定された児童福祉法第16条第２項で、民生委員は児童委員を兼務することになりました。また、児童福祉法第

*24 共同募金
R6年(前)

知っトク

*25 歳末たすけあい運動
歳末たすけあい募金は、福祉の援助や支援を必要とする人たちが地域で安心して暮らすことができるよう、様々な福祉活動を歳末の時期に重点的に行うための募金運動です。

*26 共同募金の位置付け
共同募金は第一種社会福祉事業です。第二種社会福祉事業と間違えやすいので注意が必要です。

*27 配分委員会
配分委員会は、共同募金で集まった寄付金について、適切に使用されるようにその配分案を立てます。都道府県共同募金会が設置しています。

ココが出た！

*28 民生委員
R3年(前)　R3年(後)
R5年(前)　R6年(前)
厚生労働大臣から委嘱され、それぞれの地域において、常に住民の立場に立って相談に応じ、必要な援助を行い、社会福祉の増進に努めており、「児童委員」を兼ねています。

*29 **民生委員、児童委員の総数**
2022(令和4)年12月1日現在、民生委員・児童委員の定数は24万547人で、委嘱数は22万5,356人です。

17条には児童委員の職務が示され同法同条第４号では、「児童福祉司又は福祉事務所の社会福祉主事の行う職務に協力すること。」と定められています。1948（昭和23）年に民生委員法が制定され、1994（平成６）年から児童の問題を専門に担当する主任児童委員が配置されました。

なお、民生委員法第５条では、民生委員は、都道府県知事の推薦によって、厚生労働大臣が委嘱するとなっています。また、同法20条で「民生委員は、都道府県知事が市町村長の意見をきいて定める区域ごとに、民生委員協議会を組織しなければならない」と示され、同法第24条では民生委員協議会の任務は民生委員の職務に関する連絡・調整、関連行政機関との連絡、必要な資料及び情報を集めること、などとされています。民生委員・児童委員は市町村の区域ごとに設置された「民生委員児童委員協議会」に所属し活動しています。民生委員の任期は３年です。

*30 **自殺の状況「令和5年中における自殺の状況」(厚生労働省自殺対策推進室)**
令和5年の自殺者数は2万1,837人となり、対前年比で44人減少しています。なお、男性の自殺者は女性の約2.1倍となっています。

6 地域社会における関係機関との連携

時代の変化とともに、人々のライフスタイルや価値観が多様化し福祉ニーズも増大化・多様化しています。その福祉ニーズに対応するためには、地域で福祉サービスを提供する団体や関係者と連携することが必要です。たとえば、児童虐待、ひきこもり、DV、孤独死など*30に対しても家庭や学校、福祉・医療施設、社会福祉協議会*31、民生委員・児童委員協議会、各種ボランティア団体などが情報交換や連携をすることで支援が必要な人々への福祉サービスの提供につなげていくことが必要となります。

*31 **社会福祉協議会**
R5年(前)
社会福祉協議会の歴史は古く、1951(昭和26)年の社会福祉事業法(現、社会福祉法)の施行と同時に発足しています。

7 地域包括支援体制

厚生労働省が2015（平成27）年に公表した「新たな時代に対応した福祉の提供ビジョン」により、全世代・全対象型の地域包括支援体制の構築が打ち出されました。

また、世界に類をみないスピードで高齢化が進む中、高齢者（要介護者、認知症などを含む）の尊厳の保持と自立生活の支援の目的のもとで、可能な限り住み慣れた地域で、自分らしい暮らしを人生の最期まで続けることができるよう地域包括ケアシステムの構築が推進されています（ニッポン一億総活躍プラン*32にも記載されています。）。

地域の自主性や主体性に基づき、地域の特性に応じた地域包括ケアシステムを構築することが必要です。関係機関が連携し、多職種協働により在宅医療・介護を一体的に提供できる体制を構築するための取り組みを推進しています。

○「新たな時代に対応した福祉の提供ビジョン」4つの改革

地域住民の参画と協働により、誰もが支え合う共生社会の実現を目指す。 ① 包括的な相談から見立て、支援調整の組み立て＋資源開発 ② 高齢、障害、児童等への総合的な支援の提供 ③ 効果的・効率的なサービス提供のための生産性向上 ④ 総合的な人材の育成・確保

8 新たな地域づくり～支え合い～

2015（平成27）年に施行された介護保険制度改正では、生活支援・介護予防サービスについて「地域に暮らす高齢者も担い手となること、また、地域全体でボランティア*33、NPOなどの多様な主体で生活支援・介護予防サービスを充実させる」となっています。つまり、地域における支え合い*34を新たに構築していくことが求められているといえます*35。

*32 **ニッポン一億総活躍プラン**
R4年(前)
若者も高齢者も、女性も男性も、障害や難病のある方々も、一度失敗を経験した人も、みんなが包摂され活躍できる社会の実現(共生社会)を目指した実行プラン。働き方改革、子育ての環境整備、介護の環境整備(地域包括ケアシステムの構築など)、すべての子どもが希望する教育が受けられる環境の整備などが示されています。

*33 **ボランティア**
R4年(前)

知っトク

*34 **地域における支え合い**
社会的に排除されやすい方々などを含むすべての人々を地域社会の中で支え合いながら暮らしていこうとする考え方をソーシャルインクルージョンといいます。

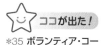

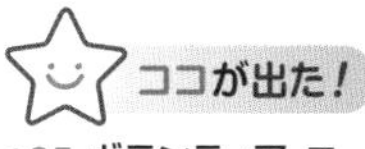

*35 **ボランティア・コーディネーター**
R6年(前)
ボランティア・コーディネーターがボランティア紹介の役割があることについて出題された。

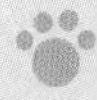

理解度チェック　一問一答

全問クリア　月　日

Q

□ ❶ 都道府県地域福祉支援計画は社会福祉法に規定されている。 R5年（前期）

□ ❷ 社会福祉協議会は、「社会福祉法」に基づく地域福祉の推進を図ることを目的とする民間組織であるため、介護保険事業等の収益事業を行うことはできないとされている。 R4年（後期）

□ ❸ 生活問題を抱えた住民に対して、民生委員は、援助を必要とする住民に対して福祉サービス等の利用について情報提供や援助などの対応を行った。 R6年（前期）

□ ❹ 「2021（令和3） 年 国民生活基礎調査の概況」（令和4年9月9日 厚生労働省）における2021（令和3） 年の状況では、児童のいる世帯のうち、核家族世帯は8割以上を占めている。 R5年（後期）

□ ❺ 市町村社会福祉協議会は、第一種社会福祉事業の経営に関する指導及び助言を行う。 R5年（前期）

A

❶ ○ 社会福祉法第108条に規定されている。

❷ × 社会福祉協議会は、社会福祉法に基づく地域福祉の推進を図る民間組織である。社会福祉法第26条に「社会福祉法人は収益事業を行うことができる」と記載されている。

❸ ○ 民生委員法14条第3号に「援助を必要とする者が福祉サービスを適切に利用するために必要な情報の提供その他の援助を行う こと」と定められている。

❹ ○ 「2021（令和3）年国民生活基礎調査の概況」（厚生労働省）では、世帯構造別児童のいる世帯数をみると、核家族世帯（割合）は82.6%となっている。

❺ × 第一種社会福祉事業の経営に関する指導及び助言を行うのは都道府県社会福祉協議会である。市町村社会福祉協議会ではない。

子ども家庭福祉

子どもと家庭に関わる法制度については、「社会福祉」の科目でも軽く触れましたが、ここではより具体的に学んでいきます。
この章で紹介する内容は、保育士として子どもや保護者にどのようにかかわっていくべきかの指針になるだけでなく、困難な状況下におかれている子どもや保護者を必要な制度や機関へと橋渡しをする際にも大きな力となるはずです。

出題の傾向と対策

過去5回の出題傾向と対策

① 現代社会における子ども家庭福祉の意義と歴史的変遷／②子どもの人権擁護

児童福祉法および社会福祉法における福祉の理念をおさえておく必要があります。さらに児童憲章、児童福祉法、児童の権利に関する条約などで子どもの権利の変遷を年代順に把握するだけでなく、条文の内容について把握しておくことが重要です。歴史的展開については、子ども福祉の礎を築いた人物名と業績なども頻回に出題されています。2023（令和5）年後期試験問題では、初めて施設職員による児童への虐待事例が出題されました。さらに、2024（令和6）年前期試験では、「子ども虐待による死亡事故例等の検証結果等について（第18次報告）」の内容が出題されました。不適切保育、保育中の死亡事故が社会問題となっていますので、今後も注意して見ておく必要があるでしょう。

③ 子ども家庭福祉の制度と実施体系

児童福祉施設の役割、内容などがほぼ毎回出題されています。虐待に関する問題とあわせて児童相談所の役割や機能についても理解しておく必要があります。2022（令和4）年12月の法改正で「民法」の親権規定の中で懲戒権が廃止されました。2023（令和5）年後期の試験では、民法の親権の規定と懲戒権について出題されています。2024（令和6）年から嫡出子推定制度が改正され、今後も親権の動向を見ておく必要があるでしょう。

④ 子ども家庭福祉の現状と課題／⑤ 子ども家庭福祉の動向と展望

子ども家庭福祉に関しては、制度の歴史、貧困対策、里親、障害児支援、母子保健など幅広く出題されています。最近の動向としては、虐待に関して、実態を問う問題だけでなく要保護児童対策の内容や児童相談所の役割、要保護児童対策地域協議会の事業内容等が毎回出題されています。少年非行等の現状と法制度についても、ほぼ毎年出題されています。

その中でも最近は家庭の多様なニーズを支援するための事業や機関に関する問題が出題されており、より広範に福祉のサービス内容を把握する必要があります。特に近年は妊娠期からの切れ目のない支援を重要視しており、児童も乳幼児だけでなく、小学生以上を対象とした児童福祉制度と福祉サービスに関わる問題が多く出題されています。2023（令和５）年後期試験では、外国籍の子どもの保育、家庭支援が2022（令和４）年同様に出題されている他、放課後等デイサービス、児童扶養手当制度の実施内容、2024（令和６）年前期試験では、若者のための支援、産前・産後サポート事業、産後ケア事業ガイドラインについて出題されていますので、幅広く家庭福祉サービスの種類と内容を把握しておく必要があります。

⑥ 子ども家庭支援論

キーワードとして出題されることは少ないですが、保護者支援の事例問題のときに、ここで解説されている事柄を意識しておけば解答できることが少なくありません。特に近年の事例問題では、ひとり親家庭への支援、特別なニーズを必要とする子どもと家庭への支援、児童虐待の危惧やDV家庭への支援と連携など、狭い支援ではなく関連機関や施設との連携などを視野に入れた支援を問う問題が多くなっていますので、地域を取り巻く福祉・医療の関連施設や機関などを把握しておく必要があるでしょう。

原典を確認しておきたい法律・資料

児童福祉法

児童憲章

児童の権利に関する条約

こども基本法

子ども・子育て支援法

児童虐待防止法

こども大綱

こども未来戦略

「子ども家庭福祉」の過去5回の出題キーワード

問題	R6年（前期） 2024年	R5年（後期） 2023年	R5年（前期） 2023年	R4年（後期） 2023年	R4年（前期） 2022年
1	「児童福祉法」乳児、幼児、少年、妊産婦定義	児童の権利に関する条約	児童の権利に関する条約第9条	日本の子どもや家庭の状況	「児童福祉法」第1条
2	児童の権利に関する歴史	日本の児童福祉の歴史	子ども家庭福祉に関する法律、条約の年代順	子ども家庭福祉に尽力した歴史上の人物	子ども家庭福祉に関する法律の年代順
3	放課後児童健全育成事業	児童相談所における相談種類別対応件数	少子社会の現状	子ども家庭福祉関連法の年代順	「少子社会対策大綱」
4	歴史的人物と業績	子どもの貧困対策の推進に関する法律	「児童憲章」前文	「児童の権利に関する条約」の記述	「児童の権利に関する条約」
5	児童買春、児童ポルノに係る行為等の規制及び罰則並びに児童の保護等に関する法律	子ども家庭福祉に関する法律の制定年	児童の権利に関する条約第31条	全国保育士会倫理綱領	「児童福祉法」に規定される被措置児童等虐待
6	子ども家庭福祉の専門職	『男女共同参画白書』世帯類型の変化	「児童福祉法」記載事項　任用資格・業務	「児童虐待の防止等に関する法律」	「児童福祉法」に規定される都道府県の業務
7	「児童虐待の防止等に関する法律」親権	『厚生労働白書』保育人材に関する記述	地域子ども・子育て支援　事業名と事業概要	児童相談所の相談内容	市区町村子ども家庭総合支援拠点
8	若者のための支援に関する記述	児童福祉施設の目的	児童委員・民生児童員に関する記述	児童福祉司に関する記述	福祉に関わる施設名とその説明
9	児童養護施設入所児童等調査の概要	令和3年（2021）人口動態統計の概況	児童虐待防止に関する法改正	児童福祉施設と役割	「児童福祉法」第13条、児童福祉司の任用資格
10	児童館ガイドライン	新子育て安心プランに関する記述	児童養護施設入所児童等調査	児童虐待とその防止	放課後児童健全育成事業
11	「令和3年度雇用均等基本調査」育児休業の概要	「民法」親権に関する記述	児童福祉施設名と役割	日本における少子化対策の年代順	多様な保育事業
12	産後ケア事業ガイドライン	障害児入所施設に関する記述	少子化社会対策大綱	「母子保健法」の産後ケア事業の記述	「体罰等によらない子育てのために」
13	放課後等デイサービス事業に関する記述	外国籍や外国にルーツをもつ家庭の子どもの保育	児童館の目的及び概要	子育て世代包括支援センター（現こども家庭センター）	児童福祉施設の施設名と説明
14	事例：保育所における父子家庭への支援	事例：児童養護施設職員による虐待に対する対応	子ども虐待に関する記述	地域型保育事業と事業名	障害児支援サービスと業務内容の説明
15	「子ども虐待による死亡事例等の検証結果等について」	被措置児童等虐待予防のための取組	障害児通所支援等事業の種類別事業所数	「児童養護施設入所児童等調査の概要」の障害等の割合	「子どもの貧困対策の推進に関する法律」第2条
16	保育所等の施設・事業数	「児童福祉法」の保育士に関する記述	「令和3年版　犯罪白書」少年による刑法犯罪名	児童福祉施設入所児の在所期間平均	子供の大学等進学率
17	「保育所保育指針」子育て支援	児童発達支援ガイドライン	日本語指導が必要な児童生徒の受入状況等	「児童福祉法」に規定された障害児通所支援	子ども・若者支援地域協議会
18	令和3（2021）年度ひとり親世帯の状況	児童扶養手当制度	日本と諸外国における子どもや家庭の統計	事例－虐待の危惧がある子どもと家庭への支援	シュアスタート、ネウボラ、子どもオンブズパーソン
19	養育支援訪問事業の事業内容	地域子ども・子育て支援事業の概要と事業名	事例－支援を必要とする子どもと家庭への援助	「ヤングケアラー」の記述	配慮が必要な子どもへの対応と保護者への支援の事例
20	事例：保育所における地域子育て支援（相談）	事例：放課後デイサービスにおける支援	事例続き－利用可能な社会資源	「新しい社会的養育ビジョン」に関する記述	地域子育て家庭への支援と子育て支援事業

現代社会における子ども家庭福祉の意義と歴史的変遷

頻出度

日本の社会福祉の理念は2000（平成12）年の社会福祉法の制定以降大きく変わり、人権尊重と自立支援が大きな柱になりました。それに伴って子ども福祉の理念も変わり、子どもの権利を尊重し、自立を支援することが基本になりました。

子どもと家庭を同時に福祉の対象とする

子ども家庭福祉

子ども家庭福祉の理念と概念

1 子ども家庭福祉の視点

*1 **児童福祉法**
児童福祉法に関する問題は必ず出題されますので、理念、条文の内容、関連法等、深い理解が必要です。

第二次世界大戦後、1947（昭和22）年に児童福祉法*1が制定されました。児童福祉法第１条には、すべての児童が健やかに成長し、社会の中で愛されて育てられなければならないことがうたわれています。

第２条には児童を育てる責任は、保護者だけでなく、国をはじめ地方公共団体にもあることを明記しています。子どもは親との個人的な関係だけにとどまらず、社会の環境や制度、教育、地域の文化など、さまざまな影響を受けて育つ社会的な存在であることを表しています。国や地方公共団体、さらには社会を構成している一人ひとりの大人には、子どもが健やかに成長する上での責任があります。

特に近年の少子化の問題、子育て家庭の社会的孤立、子育てにおける負担感や育児不安の増大、家事育児と仕事の両立、子どもの貧困などが社会問題となっており、それらに対して社会全体で取り組む必要があります。「子ども家庭福祉」は、子どもと子育て家庭という枠だけを射程においた福祉制度ではなく、あらゆる子ども、青年、妊産婦、多様な子育て家庭などが地域社会の中で安心して暮らせるためのwell-beingを目指した制度・政策です。

2 子ども家庭福祉の理念と概念

子ども家庭福祉の理念は、日本の福祉理念であるウェルビーイング*2 を基本として、ノーマライゼーション*3、基本的人権の尊重の実現を目指しています。人は誰でもその人の価値観を大切にされ、その人らしく幸せな生活を送る権利があります。子どもであっても社会の一員として認められ、人としての権利を尊重されなければなりません。

■ 児童福祉法：1947（昭和22）年制定

児童福祉法はすべての子どもを対象に制定され、保護者とともに国、地方自治体が責任を持って子どもの育ちを保障することをうたっています。

> 第1章　総則より一部抜粋
>
> 第1条　全て児童は、児童の権利に関する条約の精神にのつとり、適切に養育されること、その生活を保障されること、愛され、保護されること、その心身の健やかな成長及び発達並びにその自立が図られることその他の福祉を等しく保障される権利を有する。
>
> 第2条　全て国民は、児童が良好な環境において生まれ、かつ、社会のあらゆる分野において、児童の年齢及び発達の程度に応じて、その意見が尊重され、その最善の利益が優先して考慮され、心身ともに健やかに育成されるよう努めなければならない。
>
> 2　児童の保護者は、児童を心身ともに健やかに育成することについて第一義的責任を負う

知っトク

*2 **ウェルビーイング（well-being）**
社会福祉の理念で「心身ともに幸せな状態」「安寧」などを意味します。最低限度の生活を保障する社会福祉ではなく、人として大切にされ、人間らしい生活を送ることを目指した社会福祉の考え方です。

*3 **ノーマライゼーション**
1950年代に北欧のバンク・ミケルセンらが知的障害者の社会参加の権利を提唱したのが始まりです。「その人にとって当たり前の生活」が保障されることを意味しています。現在は障害者だけではなく、高齢者、子どもなど、すべての人がノーマライゼーションの対象となっています。

> 3　国及び地方公共団体は、児童の保護者とともに、児童を心身ともに健やかに育成する責任を負う。

＊4 **児童憲章**
R4年(後)
前文の穴埋め問題に加えて児童福祉法や児童の権利に関するジュネーブ宣言などとともに、制定年や採択年を年代順に並べる問題が出題されることが多いので、年代順を覚えておくようにしましょう。

知っトク

＊5 **「児童の権利に関する宣言」と「児童の権利に関する条約」(子どもの権利条約)**
この2つは似ていますが、前者は宣言、後者は条約です。子どもの権利について、前者は受動的権利をうたっています。後者は受動的権利と能動的権利をともにうたっています。

＊6 **児童の権利に関する条約**
R4年(前)～R6年(前)
子どもの権利に関する宣言や法律を年代順に並べる問題のほか、重要条文が穴埋め問題として出題されています。次ページの「全54条のうち、一読しておくべき条文」については、内容を頭に入れておきましょう。

■ 児童憲章[＊4]：1951（昭和26）年制定

日本国憲法の精神に則り、定められたものです。すべての児童は社会の中で心身ともに健やかに育てられ、よい環境のなかで育てられる権利があること、教育を受ける権利、職業指導を受ける権利などがあり、社会から愛されて成長することが、児童の権利としてうたわれています。

> 前文　・児童は、人として尊ばれる。
> 　　　・児童は、社会の一員として重んぜられる。
> 　　　・児童は、よい環境のなかで育てられる。
>
> 1　すべての児童は、心身ともに健やかにうまれ、育てられ、その生活を保障される。
>
> 2　すべての児童は、家庭で、正しい愛情と知識と技術をもって育てられ、家庭に恵まれない児童には、これにかわる環境が与えられる。
>
> 3　すべての児童は、適当な栄養と住居と被服が与えられ、また、疾病と災害からまもられる。（以下略）

■ 児童の権利に関する宣言[＊5]：1959（昭和34）年制定

1924（大正13）年に国際連盟で採択された児童の権利に関するジュネーブ宣言の後に国連によって採択されたものです。児童は未熟であるために保護され、守られるべき存在であるという受動的な視点から児童の権利をうたっています。さらに、児童の最善の利益について最善の努力を払うことが大人の責任であることが明記されています。

> 前文抜粋
>
> 児童は、身体的及び精神的に未熟であるため、その出生の前後において、適当な法律上の保護を含めて、特別にこれを守り、かつ、世話することが必要である（中略）・・・・・・
> 人類は児童に対し、最善のものを与える義務を負うものである（後略）

■ 国際児童年：1979（昭和54）年

児童の権利に関する宣言の採択から20年を記念し、国連は1979年を国際児童年としました。国際児童年は世界中の人が子どもの権利について考える機会になり、後の児童の権利に関する条約へとつながりました。

■ 児童の権利に関する条約*5 *6（通称：子どもの権利条約）

1989（平成元）年、国連において採択され、日本は1994（平成6）年に批准しました。

この条約は、初めて子どもの能動的権利を認めた内容となっています。第3条「子どもの最善の利益の追求」、第12条「意見を表明する権利」、第13条「表現の自由」は、子どもは何よりも子ども自身にとって最善の利益を保障されなければならないこと、子どもが自分の意見を言うこと、自由に表現することを当然の権利として認めています。大人はその機会を保障するように努力しなくてはなりません。

全54条のうち、一読しておくべき条文

第１条	児童の定義（18歳未満のすべての者）
第２条	差別の禁止
第３条	子どもの最善の利益の追求
第12条	意見を表明する権利
第13条	表現の自由
第18条	父母または法定保護者の第一義的責任*7
第23条	心身障害を有する児童に対する特別の養護及び援助

子ども家庭福祉の歴史的変遷

1 諸外国における子ども家庭福祉の歴史*8

■ ジャン=ジャック・ルソー（Rousseau, J-J. 1712-1778年）

教育思想家。代表的な著書『エミール』の中で、子どもには子ども特有の考え方があることを尊重しなくてはならないと述べています。

■ エレン・ケイ（Key, E. 1849-1926年）

スウェーデンの社会思想家、教育学者、女性運動家です。1900年刊行の著書『児童の世紀』の中で、「子どもは成長段階にある人であるから、子どもは大人に比べて未熟であり、

*7 児童の権利に関する条約第18条

第18条：父母または法定保護者の第一義的責任

「締約国は、児童の養育及び発達について父母が共同の責任を有するという原則についての認識を確保するために最善の努力を払う。父母又は場合により法定保護者は、児童の養育及び発達についての第一義的な責任を有する。児童の最善の利益は、これらの者の基本的な関心事項となるものとする」

*8 外国の福祉の歴史

R6年(前)

人物とその功績が出題されています。

「社会福祉」「社会的養護」の科目でも関連した人物を紹介していますので、そちらも参照してください。

育てるべき存在、守るべき存在である。20世紀は子どもが幸せに育つことのできる平和な社会を築くべき時代である」と主張しました。それは「20世紀は児童の世紀」という言葉とともに「児童中心主義」として社会に広まりました。

■ **ヤヌシュ・コルチャック*9 (Korczak, J. 1878-1942年)**

医師、教育者、作家。自ら運営していた孤児院の子どもたちにはコルチャック先生として親しまれていました。コルチャックは子どもには人としての権利があると主張していました。それは、要求する権利、信念に反する教育をしりぞける権利、過ちを犯す権利、秘密を認める権利などです。大人にとってつまらないものでも、子どもの価値観を尊重することが大事だと言い続けていました。この考えは、1989（平成元）年に国連で採択された「児童の権利に関する条約（子どもの権利条約）」を制定するにあたり、大きな影響を与えました。

2 日本の子ども家庭福祉の歴史*10

■ **日本の福祉の萌芽**

・**四箇院（しかいん） — 悲田院（ひでんいん）**

573年に、聖徳太子が仏教の精神に基づいて人々の救済にあたったことが始まりだといわれています。四箇院は施薬院（せやくいん）*11、療病院（りょうびょういん）*12、悲田院、敬田院（きょうでんいん）*13 の４施設から成っています。悲田院は、孤児や病者、身寄りのない老人などを保護する施設でした。孤児の保護を行っていたことから日本初の児童福祉施設的な機能を持っていたと位置づけられています。

■ **公的救済制度のはじまり（明治時代～昭和初期）**

・**恤救規則（じゅっきゅうきそく）*14**

明治政府は1874（明治７）年に日本初の福祉の法律「恤救規則」を制定しました。この法律では、救済の対象を「無告の窮民」として、身寄りがなく、働くことができない障害者、重傷者、高齢者、13歳以下の孤児に

*9 **コルチャック**
1942年8月6日、コルチャックはナチスドイツによって、孤児院の子どもら200余名と一緒にトレブリンカ絶滅収容所に送られ、非業の死を遂げました。

*10 **日本の子ども家庭福祉の歴史**
R5年（前）　R5年（後）
R6年（前）
社会事業家の人物名とその実績についてよく出題されています。

*11 **施薬院**
病気を治療するための薬草園を持ち、薬局のような役割でした。

*12 **療病院**
病者の治療にあたっていました。病院のようなところです。

*13 **敬田院**
仏教の教えを受けるための修行道場（寺院）です。

*14 **恤救規則**
救済対象は障害者、70歳以上の重病もしくは老衰者と病気の者と13歳以下の者の中でも独身で労働能力のない極貧の者、独身でなくとも家族が70歳以上15歳以下で困窮している場合です。

限定していました。具体的な給付は米などごく少量でしたが、国家初の公的救済制度でした。

・**救護法**

明治以来続いていた恤救規則は廃止され、1929（昭和4）年、救護法が制定されました。貧民のための生活保護的な救済制度として公的扶助の体系化が進みました。

・**母子保護法**

1937（昭和12）年、第一次世界大戦の戦時体制下で夫を亡くした妻と子どものために創設された救貧対策です。

■ 社会事業家による児童福祉施設（明治時代～昭和初期）

・**石井十次（じゅうじ） — 岡山孤児院**

1887（明治20）年、児童養護施設（孤児院）の「岡山孤児院」を創設しました。無制限主義*15、小舎制*16、一人ひとりの子どもの自立*17 をかかげて一生をささげました。

・**石井亮一 — 滝乃川学園**

1891（明治24）年、知的障害児の養護と教育を行う専門機関「滝乃川学園」を創設しました。現在も東京都国立市にあります。

・**留岡幸助（とめおかこうすけ） — 北海道家庭学校**

1899（明治32）年、留岡幸助が非行少年のためにつくった東京の巣鴨の「家庭学校」の分校として1914（大正3）年に設立。留岡の家族と非行少年がともに生活をする中で人として愛されることを学び、更生した少年達を社会に出していきました。現在の「児童自立支援施設」の基礎*18 を築きました。

・**糸賀一雄 — 近江学園、びわこ学園**

1946（昭和21）年、滋賀県に知的障害児施設、「近江学園」を創設し、1963（昭和38）年に重症心身障害児*19 施設「びわこ学園」を設立しました。「この子らを世の光に*20」という糸賀の言葉は、障害児に対する社会の視点を大きく変えました。

知っトク

*15 **無制限主義**
当時、冷害などで捨てられたり、孤児になった子どもを救うために、あえて定員を設けずに受け入れました。最も多い時には1,200人ほどの孤児が生活していました。

*16 **小舎制**
子どもの生活は家庭的であることが重要だという石井十次の考えで、子どもたち15人に1人の保母を配置して、家族的な生活を目指しました。

*17 **子どもの自立**
その子どもの能力や適性にあった仕事を身に付けさせて世に出すようにしました。

*18 **児童自立支援施設の基礎**
当時は感化院と呼ばれていましたが、戦後は教護院となり、現在は児童自立支援施設と名称が変更になりました。

用語解説

*19 **重症心身障害児**
重症心身障害児とは、重度の肢体不自由と重度の知的障害とが重複した状態にある障害児を指します。

＊20 **この子らを世の光に**

「この子らに世の光を」という慈悲を表す意味の言葉が障害児・者へ向けてよく使われていました。糸賀は「この子らを世の光に」と訴えることで障害児・者の存在が社会変革の一筋の光になるということを社会に示しました。

■ わが国の保育所、幼稚園の歴史

・赤沢鍾美（あかざわあつとみ）・仲子夫妻 ― 新潟静修学校、託児所

1890（明治23）年、赤沢鍾美（あかざわあつとみ）は新潟市に貧しい子どもたちが学ぶ場として新潟静修学校を設立し、同時に子どもの保育を行うために常設託児所を開設しました。これが保育所のはじまりだといわれています。

・野口幽香（ゆか）・森島峰 ― 二葉幼稚園

1900（明治33）年、当時、四谷麹町に貧困児童を対象とした幼稚園を創設し、その後四谷鮫河橋（明治の三大貧民窟の一つ）に移動しました。現在は社会福祉法人として乳児院、児童養護施設、保育園、地域子育て支援センターなどに発展しています。

■ 子ども家庭福祉の発展（第二次世界大戦後～現代）

第二次世界大戦後、日本は日本国憲法を新たに制定して、民主的な福祉国家をつくることを目指しました。「すべての国民の健康で文化的な最低限度の生活保障」を国家責任で行うことを憲法第25条（生存権）にうたいました。同時に子どもの福祉も法のもとで保障されるようになりました。

・児童福祉法

1947（昭和22）年、すべての子どもの心身の健やかな成長と幸せを実現するために制定されました。児童福祉法は、1997（平成９）年に50年ぶりに改正されて、保育所入所の方法が措置制度から利用者選択制度に変更されました。その後も2001（平成13）年の児童福祉法の改正により、2003（平成15）年に保育士資格は国家資格となりました。その後にも制度改革に伴った改正を随時行っています（詳細は第３節を参照）。

岡山孤児院（石井十次）

岡山孤児院は石井十次が生涯をかけて行った孤児のための救済活動です。施設には最大で1,200名もの孤児が入所していました。子どもが何人いても15人ほどのグループに保母が1人という家庭的な雰囲

気を大事にしました。また、手先の器用な子には大工などの職業を身につけさせるなど、石井十次は愛情をかけて接し、子どもの個性、能力に見合った自立をさせることを大事にしました。

現代社会と子ども家庭福祉

1 少子化の現状と原因

日本の合計特殊出生率*21 *22は、1989（平成元）年に1.57となり、1966（昭和41）年の丙午（ひのえうま）の年の合計特殊出生率の1.58を下回りました。それ以降、合計特殊出生率は回復するどころか下がり続け、2023（令和5）年の合計特殊出生率は1.20、出生数は72万7,277人で、ともに調査以来過去最低となりました（令和5年(2023)人口動態統計月報年計(概数）の概況)。

少子化の原因としては、女性の高学歴化と社会進出によって、晩婚化が進み、平均初婚年齢*23が高くなったこと、結婚をしない男女が増加していること（非婚化)、夫婦が子どもを産まなくなったこと（夫婦の出生率の低下）などがあげられています。

近年は働き方改革、仕事と家庭生活の支援、幼児教育の無償化、妊娠期からの切れ目のない子育てサポートなど、多様な制度やサービスがあるにもかかわらず、少子化は進行しています。女性の就労率が向上し共働き家庭が増加していますが、高齢化に伴う介護と育児の負担はまだまだ女性が負うことも多く、就労継続に努力を要することも要因の一つだと考えられます。2022（令和4）年度における男性の育児休業取得率*24は、17.13％と2019（令和元）年度の7.48％と比較して取得率は徐々に上っていますが、女性に負担がかかっている現状は変わりません。

用語解説

*21 **合計特殊出生率**
15歳から49歳の女性の、年齢別出生率を合計した指標で、1人の女性が平均して一生の間に何人の子どもを産むかを表したものです。合計特殊出生率が2.08を下回ると人口は減少し続けます。

*22 **合計特殊出生率**
R5年(前)

*23 **女性の平均初婚年齢**
1950年代後半から1980(昭和55)年頃まではおおむね24～25歳で推移していましたが、その後、上昇を続け、2023(令和5)年では、29.7歳(女性)、31.1歳(男性)と晩婚化が進行しています(令和5年(2023)人口動態統計月報年計(概数)の概況)。

知っトク

*24 **育児休業取得率**
育児・介護休業法・第5条：労働者は、その養育する1歳に満たない子について、その事業主に申し出ることにより、育児休業をすることができます。

◯ 合計特殊出生率の推移

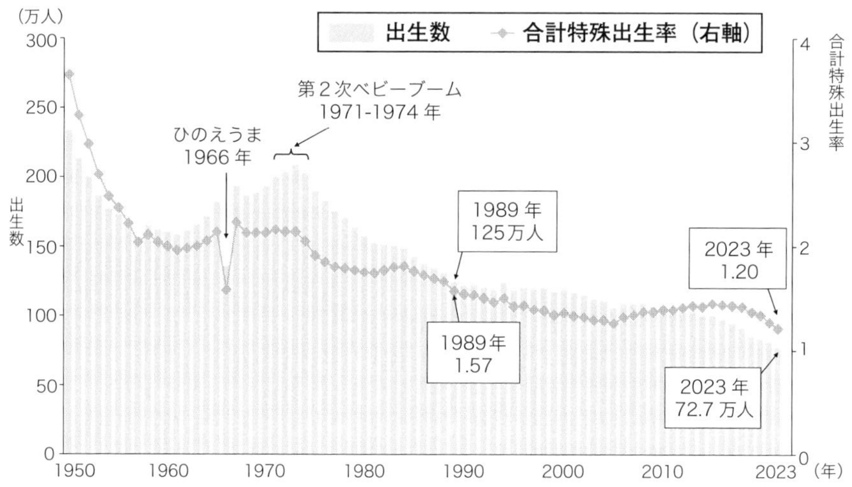

出典：厚生労働省『厚生労働白書』より作成（2023 年のみ概数、その他は確定数）

◯ 共働き等世帯数の推移

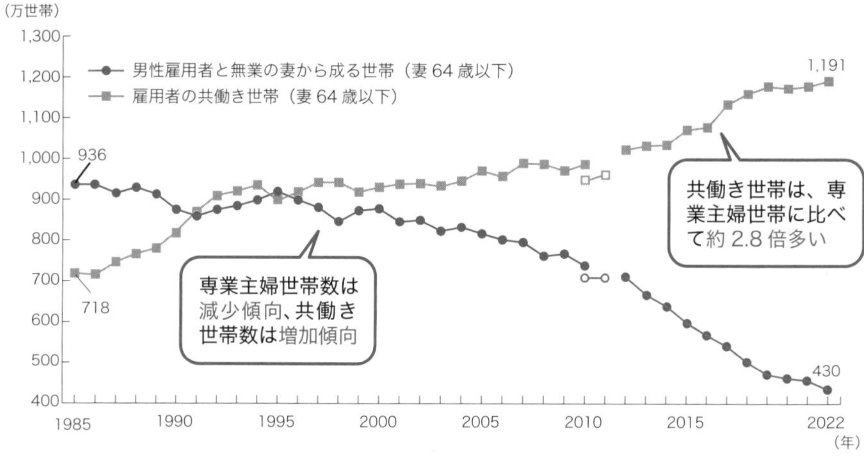

出典：内閣府『令和５年度版男女共同参画白書』

厚生労働白書（令和５年度版）には「多くの国民が結婚したい、子どもを生み育てたい、結婚した後も子どもを育てながら働きたいと希望しているにもかかわらず、その希望がかなえられず、結果として少子化が進んでしまっているものと考えられる。国民が希望する結婚や出産を実現できる環境を整備することが重要」という少子化についての記述があります。

2 現代家族の状況と育児不安

少子化が進行し続けている中、家族の形も大きく変化しています[*25]。1986（昭和61）年から2022（令和４）年にかけて、夫婦と未婚の子のみの世帯は41.4％から25.8％、三世代世帯は15.3％から3.8％に減少しました。また、単独世帯は18.2％から32.9％に、夫婦のみの世帯は14.4％から24.5％に増加しました（2022（令和４）年国民生活基礎調査の概況）。このような家族形態の変化は、地域社会の変化にもつながっています。地域には単独世帯、夫婦のみの世帯が６割以上となり、子育て家庭が少なくなり地域で子どもたちが遊びまわるという姿も少なくなっています。

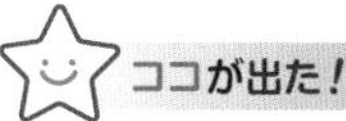

*25 **家族形態の変化**
R5年(後)

さらに、核家族で父親が仕事に出かけてしまうと、子育ては主に母親だけが担うことになってしまいます。最近では、両親ともに仕事をしている家庭も多いのですが、日本は相変わらず父親の家事・育児参加時間が短いため、母親による「ワンオペ育児[*26]」が社会問題となっています。以前は地域社会が親の子育てを助ける役割を果たし、周りの大人が子育ての相談にのり、ちょっと子どもの面倒を見るような場面がありましたので、現代の方がむしろ育児の負担は大きいといえるでしょう。地域にも子どもが自由に遊べる空き地があり、年齢の異なる子どもたちが子ども同士で遊び、子ども社会の中で子どもは、遊びの工夫や生活の智恵など、いろいろな力を身につけていきました。

知っトク

*26 **ワンオペ育児**
「ワンオペレーション育児」のことで、一人親に限らず、どちらかが主に育児を担う状況をいいますが、特に母親が育児のほとんどを担う状況を指しています。

■ 社会の状況

現代は親が片時も子どもから目を離すことができずに、緊張感の強い社会になっています。その上、父親は朝早く家を出ると夜遅くまで帰宅しないという家庭が多く、子育ての負担が母親に大きくかかっています。特に近年では育

*27 **6歳未満の子どもを持つ夫婦の家事・育児関連時間**

R4年(後)

日本の夫の家事・育児関連時間は、1時間23分と他国に比して極端に短く、逆に妻は7時間34分と他国に比して1時間半～2時間程長いという結果が出ています。

児休業後に職場復帰する母親も増加しています。「ワンオペ育児」による仕事と子育てと家事の負担が母親の疲労感の増加につながっています。そのような状況で、慣れない子育てに不安を感じる人が増えています*27。不安の内容は、「何となくイライラする」「このままでよいのかと不安になる」「母親失格だと思う」などが主な訴えです。

『厚生労働白書』（平成27年度版）では、子育てをしていて負担・不安に思う人の割合は、「とてもある」「どちらかといえばある」を合わせると全体の72.4%にもなっています。なかでも女性は77.3%と高い割合です。

○ 6歳未満の子供を持つ夫婦の家事・育児関連時間（1日当たり，国際比較）

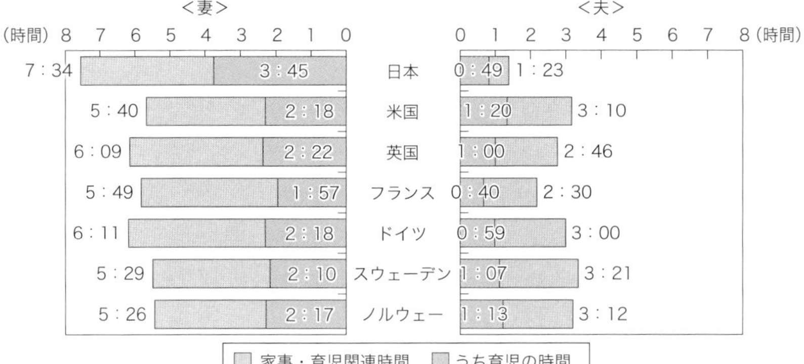

（備考） 1．総務省「社会生活基本調査」（平成28年)，Bureau of Labor Statistics of the U.S. "American Time Use Survey"（2016）及びEurostat "How Europeans Spend Their Time Everyday Life of Women and Men"（2004）より作成。
2．日本の値は，「夫婦と子供の世帯」に限定した夫と妻の1日当たりの「家事」，「介護・看護」，「育児」及び「買い物」の合計時間（週全体平均）。

出典：内閣府『平成30年版男女共同参画白書』

用語解説

*28 **ワーク・ライフ・バランス**

「仕事」と家庭などの「生活」の調和という意味で、仕事をしながら私生活を充実して送れるように職場や社会を見直していくこと。少子化対策の一環として進められています。

日本は子育てにお金がかかるために、経済的な理由も少子化の要因になっています。近年、ワーク・ライフ・バランス*28 を見直す動きも出てきました。厚生労働省は2018（平成30）年に「働き方改革を推進するための関係法律の整備に関する法律」を公布しました。その内容は、「労働者がそれぞれの事情に応じた多様な働き方を選択できる社会を実現する働き方改革を総合的に推進するため、長時間労働の是正、多様で柔軟な働き方の実現、雇用形態にかかわらない公正な待遇の確保等のための措置を講ずる」というものです。

2019（令和元）年度からは、時間外労働（休日労働は含まず）の上限は、原則として、月45時間・年360時間となりました。「中小企業は2020（令和２）年度より」長時間労働を制限して家庭生活とのバランスを取れるような仕組みをつくりました。

総務省「労働力調査（令和３年）」によると、日本の労働力人口の男女比は少しずつ差が縮まってきており、女性の労働力人口が増加しています。特に、以前は出産育児期の女性の労働力率が低かったのですが、近年は育児休業休暇の取得など、社会的な制度が整備されつつあり、女性の労働力率は向上しています。令和３年の労働力人口総数に占める女性の割合は 44.6％（前年差 0.3 ポイント上昇）です。

また、令和３年の女性の労働力率を年齢階級（５歳階級）別にみると、すべての年齢で労働力率については、過去最高の水準となっています。25歳～ 49歳までの出産育児期では、労働力率は下がり、M字型カーブを描いていますが、M字型の底が浅くなってきており、出産育児期においても就労を継続している女性が増加し全体の形はM字型から台形に近づきつつあります（次ページ図表参照）。

出産育児期の女性労働力も以前より高い水準になっていますが、従業員数が多い大企業ほど、育児休業後に離職する女性は減少しています。離職防止に一番役立っていることとして、大企業は「短時間勤務を利用できるようになったこと」、中小企業は「育休制度が取りやすくなったこと」との回答結果が得られています（企業規模別離職防止に役立った取り組み（出所）厚生労働省委託）。

このように企業及び社会の支援制度づくりがあってこそ、安心して子どもを生み育てることができることがわかります。

○ 女性の年齢階級別労働力率

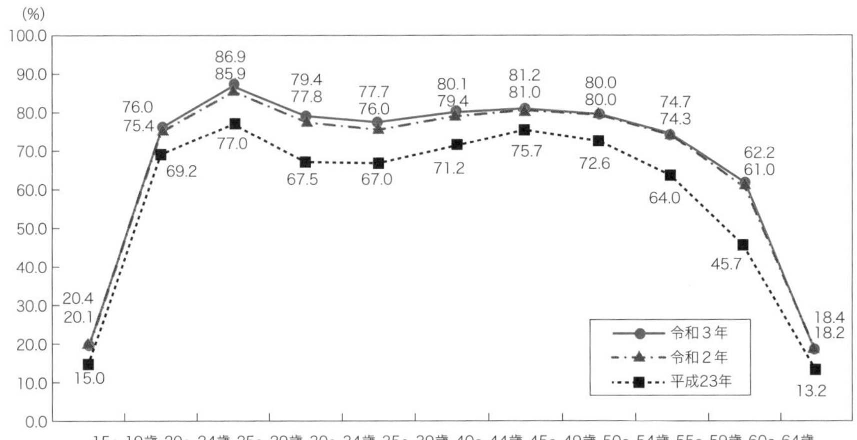

出典：総務省「労働力調査」(令和３年)

理解度チェック　一問一答

全問クリア　月　日

Q	A
□ ❶ 「児童憲章」前文では、「児童は、人として尊ばれる」「児童は、家族の一員として重んぜられる」「児童は、よい環境のなかで育てられる」と定められている。 R4年(後期)	❶ ×「児童は、社会の一員として重んぜられる」が正しい。
□ ❷ 子ども家庭福祉に関する法律を制定年の古い順に並べると、「児童福祉法」→「少年法」→「児童扶養手当法」→「児童手当法」→「児童の虐待の防止等に関する法律」である。 R5年(前期)	❷ ○
□ ❸ 1980(昭和55)年時点では夫婦と子どもの核家族の割合が最も高く、単独世帯が次いで多かったが、2020(令和2)年では、単独世帯の割合が最も高く、次いで夫婦と子どものみの世帯が多い。 予想	❸ × 1980年は夫婦と子ども世帯42.1%、三世代19.9%、単独世帯19.8%、2020(令和2)年は単独世帯38%、夫婦と子ども世帯25%である。
□ ❹ 留岡幸助は、1891(明治24)年に日本で最初の知的障害児施設「滝乃川学園」を設立した。 予想	❹ × 石井亮一が設立した。

2 子どもの人権擁護

児童の権利擁護は現在どのような視点から進められているのかを把握し、子どもの権利条約の内容、権利擁護の実際を理解しておきましょう。

頻出度

子ども観の変化

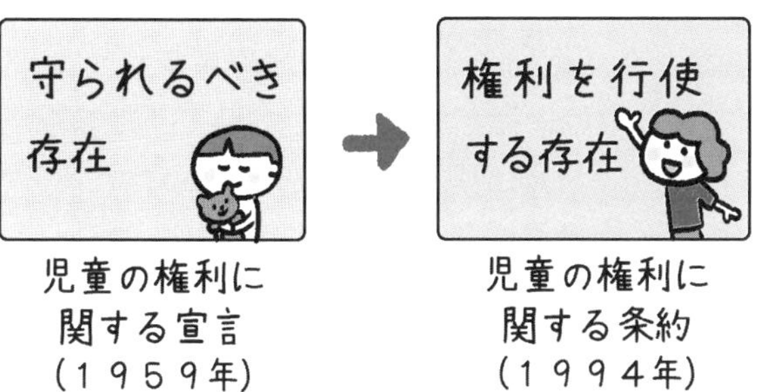

子どもの権利擁護と子ども家庭福祉

1 守るべき存在としての子ども

20世紀以前、子どもは大人と同じように長時間労働をさせられたり、教育を受ける権利をないがしろにされたりしており、育てるべき存在としての認識のない社会でした。エレン・ケイはそのような時代を顧みて、1900年に『児童の世紀』を著して子どもの権利を主張していきました。エレン・ケイの「20世紀は児童の世紀」という主張がこれにより広まっていきました。そして子どもは大人に育てられる存在、成長過程にある社会的弱者であるから、守ら

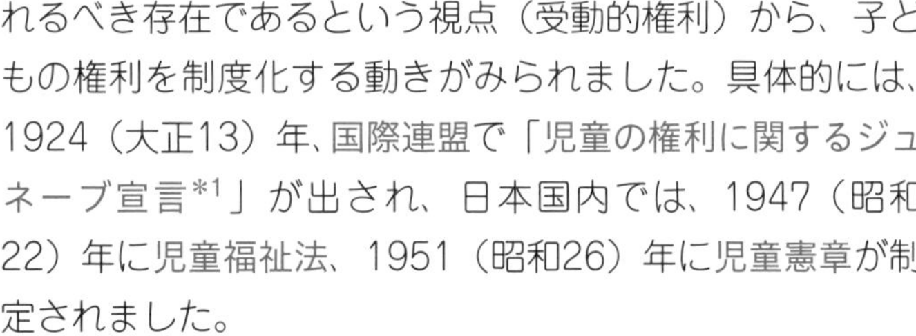

れるべき存在であるという視点（受動的権利）から、子どもの権利を制度化する動きがみられました。具体的には、1924（大正13）年、国際連盟で「児童の権利に関するジュネーブ宣言*1」が出され、日本国内では、1947（昭和22）年に児童福祉法、1951（昭和26）年に児童憲章が制定されました。

知っトク

***1 児童の権利に関するジュネーブ宣言**
人類が子どもに対して最善のものを与える義務を負うことを認め、人種、国籍または信条に関するすべての事由にかかわらず発達を保障されて、飢えや危機などから守られなければならないことが、うたわれています。

さらにその後、国際連合では、1959（昭和34）年に「児童の権利に関するジュネーブ宣言」を拡張した「児童の権利に関する宣言」を採択しました。

2 権利を行使する主体としての子ども

■ 児童の権利に関する条約（子どもの権利条約）

国連は1979（昭和54）年を「国際児童年」としました。この年をきっかけに子どもの権利について新たな視点が開かれました。子どもは成長過程であるという点からみれば、発達・成長を保障され守られなければなりません（受動的権利）。同時に、子どもは子どもとしての意見を持っており、意見を述べる権利もあります。また、子ども自身が自分で考えて行動する権利もあります。

ココが出た！

***2 子どもの権利の変遷**
R4年（後）　R6年（前）
子どもの権利の変遷が時代を追って出題されています。

○ 子どもの権利の変遷 *2

子どもの受動的権利を認めたもの	
児童憲章	1951（昭和26）年
児童の権利に関する宣言	1959（昭和34）年
子どもの能動的権利を認めたもの	
児童の権利に関する条約（子どもの権利条約）	1994（平成6）年
児童福祉法（2016（平成28）年改正後）*3	2016（平成28）年

ひとこと

*3 第1節（95ページ）の第1条の条文を参照してください。

そのような積極的な側面を子どもの能動的権利として認めようとしたのが、児童の権利に関する条約*4（子どもの権利条約）です。近年、子どもは受動的権利と能動的権利の両方を同時に尊重されなくてはならないという視点から子どもの権利が認められるようになってきました。

ココが出た！

***4 児童の権利に関する条約**
R4年（後）　R5年（前）
R5年（後）

■ こども基本法

2023（令和５）年４月１日にこども家庭庁が発足しました。また、「こどもがまんなか社会」を実現するための基本となる法律「こども基本法」が2022（令和４）年に制定され、こども家庭庁の発足と同時に施行されました。

こども基本法の目的として、日本国憲法及び児童の権利に関する条約に則り、すべての子どもが自立した個人として等しく健やかに成長することができるよう、子どもの権利を守ることが定められています。

> **第1条**
> この法律は、日本国憲法及び児童の権利に関する条約の精神にのっとり、次代の社会を担う全てのこどもが、生涯にわたる人格形成の基礎を築き、自立した個人としてひとしく健やかに成長することができ、心身の状況、置かれている環境等にかかわらず、その権利の擁護が図られ、将来にわたって幸福な生活を送ることができる社会の実現を目指して、社会全体としてこども施策に取り組むことができるよう、こども施策に関し、基本理念を定め、国の責務等を明らかにし、及びこども施策の基本となる事項を定めるとともに、こども政策推進会議を設置すること等により、こども施策を総合的に推進することを目的とする。
>
> **第2条**
> 1　この法律において「こども」とは、心身の発達の過程にある者をいう。
> 2　この法律において「こども施策」とは、次に掲げる施策その他のこどもに関する施策及びこれと一体的に講ずべき施策をいう。
> 一　新生児期、乳幼児期、学童期及び思春期の各段階を経て、おとなになるまでの心身の発達の過程を通じて切れ目なく行われるこどもの健やかな成長に対する支援
> 二　子育てに伴う喜びを実感できる社会の実現に資するため、就労、結婚、妊娠、出産、育児等の各段階に応じて行われる支援（以下略）
>
> **第9条**
> 政府は、こども施策を総合的に推進するため、こども施策に関する大綱（以下「こども大綱」という。）を定めなければならない。

■ こども大綱*5

こども基本法第９条により政府にこども大綱（こども施策に関する大綱）の作成が義務付けられました。2023（令和５）年12月にはじめての「こども大綱」が閣議決定され、基本的な方針として以下の６つの柱が掲げられています。

> ① こども・若者を権利の主体として認識し、その多様な人格・個性を尊重し、権利を保障し、こども・若者の今とこれからの最善の利益を図る
> ② こどもや若者、子育て当事者の視点を尊重し、その意見を聴き、対話

知っトク

*5 **こども大綱**
策定に当たっては、総合的かつ長期的な少子化に対処するための施策、子ども・若者育成支援推進に掲げる事項、子どもの貧困対策の推進に関する事項などを含むものとし、都道府県は、こども大綱を勘案して、当該都道府県に都道府県こども計画を定めるよう努めなければなりません。市町村は、市町村こども計画を定めるよう努めるものとすると定められています。

しながら、ともに進めていく
③ こどもや若者、子育て当事者のライフステージに応じて切れ目なく対応し、十分に支援する
④ 良好な成育環境を確保し、貧困と格差の解消を図り、全てのこども・若者が幸せな状態で成長できるようにする
⑤ 若い世代の生活の基盤の安定を図るとともに、多様な価値観・考え方を大前提として若い世代の視点に立って結婚、子育てに関する希望の形成と実現を阻む隘路の打破に取り組む
⑥ 施策の総合性を確保するとともに、関係省庁、地方公共団体、民間団体等との連携を重視する

*6 子どもオンブズパーソン
R4年(前)
1981年にノルウェーで初めて設置されました。

知っトク

*7 子どもの権利ノート
自治体ごとに独自に作成し配布、実施されています。児童相談所の入所措置によって、児童福祉施設（乳児院、児童養護施設、児童自立支援施設、児童心理治療施設）に入所する子どもを対象として配布されています。

*8 第三者評価制度の項目
東京都の第三者評価には「日常の保育の中で子ども一人ひとりを尊重している」「子どもの羞恥心に配慮し、プライバシーを尊重している」というような項目があります。

3 児童の人権擁護の実際

■ オンブズパーソン*6 制度

子どもの権利が侵害されないように、子ども自身が主張できればよいのですが、子どもの年齢や環境によっては子ども自身が声をあげられないことがあります。そのため、子どもに代わって苦情や意見を必要な施設や機関に申し立てる「代理人」の制度がオンブズパーソン制度です。子どもが入所している施設などで主に利用されています。

■ 子どもの権利ノート*7

児童養護施設などに入所する子どもに入所時に配布されています。子ども自身に権利について知ってもらい、子ども自身がいやだと思うことについて声をあげられることを目的としています。またこうしてもらいたいと思うこと、知りたいことなどを要求する権利、知る権利があることなどが書かれています。小学生向けにはひらがなで、中高生向けには漢字にふりがなが書かれているノートを、職員が子どもに説明をして渡しています。

■ 保育所第三者評価

保育所における第三者評価制度の項目*8 の中に、子どもの人権の尊重があります。子ども自身が声をあげられないことが多い、乳幼児だからこそ、保育士が子どもの人権を尊重するかかわりをする必要があります。

子どもの人権を尊重した保育とは？

児童虐待が増加している状況を見ても明らかですが、まだまだ子どもの人権理解が十分だとはいえません。教育・保育場面においても保育者が子どもの意見を聞かずに指示したり、命令する場面を見ることがあります。また、子どもの気持ちに沿っていないことに気づかないこともあります。教育の名のもとに大人の都合を優先したり、大人の思いに沿う子どもを「よい子」だと考えること自体が子どもの人権を尊重していないことを自覚する必要があります。

理解度チェック　一問一答

全問クリア　　月　　日

Q

☐ ❶ 「児童の権利に関する条約」23条では、「締約国は、精神的または身体的な障害を有する児童が、その幸福を確保し、自立を促進し及び意見表明を容易にする条件の下で十分かつ相応な生活を享受すべきであることを認める」と記載されている。 R5年（後期）

☐ ❷ 「児童の権利に関する条約」では、「締約国は、自己の意見を形成する能力のある児童がその児童に影響を及ぼすすべての事項について自由に自己の意見を表明する権利を確保する」ことが明記されている。 R5年（前期）

☐ ❸ 子どもの権利の変遷の条約、法令等を年代の古い順にならべると、「児童の権利に関する宣言」→「児童福祉法」→「児童憲章」→「児童の権利に関する条約」の順になる。 R3年（後期）

☐ ❹ こども基本法において「こども」とは、満18歳未満の者として定義されている。 予想

A

❶ × 「幸福」ではなく「尊厳」、「意見表明」ではなく「社会への積極的な参加」である。

❷ ○

❸ × 児童福祉法→児童憲章→児童の権利に関する宣言→児童の権利に関する条約の順である。

❹ × 第2条第1項で「心身の発達の過程にある者をいう」と定義されている。

3 子ども家庭福祉の制度と実施体系

頻出度 ✤✤✤

この章では児童福祉法の主要な改正内容を把握しておきましょう。子育て支援事業が多様に展開されていますので、事業内容を理解してください。子ども家庭福祉にかかわる手当、関連の法律の内容は概要を、児童福祉施設はすべての施設の役割と目的を把握してください。保育所と保育所等関連施設は近年、大きく変化していますので、内容をきちんと理解しましょう。

子ども家庭福祉の制度と法体系

1 児童福祉六法

子ども家庭福祉にかかわる児童福祉法、児童手当法、児童扶養手当法、特別児童扶養手当法等の支給に関する法律、母子及び父子並びに寡婦福祉法、母子保健法を「児童福祉六法」と呼びます。

■ 児童福祉法：1947（昭和22）年制定

子ども家庭福祉の根幹をなすのは、1947（昭和22）年に制定された児童福祉法[*1]です。日本の社会福祉は利用者主体の福祉サービスを提供する方向に福祉理念[*2]が大きく変わりました。それに伴って児童福祉法が1997（平成９）年に50年ぶりに改正され、その後も改正されています。制度を改正することで、子ども家庭福祉にかかわる事業の拡大とサービスの多様化が進んでいます。

・1997（平成９）年の改正
　◦保育所が市町村の措置から利用選択方式に変更
　◦子どもの年齢に応じた保育料[*3]方式
　◦児童福祉施設の名称変更[*4]と目的の変更

・2001（平成13）年の改正
　◦保育士資格の法定化（名称独占の資格として2003（平成15）年より国家資格化）

・2003（平成15）年の改正
　◦子育て支援事業を児童福祉法に位置づけ

・2008（平成20）年の改正
　◦乳児家庭全戸訪問事業（こんにちは赤ちゃん事業）、養育支援訪問事業、地域子育て支援拠点事業、一時預かり事業、家庭的保育事業（家庭福祉員・保育ママ）などが法定化

・2012（平成24）年の改正
　◦障害児を対象とした施設は児童福祉法、事業は障害者自立支援法（現：障害者総合支援法）に基づいて実施されていたが、児童福祉法に一本化

・2022（令和４）年の改正
（2022（令和４）年施行）
　◦民法で親権者の懲戒権が削除されたことに伴い、児童福祉法でも児童相談所長、児童福祉施設の長や里親等について、「監護及び教育その児童の福祉のため必要

ひとこと

*1 児童福祉法の理念は、第１節（95ページ）を参照してください。

知っトク

*2 **福祉理念**
1980年代以降、ノーマライゼーションの考え方が広がり、福祉のあり方も変化してきました。利用者の人権が尊重され、自己選択、自己決定ができるような福祉サービスの提供を基本とする方向に変わりました。

*3 **保育料**
それまでの保育料は収入に応じた応能負担でした。現在は所得による階層区分と子どもの年齢による区分を組み合わせて保育料が決められています。

*4 **名称変更**
養護施設→児童養護施設
教護院→児童自立支援施設
母子寮→母子生活支援施設
名称を変更するとともに、自立支援が目的となりました。

な措置をとることができる」と懲戒についての記載が削除され、「その年齢及び発達の程度に配慮しなければならず、かつ、体罰その他の児童の心身の健全な発達に有害な影響を及ぼす言動をしてはならない」とされた。

（2024（令和６）年４月施行）

- 子育て世代包括支援センターの見直しが行われ、こども家庭センターとなった
- 児童発達支援センターについて、障害種別にかかわらず障害児を支援できるよう児童発達支援の類型（福祉型、医療型）が一元化された
- 児童福祉施設として新たに里親支援センターが位置づけられた
- 子育て支援事業として、子育て世帯訪問支援事業（訪問による生活の支援）、児童育成支援拠点事業（学校や家以外の子どもの居場所支援）、親子関係形成支援事業（親子関係の構築に向けた支援）が追加された

*5 **児童手当**
児童が措置により児童福祉施設に入所または里親に委託されている場合には、原則として入所施設設置者や里親に支給されます。

■児童手当法：1971（昭和46）年制定

児童手当法の目的は次のように定義されています。

「父母その他の保護者が子育てについての第一義的な責任を有するという基本的認識の下に、児童を養育している者に児童手当[*5]を支給することにより、家庭等における生活の安定に寄与するとともに、次代の社会を担う児童の健やかな成長に資することを目的とする」

2024（令和６）年10月から児童手当が拡充され、支給対象が０歳から中学校終了までから、高校生年代まで（18歳に達する日以後の最初の３月31日までの間にある者）となるほか、第３子以降の手当の増額、高額所得者に対する所得制限の撤廃が行われます。

*6 **父または母と生計を同じくしていない児童が育成される家庭**
父または母が死亡した子ども、父母が離婚した子ども、父または母に1年以上遺棄されている子ども、父または母が法令により1年以上拘禁されている子ども、父または母に重度の障害がある子ども、婚姻によらないで生まれた子ども、父または母が生死不明である子どもなどの家庭を指します。

■ 児童扶養手当法：1961（昭和36）年制定

離婚によるひとり親世帯等、父または母と生計を同じくしていない児童が育成される家庭[*6]の生活の安定と自立

の促進に寄与することを目的としていますが、以前は母子家庭だけが支給の対象でした。2010（平成22）年の改正で父子家庭も対象となりました。支給に際しては所得制限があります[*7]。

ココが出た！

*7 児童扶養手当制度 R5年(後)

■ **特別児童扶養手当等の支給に関する法律：1964（昭和39）年制定**

精神または身体に障害のある児童（20歳未満）に対して支給されています。

■ **母子及び父子並びに寡婦福祉法：1964（昭和39）年制定（2014（平成26）年改称）**

母子家庭・父子家庭等及び寡婦[*8]の生活の安定と向上のために必要な措置を講じる福祉サービスを提供しています。自立を支援するための就業支援事業、日常生活支援事業などがあります。2014（平成26）年にその一部が改正され、ひとり親家庭の支援の強化を図ることになりました。仕事と子育てを両立しながら経済的に自立するとともに、子どもが心身ともに健やかに成長できるように支援体制を充実させることを目指しています。特に父子家庭への支援強化、児童扶養手当と公的年金の供給制限の見直しなどを行っています。母子・父子の自立支援については母子・父子自立支援員の設置が都道府県、市、福祉事務所を設置している町村において義務となっています。

知っトク

*8 寡婦
この法律における寡婦とは「かつて母子家庭の母であり、現在も配偶者のいない（及びそれに準じる）女性」を指します。

■ **母子保健法[*9]：1965（昭和40）年制定**

母性、乳幼児の健康の保持と増進のために、保健指導、健康診査、医療その他の措置を講じることを目的としています（詳細は第４節）。

*9 母子保健法 R5年(前)

*10 **各種法令による児童等の年齢区分**

R6年(前)

法律における「児童」の年齢区分が出題されています。なお、こども基本法では「こども」を「心身の発達の過程にある者をいう」と定義しており注意が必要です。

用語解説

*11 **小学校就学の始期**

一般に、小学校に入学するまでの期間を示す言葉です。

用語解説

*12 **18歳に達する日以後の最初の3月31日が終了するまで**

一般に、高校卒業までの期間を示す言葉です。

○ 各種法令による児童等の年齢区分*10

「児童」の定義が法律上明示されている主な法律		
児童福祉法	児童	18歳未満の者
	乳児	1歳未満の者
	幼児	1歳から小学校就学の始期*11 に達するまでの者
	少年	小学校就学の始期から18歳に達するまでの者
児童虐待の防止等に関する法律	児童	18歳未満の者
児童扶養手当法	児童	18歳に達する日以後の最初の3月31日までの間にある者*12 又は20歳未満で政令で定める程度の障害の状態にある者
母子及び父子並びに寡婦福祉法	児童	20歳未満の者
児童手当法	児童	18歳に達する日以後の最初の3月31日までの間にある者
労働基準法	年少者	18歳未満の者
	児童	15歳に達した日以後の最初の3月31日が終了するまでの者
学校教育法	学齢児童	満6歳に達した日の翌日以後における最初の学年の初めから、満12歳に達した日の属する学年の終わりまでの者
	学齢生徒	小学校又は特別支援学校の小学部の課程を修了した日の翌日後における最初の学年の初めから、満15歳に達した日の属する学年の終わりまでの者
(参考)		
児童の権利に関する条約	児童	18歳未満の者
その他児童に類する者を法律上明示している主な法律		
民法	未成年者	18歳未満の者
	婚姻適齢	男女とも18歳
刑法	刑事責任年齢	満14歳
少年法	少年	20歳未満の者
	特定少年	犯罪等を行った18歳以上20歳未満の者
母子保健法	乳児	1歳未満の者
	幼児	1歳から小学校就学の始期に達するまでの者

「児童」の定義が法律上明示されている主な法律		
子ども・子育て支援法	子ども	18歳に達する日以後の最初の3月31日までの間にある者
	小学校就学前子ども	子どものうち小学校就学の始期に達するまでの者

2 子ども家庭福祉に関連する法律*13

ここでは、流れを理解しやすいように各法律の概要のみを制定年の順番に並べて解説しています。詳細は第4節を参照してください。

■ 障害者基本法：1970（昭和45）年制定

すべての国民が、障害の有無にかかわらず、等しく基本的人権を享有するかけがえのない個人として尊重されることを理念としています。地域社会における共生、差別の禁止等をかかげて障害者のノーマライゼーションを目指すために制定されました。

■ 児童買春、児童ポルノに係る行為等の規制及び処罰並びに児童の保護等に関する法律*14：1999（平成11）年制定

この法律は、児童に対する性的搾取及び性的虐待が児童の権利を著しく侵害することの重大性に鑑み、あわせて児童の権利の擁護に関する国際的動向を踏まえ、児童買春、児童ポルノに係る行為等を規制し、及びこれらの行為等を処罰するとともに、これらの行為等により心身に有害な影響を受けた児童の保護のための措置等を定めることにより、児童の権利を擁護することを目的としています。

■ 児童虐待の防止等に関する法律（通称：児童虐待防止法）：2000（平成12）年制定

子どもへの虐待の防止、予防、早期発見、虐待を受けた子どもの保護と自立支援、子どもの権利擁護などを定めた法律です。

知っトク

*13 **子ども家庭福祉に関連する法律**
この項目で解説している法律名からも、「児童福祉六法」制定以後は、社会の要請に応えて、様々な困難を抱える人々を守る法律が制定されていることがわかります。
こうした視点からみると、法制度の制定順も覚えやすくなるのではないでしょうか。

*14 **児童買春、児童ポルノに係る行為等の規制及び処罰並びに児童の保護等に関する法律**
R6年(前)
児童買春・児童ポルノ事件に関する記述で、事件件数の推移、傾向、同法律の選択議定書及び法律の罰則、罰金の内容が出題されています。

■ **配偶者からの暴力の防止及び被害者の保護等に関する法律（通称：DV防止法）：2001（平成13）年制定**

配偶者等からの暴力を防止し、被害者の保護を行うこと、連携機関の役割などを定めた法律です。

■ **発達障害者支援法：2004（平成16）年制定**

これまでの障害の枠組みではうまく対応できなかった自閉スペクトラム症（自閉症、アスペルガー症候群、その他の広汎性発達害）、限局性学習症（学習障害）、注意欠如・多動症（注意欠如・多動性障害）などの障害児（者）に適切な支援をするために定められた法律です。

この法律において「発達障害」とは、「自閉症、アスペルガー症候群その他の広汎性発達障害、学習障害、注意欠陥多動性障害その他これに類する脳機能の障害であってその症状が通常低年齢において発現する者。発達障害がある者であって発達障害及び社会的障壁により日常生活または社会生活に制限を受ける18歳未満の者」をいいます。

■ **障害者自立支援法：2005（平成17）年制定**

障害児*15 及び障害者の地域生活と自立を支援するための法律です。2010（平成22）年の改正で発達障害者が同法の対象となり、また、利用者負担について応能負担を原則にして利用者負担を軽減すること等が決まりました。

*15 **障害児**
障害者総合支援法では「児童福祉法第4条第2項に規定する障害児をいう」と示されており、児童福祉法では「身体に障害のある児童、知的障害または精神に障害のある児童、発達障害児、難病の児童」などとされています。

■ **障害者総合支援法：2012（平成24）年制定**

障害者自立支援法が障害者総合支援法に改正され、障害者（児）の範囲に難病等が加えられました。さらに、必要とされる支援の度合いを表す「障害程度区分」が「障害支援区分」に改めました。

■ **障害者差別解消法：2013（平成25）年制定**

正式名称は、「障害を理由とする差別の解消の推進に関する法律」です。この法律は、「国・都道府県・市町村などの役所や、会社やお店などの事業者が、障害のある人に対して、正当な理由なく、障害を理由として差別することを禁止する」というものです。障害のある人から、社会の中にあるバリアを取り除くために何らかの対応を必要としているとの意思が伝えられた時に、負担が重すぎない範囲で対応すること（合理的配慮の提供）が義務[*16]とされています。

知っトク

＊16 合理的配慮の義務
国・地方公共団体に対しては法的義務が課せられています。また、事業者についても2024（令和6）年4月1日から義務化されました。

𝄞♪子ども家庭福祉行財政と実施機関

1 子ども家庭福祉を支える行政機関

子ども家庭福祉行政はこども家庭庁、都道府県、市町村それぞれが役割を担っています。大まかにいうと、福祉の根幹をなす制度政策については国の行政機関であるこども家庭庁が担い、各地方の独自の行政施策に基づいた内容については、都道府県や市町村が担っています。直接的なサービスは地域に密着している市町村が担い、市町村の指導監督は都道府県が、都道府県の指導監督はこども家庭庁が行っています。

■ 国の役割－こども家庭庁[*17]

これまで内閣府に置かれていた「子ども・子育て本部」、厚生労働省の「子ども家庭局」がこども家庭庁に移管され、乳幼児から満18歳未満の子どもを支援することを目的にしています。

「常にこどもの最善の利益を第一に考え、こどもに関する取組・政策を我が国社会の真ん中に据えて（こどもまんなか社会）、こどもの視点で、こどもを取り巻くあらゆる環境を視野に入れ、こどもの権利を保障し、こどもを誰一人取り残さず、健やかな成長を社会全体で後押しする。そうしたこどもまんなか社会を目指す」として、こども家庭庁をその司令塔と位置付けています（こども政策の新たな推進体制に関する基本方針、令和３年12月21日）。この施策を実施するために、こども基本法を同年に制定し、「こどもまんなか社会」を目指して、子育て支援や子どもの権

知っトク

＊17 こども家庭庁
担当する事務としては、児童福祉法、次世代育成支援対策推進法、認定こども園法（就学前の子どもに関する教育、保育等の総合的な提供の推進に関する法律）、子ども・子育て支援法などがこども家庭庁設置法に明記されています。なお、幼稚園については文部科学省の所管のままとなります。

利、利益を擁護することを主な任務としています。

○ こども家庭庁の体制と役割

こども家庭庁の体制

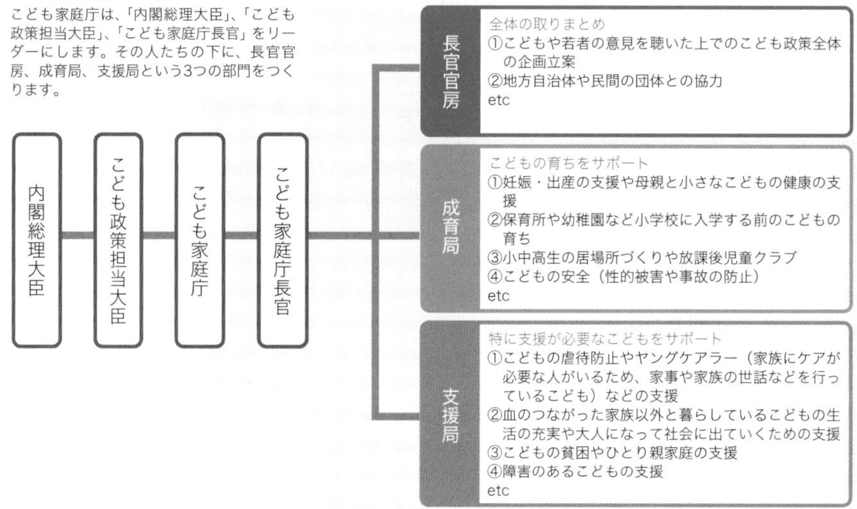

出典：内閣府内閣官房 「こども家庭庁について」

■ 都道府県・指定都市の役割

国が制定した法律によって策定された指針、計画に基づいて、実施に必要な審議会、委員会などを設けて具体的な施策を立てます。都道府県は市町村に対する指導・監督を行っています。

■ 市町村の役割

地域住民に最も身近な行政機関です。管轄の住民に対して子ども家庭福祉サービスを提供します。

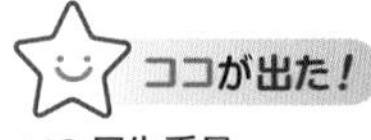

＊18 **民生委員**
R4年（後）
民生委員・主任児童委員の役割、指名などについて出題されました。

民生委員・児童委員と主任児童委員＊18

都道府県推薦のもと厚生労働大臣に委嘱を受けて、市町村の区域に置かれ、地域の子どもたちが元気に安心して暮らせるように、子どもたちを見守り、子育ての不安や妊娠中の心配ごとなどの相談・援助等を行う存在として「児童委員」がいます（児童委員は民生委員が兼ねています）。任期は３年で、無報酬です。

そのなかでも、児童委員としての活動に注力するのが主任児童委員です。厚生労働大臣が児童委員の中から指名し、任期は３年で無報酬です。関係機関と区域担当の児童委員との連絡調整や区域担当の児童委員の活動に対して援助・協力します。

◯ 児童福祉行政の仕組み

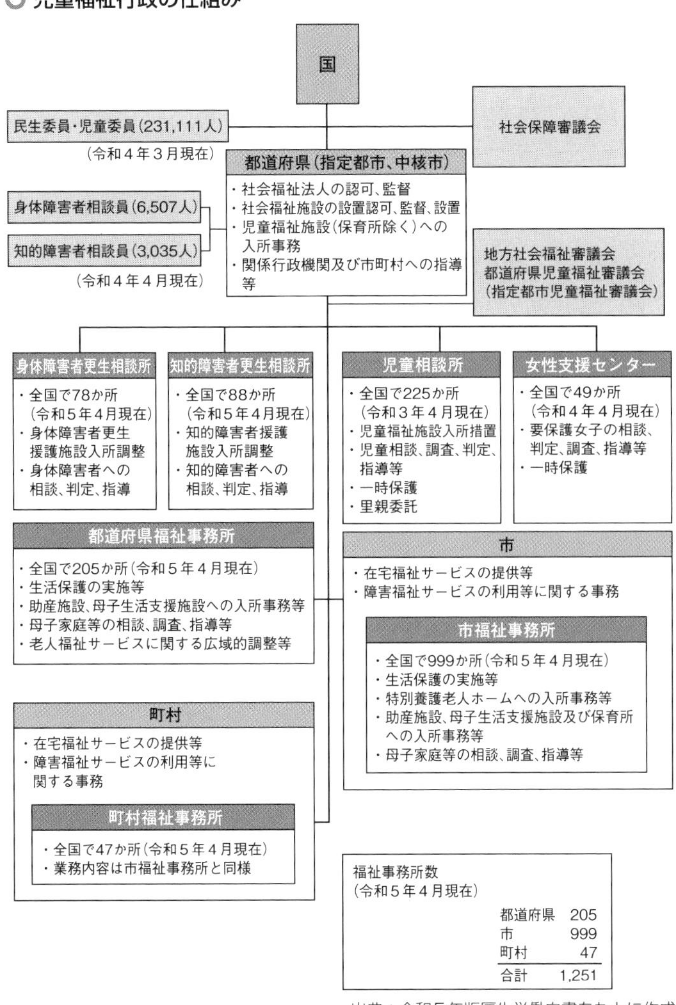

出典：令和５年版厚生労働白書をもとに作成

2 子ども家庭福祉にかかわる財政

■ 公費の支出

児童福祉サービスにかかる費用のうち、国、都道府県、市町村が支弁（費用の支払いのこと）する負担割合はサー

子ども家庭福祉

③ 子ども家庭福祉の制度と実施体系

ビスの種類や内容によって異なります。

■ 利用者からの費用徴収

児童福祉サービスにかかる費用は、公費で支弁されますが、費用の一部を利用者から徴収することが認められています。福祉事業の種類によって国、地方自治体が支弁する割合が異なります[*19]。児童養護施設、乳児院などに児童が入所している扶養義務者は負担能力に応じた費用を支払うことになります（応能負担）。

保育所は児童1人当たりにかかる費用（保育単価[*20]）をもとに児童の年齢等に応じて定める額[*21]を徴収することができるようになっています。2015（平成27）年度から、子ども・子育て支援新制度が施行され、施設給付を受ける幼稚園、認定こども園なども市町村の定める保育料を利用者負担として支払うことになります。

■ 保育料の無償化

国は2019（令和元）年から、幼稚園、保育所、認定こども園等を利用する3歳から5歳までの子どもたちの利用料を無償化しました。なお、保育所、認定こども園等を利用している0歳から2歳までの子どもたちについては、住民税非課税世帯を対象として利用料が無償化されました。

認可外の保育施設、幼稚園の預かり保育、一時預かり事業、病児保育、ファミリー・サポートセンター事業等については、「保育の必要性の認定」を受けて認められた場合には保育料が無償になります。

通園送迎費、食材料費、行事費などは、これまでどおり保護者の負担になりますが、年収360万円未満相当世帯の子どもたちとすべての世帯の第3子以降の子どもたちについては、副食（おかず･おやつ等）の費用が免除されます。

*19 **措置費**
社会福祉事業では運営にかかる費用を措置費（または運営費）と呼び、運営管理に要するもの（管理費）、人件費、事業費（入所者の処遇に必要な費用一切）が含まれます。

用語解説

*20 **保育単価**
「保育単価」とは入所児童1人当たりの運営費の月額単位をいいます。

*21 **保育料の徴収**
児童の年齢等に応じた金額と保護者の所得階層を組み合わせた額を保育料として徴収しています。

○ 幼児教育・保育の無償化の概要

0〜2歳		
住民税非課税世帯	保育所／認定こども園※1	無料
	認可外保育施設など※2	月額4.2万円まで無償※3

上記以外	対象外	
3～5歳		
すべての世帯	保育所／認定こども園※1	無料
	認可外保育施設など※2	月額3万円まで無償※3※4
	幼稚園	無料※5
	就学前障害児の発達支援	無料

※1：地域型保育（家庭的保育、小規模保育、居宅訪問型保育、事業所内保育）、企業主導型保育も対象
※2：一次預かり事業、病児保育事業、ファミリー・サポートセンター事業も対象
※3：市区町村から「保育の必要性の認定」を受ける必要がある
※4：住民税非課税世帯の場合、月額 4.2 万円まで無償
※5：子ども・子育て新制度の対象の幼稚園ではない場合、預かり保育を含め月額 3.7 万円まで無償

出典：内閣府「幼児教育・保育の無償化について」より筆者作成

3 子ども家庭福祉の実施機関＊22

■ 児童相談所（児童福祉法第12条の規定に基づいて設置）＊23

18歳未満の児童に関する相談に応じる、子どもと家庭を支援する専門機関です。都道府県と指定都市に設置が義務付けられており、支所を含めて全国に事務所が200か所以上設置されています。児童相談所は、市町村を支援して連携を強化し、緊急性が高く専門性を必要とする児童虐待や相談の内容が重度のケースなどに、より的確な対応を求められています（詳細は第４節参照）。こうした専門的な相談に対応できるよう、児童福祉司＊24 の配置が義務づけられています。また、2016（平成28）年には、弁護士の配置またはこれに準ずる措置を行うことが定められました。

■ 福祉事務所（社会福祉法第14条の規定に基づいて設置）

都道府県及び市・特別区に人口10万人単位で設置が義務づけられている第一線の福祉の行政機関です。生活保護法、児童福祉法、母子及び父子並びに寡婦福祉法、老人福祉法、身体障害者福祉法などに基づいた相談に応じたり、実際の福祉サービスを実施するための行政機関です。

＊22 **実施機関**
それぞれの実施機関の役割、機能については毎年出題されています。役割や機能だけでなく、設立の根拠となった法律（根拠法）や職員配置についてもよく出題されるので、おさえておきましょう。

＊23 **児童相談所**
R5年（後）
児童相談所における相談の種類別対応件数と相談種別が出題されました。

＊24 **児童福祉司**
R5年（前）
児童相談所の児童福祉司の資格、業務などについて出題されました。

■ 保健所・保健センター（地域保健法）

・保健所

地域住民へ地域保健の普及、保健衛生の指導、母性及び乳幼児の保健に関する指導、住民の健康の保持増進などを業務としています。

・保健センター*25

地域住民の健康の保持増進を目的として、健康相談、健康診査、保健指導などにより、身近な保健福祉サービス*26 を提供しています。 保健医療と社会福祉にかかわる連携を図るために、保健福祉センター、健康福祉センターなどといった名称にしている自治体もあります。

知っトク

*25 **保健センター**
地域によって名称は異なりますが、赤ちゃんから高齢者まで地域住民にとっては身近な機関です。母子保健事業の一環として妊娠期には「両親学級」「母親学級」など、妊娠出産を不安なく過ごせるように出産や子育てに関する講座を開いたり、育児相談、乳幼児の健康診断などを行っています。

*26 **保健福祉サービス**
乳幼児健康診査、妊婦健診などの母子保健サービス、子育て相談、子育て支援の取り組みなど、その市町村の独自事業も含めて多様な活動が行われています。

■ 児童福祉審議会（児童福祉法第８条）

児童、妊産婦及び知的障害者の福祉に関する事項について、関係行政機関への意見の具申や、個々の児童行政に対して意見を述べる権限があります。たとえば、児童養護施設入所措置に対して、児童もしくは保護者がその決定に不服があると申し出た時などに、その決定に対して審議を行い、意見を述べます。

○ 児童福祉の実施機関のまとめ

施設名(根拠法)	都道府県	指定都市	中核市	市（区）	町村
児童相談所 (児童福祉法)	○	○	△	―	―
福祉事務所 (社会福祉法)	○	○	○	○	△
保健所 (地域保健法)	○	○	○	○※	―
市町村保健センター (地域保健法)	―	―	―	△	△

○：設置義務あり、△：任意で設置可能　※政令で定められた市または特別区では設置義務あり

児童福祉施設

児童福祉施設*27とは、児童の健全な育成と自立等を支援するために児童福祉法に規定された施設を指します。

ココが出た！

*27 **児童福祉施設**
R4年(後)　R5年(前)
R5年(後)　R6年(前)

1 助産施設（児童福祉法第36条）

経済的な事情により、必要があるにもかかわらず入院助産を受けることができない妊産婦を入所させて、助産を受けさせる施設です。

2 乳児院（児童福祉法第37条）

乳児が保健上、生活環境上の理由により家庭で適切な養育を受けることができない場合に入所させて安定した生活環境を確保し養育します。あわせて退院した者について相談その他の援助を行うことを目的とした施設です。入所児童は基本的には乳児ですが、特に理由がある場合には幼児を入所させることもできます*28。

3 児童養護施設*29（児童福祉法第41条）

保護者のない児童、虐待されている児童、その他環境上家庭で適切な養育を受けることができない児童を入所させて養護し、自立のための支援をする施設です。原則１歳以上から18歳未満の児童が対象ですが、特に必要がある場合は乳児（１歳未満）の入所や20歳までの入所延長ができます。退所した者に対する相談その他の自立のための援助を行うことも義務づけられています。

4 児童発達支援センター（児童福祉法第43条）

障害児の通所支援を提供することを目的とする施設です。

なお、児童福祉法に定められている障害児通所支援には、「児童発達支援」「放課後等デイサービス」「保育所等訪問支援」「居宅訪問型児童発達支援」があります*30。

5 障害児入所施設*31（児童福祉法第42条）

障害児入所施設は次の２つに分けられます。医療的な支

***28 入所規定**
疾病などの理由で乳児院に幼児を、児童養護施設に乳児を入所させることができます。

***29 児童養護施設**
現在はより家庭的な雰囲気で育てることを重視して、地域で一戸建ての家に職員と少数の子どもたちが生活する「地域小規模児童養護施設」を併設している施設も多くなっています。

***30 障害児通所支援等事業の種類と事業所数**
R4年(後)
2024(令和6)年の児童福祉法の改正により、児童発達支援の医療型と福祉型の分類が一元化されました。

***31 障害児入所施設の対象と役割**
R5年(後)

*32 **医療型障害児入所施設**
著しく重度で適切な医療及び常時の介護を必要とする知的障害児、肢体不自由児、重症心身障害児に対し、疾病の治療・看護、医学的管理の下における食事、排せつ、入浴等の介護、日常生活上の相談支援・助言、身体能力・日常生活能力の維持・向上のための訓練、レクリエーション活動等の社会参加活動支援、コミュニケーション支援などを行います。

*33 **福祉型障害児入所施設**
身体に障害のある児童、知的障害のある児童または精神に障害のある児童*（発達障害児を含む）を対象として、食事、排せつ、入浴等の介護、日常生活上の相談支援・助言、身体能力・日常生活能力の維持・向上のための訓練、レクリエーション活動等の社会参加活動支援、コミュニケーション支援のための訓練などを行う。
*手帳の有無は問わず、児童相談所、医師等により療育の必要性が認められた児童。

援が必要な場合には、「医療型障害児入所施設*32」、医療的な支援を必要としない場合には「福祉型障害児入所施設*33」となります。

なお、「福祉型障害児入所施設」は、2012（平成24）年の児童福祉法の改正により、「知的障害児施設」「盲ろうあ児施設」「肢体不自由児療護施設」の３つの入所施設が一元化されたものです。また、「医療型障害児入所施設」は、「第一種自閉症児施設（医）」「肢体不自由児施設（医）」「重症心身障害児施設（医）」の３つの入所施設が一元化されて設立されました。

これにより人員等の体制が強化されるとともに、18歳を超えても引き続き入所支援を受ける必要があると認められる時は満20歳に達するまで継続して入所することが可能になりました。

6 児童心理治療施設（児童福祉法第43条の2）

軽度の情緒障害児*34を短期間、入所*35させ、もしくは保護者のもとから通わせて、治療をする施設です。あわせて退所した児童についても相談援助を行うことが明記されています。被虐待児の増加により、さらに充実した治療援助が求められています。2012（平成24）年に厚生労働省、児童家庭局は治療と支援のあり方についてきめ細かな運営指針を通知しました。

7 児童自立支援施設（児童福祉法第44条）

不良行為をなし、またはなすおそれのある児童、家庭環境その他の理由により生活指導などを要する児童を入所、もしくは保護者のもとから通わせて必要な指導を行い、自立を支援する施設です。退所後の相談援助も行います。

8 児童家庭支援センター（児童福祉法第44条の2）

家庭や地域住民などからの相談に応じて助言・指導を行

うとともに、児童相談所や児童福祉施設などとの連絡や調整を担う機関です。逼迫する児童相談所の業務を補完するとともに、より地域に密着したきめ細やかな相談支援を行うことを目的として設立された、比較的新しい児童福祉施設です。

9 里親支援センター（児童福祉法第44条の3）

2024（令和6）年に新設された児童福祉施設で、里親支援事業を行うほか、里親、里親に養育される児童、里親になろうとする者について相談その他の援助を行います。

10 児童厚生施設（児童福祉法第40条）

児童遊園、児童館等の児童に健全な遊びを与えて、健康を増進し、情操を豊かにすることを目的とする施設です。主に学童期の子どもたちが利用しますが、最近は地域の子育て支援施設としても利用されています。

11 母子生活支援施設（児童福祉法第38条）

配偶者のない女子またはこれに準ずる事情にある女子及びその児童*36 を保護し生活を支援し、自立をうながすための施設です。近年、夫からの暴力等の理由で入所するケースが増加しています。施設退所後も相談その他の援助を行うことが明記されています。なお、父子家庭は利用できません。

12 保育所（児童福祉法第39条）

保育を必要とする乳児・幼児を保育することを目的とした施設です。一般には認可保育所*37といわれており、公立、私立の両方があります。

保護者の就労による必要だけでなく、妊娠出産時、病気や怪我、障害、常時の介護、災害などにより保育を必要とする時にも、利用を申し込むことができます。

知っトク

*34 **情緒障害**
感情や気分を自分でコントロールすることができずに、学校や社会生活に適応することが難しい状態のことを示す言葉です。

*35 **入所児童の年齢**
おおむね学童期から18歳に至るまでの子どもを対象としていますが、必要がある場合には20歳に達するまで措置を延長できます。

*36 **母子生活支援施設の児童の年齢**
児童の年齢は18歳未満ですが、児童が20歳に達するまで引き続き入所することができます。自立支援のために母子支援員などが配置され、母親の相談に応じています。

用語解説

*37 **認可保育所**
児童福祉法に基づき、各都道府県で定めた設置基準によって認可された保育所をいいます。

○ 保育所規定（児童福祉法第 39 条）

> 保育所は、保育を必要とする乳児・幼児を日々保護者の下から通わせて保育を行うことを目的とする施設（利用定員が20人以上であるものに限り、幼保連携型認定こども園を除く。）とする。

知っトク

*38 **幼保連携型認定こども園**
法的な位置づけとしては、児童福祉施設でもあり、学校でもある施設です。
なお、幼稚園は児童福祉施設には含まれず、学校の一つとして位置づけられています。

○ 幼保連携型認定こども園*38 規定（児童福祉法第 39 条の 2）

> 幼保連携型認定こども園は、義務教育及びその後の教育の基礎を培うものとしての満三歳以上の幼児に対する教育（教育基本法（平成十八年法律第百二十号）第六条第一項 に規定する法律に定める学校において行われる教育をいう。）及び保育を必要とする乳児・幼児に対する保育を一体的に行い、これらの乳児又は幼児の健やかな成長が図られるよう適当な環境を与えて、その心身の発達を助長することを目的とする施設とする。
>
> 2　幼保連携型認定こども園に関しては、この法律に定めるもののほか、認定こども園法の定めるところによる。

保育を行う施設とその内容

■ 認可保育所等

保育所は、2023（令和５）年４月現在、公私立合わせて２万3,806か所あります。さらに特定地域型保育事業所*39、幼稚園型認定こども園、幼保連携型認定こども園等を合わせると、３万9,589か所となっており、保育所等が急速に増加しています（保育所等関連状況取りまとめ（こども家庭庁令和５年４月１日*40））。

知っトク

*39 **地域型保育事業所**
地域型保育事業を行う事業所のことです。

*40 **保育所等の施設・事業数**
R6年（前）

> **保育所保育指針*41　第1章1（1）イ（抜粋）**
> 家庭との緊密な連携の下に、子どもの状況や発達過程をふまえ、保育所における環境を通して、養護及び教育を一体的に行う

2015（平成27）年から子ども・子育て支援新制度が施行され、地域型保育事業*42 が市町村等基礎自治体による認可事業として児童福祉法に位置づけられました。利用定員５人以下の家庭的保育、６～19人までの小規模保育所、居宅訪問型保育、事業所内保育所（病院内保育所）が認可保育所等として扱われています。

■ その他の保育関連施設（認可外保育所）

認可保育所以外にも、一般的な呼称として保育園、保育所と呼ばれて、保育を行っているところがあります。それらを認可外保育所といいますが、その中には自治体独自の基準を設けた保育所や企業独自の保育所（事業所内保育事業に基づく認可保育所ではないもの）、託児所、駅型保育所、ベビーホテルなどがあり、規模や施設、環境、保育内容、職員の配置などもさまざまです。

○ 認可保育所等と認可外の保育関連施設

認可保育所等*43	公立保育所
	私立保育所（社会福祉法人・企業・NPO法人などが経営）
	家庭的保育（利用者定員5人以下）
	小規模保育所（利用定員6～19人まで）
	居宅訪問型保育
	事業所内保育事業に基づく認可保育所（病院内保育所）
認可外保育施設	自治体独自の基準で認めたもの 例：東京都認証保育所など
	無認可保育所、共同保育所
	託児所、一時預かり
	駅型保育所、ベビーホテルなど
	季節保育所、へき地保育所など
	企業主導型保育所*44

なお、これらの保育施設で行われる保育のほか、放課後児童健全育成事業に基づく放課後児童クラブ（学童保育）における活動も保育といわれています。保育の対象は法的に０歳から18歳未満となります。

子ども家庭福祉の専門職・実施者

■ 子ども家庭福祉の専門家としての保育士

2017（平成29）年の保育所保育指針の改定では、保育

＊41 保育所保育指針の改定
2018（平成30）年に保育所保育指針が施行されました。この改定では、「幼児教育」という言葉が歴史上初めて使われました。総則には「幼児教育を行う施設として共有すべき事項」として「育みたい資質・能力」「幼児期の終わりまでに育ってほしい姿」が明記され、乳幼児期に大切な保育の目指すべき内容が書かれています。「総則」と「乳児、1歳以上3歳未満、3歳以上の保育の基本事項」「子育て支援」の内容をしっかり理解しておいてください。

＊42 地域型保育事業の種類
R5年（前）

所を「幼児教育を行う施設」として位置づけることが明記されました。3歳以上の保育は幼児教育としての側面を含むものとされ、幼稚園、保育所、認定こども園において、幼児期に育む資質･能力についても内容が統一されました。そのため、保育士は養護と教育についての高い専門性が求められます。常に自己研鑽を重ねて、専門性を向上させることが義務づけられました。

同時に保育士は子ども家庭福祉の専門性を身につけ、子育て支援を行うことが規定されています。名称独占の国家資格となった保育士は、その専門性を自覚して業務を行うことが法律で義務づけられています。

児童福祉法（第18条の４）には、保育士とは「登録を受け、保育士の名称を用いて、専門的知識及び技術をもって、児童の保育及び児童の保護者に対する保育に関する指導を行うことを業とする者」と規定されています。

つまり保育士は、子どもに対して保育を行うことと保護者に対しては保育に関する指導を行うという、子どもと家庭の両方への支援が求められています。

保護者に対する子育て支援*45に関して、保育所保育指針の中で以下のように記載されています。

第1章「総則」1（2）イ
入所する子どもの保護者に対し、その意向を受け止め、子どもと保護者の安定した関係に配慮し、保育所の特性や保育士等の専門性を生かして、その援助に当たらなければならない

第1章「総則」1（3）カ
一人一人の保護者の状況やその意向を理解、受容し、それぞれの親子関係や家庭生活等に配慮しながら、様々な機会をとらえ、適切に援助すること

第4章「子育て支援」3（1）ア
地域の保護者等に対して、保育所保育の専門性を生かした子育て支援を積極的に行うよう努めること

このように、子ども家庭福祉において、保育士は子どもへの保育を行うだけでなく、保護者への支援も行っており、支援のための専門性もさらに求められるようになっていま

***43 認可保育所と各都道府県が定める最低基準**

厚生労働省は、2011（平成23）年「児童福祉施設の設備及び運営に関する基準」を改正し、児童福祉施設最低基準を各都道府県で定めることを義務づけました。その際、人員配置、床面積、設備に関する事項は厚生労働省の基準にしたがい、定めるものとし、その他の事項については参酌するものとするとしました。

***44 企業主導型保育所**

R4年（前）

事業主拠出金を財源として、従業員の多様な働き方に応じた保育を提供する企業等を支援するとともに、待機児童対策に貢献することを目的として、2016（平成28）年度に創設されました。なお、管理は国ではなく、児童育成協会が行っています。

す[*46]。そのため「家庭」を含めた支援体制や支援のネットワーク[*47]が重要視され、保育士の養成課程においても家庭支援論、相談援助、保育相談支援などの科目が義務づけられています。なお保育所だけでなく、児童養護施設や母子生活支援施設等の児童福祉施設にも保育士をおかねばならないとされています。

子ども家庭福祉にかかわる人は、児童福祉行政の職員、児童福祉施設の職員、関連の機関や施設の職員、地域の奉仕者などさまざまです。業務内容は実際の福祉サービスの提供、相談業務、子どもの保育、生活支援などに分けられます。それらの職員の資格には国家資格、任用資格[*48]、協会などが認定した資格などがあります。主な子ども家庭福祉にかかわる専門職と、専門職の内容などを以下にあげます。

2015（平成27）年より子ども・子育て支援新制度が施行され、幼保連携型認定こども園においては、幼稚園教諭免許と保育士資格をあわせ持つ「保育教諭」が教育・保育を行うことになりました。

○ 子ども家庭福祉にかかわる専門職[*49]

専門職名	主に従事する機関、施設など	資格の分類	内容
保育士	保育所など児童福祉施設（助産所以外）	国家資格（名称独占*50）	保育・保護者支援
保育教諭	幼保連携型認定こども園	保育士と幼稚園教諭免許（名称独占）	教育・保育保護者支援
家庭的保育者	家庭的保育事業	自治体ごとの認定資格	保育
児童福祉司	児童相談所	任用資格	相談・指導
社会福祉士	児童相談所、福祉事務所、児童福祉施設等	国家資格（名称独占）	施設長 相談・指導・生活支援など
児童指導員	ほとんどの児童福祉施設（保育所以外）	任用資格	児童の生活支援・指導
児童自立支援専門員	児童自立支援施設	任用資格	生活学習支援、職業指導

（つづく）

*45 **保護者に対する子育て支援**
保育所保育指針の第4章「子育て支援」では、保護者及び地域が有する子育てを自ら実践する力の向上に資するよう支援する。相互の信頼関係を基本として、相互理解を深めること、個別の状況に配慮した個別の支援を行うことなどが定められています。

*46 **守秘義務規定**
保育士には専門性だけでなく守秘義務規定の遵守も求められています。児童福祉法第18条の22「保育士は、正当な理由がなく、その業務に関して知り得た人の秘密を漏らしてはならない。保育士でなくなつた後においても、同様とする」。

*47 **支援のネットワーク**
子育て支援において、地域のさまざまな支援の資源をうまく連携させて援助を行う方法に「ソーシャル・サポート・ネットワーク」があります。その定義は「個人を取り巻く家族、友人、近隣、ボランティア、民間機関などによる援助（インフォーマル・サポート）と行政機関やさまざまな専門職による援助（フォーマル・サポート）に基づく援助関係の総体を指す」とされています。

用語解説

＊48 **任用資格**

任用資格とは、特定の職業や職位に任用されるための資格です。児童指導員、社会福祉主事、母子支援員、児童福祉司、家庭相談員などは任用資格です。なお、任用資格を持って仕事に従事するための条件（3年以上の現場経験、教員資格等々）が各専門職に付されています。

ココが出た！

＊49 **子ども家庭福祉にかかわる専門職**

R5年（後）　R6年（前）

用語解説

＊50 **名称独占**

名称独占資格は、資格取得者以外がその名称を名乗ることを法令で禁止している資格です（保育士、栄養士など）。業務独占資格は、特定の業務に対して、資格取得者以外にその業務を行うことが禁止されている資格を指します（医師、弁護士、薬剤師など）。

ココが出た！

＊51 **民生委員・児童委員・主任児委員**

R5年（前）

専門職名	主に従事する機関、施設など	資格の分類	内容
児童生活支援員	児童自立支援施設	任用資格	生活支援 自立支援
母子・父子自立支援員	福祉事務所	特になし	母子・父子家庭、寡婦などの相談・指導
家庭相談員	家庭児童相談室	任用資格	児童に関する相談・助言・指導
民生委員・児童委員・主任児童委員 ＊51	連携機関は児童相談所、福祉事務所など	厚生労働大臣の委嘱	地域の子どもの見守り、子育て相談・助言など
家庭支援専門相談員	児童養護施設	任用資格	保護者支援、子どもの早期家庭復帰支援、退所後の相談支援
個別対応職員	児童福祉施設（保育所を除く）	特になし	被虐待児童への個別対応、支援、保護者援助
心理療法担当職員	乳児院、児童養護施設、母子生活支援施設	任用資格	被虐待児童へのカウンセリング、心理治療
母子支援員	母子生活支援施設	任用資格	母親への就労支援、子育て相談・援助
児童発達支援管理責任者	放課後等デイサービス事業所、障害児施設、児童発達支援センター	研修後の認定資格	児童の療育指導、保護者の相談対応

保育の目標と保育者の専門性

保育所保育指針では、保育の目標として「保育所は、子どもが現在を最も良く生き、望ましい未来をつくり出す力の基礎を培う」こと、「十分に養護の行き届いた環境の下に、くつろいだ雰囲気の中で子どもの様々な欲求を満たし、生命の保持及び情緒の安定を図る」こと、「様々な体験を通して、豊かな感性や表現力を育み、創造性の芽生えを培う」ことが記載されています。

乳幼児期が子どもの生涯において重要な時期だからこそ、保育所で子どもが毎日安心して楽しく過ごせるだけでなく、遊びを通したたくさんの体験が必要なのです。保育者は子どもが何に興味関心を向けているのか、しっかり観察して子どもを理解したうえで遊びの環境を用意するという専門性が求められています。

理解度チェック　一問一答

全問クリア　月　日

Q

□ ❶ 「児童福祉法」の保育士に関する記述では、「保育士は、専門的知識及び技術をもって、児童の保育のみをおこなう」と規定されている。 予想

□ ❷ 児童扶養手当制度は、婚姻によらないで生まれた子ども、父または母に重度の障害がある子どもの家庭にも支給される。 予想

□ ❸ 2023年4月に施行された「こども家庭庁」は、内閣府、厚生労働省、文部科学省の子どもと教育に関わる部署が統合されて、子育て支援や子どもの権利、利益の養護などを任務としている。 予想

□ ❹ 児童の権利を擁護するための手段の一つとして、乳児院、児童養護施設、児童自立支援施設などの社会的養護関係施設は、3年に1回以上、第三者評価を受けなければならないことが、厚生労働省より義務づけられた。 予想

□ ❺ 主任児童委員は、児童委員のうちから、都道県知事の指名を受けて、児童の福祉に関する機関と児童委員との連絡調整を行うとともに、児童委員の活動に対する援助及び協力を行う。 R4年（後期）改

□ ❻ 母子・父子自立支援員は、配偶者のいない者で現に児童を扶養しているもの及び寡婦に対して、相談に応じている。 R6年（前期）

A

❶ × 児童福祉法18条の4「保育士の名称を用いて、専門的知識及び技術をもって、児童の保育及び児童の保護者に対する保育に関する指導を行うことを業とする者をいう」と位置づけられている。

❷ ○

❸ × 内閣府の「子ども・子育て本部」と厚生労働省の「子ども家庭局」が子ども家庭庁に移管された。

❹ ○ 第三者評価の全国共通基準が作成されたが、各都道府県では全国共通基準に基づいた独自の第三者評価基準を作成することもできる。

❺ × 主任児童委員は厚生労働省大臣が指名する。

❻ ○

4 子ども家庭福祉の現状と課題

頻出度

各サービスの法的根拠を理解しましょう。少子化対策は、これまでの流れと目的を理解してください。子育て支援サービスは、種類と内容をしっかり把握しましょう。特に保育所等のサービス内容、虐待への対応と支援、障害児への福祉サービスについて、きちんと理解しておきましょう。

少子化 → 子育て支援サービス

児童虐待 → 防止・早期発見のしくみ

保護者の養育を
受けられない児童 → 社会的養護

障害のある児童 → 障害児福祉

etc.

少子化と子育て支援サービス

少子化が進み、子育てしている家庭を支援するために、1994（平成6）年、厚生省（現：厚生労働省）は「今後の子育て支援のための施策の基本的方向について（エンゼルプラン[*1]）」を策定しました。この施策から現在に至るまで、さまざまな少子化対策のための子育て支援策がとられています。なお、少子化対策の流れを「基礎知識のまとめ」（巻頭ivページ）で表にしていますので、こちらも参照してください。

知っトク

*1 **エンゼルプラン**
エンゼルプランから次世代育成支援対策推進法まで少子化対策の歴史的経緯が出題されています。
少子化対策の施策については、制定年順に並び替える問題がよく出ていますので、流れを特に意識しながら解説を読んでください。

■ エンゼルプラン：1994（平成6）年
新エンゼルプラン：1999（平成11）年

家庭と仕事の両立、地域の子育て家庭への支援を視野に入れて、保育所の量的拡大、低年齢児（0～2歳児）保育、延長保育等の多様な保育サービスの充実、地域子育て支援センターの整備をしました。支援の対象は主に子育てをしている母親でした。

■ 少子化対策プラスワン：2002（平成14）年

エンゼルプラン、新エンゼルプランを実施しながらも合計特殊出生率は下がり続けました。これを受けて母親支援とともに父親が育児に参加できるような支援策を策定しました。男性を含めた働き方の見直し、多様な働き方の実現（子育て期間における残業時間の縮減など）、父親の育児休暇の取得、待機児童ゼロ[*2]の取り組み、地域の子育て家庭への支援とネットワークづくりなどが重点的な内容です。

■ 少子化社会対策基本法：2003（平成15）年

育児参加を父親個人に働きかけるだけではなく、仕事と家庭生活を社会全体で見直すことで育児に参加しやすい環境づくりを目指す必要があります。子育て家庭を社会全体で支援する観点から、少子化社会対策基本法が制定され、具体的な子育て支援の取り組みを進めるために、次世代育成支援対策推進法が制定されました。

■ 次世代育成支援対策推進法：（2003（平成15年）：時限立法で制定、2014（平成26）年延長法制定）

「次世代育成支援対策について、基本理念を定めるとともに、国による行動計画策定指針並びに地方公共団体及び事業主による行動計画の策定等の次世代育成支援対策を迅速かつ重点的に推進するために必要な措置を講ずる」ために制定されました。国に行動計画策定指針を、市町村に、行動計画の策定、従業員が101人以上の企業に対しては、一般事業主行動計画の策定・届出を義務づけました。

*2 **待機児童ゼロ作戦**
2001（平成13）年に、保育所に入れない待機児童をなくすために、待機児童の多い地域の保育所整備、家庭的保育事業の実施、保育所定員の緩和などが行われています。

*3 **子ども・子育て関連3法**
次の3つの法律を指します。「子ども・子育て支援法」「就学前の子どもに関する教育、保育等の総合的な提供の推進に関する法律の一部を改正する法律（認定こども園の一部改正法）」「子ども・子育て支援法及び就学前の子どもに関する教育、保育等の総合的な提供の推進に関する法律の一部を改正する法律の施行に伴う関係法律の整備等に関する法律（関係法律の整備に関する法律）」。

■ 子ども・子育て応援プラン：2004（平成16）年
子ども・子育てビジョン：2010（平成22）年

これまでの子育て支援は少子化対策として位置づけられていました。子ども・子育て応援プラン、子ども・子育てビジョンは子どもと子育てを全力で応援することを目的として、「子どもが主人公（チルドレン・ファースト）」という考え方のもと、「子ども・子育て支援」へと視点を移して、社会全体で子育てを支えるとともに、「生活と仕事と子育ての調和」を目指して策定されました。

■ 子ども・子育て関連3法[*3]：2012（平成24）年

「子ども・子育て支援法[*4]」などの3法を新たに制定し、子どもを社会全体の力で育てるための新しいシステムづくりがうたわれました。財源を1兆円増やすこと、財政システムを一元化すること、などが決まっていますが、具体的には国の「子ども・子育て会議」で決定するとされました。ただし、財源の一部は消費税引き上げにより確保するとされており、具体的な施行は消費税の値上げ等と連動しています。この3法の主なポイントとして、認定こども園、幼稚園、保育所を通じた共通の給付（施設型給付[*5]）及び小規模保育等への給付（地域型保育給付[*6]）の創設、幼保連携型認定こども園[*7] の改善、地域の実情に応じた子ども・子育て支援の充実があげられています（制度の詳細は第5節参照）。

■ 少子化社会対策大綱～結婚、妊娠、子供・子育てに温かい社会の実現をめざして～：2015（平成27）年　閣議決定

少子化の進行が社会経済の根幹を揺るがす危機的状況であるという判断からさらに踏み込んだ少子化対策を計画しました。主な内容は、待機児童解消、放課後児童対策、「結婚、妊娠、出産、子育て」の各段階を切れ目のない取り組みと地域・企業など社会全体の取り組みを両輪として、きめ細かく対応することにしました。同時に男女の働き方改革として、男性の意識・行動改革、ワーク・ライフ・バラ

*4 子ども・子育て支援法
R4年(前)　R5年(前)
「次世代育成支援対策推進法」、「子ども・子育てビジョン」「少子化社会対策大綱」「ニッポン一億総活躍プラン」などの内容が出題されています。なお、こども家庭庁の設置に伴い、子ども・子育て会議はこども家庭審議会に置き換わっています。

*5 施設型給付
保護者に対する個人給付を確実に学校教育・保育に要する費用に充てるため保護者に代わって教育・保育施設が受領するものです。

*6 地域型保育給付
小規模保育（定員6～19名以下）、家庭的保育（定員5名以下）、居宅訪問型保育、事業所内保育などにおいて質の確保を図るために給付を行います。

ンス、女性の就労継続やキャリアアップなどを掲げ、社会全体を見直した改革を決定しました。

■ 子ども・若者育成支援推進法[*8][*9] 2010（平成22）年施行

近年、子ども・若者をめぐる環境が悪化し、社会生活を円滑に営む上での困難を有する子ども・若者の問題が深刻な状況にあることを踏まえ、子ども・若者の健やかな育成、子ども・若者が社会生活を円滑に営むことができるようにするために策定されました。地方公共団体は、単独で又は共同して、関係機関等により構成される子ども・若者支援地域協議会を置くよう努めることが条文化されています。

基本理念には、「修学及び就業のいずれもしていない子ども・若者、家族の介護その他の日常生活上の世話を過度に行っていると認められる子ども・若者その他の社会生活を円滑に営む上での困難を有する子ども・若者に対しては、その困難の内容及び程度に応じ、当該子ども・若者の意思を十分に尊重しつつ、必要な支援を行うこと」などが記載されています。

■ ニッポン一億総活躍プラン：2016（平成28）年閣議決定

国民一人ひとりが家庭で、職場で、地域で、あらゆる場所で、誰もが活躍できる社会の実現を目指し、「新・３本の矢」として、「希望を生み出す強い経済」「夢をつむぐ子育て支援」「安心につながる社会保障」を掲げました。これにより、具体的には、GDP600兆円、希望出生率1.8、介護離職ゼロを目標として、同一労働同一賃金、長時間労働の是正、高齢者の就労促進を実現しようというものです。

■ 子育て安心プラン：2017（平成29）年厚生労働省

深刻化している待機児童問題に対して、2022（令和４）年までに待機児童を解消し、同時にこの５年間で女性の就労率を72.7％（2016（平成28）年）から80％まで向上させようとするものです。主な内容は、１．保育の受け皿の

*7 幼保連携型認定こども園

設置主体は国、自治体、学校法人、社会福祉法人のみ（株式会社の参入は不可）。資格は「保育教諭」で、保育士、幼稚園教諭の両方を持つ者となります。2013（平成25）年に文部科学省・厚生労働省は10年間の特定措置として、どちらか一方の資格を持つものが両資格取得を目指すために科目履修の新カリキュラムを示しました。

*8 子供・若者育成支援推進大綱の子ども、若者の定義

・子ども：乳幼児期（義務教育年齢に達するまで）、学童期（小学生）及び思春期（中学生からおおむね18歳まで）の者。
・若者：思春期、青年期（おおむね18歳からおおむね30歳未満まで）の者。施策によっては、40歳未満までのポスト青年期の者も対象。

ココが出た！

*9 子ども・若者育成支援推進法

R4年（前）　R6年（前）

拡大、2．保育人材確保、3．保護者への「寄り添う支援」の普及促進、4．働き方改革、5．持続可能な保育制度の確立、6．保育の質の確保、(実現のための「６つの支援パッケージ」) の充実をはかるとしています。

ココが出た！

*10 新子育て安心プラン
R5年(後)

■ **新子育て安心プラン*10：2020（令和2）年厚生労働省**

2022（令和4年）までの目標を定めた「子育て安心プラン」の続きとして、2024年までに保育の受け皿のさらなる拡大を目指すものです。その概要は、地域の特性に応じた支援、魅力向上を通じた保育士の確保、地域のあらゆる子育て資源の活用（幼稚園、ベビーシッターなど)、2021（令和３）年度～2024（令和６）年度末までの４年間で14万人分の保育の受け皿の整備などです。

■ **こども未来戦略：2023（令和５）年**

若年人口が急激に減少する2030年代に入るまでが、急速な少子化・人口減少に歯止めをかけるラストチャンスとして、①若い世代の所得を増やす、②社会全体の構造・意識を変える、③全てのこども・子育て世帯を切れ目なく支援する、を３つの基本理念として掲げました。

また、今後３年間の集中的な取り組みである加速化プランを作成しました。

○ **加速化プランの主な内容（一部抜粋)**

・児童手当の拡充
所得制限の撤廃、支給期間の高校生年代までの延長、第3子以降の支給を増額

・出産等の費用軽減
出産一時金の引き上げ、出産費用（正常分娩）の保険適用の検討

・幼児教育・保育に関する改善
1歳児、4･5歳児の職員配置基準の改善、保育士等の処遇改善の検討、こども誰でも通園制度（仮称）の創設検討

母子保健と児童の健全育成

1 母子保健サービス

母子保健とは母子保健法[*11]に基づいた行政サービスを指します。母性並びに乳幼児の健康の保持増進、保健指導、健康診査、医療その他による保健の向上などを中心に、市町村の保健センターなどがサービスを提供しています。安心して妊娠出産し、子どもも保護者も健やかに過ごせるように、保健センターだけでなく地域の子育て支援拠点などが連携して子育てを応援する仕組みが作られました。

ココが出た!

*11 **母子保健法**
R5年(前)
産後のケア事業について出題されています。

◯ 妊娠・出産等にかかわる支援体制の概要

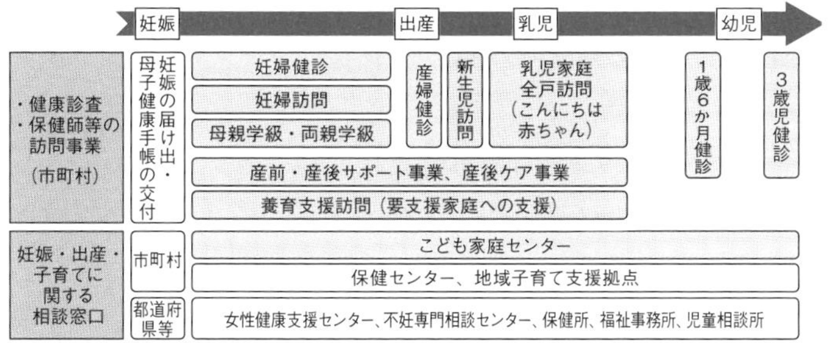

(出典:厚生労働省『妊産婦にかかる保健・医療の現状と関連施策』平成31年を参考に作成)

・妊産婦健康診査[*12]

母子保健法に基づき妊婦に対する健康診査を行い、母体と胎児の健康状態の把握、検査計測、保健指導を実施しています。健康診査は初回健診を除く14回分について地方自治体から助成を受けることができます。

*12 **妊産婦健康診査**
妊娠初期から23週までは4週間に1回、妊娠24週から35週までは2週間に1回、妊娠36週から出産までは週1回の受診が望ましいとされています。

・先天性代謝異常の検査

新生児の時期にフェニルケトン尿症、クレチン病、先天性甲状腺機能低下症等の検査を行って、心身障害(精神発達遅延や痙攣などの脳障害やその他心身発達障害)の発生を早期に予防します。

・B型肝炎母子感染予防事業

母子感染予防のための健康診査を無料で受けられます。

・乳児家庭全戸訪問事業（こんにちは赤ちゃん事業）

児童福祉法に定められた事業で生後４か月を迎えるまでのすべての乳児がいる家庭を訪問して子育て支援に関する情報提供や養育環境等の把握を行い、必要なサービスにつなげていきます。

*13 **乳幼児健康診査**
母子保健法第12条で、健康診査の対象は満1歳6か月を超え満2歳に達しない幼児と、満3歳を超え満4歳に達しない幼児とされています。

・乳幼児健康診査[*13]

生後１歳くらいまでに２回、その後は１歳６か月健康診査、３歳児健康診査を行っています。

１歳６か月健診は全体の96.3％、３歳児健診は95.7％（厚生労働省「令和４年度地域保健・健康増進事業報告の概況」）が受診していますので、ほとんどの子どもの成長発達、保護者の育児状況などを把握することができます。

・産後ケア事業

母子保健法に「市町村は出産後１年を経過しない女子及び乳児の心身の状態に応じた保健指導、療養に伴う世話または育児に関する指導、相談その他の援助を必要とする出産後１年を経過しない女子及び乳児につき、産後ケア事業を行うように努めなければならない」と記載されています。また、「産前・産後サポート事業ガイドライン、産後ケア事業ガイドライン[*14]」が定められています。

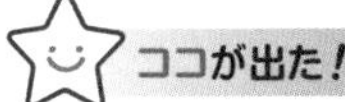

*14 **産前、産後サポート事業ガイドライン、産後ケア事業ガイドライン**
R6年（前）
産前、産後サポート事業ガイドライン、産後ケア事業ガイドラインの実施内容が出題されました。

市町村を実施主体としていますが、本事業の趣旨を理解し、適切な実施が期待できる団体等に事業の全部または一部を委託することができます。事業内容は、産前、産後サポート事業では、電話・メール相談、訪問型、参加型（グループワークなど）を主としており、産後ケア事業では、短期入所（ショートステイ）型、通所（デイサービス）型（個別・集団）、居宅訪問（アウトリーチ）型などがあります。

■ 保健指導

母子保健においては、母性の特性に着目した指導や相談がなされるよう留意し、健全な児童の成育が、両親、特に母親の健康状態との密接不離の関係にあることから、母子の心身の健康をともに保持増進させることを基本として指導を行う必要があります。

・妊娠の届出及び母子健康手帳の交付

市区町村ごとに独自に作成されています。交付にあたっての手続きも病院の証明を必要とする自治体、妊娠届出手続きだけでよい自治体などさまざまです。

・保健師による訪問指導

必要に応じて家庭訪問が行われます。

・母子保健相談指導事業ほか

出産前小児保健指導、父親教室、母親教室、両親学級、育児学級などがあります。

■ 療育援護等

妊娠中毒症などの療育援護、小児慢性特定疾患児に対する日常生活用具の給付、未熟児養育指導などがあります。

■ 医療対策等

小児慢性特定疾患の子どもの心の診療ネットワーク事業などがあります。

■ 母子保健関連施策の体系

2015(平成27)年から「健やか親子21（第２次)」が実施されています。妊産婦から乳幼児への切れ目のない保健対策、学童期･思春期から成人期へ向けた保健対策、子どもの健やかな成長を見守り育む地域づくり、育てにくさを感じる親への支援、妊娠期からの児童虐待防止などに取り組んでいます。各市町村は、親子が健康で安心して子育てができるように妊娠期から子育て期にわたるまでのさまざまなニーズに対して総合的相談支援を提供するワンストップ拠点（こども家庭センター）の整備を進めています。

2 児童の健全育成

■ 児童厚生施設

児童福祉法に規定される児童福祉施設の一つであり、児童遊園、児童館などを指します。すべての子どもが利用できる施設で、子どもの健全育成を目的としています。

児童館には、小型児童館、児童センター、大型児童館の３種類*15 があります。「令和５年版厚生労働白書」によると2021（令和３）年では全国に4,347か所あります。

児童館には児童の遊びを指導する児童厚生員が配置されています。近年の傾向としては、児童館の老朽化による廃止、地域によっては児童の減少による廃止などがあります。また、児童館の検討課題として遊びのプログラムの開発や障害児や特別な配慮を必要とする子どもを含めた新たなプログラムの開発の必要があげられています。

児童遊園には標準的な設備として、ブランコ、砂場、滑り台、ジャングルジムなどが設置されています。

児童館活動に関する基本事項を定めた児童館ガイドライン*16 が2018（平成30）年に改正されました。改正の主な項目は、子どもの意見の尊重、最善の利益の追求、配慮の必要な子どもへの対応や不適切な養育が疑われる場合の適切な対応、子育て支援の実施について、乳幼児支援や中・高校生世代と乳幼児の触れ合い体験の取り組みの実施等があります。

■ 放課後児童健全育成事業*17（放課後児童クラブ）

児童福祉法に規定されており留守家庭の小学生に児童館や学校の空き教室などを放課後の遊び場や生活の場として提供しています。一般的には、放課後児童クラブ、学童保育、学童クラブと呼ばれています。2007（平成19）年に、質の向上を目指した放課後児童クラブガイドラインが策定され、2015（平成27）年にはガイドラインの内容を見直した運営指針が発表されています。

知っトク

*15 **児童館の種類**

小型児童館：地域に密着した最も数が多い児童館です。子どもの遊びに関するいろいろなプログラムが用意されています。

児童センター：小型児童館の機能に運動ができる設備を併設した施設です。

大型児童館：A型：児童センター機能に加えて、都道府県内の各児童館の指導、連絡調整を行います。B型：自然の中で野外活動などを行える施設です。C型：体育館、屋内プール、プレイホール、造形スタジオ、研修室、保育施設など多機能の施設です。

*16 **児童館ガイドライン**

R4年（後）　R6年（前）

公開されているガイドラインに目を通しておくとよいでしょう（特に第一章「総則」の部分）。

*17 **放課後児童健全育成事業**

R4年（前）

利用希望者が増加する中、障害児の受け入れ体制が十分に整備されていないこと、都市部を中心に待機児童問題が生じていることなどが課題になっています。

■ 放課後子ども教室推進事業：2007（平成19）年

この事業は文部科学省の事業です。2004（平成16）年から始まった「地域子ども教室推進事業」の仕組みを変更して、「放課後子ども教室推進事業」を創設しました。小学校の余裕教室等を活用して、地域の人々の協力を得ながら、子どもたちの学習やスポーツ・文化活動などを支援していく取り組みです。国は各地域での取り組みに対し支援（予算補助）を行っています。具体的な活動内容は地域によってさまざまです。児童の健全育成にかかわっている団体や大学生などがボランティアとして協力している地域がほとんどですが、企業、NPO法人などが企画運営している活動などもあります。

最近は「アフタースクール」という名称を使用している自治体もみられますが、アフタースクールの活動は「放課後子ども教室推進事業」だけでなく、企業やNPO法人が独自に企画運営している場合もあります。

■ 新・放課後子ども総合プラン：2018（平成30）年

この事業は、文部科学省の「放課後子ども教室推進事業」と厚生労働省の「放課後児童健全育成事業（放課後児童クラブ・学童保育）」の一体的な、または連携による事業として実施されています。具体的には、放課後や週末等の子どもたちの適切な遊びや生活の場を確保したり（放課後児童クラブ）、小学校の余裕教室などを活用して、地域の方々の参画を得ながら、学習やスポーツ・文化活動、地域住民との交流活動などの取り組みを実施します（放課後子ども教室）。

さらに、放課後児童クラブを利用できない児童の解消を目指し、新たに2019年～2023年の目標を掲げました。放課後児童クラブについて、2021（令和３）年度末までに約25万人分を整備し、待機児童解消を目指し、その後も女性就業率の上昇を踏まえ2023（令和５）年度末までに計約30万人分の受け皿を整備する予定です（受入れ児童数の合計：約122万人⇒約152万人）。

＜新・放課後子ども総合プランの実施状況＞

2023（令和５）年５月１日の放課後児童クラブ実施状況では、登録児童数：145万7,384人（前年比６万5,226人増）、支援の単位数：３万7,034人（前年比支援の825単位増）、待機児童数：１万6,276人（前年比1,096人増）でした（こども家庭庁）。

待機児童数は高止まりの状況で、さまざまな角度から待機児童対策を講ずる必要があること、また高学年児童については、発達段階を踏まえ、多様な居場所の充実について検討する必要性があると述べています。

多様な保育ニーズへの対応

安心して子どもを生み育てる社会を実現するために、家族の多様なニーズに応えていく必要があります。保育所の保育サービス[*18]や、待機児童の解消、子育て家庭の育児負担・育児不安への支援などにきめ細かく対応していくための福祉サービスの充実を図っています。

ひとこと

*18 保育所の設置規定、認可外保育所などについては、第3節の中で述べています。

1　保育所等の保育サービス内容（児童福祉法第39条）

■ 乳児保育[*19]

現在は、すべての保育所で受け入れが可能になっていますが、受け入れ月齢については各自治体の保育所によってさまざまです。０歳児保育の多くは生後57日目からですが、産休明けの生後43日目から入所できる保育所もあります。

知っトク

*19 **乳児保育**
乳児保育とは法的には0歳児保育のみを指します。1998(平成10)年に、児童福祉施設最低基準が改定されて、乳児の保育士定数が6(乳児)：1(保育士)から3：1となりました。

■ 障害児及び特別な支援が必要な児童の保育

保育所では、障害児だけでなく、特別な配慮や支援が必要な児童への受け入れをしています。2022（令和4）年時点で全国２万1,574か所の保育所が９万3,502人の障害児を受け入れています。特別な配慮や支援が必要な児童を含めると多くの保育所が複数人の児童を受け入れている状況です。

最近の傾向としては、障害の程度の比較的重い児童も入所しており、医療的ケアの必要な児童を受け入れている保育所も少しずつ増加しています。

2007（平成19）年度から障害児及び特別な支援が必要な児童２人に対し、保育士１人を配置するようになりました。さらに障害児通所支援の一環として、保育所等訪問支援が実施され、児童本人と施設職員への支援を行っています。

■ 延長保育事業

11時間の開所時間の前後において、さらに30分以上の延長保育を行います。時間延長については別途保育料負担を保護者に課す場合と、公費助成で実施している保育所があります。保護者の労働形態が多様化したことや通勤時間が長くなったことから、保護者からのニーズが大変高くなっています。開設時間については８時間を原則とし、家庭の状況を考慮して保育所長が定めます。実際の開設時間は施設によって違いがありますが、近年長くなる傾向にあります。

保護者の通勤時間がかかる都心部では、朝７時開園、午後８時閉園などの園も増えています。

■ 夜間保育[*20]

夜間、保護者の就労等により保育ができず、かつ市町村が保育を行う児童を対象として夜の22時まで保育をする保育所を夜間保育所といいます。開所時間は原則としておおむね11時間とし、入所定員は20名以上とすることと定められています。保育所の分園として設置することもできます。

*20 **夜間保育**
R4年（前）
夜間保育所について出題されています。

■ 休日保育

主に平日保育所に入所している児童の保護者が休日の就労、疾病、その他の理由により、家庭で保育ができない場合に利用することができます。その場合は、休日保育を行っている園で保育を受けることになります。自治体によっては、保育所入所児童に限らず、すべての児童を受け入れている場合もあります。

■ **一時預かり事業**

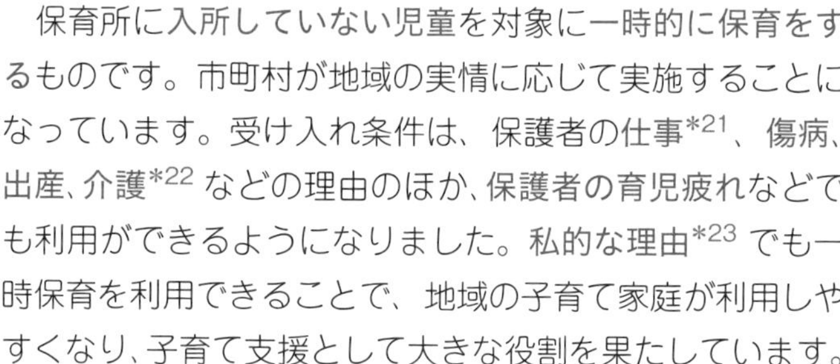

保育所に入所していない児童を対象に一時的に保育をするものです。市町村が地域の実情に応じて実施することになっています。受け入れ条件は、保護者の仕事*21、傷病、出産、介護*22などの理由のほか、保護者の育児疲れなどでも利用ができるようになりました。私的な理由*23でも一時保育を利用できることで、地域の子育て家庭が利用しやすくなり、子育て支援として大きな役割を果たしています。

知っトク

*21 **非定型的保育サービス事業**
保護者の就労形態等により、家庭における保育が断続的に困難となる児童に対する保育サービス事業で、おおむね週3日、1か月以内を限度として受け入れています。

*22 **緊急一時保育**
保護者の傷病、災害・事故、出産、看護、介護、冠婚葬祭等、社会的にやむを得ない事由により、緊急かつ一時的に家庭保育が困難となる児童に対する保育サービス事業です。

*23 **私的理由による保育サービス事業**
保護者の育児疲れ解消等の私的な理由により一時的に保育が必要となる児童に対する保育サービス事業で、1回につきおおむね1日を限度として受け入れています。

■ **病児保育事業**

保育を必要とする乳児・幼児、または保護者の労働もしくは疾病その他の理由により家庭において保育を受けることが困難となった小学校に就学している児童を、病気の時に保育所、認定こども園、病院、診療所、その他の場所において、保育士及び看護師などが一時的に保育する事業。

実施主体は市町村（特別区及び一部事務組合を含む）ですが、市町村が認めた者へ委託等を行うことができます。病児対応型、病後児対応型、体調不良児対応型、非施設型（訪問型）などの事業があります。

2 認定こども園

小学校入学前の子どもの幼児教育・保育を提供する施設です。保護者が働いている、いないにかかわらず、教育・保育を一体的に行っています。また、地域におけるすべての子育て家庭に対する子育て相談活動や親子の集いの場を提供しています。

■ **認定こども園の種類**

認定こども園には、地域の実情や保護者のニーズに応じて選択が可能となるよう多様なタイプがあります。なお、認定こども園の認定を受けても幼稚園や保育所等はその位置づけは失いません。

・**幼保連携型**
認可幼稚園の機能と認可保育所の機能の両方をあわせもつ単一の施設で、認定こども園としての機能を果たすタイプ

・**幼稚園型**
認可幼稚園が、保育が必要な子どものための保育時間を確保するなど、保育所的な機能を備えて認定こども園としての機能を果たすタイプ

・**保育所型**
認可保育所が、保育が必要な子ども以外の子どもも受け入れるなど、幼稚園的な機能を備えることで認定こども園としての機能を果たすタイプ

・**地方裁量型**
幼稚園・保育所いずれの認可もない地域の教育・保育施設が、認定こども園として必要な機能を果たすタイプ

3 地域型保育事業

2015（平成27）年にスタートした子ども・子育て支援新制度で創設された市町村による認可事業です。

地域型保育事業*24には、保育を行う人数や場所によって「小規模保育事業」「家庭的保育事業」「事業所内保育事業」「居宅訪問型保育事業」の４種類があります。

○ 地域型保育事業の種類

		職員数	職員資格
小規模保育事業 事業主体 市町村、民間事業者等 保育実施場所等 保育者の居宅、その他の場所、施設 認可定員 6～19人	A型	保育所の配置基準+1名	保育士※1
	B型	保育所の配置基準+1名	1/2以上が保育士※1 ※保育士以外には研修を実施します。
	C型	0～2歳児 3:1 （補助者を置く場合、5:2）	家庭的保育者※2
家庭的保育事業*25 事業主体 市町村、民間事業者等 保育実施場所等 保育者の居宅、その他の場所、施設 認可定員 1～5人		0～2歳児 3:1 （家庭的保育補助者を置く場合、5:2）	家庭的保育者※2 （+家庭的保育補助者）

（つづく）

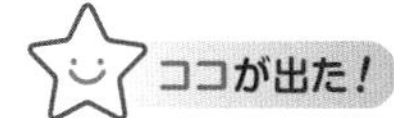

*24 **地域型保育事業**
R5年（前）
地域型保育事業の種類と内容が出題されています。

*25 **家庭的保育事業**
家庭的保育事業ガイドラインには、地域の連携保育所は市町村と連携して、家庭的保育所の幼児については年齢に応じて保育所の保育を定期的に体験させることや、家庭的保育者の相談、助言指導を行うことなどが規定されています。
2010（平成22）年から児童福祉法上に位置づけられ、2015（平成27）年からは子ども・子育て支援新制度のもとで地域型保育事業として一定の認可基準をクリアすれば、認可事業として地域型保育給付を受けることができます。

事業所内保育事業 事業主体 事業主等 保育の対象 事業所の従業員の子ども、地域の保育を必要とする子ども（地域枠）	定員20名以上…保育所の基準と同様 定員19名以下…小規模保育事業A型、B型の基準と同様	
居宅訪問型保育事業 事業主体 市町村、民間事業者等 保育実施場所等 保育を必要とする子どもの居宅	0〜2歳児　1:1	必要な研修を修了し、保育士、保育士と同等以上の知識及び経験を有すると市町村長が認める者

※1 保健師、看護師又は准看護師の特例を設けています（平成27年4月1日からは准看護師も対象）。

※2 市町村長が行う研修を修了した保育士、保育士と同等以上の知識及び経験を有すると市町村長が認める者とします。

出典：子ども子育て支援新制度ハンドブック　平成27年7月改訂版をもとに作成

児童虐待防止、ドメスティック・バイオレンス

ココが出た！

*26 **児童虐待の防止等に関する法律**
R4年（後）　R5年（前）
R5年（後）　R6年（前）
条文の内容、虐待分類、連携する機関や施設、保育所等における対応などをおさえておきましょう。

1 児童虐待の防止等に関する法律*26

2000（平成12）年「児童虐待の防止等に関する法律（通称：児童虐待防止法）」が制定され、児童相談所を中心とした児童虐待の対応について規定されました。

■ 児童虐待の定義

児童虐待は児童虐待防止法第２条で以下のように定義されています。

「児童虐待」とは、保護者（親権を行う者、未成年後見人その他の者で、児童を現に監護するもの）がその監護する児童（18歳に満たない者）について行う、次にあげる行為をいいます。

○ 児童虐待の分類

身体的虐待	児童の身体に外傷が生じ、または生じるおそれのある暴行を加えること
性的虐待	児童にわいせつな行為をすることまたは児童をしてわいせつな行為をさせること

ネグレクト	児童の心身の正常な発達を妨げるような著しい減食または長時間の放置、保護者以外の同居人による身体的虐待、性的虐待または心理的虐待と同様の行為の放置その他の保護者としての監護を著しく怠ること
心理的虐待	児童に対する著しい暴言または著しく拒絶的な対応、児童が同居する家庭における配偶者などに対する暴力、その他の児童に著しい心理的外傷を与える言動を行うこと

■ 児童虐待の実態

2022（令和４）年に児童相談所が対応した虐待相談件数*27 は21万9,170件で、前年度から5.5％増加しており、過去最多となりました。相談種別では、心理的虐待が12万9,484件（59.1%）と最も多く、次いで身体的虐待５万1,679件（23.6%）、ネグレクト、性的虐待となっています。

*27 **児童虐待の相談対応件数**
R5年（前）

児童相談所に寄せられた虐待相談の相談経路は、警察等が最も多く、次いで近隣・知人、家族・親戚、学校の順です。

心中以外の虐待死では、主たる加害者では「実母」（44.4％）、「実父」（12.0％）、「実母と実父」（6.0％）であり、加害の動機では、「保護を怠ったことによる死亡」「しつけのつもり」「子どもの存在の拒否・否定」「泣き止まないことにいらだったため」などがあります。

特に実父による虐待死では、頭部外傷のうち「乳幼児揺さぶられ症候群（SBS）（疑い含む）」の割合が高いことも報告に上がっています。実母の抱える問題では、「妊産婦健康診査見受診」「望まない妊娠」などです。

このことから妊娠期・周産期における問題を抱えている人が子ども虐待に至る可能性が高いことが推察されます。産前、産後サポートや産後ケア事業が今後ますます求められるといえるでしょう。

■ 児童相談所の虐待対応の流れ

児童相談所では次の流れで虐待対応を行います。

① 虐待については、一般市民、関係機関などから虐待の通告（連絡）がされます。
② 通告を受けた児童相談所はその内容について受理会議を行い、調査が必要な場合には、子どもと家族について調査を行います。
③ 緊急に対応が必要な場合には、立ち入り調査を行うこともあります。また、子どもを保護者から分離して保護する必要がある場合には、一時保護を行います。
④ 調査の結果をもとに、判定会議を行い処遇を決定します。
⑤ 処遇には措置による指導と措置によらない指導があります。

＜措置による指導＞

在宅による保護者指導、児童福祉施設入所、里親委託、親権喪失審判請求、その他関連機関における指導など。

＜措置によらない指導[*28]＞

在宅による助言指導、継続的指導、他機関へのあっせん[*29]など。

知っトク

*28 **措置によらない指導**

複雑困難な問題を抱える子どもや保護者等を児童相談所に通所させ、あるいは必要に応じて訪問する等の方法により、継続的にソーシャルワーク、心理療法やカウンセリング等を行うものです。この中には集団心理療法や指導キャンプなども含まれます。

知っトク

*29 **他機関へのあっせん**

他の専門機関において、医療、指導、訓練等を受けること並びに母子家庭等日常生活支援事業を利用するなど関連する制度の適用が適当と認められる事例については、子どもや保護者等の意向を確認の上、速やかに当該機関にあっせんします。

○ 児童相談所の虐待対応システム

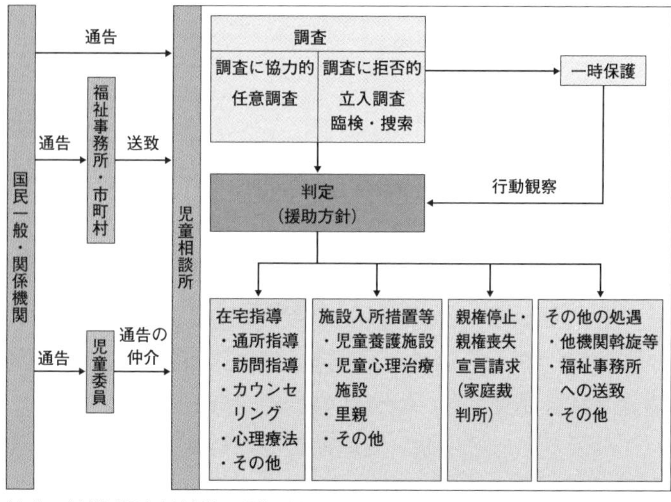

（出典：才村純「児童虐待対策の現状と課題、その解決方向について」『母子保健情報』42号（2000年）を原著者の許可を得て一部修正）

■ 児童虐待の予防・早期発見

教育関係者、医療関係者、福祉関係者など職務上児童の福祉に関係がある者は虐待の早期発見[*30*31]に努めなければならないと定められています。

児童虐待を受けたと思われる児童を発見した者は、「速やかに、これを市町村、都道府県の設置する福祉事務所若しくは児童相談所又は児童委員を介して市町村、都道府県の設置する福祉事務所若しくは児童相談所に通告」しなければなりません（第６条）*32。

また2017（平成29）年には、「児童福祉法等の一部を改正する法律」により母子保健法が改正され、市町村は「こども家庭センター」の設置に努めるものとされました。これにより、妊娠期から子育て期までの切れ目ない支援等を行い、妊娠や子育ての不安、孤立等に対応し、児童虐待のリスクについて早期の発見・低減が図られます。

児童虐待発生時の対応については、児童の安全を確保するための初期対応等が迅速・的確に行われるよう、市町村や児童相談所の体制や権限の強化を目指します。

被虐待児童については、まずは、親子関係再構築支援を行います。施設入所や里親委託の措置が取られることとなった場合には、個々の児童の状況に応じた支援を実施し、自立に結びつける措置を講じます。

虐待を予防するために、保護者が社会的に孤立し、孤独にならないようにしなくてはなりません。地域に知り合いもなく、誰も相談する人がいない場合、育児の負担感、疲労感を解消できずにつらい気持ちで毎日を過ごしていることが少なくありません。保育所や地域の子育て相談、親子の集える場などを提供するなど、地域で子育て家庭を支えていくことで、安心して子育てできる環境を整備することが虐待予防につながります。

2019（令和元）年に児童福祉法が改正されて、保護者であっても体罰による子育てをしてはならないことが法律で定められました。それに伴い、「体罰等によらない子育てのために～みんなで育児を支える社会に～」*33という報告書が厚生労働省から出されました。保護者だけでなく地域全体で子どもの権利を尊重し、体罰が行われない社会

*30 **虐待の早期発見**
第5条（児童虐待の早期発見等）より、学校、児童福祉施設、病院その他児童の福祉に業務上関係のある団体及び学校の教職員、児童福祉施設の職員、医師、歯科医、保健師、助産師、弁護士その他児童の福祉に職務上関係のある者は、児童虐待を発見しやすい立場にあることを自覚し、児童虐待の早期発見に努めなければなりません。

*31 **保育所における虐待の早期発見**
虐待の事実が確認されてからではなく、虐待を受けたと思われる児童を発見した時点での通告が義務づけられていることに注意しましょう。
また、保護者の同意は必要なく、保育士の守秘義務違反にもあたりません。

*32 **児童虐待を受けたと思われる子どもの発見と対応**
R5年（前）

＊33 **体罰等によらない子育てのために～みんなで育児を支える社会に～**
R4年(前)
「体罰等によらない子育てのために～みんなで育児を支える社会に～」について出題されています。

を目指すようにすることが目的です。

その中で虐待の定義だけでなく、「マルトリートメント」（大人の子どもへの不適切な関わり）という考え方が提示されています。これは児童虐待の意味を広く捉えた概念で、「要保護」をレッドゾーン、「要支援」をイエローゾーン、「要観察」をグレーゾーンと位置づけています。グレーゾーンでは、児童虐待とはいかなくても、保護者の子どもへの不適切な育児について地域の関係機関が連携して、保護者に啓発や教育を行って支援をすることになっています。

○ **2019年児童福祉法、児童虐待防止法改正のポイント**

・親権者による児童のしつけに際して体罰を加えてはならないものとする。児童福祉施設の長等についても同様とする。
・児童相談所において一時保護等の介入的対応を行う職員と保護者支援を行う職員を分ける等の措置を講ずるものとする。

※いずれも2020（令和2）年4月1日施行

また、2022（令和４）年に、民法において親権者による懲戒権の規定が削除され、児童福祉法、児童虐待防止法でも「体罰等の、子の心身の健全な発達に有害な影響を及ぼす言動をしてはならない」と児童の人格をより尊重する記載に変更されました。

■ 要保護児童対策地域協議会

＊34 **ドメスティック・バイオレンス（DV）**
内閣府では、人によって異なった意味に受け取られるおそれがある「ドメスティック・バイオレンス(DV)」という言葉を正式には使わず、「配偶者からの暴力」という言葉を使っています。この場合の配偶者は事実婚、元配偶者を含んでいます。

虐待を受けた子ども、非行の子どもなど要保護児童の適切な保護のために保育園、幼稚園、児童相談所、子ども家庭支援センター、保健センターなど地域の関係機関などが参加して情報交換、密接な連携を図り、保護を要する子どもの早期発見、適切な保護を図っています。設置主体は地方公共団体であり、市町村及び都道府県のほか特別区や地方公共団体の組合等も含まれます。

2 配偶者からの暴力の防止及び被害者の保護等に関する法律

ドメスティック・バイオレンス（Domestic Violence、略してDV）[*34] とは、一般的には「配偶者や恋人など親密な

関係にある、またはあった者から振るわれる暴力」という意味で使用されています。

2001（平成13）年に配偶者からの暴力の防止及び被害者の保護等に関する法律（通称：DV防止法）が制定されました。DV防止法では、配偶者から暴力を受けたり、脅迫を受けた場合などに警察、配偶者暴力相談支援センターへ通報することができます。配偶者から身体に対する暴力を受けた被害者、脅迫を受けた被害者は、保護命令*35 を申し立てることができます。

通報等を受けた警察は、被害者の意思を踏まえ、配偶者の検挙、指導・警告、自衛・対応策についての情報提供などの適切な措置をとります。

知っトク

*35 **保護命令**

保護命令には、被害者への6か月間の接近禁止命令、2か月間の退去命令があります。違反をすれば、1年以下の懲役または100万円以下の罰金が科されます。

■ DVの実態

配偶者による暴力の相談件数はここ10年間で２倍以上に増加しています。配偶者暴力相談支援センターに寄せられた相談は、2004（平成16）年には４万9,329件でしたが、2022（令和４）年には12万2,211件となっています（配偶者暴力相談支援センターにおける相談件数等（令和４年度分））。

○ DVの形態

身体的暴力	平手で打つ、殴る、蹴る、物を投げるなど
精神的暴力	大声で怒鳴る、携帯電話などをチェックする、殴るふりをする、脅す、無視をする、「誰のおかげで生活できるんだ」と言うなど
性的暴力	いやがっているのに性行為、ポルノビデオ・雑誌などを見るのを強要する、中絶を強要する、避妊に協力しないなど

■ DVへの対応

DVの被害にあった人は暴力による恐怖や、精神的なダメージを受けており、その原因が自分にあるのではないかと自分を責める傾向にあります。また、家族内のことだということで、被害を公にしたがらない場合もあります。一人で悩まずに福祉事務所、配偶者暴力相談支援センター、警察などへ相談に行くように周りの人がサポートすることが必要です。

命の恐怖を感じるような暴力から逃げるために、公的機関、民間機関などが運営する一時的に身を隠すためのシェルターがありますが、日本はまだ数も少なく、十分な対応ができているとはいえません。

𝄞♪社会的養護

1 社会的養護とは

保護者のない児童や、保護者に監護させることが適当でない児童を、公的責任で社会的に養育し、保護するとともに、養育に大きな困難を抱える家庭への支援を行うことです。社会的養護は、「子どもの最善の利益のために」と「社会全体で子どもを育む」を理念として行われています。

用語解説

*36 **自立援助ホーム**
義務教育を終了した20歳未満の児童が、児童養護施設等を退所後、またはその他の理由で都道府県知事が必要と認めた人が共同生活を営みながら、日常生活上の援助、生活指導、就業の支援などを受ける施設です。

知っトク

*37 **里親**
里親には、養育里親、専門里親、親族里親、養子縁組里親の4種類があります。中でも被虐待児や非行傾向がある子どもを養育する場合には、一定期間教育を受けた専門里親に委託をします。

2 社会的養護と家庭的養護

通常、子どもは家庭で育てられていますが、何らかの事情によって、家庭で養育が困難な子どもは家庭以外の場で養育をされることになります。家庭に代わって子どもを養育することを「社会的養護」といいますが、社会的養護は大きく分けると「施設型養護」「家庭的養護」と「家庭養護」に区別されます。

社会的養護の分類

分類	概要	主な施設
施設型養護	ある程度の規模の集団で生活をしながら養育され、自立するための支援を受ける施設	乳児院、児童養護施設
家庭的養護	施設型養護の一種ではあるが、より家庭に近い形で子どもを養育する	小規模グループケア、グループホーム、自立援助ホーム*36など
家庭養護	家庭で家族と同様な養育を行う	里親*37 *38、ファミリーホーム（小規模住居型児童養育事業）

*38 **里親制度**
R3年(後)

社会的養護の分類

	良好な家庭的環境	家庭と同様の養育環境		家庭
施設	施設（小規模型）	養子縁組（特別養子縁組含む）		実親による養育
		小規模住居型児童養育事業	里親	
児童養護施設 大舎（20人以上） 中舎（13～19人） 小舎（12人以下） 1歳～18歳未満 （必要な場合0歳～20歳未満）	**地域小規模児童養護施設（グループホーム）** ・本体施設の支援の下で地域の民間住宅などを活用して家庭的養護を行う ・1グループ4～6人	**小規模住居型児童養育事業（ファミリーホーム）** ・養育者の住居で養育を行う家庭養護 ・定員 5～6人	**里親** ・家庭における養育を里親に委託する家庭養護 ・児童 4人まで	
乳児院 乳児（0歳） 必要な場合幼児 （小学校就学前）	**小規模グループケア(分園型)** ・地域において、小規模なグループで家庭的養護を行う ・1グループ6～8人 （乳児院は4～6人）			

出典：こども家庭庁「社会的養育の推進に向けて（令和6年6月）」

社会的養護の現状*39

施設数、里親数、児童数等

保護者のない児童、被虐待児など家庭環境上養護を必要とする児童などに対し、公的な責任として、社会的に養護を行う。対象児童は、約4万2千人。

里親	家庭における養育を里親に委託		登録里親数	委託里親数	委託児童数
			15,607世帯	4,844世帯	6,080人
	区分（里親は重複登録有り）	養育里親	12,934世帯	3,888世帯	4,709人
		専門里親	728世帯	168世帯	204人
		養子縁組里親	6,291世帯	314世帯	348人
		親族里親	631世帯	569世帯	819人

ファミリーホーム	養育者の住居において家庭養護を行う（定員5～6名）	
	ホーム数	446か所
	委託児童数	1,718人

（つづく）

ココが出た！

*39 **社会的養護の現状**
R5年(前) R6年(前)
科目「社会的養護」と重複する部分ですが、実際に出題されています。特に、施設数と入所者数について覚えておきましょう。

子ども家庭福祉

④ 子ども家庭福祉の現状と課題

施設	乳児院	児童養護施設	児童心理治療施設	児童自立支援施設	母子生活支援施設	自立援助ホーム
対象児童	乳児（特に必要な場合は、幼児を含む）	保護者のない児童、虐待されている児童その他環境上養護を要する児童（特に必要な場合は、乳児を含む）	家庭環境、学校における交友関係その他の環境上の理由により社会生活への適応が困難となった児童	不良行為をなし、又はなすおそれのある児童及び家庭環境その他の環境上の理由により生活指導等を要する児童	配偶者のない女子又はこれに準ずる事情にある女子及びその者の監護すべき児童	義務教育を終了した児童であって、児童養護施設等を退所した児童等
施設数	145か所	610か所	53か所	58か所	215か所	317か所
定員	3,827人	30,140人	2,016人	3,403人	4,441世帯	2,032人
現員	2,351人	23,008人	1,343人	1,103人	3,135世帯 児童5,293人	1,061人
職員総数	5,519人	21,139人	1,512人	1,847人	2,070人	1,221人

小規模グループケア	2,394か所
地域小規模児童養護施設	607か所

（出典）
※里親数、FHホーム数、委託児童数、乳児院・児童養護施設・児童心理治療施設・母子生活支援施設の施設数・定員・現員は福祉行政報告例（令和4年3月末現在）
※児童自立支援施設の施設数・定員・現員、自立援助ホームの施設数・定員・現員・職員総数、小規模グループケア、地域小規模児童養護施設のか所数は家庭福祉課調べ（令和5年10月1日現在）
※職員総数（自立援助ホームを除く）は、社会福祉施設等調査報告（令和4年10月1日現在）
※児童自立支援施設は、国立2施設を含む

出典：こども家庭庁「社会的養育の推進に向けて（令和6年6月）」

日本の社会的養護は、施設が９割で里親は１割であり、欧米諸国と比べ里親委託は非常に少数です。登録里親数は１万5,607世帯で、うち委託里親数は4,844世帯、委託児童数は6,080人です（こども家庭庁「社会的養育の推進に向けて（令和６年６月）」）。

2009（平成21）年に創設された小規模住居型児童養育事業（ファミリーホーム）は養育者の住居において行う点が里親と同様で、児童５～６人の養育を行う里親型のグループホームです。

3 要保護児童の実態

社会的養護を必要とする要保護児童数は相変わらず高い水準のままです。

児童養護施設の入所児童数は、2022（令和４）年には２万3,008人でした。

里親に委託されている子どものうち約５割、乳児院に入所している子どものうち約５割、児童養護施設に入所している子どものうち約７割は、虐待を受けています。

○ 児童福祉施設において虐待を受けた子どもの割合

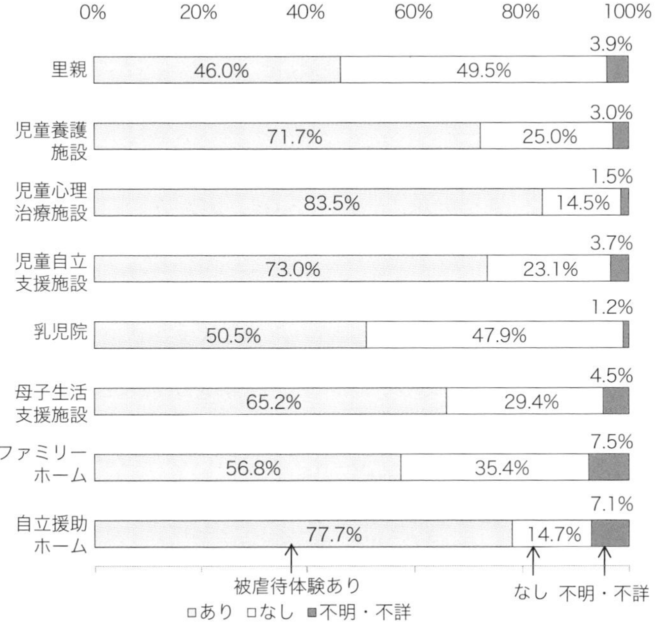

（出典：児童養護施設入所児童等調査結果（令和５年２月１日））

なお、児童養護施設[*40]は、50.4％が大舎制であって、定員100人を超す大規模施設もあります（2012（平成24）年10月時点）。入所している児童の生活の質を考慮して、できる限り家庭的な雰囲気の中で育つことが望ましいとのことから、施設の小規模化の推進が課題となっています。

*40 **児童養護施設**
大舎：1養育単位当たり定員数が20人以上
中舎：同13～19人
小舎：同12人以下
小規模グループ：6人程度

𝄞♪障害のある児童への対応

1 人間の生活機能と障害の機能分類の考え方

世界保健機関（以下、WHO）は、2001（平成13）年に「ICF（International Classification of Functioning, Disability and Health）*41」に基づいて障害者の生活機能と障害の分類を組み合わせて、生活上の課題を考える方向を明確にしました。人間の生活機能と障害は、「心身機能・身体構造」「活動」「参加」の要素と「環境因子」等の影響を及ぼす因子で構成されています（次ページの図参照）。

知っトク

*41 ICF
日本語訳は、「国際生活機能分類－国際障害分類改訂版－」（厚生労働省）です。

その人の状態と社会への活動や参加意欲、また、社会のシステムとしてバリアフリー等が整備されているか、社会の理解はどうかという、さまざまな要素を組み合わせて障害者の生活を考えていきます。このような考え方は、障害者はもとより、全国民の保健・医療・福祉サービス、社会システムや技術のあり方の方向性を示唆しているものと考えられます。

障害が重いから社会参加できない、障害が軽ければ社会参加が容易だと、簡単には判断できません。障害が重度であってもその人の社会参加への意欲が強く、社会資源が整い、制度や福祉サービスの利用が充実している場合には、その人の社会参加度は高くなるでしょう。逆に障害が軽度であっても、バリアフリーが整備されておらず、福祉サービスが不十分であれば、社会資源を利用できません。その場合には、家族の経済力や援助の量によって、その人の社会参加度が決まってしまうでしょう。

誰もが自分らしく、自らの人生を自己決定できるように社会の仕組みをつくるという、現在の福祉の目指す方向（ウェルビーイング）に沿った考え方だといえます。

○ 国際生活機能分類による相互作用

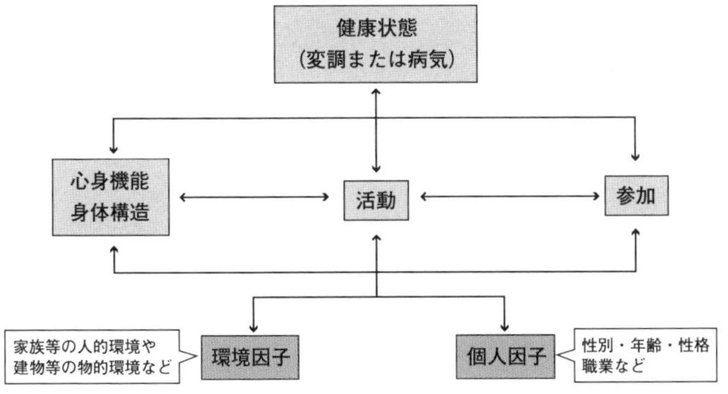

（出典：厚生労働省　社会・援護局障害保健福祉部企画課「国際生活機能分類－国際障害分類改訂版－」）

2 障害の分類

・**身体障害者**：身体障害者福祉法第４条において「身体に障害のある18歳以上の者であって、身体障害者手帳の交付を受けたもの」を指します。身体障害の種類は、視覚障害、聴覚障害・平衡機能障害、音声・言語そしゃく障害、肢体不自由、内部障害（心臓、腎臓、呼吸器、膀胱、大腸、小腸、免疫等）に分けられます。

・**知的障害者**：法的な定義はありませんが、知的障害者とは「知的機能の障害が発達期（おおむね18歳まで）にあらわれ、日常生活に支障を生じているため、何らかの特別な援助を必要とする状態にあるもの」とされています。

・**精神障害者**：精神保健及び精神障害者福祉に関する法律第５条の「統合失調症、精神作用物質による急性中毒又はその依存症、知的障害、精神病質その他の精神疾患を有する者」という定義をそのまま適用しています。この定義に該当する18歳未満の児童を精神障害児といいます。

3 法律による障害児の定義

2012（平成24）年に児童福祉法の一部が改正され、障害児に発達障害児も加えられました。障害児とは18歳未満の身体障害、知的障害、精神障害、発達障害、難病のある子どもを指しています。

児童福祉法第4条「この法律で障害児とは、身体に障害のある児童、知的障害のある児童、精神に障害のある児童（発達障害者支援法（平成16年法律第167号）第2条第2項に規定する発達障害児を含む）又は治療方法が確立していない疾病その他の特殊の疾病（後略）である児童をいう」

4 障害児の実態

厚生労働省の「生活のしづらさなどに関する調査」（平成23・28年）」によると、18歳未満の在宅の障害児数は、54万8,000人となっています。障害の区分別では、精神障害児26万9,000人、知的障害児22万1,000人、身体障害児６万8,000人です。

発達障害については、上記の障害者区分には含まれません。

5 障害児福祉の制度

*42 **障害者自立支援法**
障害者自立支援法が制定される前は、身体障害者福祉法、知的障害者福祉法、精神障害者福祉法、児童福祉法によってそれぞれ給付や福祉サービスが提供されていました。

2005（平成17）年、「障害者自立支援法*42」が制定され、これまで障害種別により、それぞれ異なる法制度において福祉サービスが提供されていましたが、それらを一元化して市町村で福祉サービスを提供し、利用者は費用の１割を負担することになりました。

しかし、これに対して批判、反省も多く、2012（平成24）年に「障害者自立支援法」は「障害者の日常生活及び社会生活を総合的に支援するための法律（障害者総合支援法）」となり、障害児・者への総合的な福祉サービスを行っていくことを明確にしました。利用料も応益負担から応能負担に変わりました。共生社会を実現するために、社会的障壁を除去するような福祉サービスのあり方を検討し、利用の促進を図ることなどを目指しています。また、障害者の範囲にこれまで含まれていなかった難病等を加えることにしました。また、種々の障害児施設について、これまで児童福祉法と障害者自立支援法の双方に根拠が分かれていましたが、児童福祉法に一本化されました。

○ **障害福祉サービス等の体系（障害児支援、相談支援に係る給付）** *43*44*45

区分	給付	サービス	対象	内容
障害児通所系	障害児支援に係る給付	児童発達支援	児	日常生活における基本的な動作の指導、知識技能の付与、集団生活への適応訓練などの支援を行う
障害児通所系	障害児支援に係る給付	放課後等デイサービス	児	授業の終了後又は休校日に、児童発達支援センター等の施設に通わせ、生活能力向上のための必要な訓練、社会との交流促進などの支援を行う
障害児訪問系	障害児支援に係る給付	居宅訪問型児童発達支援	児	重度の障害等により外出が著しく困難な障害児の居宅を訪問して発達支援を行う
障害児訪問系	障害児支援に係る給付	保育所等訪問支援	児	保育所、乳児院・児童養護施設等を訪問し、障害児に対して、障害児以外の児童との集団生活への適応のための専門的な支援などを行う
障害児入所系	障害児支援に係る給付	福祉型障害児入所施設	児	施設に入所している障害児に対して、保護、日常生活の指導及び知識技能の付与を行う
障害児入所系	障害児支援に係る給付	医療型障害児入所施設	児	施設に入所又は指定医療機関に入院している障害児に対して、保護、日常生活の指導及び知識技能の付与並びに治療を行う
相談支援系	相談支援に係る給付	計画相談支援	者 児	【サービス利用支援】 ・サービス申請に係る支給決定前にサービス等利用計画案を作成 ・支給決定後、事業者等と連絡調整等を行い、サービス等利用計画を作成 【継続利用支援】 ・サービス等の利用状況等の検証（モニタリング） ・事業所等と連絡調整、必要に応じて新たな支給決定等に係る申請の勧奨
相談支援系	相談支援に係る給付	障害児相談支援	児	【障害児利用援助】 ・障害児通所支援の申請に係る給付決定の前に利用計画案を作成 ・給付決定後、事業者等と連絡調整等を行うとともに利用計画を作成 【継続障害児支援利用援助】
相談支援系	相談支援に係る給付	地域移行支援	者	住居の確保等、地域での生活に移行するための活動に関する相談、各障害福祉サービス事業所への同行支援等を行う
相談支援系	相談支援に係る給付	地域定着支援	者	常時、連絡体制を確保し障害の特性に起因して生じた緊急事態等における相談、障害福祉サービス事業所等と連絡調整など、緊急時の各種支援を行う

※障害児支援は、個別に利用の要否を判断（支援区分を認定する仕組みとなっていない）
※相談支援は、支援区分によらず利用の要否を判断（支援区分を利用要件としていない）
（注）表中の「者」は「障害者」、「児」は「障害児」であり、利用できるサービスにマークを付している。

（出典：厚生労働省資料「障害福祉サービス等について」を改変）

6 障害児のための主な福祉サービス*46

■ 障害の早期発見と療育

障害をできるだけ早期に発見し、適切な医療及び治療、療育を受けることにより、障害を軽減し社会への適応能力を向上させることを目指しています。

さまざまな障害がありますが、現在ではインクルーシブ教育*47が一般的になり、障害のある子どもを孤立させるのではなく、子どもたちの中で過ごせるようにしています。子どもの障害の内容や程度にもよりますが、主に幼児では保育園に通園しながら療育施設に通園するなど、相互に連携を取りながら育ちを保障していく傾向になっています。

*43 **障害福祉サービス**
R5年（前）　R6年（後）
放課後等デイサービス、児童発達支援など障害福祉サービスの内容について出題されています。

知っトク

＊44 放課後等デイサービスの対象児童の見直し
サービスを利用できる対象は、「学校教育法第1条に規定する学校（幼稚園及び大学を除く）に就学している障害児」とされており、義務教育終了後の年齢層（15～17歳）で、高校ではなく、専修学校・各種学校へ通学している障害児は利用することができませんが、放課後等デイサービスによる発達支援を必要とするものとして、市町村長が認める場合については、放課後等デイサービスの給付決定を行うことが可能となりました（2024（令和6）年4月1日施行）。

＊45 障害児入所施設からの円滑な移行調整の枠組みの構築
一定年齢以上の入所で移行可能な状態に至っていない場合や、強度行動障害等が18歳近くになって強く顕在化してきたような場合等に十分配慮する必要があることから、22歳満了時（入所の時期として最も遅い18歳直前から起算して5年間の期間）までの入所継続が可能となりました。

インクルーシブな保育とは？

子どもの障害の程度や種類にもよりますが、配慮の必要な子どもだけを特別に扱うのではなく、他の子とともに過ごすことで相互に理解しあい、育ちあっていきます。例えばクッキングを行う時に、その過程を説明してどこに参加したいかを本人に決めてもらえば、全部には参加できなくても本人の関心がある場面では皆と一緒に楽しめます。子どもたちの集まりになじめない様子なら、その子どもの近くで集まれば参加できる場面があるかもしれません。誰もが参加しやすい環境を設定していくことで、すべての子どもがその子らしくいられます。

■ 身体障害者手帳

児童福祉法により、障害児とは18歳未満の身体障害、知的障害、精神障害、発達障害、難病のある子どもと定められています。身体障害者福祉法により18歳未満の身体障害児については、障害の程度1～6級までが身体障害者手帳の交付対象となっています。15歳未満の児童については、保護者が代わって申請します。手帳の交付を受けることにより、医療費の助成、自立支援給付、手当、税金面などさまざまな福祉の制度を利用できます。

■ 療育手帳＊48

知的障害児が対象となっており、児童相談所において知的障害があると判定された場合に発行されます。知的障害者福祉法には療育手帳の規定はありません。都道府県ごとに判定基準は異なります。

■ 補装具・日常生活用具の給付

義肢、装具、車椅子などの補装具や特殊寝台、訓練用椅子、訓練用ベッド、便器、杖などの日常生活に必要な用具の貸与、または給付を受けることができます。

■ 発達障害者支援センター

発達障害のある児童を対象にスクールカウンセラー、ケースワーカーなどが日常生活の相談・支援を行い、子どもが学校生活や社会生活に適応し、自立できるようにしています。発達障害者支援法が根拠法となります。

𝄞♪少年非行等の対応

1 少年非行の現状

少年による刑法犯の検挙人員数は、1983（昭和58）年の31万7,438人が戦後最多でしたが、その後は、1996（平成８）年から一時的な増加があったものの、全体としては減少傾向にあり、2021（令和３）年は戦後最少を更新する２万9,802人（前年比7.1％減）でした。

罪名別では、男女ともに窃盗、傷害、暴行の順に構成比が高くなっています（「2022（令和４）年版犯罪白書、法務省」）*49。

2 非行少年の種類

少年法における「少年」とは、満20歳に満たない者をいいます。非行少年とは、犯罪少年、触法少年及び虞（ぐ）犯少年を指します。以下の少年は、家庭裁判所の審判に付されます。

犯罪少年	罪を犯した14歳以上20歳未満の少年
特定少年*50	罪を犯した18歳以上20歳未満の者
触法少年	犯罪に触れる行為をした14歳未満の少年
虞（ぐ）犯少年	保護者の正当な監督に服しない性癖があるなど、一定の事由があって、その性格または環境に照らして、将来、罪を犯し、または刑罰法令に触れる行為をするおそれのある18歳未満の少年

3 家庭裁判所の役割

非行少年に対して審判を行い、処遇を決定します。審判の結果、犯罪少年、触法少年、虞犯少年については、知事・児童相談所長送致（18歳未満に限る）、保護処分（保護観察、児童自立支援施設または児童養護施設送致、少年院送致）の処分を受ける場合があります。

＊46 障害児支援
R4年（前） R5年（前）
R5年（後） R6年（前）
児童福祉法に規定されている障害児支援の施設サービスの内容をよく注意して見てください。

知っトク

＊47 インクルーシブ教育
日本が批准している障害者の権利に関する条約第24条に記載されている概念で、その実現のために、障害者が障害を理由に教育制度から排除されないこと、個人に必要とされる合理的配慮や支援措置がとられることなどとしています。

知っトク

＊48 療育手帳
身体障害者手帳の発行は、身体障害の認定によりますが、療育手帳は認定ではなく、児童相談所が判定します。

＊49 非行少年等に多くみられる犯罪
R4年（後）

＊50 **特定少年**
成人年齢が20歳から18歳に引き下げられましたが、18歳・19歳も特定少年として引き続き少年法が適用されることになりました。
全件が家庭裁判所に送致されますが、検察官への送致(逆送)の対象が1年以上の懲役・禁錮に当たる罪に拡大され、逆送後は20歳以上の者と原則同様に取り扱われるなど今までの犯罪少年とは扱いが異なる部分があります。

＊51 **ひとり親世帯の状況**
R6年(前)

犯罪少年のうち、死刑、懲役または禁錮に当たる罪の事件について、調査の結果、その罪質及び情状に照らして刑事処分を相当と認める時は、検察官送致決定をします。また、故意の犯罪行為により被害者を死亡させた事件で罪を犯した時に満16歳以上の少年については、原則として検察官に送致しなければなりません。

4 貧困問題—貧困家庭・外国籍の子どもと家庭における課題と支援

■ 子どもの貧困問題

・変わりゆく家族の形と世帯収入

現代では、価値観が多様になり家族の形も変化してきています。以前のような三世代家族は減少して、核家族や単独世帯、夫婦のみの家庭、ひとり親家庭などが増えています。2015（平成27）年では、母子家庭（7.8％）と父子家庭（1.4％）を合計した全世帯数の9.2％がひとり親家庭です。

「令和３年度 全国ひとり親世帯等調査結果の概要[＊51]」（厚生労働省）によると、ひとり親家庭では一般家庭に比べて平均年間収入が低く、2020（令和２）年の母子世帯の母自身の平均年間収入は272万円、世帯の父自身の平均年間収入は518万円でした。また、自身を含む世帯の平均年間収入は、母子世帯は373万円、父子世帯は606万円でした。

児童のいる世帯の平均年間収入が813.5万円に比べて母子世帯では45.9％、父子世帯では74.5％と低く、特に母子世帯は全体的に貧困の度合いが高いことが伺われます。

このような現状から、子どもが十分な教育を受けられなかったり、文化的な面における貧困度が高いことが社会問題となっています。

○ 子どもの貧困率：世帯タイプ別

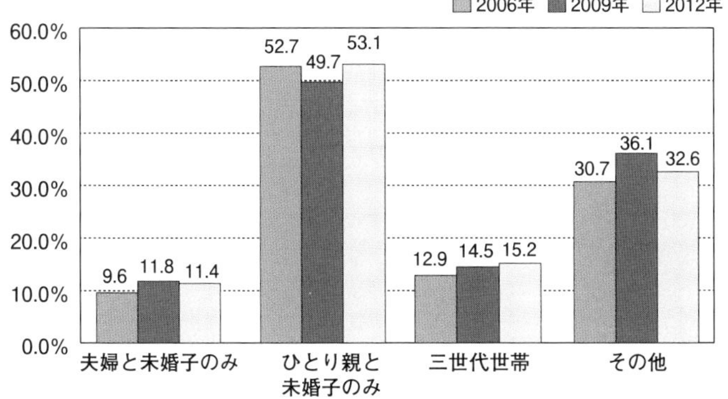

子ども（20歳未満）の貧困率は、2006（平成18）年から2012（平成24）年にかけて上昇傾向にあります。

出典：厚生労働省「平成 25 年国民生活基礎調査」

・子どもの貧困対策の推進に関する法律

内閣府では、ひとり親家庭や多子世帯などを対象にした就業支援や生活支援を目的として、2014（平成26）年に「子どもの貧困対策の推進に関する法律*52 *53」を施行しました。この法律の目的は「子どもの現在及び将来がその生まれ育った環境によって左右されることのないよう、全ての子どもが心身ともに健やかに育成され、及びその教育の機会均等が保障され、子ども一人一人が夢や希望 を持つことができるようにするため」とされています。

なお、2019（平成31）年４月に、以下のように生活困窮者自立支援法の一部が施行されました。

・子どもの学習支援事業の強化
学習支援のみならず、生活習慣・育成環境の改善に関する助言等も追加し、「子どもの学習・生活支援事業」として強化

・居住支援の強化（一時生活支援事業の拡充）
シェルター等の施設退所者や地域社会から孤立している者に対する訪問等による見守り・生活支援を創設

国や地方公共団体による支援だけでなく、現在は民間団体などが「子ども食堂」を開くなどして、孤立している家庭や貧困家庭の子どもの生活支援などを行っています。子

*52 **「子供の貧困対策に関する大綱」（令和元年閣議決定）**
「子どもの貧困対策の推進に関する法律」に基づき策定されました。目的は、現在から将来にわたり、全ての子どもたちが夢や希望を持てる社会を目指すことです。子育てや貧困を家庭のみの責任とせず、子どもを第一に考えた支援を包括的・早期に実施することになりました。主に、生活安定のための支援、教育的支援、経済支援、保護者の職業生活と就労支援などです。

*53 **子どもの貧困対策の推進に関する法律**
R5年（前）
「子供の貧困対策に関する大綱」について出題されています。

ども食堂は2012年ごろから徐々に広がっていき、現在では全国に6,000か所以上あります。食事は無料の所から100円～500円程度を徴収するもの、学習支援と一緒に行っているものなど様々です。対象の多くは孤立している家庭、貧困家庭ですが、そのように限定せず、地域社会が子どもの育ち、子育て家庭を支えようという意味合いに拡大されてきています。

◯ 各種世帯の生活意識

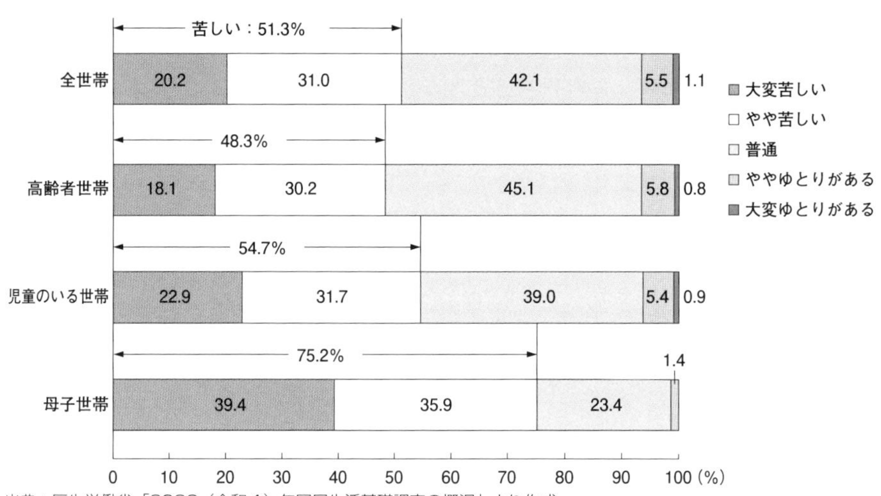

出典：厚生労働省「2022（令和４）年国民生活基礎調査の概況」より作成

貧困家庭における問題は、経済的な困難だけでなく習い事や学習塾などに行く余裕がなく、就学困難や学力不足に結びつくこともあります。また他の家庭との差を感じて子どもが将来に夢や希望を持てないなど、生きる力の低下につながることにもなっています。特に学力では小学校４年生以降に勉強不振となる傾向がありますので、現在では貧困家庭の子どもを対象に学習支援などを行っています。

ひとり親家庭では保護者がいない中で子どもが１人で食事をとることも多く、孤独にならないように地域では「子ども食堂」などを開いて貧困家庭の支援を行っています。

多くの困難を抱えている家庭とその支援

保護者の中には、借金や家庭不和、貧困などたくさんの問題を抱えて苦しんでいる人もいます。家庭不和やDVなど家庭内のことはわかりにくく対応も難しいと思います。日頃から保護者と何気ない会話ができる関係をつくっておいて、保護者の抱えている問題に気づいたらそのままにせずに、本人がどうしたいと思っているのか話を聞いてあげたり、必要に応じて相談機関を紹介することなども保育所の役割として求められています。

■ 外国籍の子どもと家庭における課題と支援*54

出入国在留管理庁によると、2024（令和6）年現在、わが国の住在留外国人数は322万3,858人（前年比4.8％増加）です。国籍別にみると、「中国」が78万8,495人で最も多く、次いでベトナムが52万154人、韓国が41万1,748人、フィリピンが30万9,943人、ブラジルが21万563人となっています。

近年、外国籍を持つ家庭の子どもの保育所入所も増加しており、保護者とのコミュニケーションや子どもの食習慣に合わせた食事の提供に苦労をしている様子もあります。自治体によっては、自動翻訳機を園に貸与したり、内容によっては通訳を派遣する場合もあります。園でも園のパンフレットを複数の外国語で作成して保護者に提供している所などが少しずつ出てきています。

「外国にルーツをもつ子どもの課題と支援」によれば、大きな問題として①学習機会の不足、②日本語力の不足、③母語発達支援機会の不足、④母語喪失により保護者と会話が成立しないなどがあります。外国籍の保護者は就労状況が厳しく低所得、地域からの孤立などの問題もあり、外国籍の子どもが十分な教育支援、生活支援を受けていない現状があります。民間団体などによる支援がある地域もありますが、公的支援制度ではないため資金的に経営が苦しく人材も不足しています。

*54 **外国籍の子どもと家庭**
R4年(後)
「日本語指導が必要な児童生徒の受入状況等に関する調査結果の概要」(文部科学省)の外国籍の児童について出題されています。

◎ 外国人人口に占める国籍別の割合の推移（2005 年～ 2020 年）

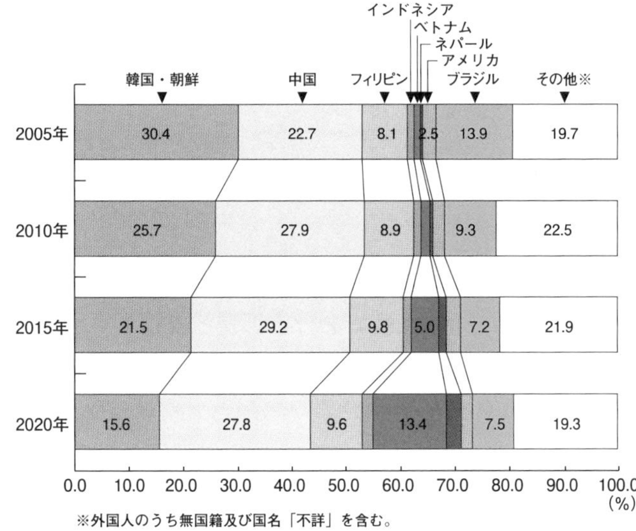

出典：統計 Today　No.180「令和２年国勢調査 －人口等基本集計結果からみる我が国の外国人人口の状況－」

◎ 「外国籍子育て家庭の実態と支援の課題」（原史子）の調査

外国人子育て家庭の経済状況が厳しいことが分かっています。年収199万円台以下で子ども（多くは1人、2人の子ども）を養育している世帯が35.4%もあります。住居も「持ち家」は14.4%にすぎず、「民間の借家または賃貸アパート・マンション」が58.0%、「県営・市営住宅」が11.8%、「会社の寮・社宅」が7.6%、「公団住宅」が5.4%で、家賃が発生する場合が大多数となっています。このような状況からも外国人家庭では子どもに十分な教育費用をかけることが難しく、結果として学力不足などの問題が生じていることが分かります。貧困の連鎖を各家庭それぞれの問題としてとらえるのではなく、外国人家庭への支援制度が未整備であることが要因として考えられるといえます。

出典：原　史子（2013）．外国籍子育て家族の実態と支援の課題 ～多様な家族支援の必要性～．金城学院大学論集 社会科学編．10，48-55．

＊55 保育所における外国人家庭に対する援助

R5年（後）

外国籍や外国にルーツをもつ家庭の子どもの保育について出題されています。

保育所における外国人家庭に対する援助＊55

外国人家庭及び外国籍の子どもの増加に伴い、複数国の外国籍の子どもが入所している保育所も年々増加しています。様々な国の人と交流するよい機会ですが、文化的な背景が異なり、行事や給食の提供などにも注意を要することも多々あります。保護者が日本語をあまり理解できない場合には、子どもの様子や連絡事項を伝えることがとても困難になります。自治体が翻訳機を貸し出しているところも増えていますし、入園のしおりを複数の外国語で作成している園も増えているようです。

理解度チェック　一問一答

全問クリア　　月　　日

Q

- □ ❶ 「母子保健法」の産後ケア事業の対象は出産後2年を経過しない女子である。 R5年（前期）改
- □ ❷ 「児童虐待防止対策の強化を図るための児童福祉法等の一部を改正する法律」では、「都道府県は、一時保護等の介入的対応を行う職員と保護者支援を行う職員を分ける等の措置を講ずるものとする」と定められた。 R4年（後期）
- □ ❸ 「令和3年度　全国ひとり親世帯等調査結果報告」を見ると、母子世帯の母自身の2020（令和2）年の平均年間収入は約520万円、母自身の平均年間就労収入は500万円となっている。 R6年（前期）
- □ ❹ 児童相談所は、触法少年に係る重大事件につき警察から送致された場合には、事件を原則として簡易裁判所に送致しなければならない。 H31年（前期）
- □ ❺ 「家庭的保育事業」は、保育を必要とする乳児・幼児であって、小学校就学前までのものについて、家庭的保育者の居宅その他の場所において、家庭的保育者による保育を行う事業であり、定員が5人以下となっている。 R5年（前期）

A

- ❶ × 「出産後1年を経過しない女子」が正しい。
- ❷ ○
- ❸ × 平均年間収入は272万円、平均年間就労収入は236万円であった。
- ❹ × 簡易裁判所ではなく家庭裁判所が正しい。
- ❺ × 3歳未満、ただし、3歳になった最初の3月31日まで利用できる。

5 子ども家庭福祉の動向と展望

頻出度 ✤✤✤

2015（平成27）年に子ども・子育て支援新制度が施行され、子どもと子育て家庭への福祉サービスが、これまで以上に多様になりました。地域への子育て支援内容、保育制度の新たな展開、児童虐待や特別に支援の必要な子どもへの対応や関係機関との連携など、基本的な支援についてはしっかりと理解しましょう。海外の動向では、子ども家庭福祉の先進国でもある北欧のスウェーデン、デンマークなどの子育て支援施策を紹介します。

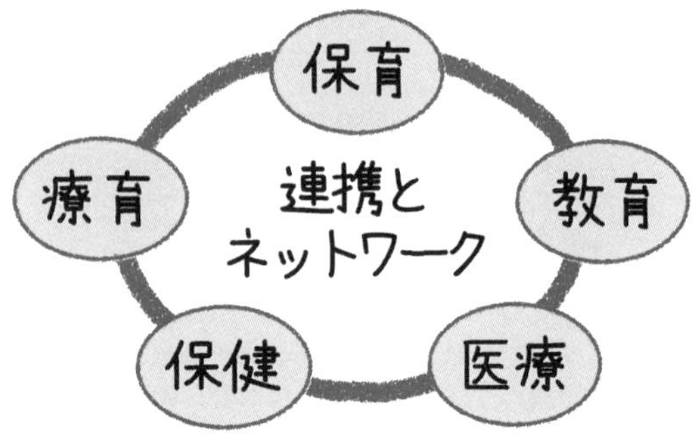

次世代育成支援と子ども家庭福祉の推進

安心して子どもを生み育てられる社会を目指して、現在子育てをしている家庭への施策、仕事と家庭生活が両立（ワーク・ライフ・バランス*1）できるように社会全体の改革が必要だということで、1994（平成6）年のエンゼルプラン以降、2003(平成15)年の次世代育成支援対策推進法に至るまで、さまざまな施策がとられてきました（詳細は第4節参照）。

知っトク

*1 **ワーク・ライフ・バランス**
2007(平成19)年12月、関係閣僚、経済界・労働界・地方公共団体の合意により、「仕事と生活の調和(ワーク・ライフ・バランス)憲章」「仕事と生活の調和推進のための行動指針」が策定され、ワーク・ライフ・バランスの実現に向け官民一体となって取り組み始めました。

1 子ども・子育て関連3法

2012（平成24）年に成立した、「子ども・子育て関連3法[*2]」では、子ども・子育て支援を社会保障の一つとして組み込むことをうたうとともに、関係の行政責任を市町村とすること、財源の縦割りをなくし、一元化することを前提に、保護者の仕事と家庭の両立を実現すること、地域の子育て家庭の支援を進めること、幼児期の教育の保障を視野に入れて幼保連携型の認定こども園の位置づけを学校教育とすること等が決まりました。その上で、幼稚園、保育所をできるだけ幼保連携型の認定子ども園に移行することを進めること、小規模園（6～19人）等も認可して待機児童解消を図ることなども決まっています。

2 子ども・子育て支援新制度

2015（平成27）年から子ども・子育て支援新制度が施行されました。新制度は消費税の引き上げにより確保する0.7兆円程度を含め、追加の恒久財源を確保し、すべての子ども・子育て家庭を対象に、幼児教育、保育、地域の子ども・子育て支援の質・量の拡充を図ることになっています。

実施主体は市町村です。この法律によって3歳以上の子どもは保育所、幼稚園、認定こども園の区別とかかわりなく教育・保育を受けることになります。3歳未満の子どもは必要に応じて保育を受けることができます。これまで通りの幼稚園、保育所だけでなく教育と保育を一体化した新しいタイプの教育・保育施設が誕生します。この制度では、保育の必要量[*4]に応じて保育を受けることができます。

保育にかかわる費用は、保護者の所得による階層区分と子どもの年齢による区分を組み合わせて保育料が決められています。保育施設には子どもの保育必要量を公定価格[*5]によって計算された金額が直接保育施設に支払われるようになります。それを施設給付制度と呼びます。施設に払わ

***2 子ども・子育て関連3法の法律名**

・子ども・子育て支援法[*3]
・就学前の子どもに関する教育、保育等の総合的提供の推進に関する法律の一部を改正する法律
・子ども・子育て支援法及び就学前の子どもに関する教育、保育等の総合的な提供の推進に関する法律の一部を改正する法律の施行に伴う関係法律の整備等に関する法律

***3 子ども・子育て支援法**

R4年（後）　R5年（後）
地域子ども・子育て支援事業の事業名と事業概要について出題されています。

***4 保育の必要量**

これまで児童福祉法において、「保育に欠ける」児童が保育所へ入所することができましたが、新制度では保育の必要量に応じて保育を受けることができるようになります。

＊5 **公定価格**
公定価格は、子ども1人当たりの教育・保育に通常要する費用をもとに、「認定区分」「保育必要量」「施設の所在する地域」等を勘案して算定されています。

れる費用の基本は1人当たりの単価×園児数です。その上に、子育て支援などの種々の加算を行う構成になっています。保育所では特に変更はありませんが、幼稚園はこの制度を利用する幼稚園とこれまで通りの制度に準拠する幼稚園に分かれます。

○ 子ども・子育て支援新制度の概要

市町村主体

（認定こども園・幼稚園・保育所・小規模保育など共通の財政支援）

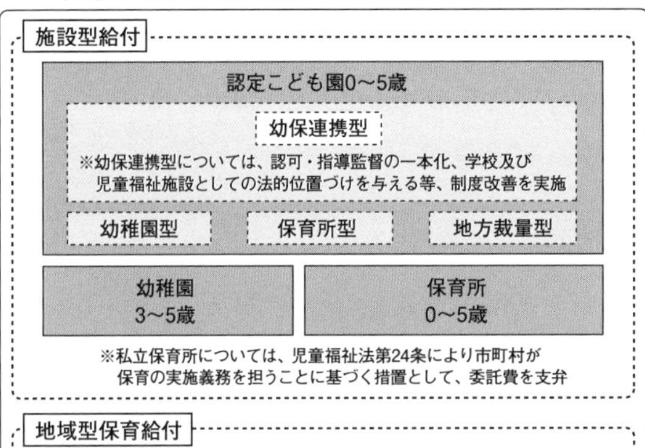

地域型保育給付

小規模保育・家庭的保育・居宅訪問型保育・事業所内保育

（地域の実情に応じた子育て支援）

地域子ども・子育て支援事業

- 利用者支援事業
- 地域子育て支援拠点事業＊
- 一時預かり事業＊
- 乳児家庭全戸訪問事業＊
- 養育支援訪問事業等＊
- 子育て短期支援事業＊
- 子育て援助活動支援事業＊（ファミリー・サポート・センター事業）
- 延長保育事業
- 病児保育事業＊
- 放課後児童クラブ＊
- 妊婦健診＊＊
- 実費徴収に係る補足給付を行う事業
- 多様な事業者の参入促進・能力活用事業
- 産後ケア事業＊＊

国主体

（仕事と子育ての両立支援）

仕事・子育て両立支援事業

- 企業主導型保育事業
  ⇒事業所内保育を主軸とした企業主導型の多様な就労形態に対応した保育の拡大を支援（整備費、運営費の助成）
- ベビーシッター等利用者支援事業
  ⇒残業や夜勤等の多様な働き方をしている労働者等が、低廉な価格でベビーシッター派遣サービスを利用できるよう支援

＊は児童福祉法の子育て支援事業としても規定されています。また、＊＊は母子保健法に規定されています。なお、児童福祉法の子育て支援事業では、2024（令和６）年４月から、子育て世帯訪問支援事業、児童育成支援拠点事業、親子関係形成支援事業が追加になります。

（出典：内閣府資料「子ども・子育て支援新制度について」をもとに作成）

○ 地域子ども・子育て支援事業

① 利用者支援事業
子どもまたは保護者の身近な場所で教育、保育、子育てに関する情報提供及び必要に応じ相談・助言などを行うとともに、関係機関との連携調整等を実施する事業
　①基本型：地域子育て支援拠点等の身近な場所で子育てに関する助言・支援等を行う「利用者支援」と地域の子育てネットワークに基づく支援を行う「地域連携」の2つの柱で構成される

②特定型（保育コンシェルジュ）：主として市区町村の窓口で保育サービスに関する情報提供や利用に向けた支援を行う
③母子保健型：主として市町村保健センターで保健師・助産師等が母子保健や育児に関する相談に応じ、利用できるサービス等の情報提供や支援プランの策定を行う

② 地域子育て支援拠点事業*6
乳幼児及びその保護者が相互の交流を行う場所を開設し、子育てについての相談、情報の提供、助言その他の援助を行う事業

③ 妊婦健康診査
妊婦の健康の保持及び増進を図るため、妊婦に対する健康診査として、①健康状態の把握、②検査計測、③保健指導を実施するとともに、妊娠期間中の適時に必要に応じた医学的検査を実施する事業

④ 乳児家庭全戸訪問事業
生後4か月までの乳児のいるすべての家庭を訪問し、子育て支援に関する情報提供や養育環境等の把握を行う事業

⑤ 養育支援訪問事業
養育支援が特に必要な家庭に対して、その居宅を訪問し、養育に関する指導・助言等を行うことにより、当該家庭の適切な養育の実施を確保する事業

・子どもを守る地域ネットワーク機能強化事業*7
（その他要保護児童等の支援に資する事業）
要保護児童対策地域協議会（子どもを守る地域ネットワーク）の機能強化を図るため、調整機関職員やネットワーク構成員（関係機関）の専門性強化と、ネットワーク機関間の連携強化を図る取り組みを実施する事業

⑥ 子育て短期支援事業
保護者の疾病等の理由により家庭において養育を受けることが一時的に困難となった児童について、児童養護施設等に入所させ、必要な保護を行う事業（短期入所生活援助事業（ショートステイ事業）及び夜間養護等事業（トワイライトステイ事業））

⑦ ファミリー・サポート・センター事業**（子育て援助活動支援事業）**
乳幼児や小学生等の児童を有する子育て中の保護者を会員として、児童の預かり等の援助を受けることを希望する者と当該援助を行うことを希望する者との相互援助活動に関する連絡、調整を行う事業

⑧ 一時預かり事業
家庭において保育を受けることが一時的に困難となった乳幼児について、主として昼間において、認定こども園、幼稚園、保育所、地域子育て支援拠点その他の場所において、一時的に預かり、必要な保護を行う事業

⑨ 延長保育事業
保育認定を受けた子どもについて、通常の利用日及び利用時間以外の日及び時間において、認定こども園、保育所等において保育を実施する事業

⑩ 病児保育事業
病児について、病院・保育所等に付設された専用スペース等において、看護師等が一時的に保育等する事業

⑪ 放課後児童クラブ（放課後児童健全育成事業）
保護者が労働等により昼間家庭にいない小学校に就学している児童に対し、授業の終了後に小学校の余裕教室、児童館等を利用して適切な遊び及び生活の場を与えて、その健全な育成を図る事業

⑫ 実費徴収に係る補足給付を行う事業
保護者の世帯所得の状況等を勘案して、特定教育・保育施設等に対して保護者が支払うべき日用品、文房具その他の教育・保育に必要な物品の購入に要する費用または行事への参加に要する費用等、特定子ども・子育て支援に対して保護者が支払うべき食事の提供（副食の提供に限る）にかかる費用を助成する事業

⑬ 多様な主体が本制度に参入することを促進するための事業
特定教育・保育施設等への民間事業者の参入の促進に関する調査研究その他多様な事業者の能力を活用した特定教育・保育施設等の設置または運営を促進するための事業

⑭ 産後ケア事業
母子保健法第17条の2第1項に規定する事業

（出典：内閣府　子ども・子育て支援新制度施行準備室資料（2014（平成26）年7月）をもとに作成）

○ 利用者支援事業

事業の目的

○ 子育て家庭や妊産婦が、教育・保育施設や地域子ども・子育て支援事業、保健・医療・福祉等の関係機関を円滑に利用できるように、身近な場所での相談や情報提供、助言等必要な支援を行うとともに、関係機関との連絡調整、連携・協働の体制づくり等を行う

実施主体

○ 市区町村とする。ただし、市区町村が認めた者への委託等を行うことができる。

地域子育て支援拠点事業と一体的に運営することで、市区町村における子育て家庭支援の機能強化を推進

3つの事業類型

基本型

○「基本型」は、「利用者支援」と「地域連携」の2つの柱で構成している。

【利用者支援】
地域子育て支援拠点等の身近な場所で、
○ 子育て家庭等から日常的に相談を受け、個別のニーズ等を把握
○ 子育て支援に関する情報の収集・提供
○ 子育て支援事業や保育所等の利用に当たっての助言・支援
→当事者の目線に立った、寄り添い型の支援

【地域連携】
○ より効果的に利用者が必要とする支援につながるよう、地域の関係機関との連絡調整、連携・協働の体制づくり
○ 地域に展開する子育て支援資源の育成
○ 地域で必要な社会資源の開発等
→地域における、子育て支援のネットワークに基づく支援

《職員配置》専任職員（利用者支援専門員）を1名以上配置
※子ども・子育て支援に関する事業（地域子育て支援拠点事業など）の一定の実務経験を有する者で、子育て支援員基本研修及び専門研修（地域子育て支援コース）の「利用者支援事業（基本型）」の研修を修了した者等

特定型（いわゆる「保育コンシェルジュ」）

○ 主として市区町村の窓口で、子育て家庭等から保育サービスに関する相談に応じ、地域における保育所や各種の保育サービスに関する情報提供や利用に向けての支援などを行う
《職員配置》専任職員（利用者支援専門員）を1名以上配置
※子育て支援員基本研修及び専門研修（地域子育て支援コース）の「利用者支援事業（特定型）」の研修を修了している者が望ましい

母子保健型

○ 主として市町村保健センター等で、保健師等の専門職が、妊娠期から子育て期にわたるまでの母子保健や育児に関する妊産婦等からの様々な相談に応じ、その状況を継続的に把握し、支援を必要とする者が利用できる母子保健サービス等の情報提供を行うとともに、関係機関と協力して支援プランの策定などを行う
《職員配置》母子保健に関する専門知識を有する保健師、助産師等を1名以上配置

（出典：厚生労働省資料「利用者支援事業とは」）

また、これまでは、午前中は教育時間、午後からは預かり保育として位置づけられていた時間について、新制度では午前は同じですが、午後は幼稚園型の一時保育を行うことになります。同様に認定こども園においても3歳以上の子どもは、午前中は教育時間と位置づけられ、午後は保育の必要に応じて保育を行います。幼保連携型認定こども園

は、通称「認定こども園法」によって定められる「学校」として規定されています。

3 子育て支援員制度

地域の子ども・子育て支援事業の13事業を具体化するため、2014（平成26）年に、各事業に従事する補助的要員の研修制度が制度化されました。「子育て支援員」と呼ばれていますが、この支援員となるためには、基本研修（8単位）を受け、さらにその上で各事業の専門性に応じた研修を受けることが必要となります。専門研修の単位数は事業ごとに異なります。実施主体は市町村ですが、都道府県が実施することも可能です。研修を受け、子育て支援員となった人は全国どこでもその資格が有効となります。

地域における連携・協働とネットワーク

1 特別な配慮が必要な子どもへの保育

特別な配慮が必要な子どもへの保育については、保育士の加配置によって対応している他、臨床心理士等による巡回相談などが行われています。

治療・訓練やリハビリテーションが必要な場合には、療育施設や病院などと情報を共有しながら、その子どもの長期的な保育計画、短期的計画をたてる必要があります。

ファミリー・サポート・センターの会員やボランティアの支援を得ながら、保護者の負担を軽減し、子どもと家族を支えていくための関係施設・機関が、情報の共有と実際の支援における連携をすることが必要となります。

■ 児童虐待に対する連携

2005（平成17）年から市区町村が児童家庭相談に関する相談業務を行うこととされ、また、要保護児童に関し、関係者間で情報の交換と支援の協議を行う「要保護児童対

＊6 **地域子育て支援拠点事業**
連携型、地域連携強化型、一般型、児童館型、センター型、ひろば型、地域子育て支援センター事業、つどいのひろば事業に分類されます。2023（令和5）年度時点で8,016か所となっています。

＊7 **子どもを守る地域ネットワーク機能強化事業**
要保護児童の対策地域協議会（子どもを守る地域ネットワーク）の強化を図るため、職員の専門性の強化とネットワーク相互間の連携強化を図る取り組みを実施します。

策地域協議会（子どもを守る地域ネットワーク）*8」が児童福祉法に位置づけられました。

知っトク

***8 要保護児童対策地域協議会**

「要保護児童対策地域協議会（子どもを守る地域ネットワーク）」を設置済みの市町村は、2020（令和2）年現在で、全国1,741市町村のうち1,738か所（99.8%）です。

○ 要保護児童対策地域協議会（子どもを守る地域ネットワーク）

〈果たすべき機能〉

要保護児童の早期発見や適切な保護を図るためには、

・関係機関が当該児童等に関する情報や考え方を共有し、

・適切な連携の下で対応していくことが重要であり、市町村（場合によっては都道府県）が、要保護児童対策地域協議会を設置し、

（1）関係機関相互の連携や役割分担の調整を行う機関を明確にするなどの責任体制を明確化するとともに、

（2）個人情報保護の要請と関係機関における情報共有の在り方を明確化することが必要

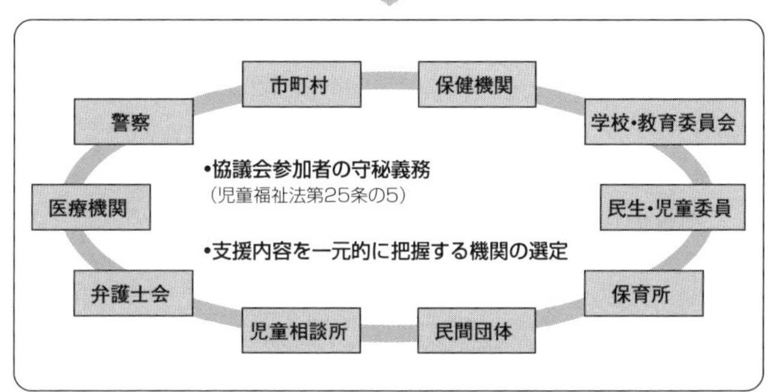

（出典：厚生労働省「要保護児童対策地域協議会」の実践事例集）

それにより、協議会及びネットワークの設置を積極的に進めていくことになりました。設置義務はありませんが、全国のほとんどの市町村で地域協議会または、ネットワークが設置されています。この協議会の目的は、虐待等の早期発見、関係機関との連携、職員の意識改革などです。

児童虐待を予防するためには、子育て家庭が社会から孤立せず、育児不安や子育ての悩みを気軽に相談できるように、保育所、子育て支援センター、児童館、保健センターなどの施設が相互に連携をとりながら保護者を支えていく日常的な活動が期待されています。

2 連携とネットワークの事例

○ 家族構成

父　38歳　会社員

母　37歳　会社員

K子　4歳　保育所　年中組　自閉スペクトラム症（Autism Spectrum Disorder:ASD）

○ ジェノグラム＊9

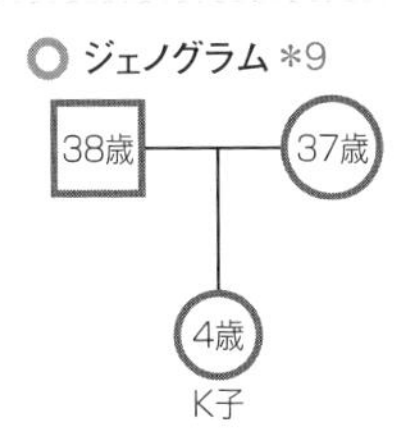

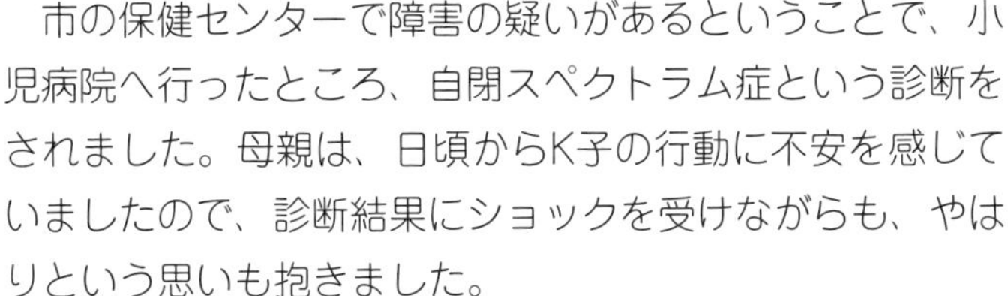

市の保健センターで障害の疑いがあるということで、小児病院へ行ったところ、自閉スペクトラム症という診断をされました。母親は、日頃からK子の行動に不安を感じていましたので、診断結果にショックを受けながらも、やはりという思いも抱きました。

その後、市の家庭児童相談室で今後どうしたらよいのかを相談しました。家庭児童相談室の相談員は児童相談所と連携をとり、療育指導と保育所入所を提案しました。

児童相談所では、K子が日常生活で不安を感じてパニックにならないように専門家による指導を受ける方がよいという判断をして、児童発達支援センターへの通所という措置決定をしました。同時にこれからの日常生活への適応を考えて、保育所へ入所しました＊10。

K子は週１日、児童発達支援センターに通所して専門家による指導を受けながら、それ以外の平日は保育所へ通園しています。保育士と児童発達支援センターの指導員は連携を取り、保育士がK子の療育の様子を見学に行き、保育所における対応などについて指導員からアドバイスを受けました。また、保育所における様子を児童発達支援センターの指導員に伝えることで、療育指導の効果や保育所におけるK子の変化を把握することができます。K子の様子を家庭と児童発達支援センター、保育所が共有していくことで、K子にとって無理のない生活を送ることを目指しました。

＊9 ジェノグラム

家族構成を図式に表わしたものです。関係が視覚的に理解できます。

ジェノグラムの主な約束

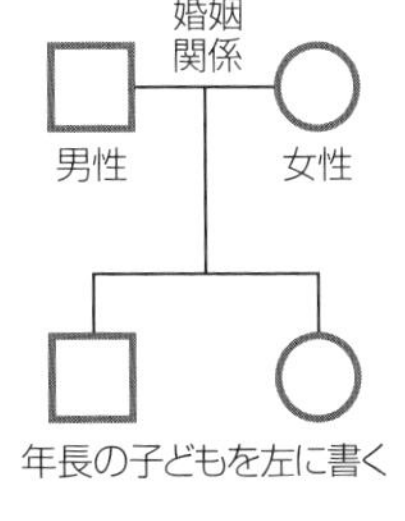

＊10 保育所入所と療育施設通所

厚生省児童家庭局では、1998（平成10）年に、保育所に入所している障害児が療育指導を受けるために療育施設へ通所することを妨げないという通達をしています。

K子は入園当初は言葉もなく、保育士やクラスの子どもたちにも全くかかわることもなく過ごす様子でしたが、保育士を見て「くつ」という言葉を言うことができるようになりました。

<支援の視点>

K子の変化はゆっくりですが、少しずつ保育所の生活に適応していく様子が見て取れます。園生活で大事なことは、K子だけが特別に過ごすことではなく、友達の中でK子が安心して過ごせるように配慮をしていくことです。K子が好きな遊びを見つけて日々の園生活を楽しめるようにします。K子の最善の利益は何かという視点から、さまざまな施設や機関が連携を取りながら家族を支え、家族とともにK子の成長・発達を保障していくことが重要です[*11]。

*11 **発達障害をもった子どもと保護者への支援**

R4年(前)

発達障害をもった子どもと保護者への保育所における支援について、事例が出題されています。

諸外国の動向

1 北欧・ヨーロッパ諸国の子ども家庭福祉策

■ 家族関係社会支出の国際比較

スウェーデン、デンマーク、フィンランドなどの北欧諸国、ヨーロッパの先進諸国における福祉政策の考え方は、「すべての国民が人権を尊重され、その人らしく生活することを保障するために、さまざまな福祉サービスを利用して、安寧な生活を送る（ウェルビーイング）こと」を目的としています。

日本の社会福祉政策も同様の概念をもって、赤ちゃんから高齢者までさまざまな福祉サービスを提供しています。

2019年の家族関係社会支出の国際比較を見ると、アメリカを除く先進諸国に比して日本は支出額が低いことが分かります。スウェーデンの半分程度です。現金支給だけでなく、現物支給（福祉サービスの種類）では、日本は半分以下の福祉サービスしかありません。利用できる福祉サービスの量と質が担保されない時には、個人の生活の質や暮らしの充実は、個人の努力やその人の置かれている条件に左右されることが多いということになります。家族が心配なく生活ができ、安心して子育てができるように、誰もが必要とするときに、必要なサービスを利用しやすい社会を追求することが重要になってくるのではないでしょうか。

■ ワーク・ライフバランスと同一価値労働同一賃金

ワーク・ライフバランスに配慮した制度の充実で個人の必要に応じた労働形態などを賃金の差別なく保障されることも重要です。

EU加盟国のオランダ、ドイツ、スウェーデン、フランスなどは、男女の区別、雇用の形態や人種、民族などによって労働の賃金差別をすることを禁じています。国連は1951年ILO100条約：同一価値労働同一賃金を採択しましたが、実際にその条約が実効性をもつようになったのは、EU諸国でも1990年代後半から2000年代に入ってからです。今では、オランダ、ドイツ、スウェーデンのなどの国の人々は、家族のライフステージを考えて自分の働き方や労働時間を決めることができます。例えば、子どもが小さい時には、家事・子育てに時間を多くの時間を当てるために、働き方を調節するなどを男女、父母の区別なくそれぞれが決めることができます。正規、非正規の区別がありませんから、労働に見合った賃金が支給されます。

日本は1967年にILO100号条約を批准していますが、まだまだ雇用形態による賃金格差、男女差による賃金格差が大きい国です。安心して子育てができる、家族が生活できるという基盤が社会にあれば、少子化傾向は少しずつ解消されていく可能性が高いのではないでしょうか。

◎ 家族関係社会支出の国際比較（2019年）

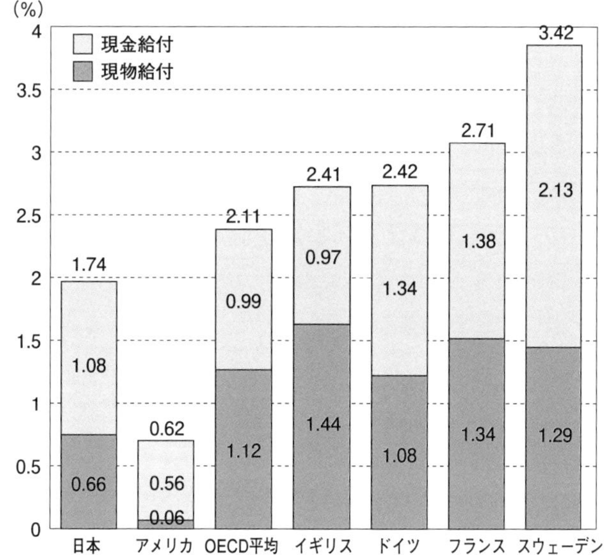

資料：日本は「令和２年度社会保障費用統計」、諸外国は OECD Familiy Database「PF1.1 Public spending on family benefits」（2019 年）より作成
※日本ついては 2019 年度、各国の数値は 2019 年

2 スウェーデンの子育て支援

子育て支援制度として、出産・育児休暇は妊娠〜子どもが８歳になるまで18か月取得できます。そのうち父、母それぞれが3か月は取得しなくてはなりません。児童手当は子どもが16歳になるまですべての家庭に支給されます。子育て中はフレックスタイム勤務や労働時間の短縮をするのが一般的です。子どもが病気の時には看護休暇を12歳まで年間120日間取得することができます。

子どもは１歳過ぎまでは家庭で育児休暇を取得して育てますので、０歳児の乳児保育制度はありません。１歳以上からは就学前学校（プレスクール）にほとんどの子どもが入所します。３歳〜５歳は１日３時間の保育料は無料となっています。６歳からは就学前クラスとなり、2018年からは義務教育に位置づけられました。就学前学校の教育内容はナショナルカリキュラムに沿って行われることになっています。

3 デンマークの子育て支援

スウェーデンと同様に国の手厚い社会保障制度のもと、出産から子育て、教育にかかる費用は大学まで無料です。

女性の就労率は高く、産前産後、育児休業保障制度が充実しています。不妊治療から出産、入院費用まですべて無料です。

産休として、産前４週間、産後14週間が認められています。育児休暇は「両親育児休暇」として、父親、母親のどちらも取ることができ、子どもが９歳になるまで取得が認められています。

保育料は保育形態が多様なために有料ですが、子ども手当がありますので、負担感は薄いようです。

０歳から３歳までは保育ママ制度がありますが、０歳からの保育所もあります。就学前学校（プレスクール）は、主に１歳児から小学校就学前までの子どもたちが入所し、５歳児は就学前カリキュラムによる教育を受けるなどさまざまな形態があります。

最近は都市に居住しているが子どもを自然の中で育てたいという保護者のために、近郊の自然豊かな場所にあるプレスクールに子どもを通わせる人も増えています。子どもたちは30～40分ほどスクールバスに乗って通います。

4 フィンランドの子育て支援

フィンランドでは、妊娠から子育て期までの切れ目のない子育て支援施設を「ネウボラ（neubola)」といいます。日本の子育て支援施策の中に「ネウボラ」を取り入れている自治体が増えてきました。

ネウボラとは、妊娠期から地域保健師や助産師などの専門家から定期的にアドバイスや医療的なチェックを受けることができる制度です。妊娠から出産、子育てを不安なく過ごしてもらうことが目的です（詳細はフィンランド大使館ホームページ「フィンランドの子育て支援」https://finlandabroad.fi/web/jpn/ja-finnish-childcare-systemを参照）。

［参考資料］

・銭本隆行 『デンマーク流「幸せの国」のつくりかた』明石書店 2013年

・「スウェーデンの家族と少子化対策の合意―スウェーデン家庭調査から―」内閣府経済社会総合研究所 2004（平成16）年

・「スウェーデンのワーク・ライフ・バランス１ － 柔軟性と自律性のある働き方の実践－」RIETI Discussion Paper Series 10-J-040 経済産業研究所 2011（平成23）年3月

理解度チェック　一問一答

全問クリア　　月　　日

Q

□ ❶ 地域子ども・子育て支援事業の「利用者支援事業」とは、乳幼児及びその保護者が相互の交流を行う場所を開設し、子育てについての相談、情報の提供、助言その他の援助を行う事業である。 R5年（後期）

□ ❷ 地域子ども・子育て支援事業の「養育支援訪問事業」とは、養育支援が特に必要な家庭に対して、その居宅を訪問し、養育に関する指導・助言等を行うことにより、当該家庭の適切な養育の実施を確保する事業である。 R5年（後期）

□ ❸ 地域子ども・子育て支援事業の「一時預かり事業」とは、保育認定を受けた子どもについて、通常の利用日及び利用時間以外の日及び時間において、認定こども園、保育所等において保育を実施する事業である。 R5年（後期）

□ ❹ 地方公共団体は、要保護児童対策地域協議会を必ず設置しなければならない。 R2年（後期）

A

❶ × 設問文は「地域子育て支援拠点事業」の内容である。

❷ ○

❸ × 設問文は「延長保育事業」の内容である。

❹ × 設置は義務ではなく任意となっている。また、複数の市町村による共同設置が可能である。

6　子ども家庭支援論

2018（平成30）年に保育所保育指針が改定され、保育士は専門性を生かして地域における子育て家庭や保育所の保護者の「子育て支援」を行うことが規定されています。本章では、現代家庭の現状を理解し、子育て支援の意義と役割、具体的な支援の方法などを学びましょう。試験では事例問題として出題されることが多いです。

頻出度

保育士による子ども家庭支援の意義と基本

1　保育の専門性を活かした子ども家庭支援とその意義

保育士の専門性については本科目第３節を参照してください。なお、保育所では家庭と連携を取りながら子どもを育てることを大事にしています。特に初めて子どもを持った保護者は不安も大きく、具体的にどうしたらよいかと悩む場面も多々あります。そのような保護者の気持ちに寄り添い、保護者が子育てに自信が持てるように子育て相談にのるなどの支援をしています。

2 子どもの育ちの喜びの共有

毎日の子育ては楽しいことばかりではなく、仕事をしながら子育てをする大変さもあり、ときには育児に疲れてしまったり、つらいと感じることもあります。そのようなときでも、子どもの成長している姿を見ることで喜びを感じ、気持ちが楽になるでしょう。保育所では日々の子どもの様子を伝えたり、様々な機会を通して成長している姿を見てもらいます。また保護者は家庭での子どもの様子を連絡帳などで伝えてくれますので、保育士は連絡帳などを通じて保護者と連携を深めます。保護者とともに子どもを育てるという気持ちをもち、一緒に子どもの成長を喜ぶことで保護者は子育てに希望が持てるでしょう。

3 保護者及び地域が有する子育てを自ら実践する力の向上に資する支援

保育所では保護者の子育て力が向上するように、いろいろな機会を設けています。例えば、保護者会を開催し子どもの遊んでいる姿を見てもらい、子どもの発達や子どもの興味関心、子どもへのかかわり方、子どもへの理解を深める機会となります。

また園によっては子育ての悩みを出し合う機会を設けたり、家で簡単にできる料理や離乳食講習会、おんぶの講習会、手作りおもちゃ講習会などを行って保護者の子育てを支援しています。

4 保育士に求められる基本的事項

保育士は専門家として子どもに関わるだけでなく、保護者への子育て支援を行うことが業務として規定されています。人に関わる専門家としては、保護者への対人援助の基本的な知識や技術を身につけて接することが求められています。対人援助として「個別援助技術（ソーシャルワーク）」

の基礎を学び、保育ソーシャルワークという視点を持つことが大切です。ソーシャルワークの基礎であるバイスティックの７原則[*1] の中から「受容的関わり」「自己決定の尊重」を説明します。

カウンセリングマインドは人に対する援助技術ですから、保護者だけなく、すべての人に対して有効です。対人援助の技術を身につけて子どもや同僚に接することで、より深い信頼関係を築いていけるでしょう。

■ 受容的関わり

保護者の思いや気持ちに共感の気持ちをもって寄り添い、思いを受け止めます。その対応が保護者との信頼関係を築くことにつながります。ただし、人はみなそれぞれ価値観も感じ方も考え方も違っていますので、保育士自身が違った価値観や感じ方をしていることもあります。

保護者の主張を認めることは自分自身がその人の主張に同調することではありません。たとえ考え方、感じ方が異なる場合であってもその保護者は「そう思っている」「そう感じている」という、その事実を認めるということです。そのことがその人を尊重することにつながります。

保育所等で保護者から相談を受けたときには、専門家だからという気持ちで保護者に教えてやろうという態度で接していくのではありません[*2]。まずは保護者の気持ちを受け止め、その保護者の思いに寄り添います。

■ 自己決定の尊重

いろいろな状況で自分で態度や考えを決めるという場面がありますが、常に当事者の決定を尊重しなくてはなりません。保護者から相談を受けて意見を求められることもあると思いますが、あくまでも参考としての意見であり、どのような決定をしたとしても本人の決定が最も重要です。また決められない気持ちのときに、あえて決定しないという選択も自己決定ですから、それも尊重しなくてはなりません。

保育においても注意が必要です、子どもの決定が保育士

***1 バイスティックの7原則**
個別援助技術として以下の7つの原則を身につけておく必要があります。①個別化の原則 ②受容の原則 ③意図的な感情表出の原則 ④統制された情緒的関与の原則 ⑤非審判的態度の原則 ⑥自己決定の原則 ⑦秘密保持の原則

***2 受容的関わりのポイント**
保護者の考えやこれまでの子育てを頭ごなしに否定してはいけません。

の意図に添っている場合には尊重し、保育士の意図や思いに添っていない場合に子どもの決定を覆そうとしたり、意図的に子どもの考えを変えようとすることがあっては自己決定を尊重する保育とはいえません。子どもの自己決定を尊重してください。

■ 秘密保持

保育所保育指針第４章「子育て支援」には、「子どもの利益に反しない限りにおいて、保護者や子どものプライバシーを保護し、知り得た事柄の秘密保持を行うこと」と規定されています。保育士倫理綱領の規定にも同様の規定が書かれています。保育士として職業上知りえた情報を他言してはならないという原則です。たとえ保育士を辞めた後でも秘密保持の原則は継続されます。

ただし、子どもが虐待の被害にあっている、または危惧がある場合においては、子どもの最善の利益を優先して、通告を行うことがあります。実際に子ども虐待がある家庭への支援を行う場合には、児童相談所、子ども家庭支援センター、保健福祉センターなどと子どもや家庭の情報を共有する場合があります。

■ 家庭の状況に応じた支援

保育所保育指針の第４章「子育て支援」の保護者に対する子育て支援には、「保護者の状況に配慮した個別の支援」の項目があります。現代社会における多様化した就労形態、家族形態や家族状況などをよく理解した上で支援を行えるようにします。

> ア. 就労と子育ての両立ができるように家庭と連携を取り、保護者の置かれている状況をよく理解し、保護者の需要が多様化していることを認識して支援に努める。
> イ. 病児保育事業など多様な事業を実施する場合には、保護者の状況に配慮しながらも、子どもの福祉を尊重し、子どもの生活の連続性を考慮すること。
> ウ. 障害のある子や発達上の課題がある子、特別な配慮が必要な子などの場合には、市町村及び関係機関と連携を取りながら、保護者への支援を行うように努める。
> エ. 外国籍家庭など特別な配慮が必要な家庭の場合には、状況に応じて必要な配慮を行うように努めること。

保育所の子育て支援

保護者はどの人もみなそれぞれの生育史を持ち、さまざまな家庭の文化の中で育っています。親になった事情もそれぞれです。理想の家庭などはありません。「こうあるべき」という自分の思いを保護者に押し付けるのではなく、保護者の気持ちを理解して寄り添えるような対応が大切です。保育所における子育て支援の目的は、「子どもが育つこと」です。そのためにできる家庭への支援を「子育て支援」といいます。

多様な支援の展開と関係機関との連携

1 地域の子育て家庭への支援*3

地域の子育て家庭への支援として、保育所で実施できる主な事業に「一時預かり事業」や「地域子育て支援拠点事業」などがあります。事業の詳細は、第4節、第5節を参照してください。

***3 地域の子育て家庭への支援**
R4年（前）
保育所の地域子育て支援としての事例が出題されています。

2 要保護児童等及びその家庭に対する支援

保育所保育指針の第４章「子育て支援」には、育児不安などがみられる保護者への個別支援、不適切な養育が行われている家庭への対応として「要保護児童対策地域協議会」との連携が規定されています。

3 子ども家庭支援に関する現状と課題

現代は家族規模が小さく多くの家庭が核家族です。また、ひとり親家庭やステップファミリー*4、外国籍家庭など、家族の形も多様化してさまざまな家族がいます。同時に就労状況などもさまざまですから、就労と子育ての両立を支援するためには、多様な需要に応じる必要があります。

まさに現代社会や現代家族への深い理解と支援に対する専門性が同時に求められているのが、今の保育所、保育士

知っトク

***4 ステップファミリー**
片方に子どもがいる場合、双方に子どもがいる場合など、子どもがいて再婚して新たにつくる家族形態をいいます。

だといえます。そのため、保育所保育指針にも以下のように記載されています。

> 子どもの最善の利益を考慮し、人権に配慮した保育を行うためには、職員一人一人の倫理観、人間性並びに保育所職員としての職務及び責任の理解と自覚が基盤となる。
> 各職員は、自己評価に基づく課題等を踏まえ、保育所内外の研修等を通じて、(中略)、それぞれの職務内容に応じた専門性を高めるため、必要な知識及び技術の修得、維持及び向上に努めなければならない。

保育士はそれぞれの得意な技術を活かして専門性を向上することが、保育所全体の活性化にもつながります。そうした深い専門性を身につけた保育士が育っていくことが、課題を抱えている保護者の支援につながるのだと思います。

孤独な環境で子育てをしている保護者も多く、子どもの虐待も増加しており、保育所ができる支援には限りがあります。そのため、地域の関連機関や関連施設と連携を取って保護者と子どもの支援を行うことがとても重要になってきます。しかし、実態は年数回のネットワーク会議などが開催されてはいても、常日頃から顔の見える関係で職員同士の交流があることは少ないようです。地域の関係機関との交流やネットワークづくりをもっと実効性のあるものにして、何か困った状況が起こった時に機敏に動けるようにすることが一つの課題だといえます。

理解度チェック　一問一答

全問クリア　　月　　日

Q	A
□ ❶ 児童養護施設に入所する児童から、「誰にも言わないでほしい」と前置きされた上で、児童指導員が性的な話をしてくると相談があった。同施設に勤務する保育士として速やかに児童相談所に通告した。 R5年（後期）改	❶ ○ この事例では、非措置児童虐待の疑いがあるため、児童相談所に通告しても守秘義務違反にはあたらない。

保育の心理学

「保育の心理学」では、子どもの発達に関わる心理学の基礎を学びます。子どもの思考や言葉の発達過程について理解を深めるとともに、乳幼児期の学びを支える保育について扱います。
この科目を学ぶことで、子どもの育ちを援助する方法がわかるため、保育現場で実際に子どもたちと関わる際に役立つでしょう。頑張って学んでいきましょう。

出題の傾向と対策

過去5回の出題傾向と対策

「保育の心理学」では、発達心理学で扱われる分野の中でも胎児期から新生児期、乳児期、幼児期、児童期までの内容が中心となります。ただし、青年期や成人期、老年期の分野についても出題実績があります。近年の発達心理学は生涯発達という考え方が主流で、発達を生涯全体の中でとらえることが反映されているものと考えられます。

発達心理学の基礎的な考え方として、遺伝と環境をどのようにとらえるかという観点があります。それに関するさまざまな学説、理論及び人名などは、かなり専門的なものまで出題されています。

発達心理学では発達を段階として考察する場合が多く、さまざまな発達段階説が提唱されていますが、特に重要なのはエリクソン（Erikson, E. H.）の心理社会的発達段階説と、ピアジェ（Piaget, J.）の認知発達段階説で、ほぼ毎年何らかの形で出題されています。

それぞれの発達段階の特徴についてもよく問われており、胎児期から始まり、新生児期から幼児期にいたる発達心理学的問題が出題内容の中核的な部分といえます。特に初期の発達における、愛着形成とその障害をめぐる問題は頻出事項です。

また、言葉の発達、遊びの発達、道徳判断の発達、向社会性の発達、人とのかかわりの発達など、個別のテーマごとに、どのように発達していくかといった問題もよく取り上げられます。

特に近年は虐待などが問題となっており、保育所や学校の現場でのケアや対処が必要となることも多くあります。虐待とそれに伴う精神的な問題についての理解は必須となっています。

原典を確認しておきたい法律・資料

「保育の心理学」では、法律やガイドラインなどからの出題は多くはありませんが、子どもの育ちを支える家族·家庭について、統計データを読んで理解を深めておくとよいでしょう。

「保育の心理学」の過去５回の出題キーワード

問題	R6年（前期） 2024年	R5年（後期） 2023年	R5年（前期） 2023年	R4年（後期） 2022年	R4年（前期） 2022年
1	アタッチメント、ボウルビイ	初期発達、社会的参照、エントレインメント	発達段階、発達を規定する要因、ゲゼル	バルテスの生涯発達理論	アイゼンバーグ、コールバーグ、ピアジェ
2	音声知覚、聴覚的選好	発達を規定する要因、ジェンセン、ワトソン	シュテルン、ブロンフェンブレンナー、ジェンセン、ギブソンJ.J	遺伝説、環境説、輻輳説、環境閾値説、生態学的システム論	運動発達、ギブソン、方向性
3	心の理論、誤信念課題	観察法	同化と調節、遊びの発達、指さし	社会的認知の発達、心の理論、素朴心理学	ピアジェの認知発達
4	社会情動的発達、共鳴動作	自己の発達、ホフマン	エリクソンの心理・社会的発達段階説	向社会的行動、社会的参照、共鳴動作、象徴機能	リテラシー、音韻意識
5	乳幼児の運動発達	遠城寺式乳幼児分析的発達検査	言語の発達	ピアジェの発達段階説、道徳性の発達段階	原因帰属、ワイナー、学習性無力感、セリグマン
6	条件づけ、発達の最近接領域	認知の発達、保存課題	心の理論、誤信念課題	ヴィゴツキー、発達の最近接領域	発達を促す関わり
7	事例、形の認識	象徴機能、音韻意識、ブルーナー	学習のメカニズム	パーテンの遊びの社会的参加の分類	メタ認知、モニタリング、動機づけ
8	乳児の問題解決	学習過程、条件づけ、正統的周辺参加、動機づけ	モデリング、洞察学習、学習の転移、ピグマリオン効果	同化と調節、命名期、語彙拡張、語彙爆発	思春期、発達加速現象、第二次反抗期
9	学童期の発達、ギャング・グループ、保存課題	発達の最近接領域	幼児期から学童期の発達、保存の概念	自己の発達、ルイス、主体的自己と客体的自己	サクセスフルエイジング、SOC理論、英知
10	青年期の発達、アイデンティティ・ステイタス、マーシア	青年期の発達、形式的操作期、マーシア	いじめ、不登校	外発的動機づけ、内発的動機づけ、アンダーマイニング現象	ブロンフェンブレンナー
11	高齢期の発達、バルテス、コンボイモデル、フレイル	高齢期の発達、バルテス、キャテル	高齢期、フレイル、サクセスフル・エイジング	中年期、エリクソンの発達段階説、空の巣症候群	短期記憶、意味記憶
12	トマス、気質の分類	ブロンフェンブレンナー、生態学的システム	令和3年版男女共同参画白書	家族ライフサイクル論、家族システム論、ジェノグラム	産後うつ、親準備性、養護性、育児不安
13	産後うつ病、EPDS	親になること、養護性、エリクソン	ひとり親世帯、離婚	親準備教育、少子化社会対策白書	ポルトマン
14	ソーシャルサポート、ストレス	子どもの貧困、絶対的貧困、相対的貧困	育児不安、マタニティ・ブルーズ	発達援助	平行遊び、自己調整力、対人葛藤、役割取得
15	アロマザリング、ライフサイクル、ファミリーアイデンティティ	中年期の危機	外国籍家庭、外国にルーツをもつ家庭	学童期の仲間関係、チャムグループ	子どもの入所時の保育
16	家族心理学、家族システム理論	低出生体重児	国民生活基礎調査、家族の定義、高齢者の社会的ネットワーク	観察法、時間見本法、行動目録法、実験観察法	少子化対策、子育てを取り巻く社会的状況
17	アフォーダンス理論	選択的緘黙、起立性調節障害、心の問題	児童虐待	発達検査、知能検査	スクリプト、帰属意識、心の理論
18	DSM-5、神経発達障害群	児童虐待	災害後における子どもの反応	男女共同参画白書	仕事と育児の両立
19	ライフサイクル、多重役割	向社会的行動	プレリテラシー、スクリプト、自己主張、メタコミュニケーション	児童虐待	児童期の心的外傷（トラウマ）
20	巡回相談、コンサルテーション	就学への移行期	ボウルビィの愛着理論、アタッチメント、エインズワース	反応性愛着障害、心的外傷後ストレス障害(PTSD)	障害のある子どもの家族への支援

1 保育の心理学 (1) 発達を捉える視点

頻出度 ✿✿✿

よい保育をするには子どもの心についての理解が欠かせません。心理学の中でも発達心理学は、人間の加齢に伴う発達的変化やそれぞれの段階ごとの特質や問題点、また発達を阻害する要因や発達障害などを研究する分野です。この発達心理学から、保育と特にかかわる問題について見ていきましょう。

発達の考え方

発達の考え方には大きく分けて、遺伝の影響を重視する考え方の遺伝論、環境の影響を重視する考え方の環境論、それらがともに重要であるとする輻輳(ふくそう)説及び相互作用説があります。

1 遺伝論[*1]（成熟説、成熟優位説）

人間の発達は、生まれつき内在する遺伝的なものが成熟にともない自律的に発現したものとする考え方です。ゲゼル（Gesell, A. L.）[*2] などが有名です。この考え方においては、レディネス[*3] が重視されます。

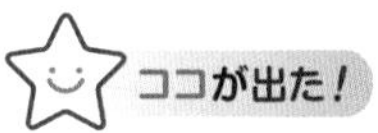

＊1 **遺伝論**
R5年（後）
ゴールトン（Galton, F.）は、遺伝論の行動遺伝学の提唱者で、個人差の大部分が遺伝によると考え、遺伝的に優れた人同士が数世代にわたって子孫を残すことで、高い才能をもつ人を作り出すことができると考えました。

＊2 **ゲゼル**
R5年（前）
成熟優位説の提唱者で、一卵性双生児の階段の登りの実験との関連付けで出題されました。

＊3 **レディネス**
R5年（前）
学習に必要な「心身の準備性」を意味する言葉です。また、つかまり立ちしかできない子どもがサッカーをできないように、レディネスがないと学習が成立しません。

＊4 **ワトソン**
R5年（後）

＊5 **ブロンフェンブレンナーの生態学的システム**
R4年（前） R5年（前）
R5年（後） R6年（前）

＊6 **輻輳説**
R5年（前）
輻輳（ふくそう）とは、方々から集まる、物が一か所にこみあう、といった意味ですが、ここでは遺伝と環境が加算的に合わさって発達に影響する、という意味で使われています。

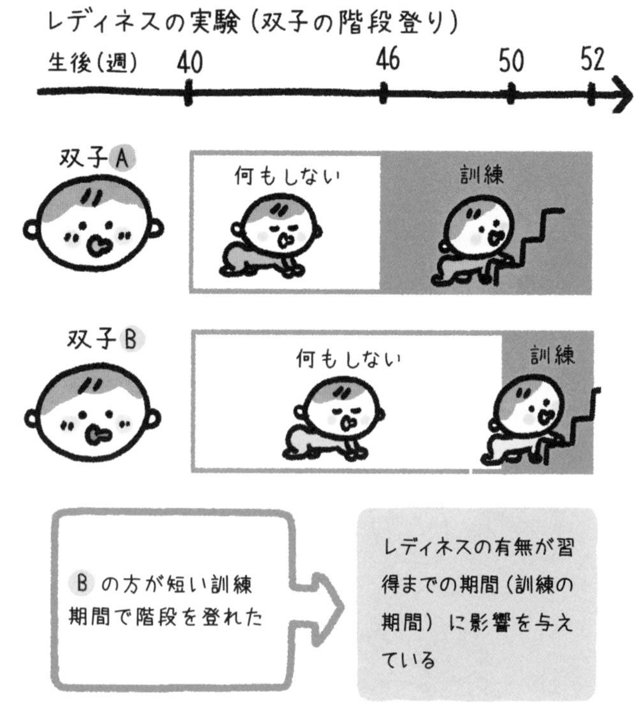

2 環境論（学習優位説、経験説）

人間の発達は、環境の影響を強く受けながら徐々に形成されるとする考え方です。遺伝的なものよりも後天的な学習を強調する立場です。ワトソン（Watson, J. B.）＊4 などが有名です。

また環境を、人に直接関係する最小限の要素（マイクロシステム）、複数の要素間の関係（メゾシステム）、直接関係しないが影響を与えるもの（エクソシステム）、社会や文化（マクロシステム）・時間の影響・経過（クロノシステム）といったように重層的にとらえる、ブロンフェンブレンナー（Bronfenbrenner, U.）の生態学的システム＊5 という考え方もあります。

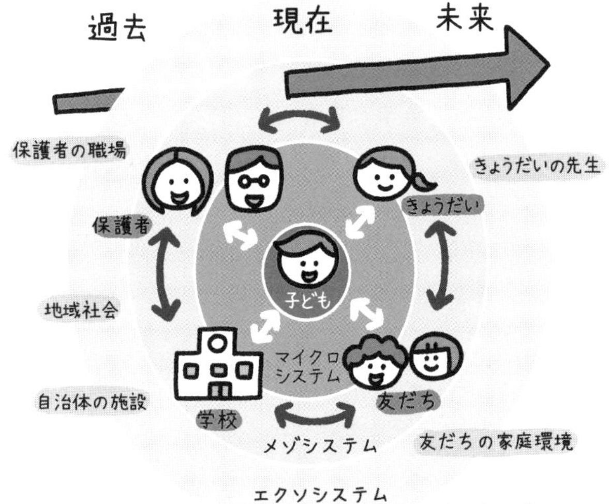

マイクロシステム
子どもと直接的に関わる環境
（家族、家庭、保育所、学校、など）

メゾシステム
マイクロシステム同士の環境
（家庭と保育所のつながり、など）

エクソシステム
子どもに間接的に影響を与える環境
（保護者の職場環境、きょうだいの先生、など）

マクロシステム
社会環境
（文化、宗教、など）

3 輻輳説[*6]

人間の発達には遺伝要因と環境要因がともに重要であるという考え方で、特に遺伝要因と環境要因が加算的[*7]に影響するとされます。シュテルン（Stern, W.）などが有名です。

4 相互作用説[*8]

人間の発達に遺伝要因と環境要因が互いに影響しあっているとする考え方です。現在の発達における主要な考え方といえます。環境が相当悪くても遺伝的に持っているものが比較的そのまま発現しやすい資質（身長など）と、環境が十分整って初めて生まれ持っているものが発現する遺伝的資質（絶対音感など）があるとするなど、資質の種類によっ

用語解説

*7 加算的
物事を単純に足し合わせることを意味します。

知っトク

*8 相互作用説
遺伝要因と環境要因がともに重要であると考えるのは「輻輳説」と同様ですが、発達に対して2つの要因が加算的に影響するのではなく、互いに影響し合っていると考える点が異なっています。

用語解説

*9 閾値
閾値（いきち）とは、ある刺激によって反応が起こる時、刺激がある値以上に強くなければその反応は起こらない場合の限界値のことです。「しきい値」ともいいます。ここでは、学習や設備など環境の影響がある一定のレベル以上になっていなければ、遺伝的な素質が開花しないことをさしています。

*10 **環境閾値説**
R5年(前)

*11 **アフォーダンス**
R4年(後)　R6年(前)
例えば、「扉にドアノブがついている」という環境から、「扉を開けることができる」という意味を見出すことができるという考え方です。

*12 **ギブソン**
R5年(前)
妻のエレノア・ギブソン（Gibson, E. J.）は、断崖があるように見える実験装置（視覚的断崖）を用いた、「社会的参照」の研究で知られています。

て、遺伝要因と環境要因が与える影響が異なるというジェンセン（Jensen, A. R.）の環境閾値説*9 *10などが代表的な理論です。人間は環境に働きかけ、環境を変化させる存在であり、遺伝と環境の関係も一律ではありません。また、子どもは環境に埋め込まれた意味（アフォーダンス*11）を見出して行動する、というギブソン*12（Gibson, J. J.）のような考え方もあります。

環境優位説のワトソンの実験とは？

ワトソンは、人の発達は遺伝で決まるのではなく経験がほとんどすべてを決めていると考えており、「健康な乳児と適切な環境さえ整えば、才能、好み、民族など遺伝的といわれるものとは関係なしに、医者、芸術家から、どろぼう、乞食まで様々な人間に育て上げることができる」という言葉を残しています。

また、ワトソンは自分の理論を裏付けるために乳児にネズミを使って恐怖条件をつけるという実験を行っており、このような彼の極端な発言と非人道的な実験は後に非難を受けることとなりました。

理解度チェック　一問一答

全問クリア　　月　　日

Q

□ ❶ ゴールトン(Galton, F.)は、個人差の大部分が遺伝によるものであるとし、遺伝的に優れた人同士が数世代にわたって子孫を残すことで、人類は高い才能をつくり出しうると考えた。 R5年（後期）

□ ❷ アフォーダンス論は、ギブソン（Gibson,J.J.）が提唱した知覚理論であるが、より発展的に生態学的な立場から知覚の機能を論じている。それによれば、人は環境内にある情報を知覚し、それによって行動を調整していると考えている。 R1年（後期）

□ ❸ ブロンフェンブレンナーは、正統的周辺参加論を提唱した。 R4年（前期）

A

❶ ○

❷ ○ アフォーダンス論では、子どもは環境に埋め込まれた意味を見出しながら行動を調整していると考えられている。

❸ × ブロンフェンブレンナーが唱えたのは、生態学的システム理論である。

2 保育の心理学 ⑵ 子どもの発達過程

頻出度

子どもの発達を理解するには、発達段階説に基づいた発達理論をみていくのが近道です。エリクソンとピアジェの発達理論がよく出題されますので、まずはこれらをおさえましょう。次に、その発達理論に沿って、子どもの成長にともなう他者の認知や自分を律することなどの発達過程を理解しましょう。

ピアジェの発達理論

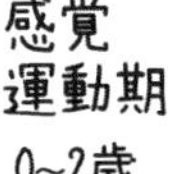

さまざまな発達理論

発達段階は、それぞれの年齢に特有の特徴をもとに人の発達をいくつかの段階に区分して提示したものです。

1 ピアジェの発達段階説＊1 ＊2

スイスの発達心理学者ピアジェ（Piaget, J.）は、知的能力の発達を、認知的な構造と認知操作の形式に基づき、感覚運動期（0～2歳頃）、前操作期（2～7歳頃）、具体的操作期（7～12歳頃）、形式的操作期（12歳頃以降）

ココが出た！

＊1 **ピアジェの発達段階説**

R4年(前)　R4年(後)
R5年(前)　R5年(後)

それぞれの段階の内容を問う問題がほぼ毎年出題されています。
R5年(後)では、脱中心化により、保存課題が正答できるようになることが出題されました。

の４つに分けました。

■ **感覚運動期（０～２歳頃）**

生後０～２歳までに子どもは、水に触れて冷たいと感じるなど、外界に働きかけそれを感覚を通して受容することで、外界を認識します。また、「対象の永続性」についての理解が進む時期であり、外界に存在する物や人などは、目の前からいなくなっても、その存在自体が消滅したわけではないことを理解します。

■ **前操作期（２～７歳頃）**

２歳以降になると、幼児は急速に言語を獲得し始めます。それに伴い、イメージや表象を用いて考えたり行動したりできるようになります。しかし、まだ論理的な思考は苦手です。よって、この時期は見かけへのとらわれやすさ（「保存性」の未発達）、自己中心性（中心化）、アニミズム的思考*3 などの特徴がみられます。

保存性は、対象の形を変化させても、対象の質や量といった性質は変化しないという概念です*4 。

自己中心性（中心化）とは、自分を他者の立場におくなど、他者の視点に立つことができないという認知上の限界です。「３つの山の課題*5 」は立体的な３つの山の模型を見せて、向かい側や左右に座っている人の視点を想像させて描かせる課題ですが、自己中心性（中心化）から脱却していない場合は、他者と自分の視点は違うのだということが理解できず、それを適切に描くことができません。

■ **具体的操作期（７～ 12歳頃）**

保存性の概念を獲得し、見かけに左右されない論理的な思考が可能になる時期で、前操作期の特徴である自己中心性にとらわれず、実際にものを動かしたり、指で数えるといった具体的な行動･操作によって論理的な思考ができます。ただし、抽象的概念を用いた推論を行うことはまだ苦手です。

■ **形式的操作期（12歳頃～成人）**

具体的な現実に縛られることがなく、抽象的・形式的に

*2 **ピアジェの発達段階説**
ピアジェの発達論や発達段階論は子どもの理解や教育に大きな影響を与えましたが、近年はその理論が子どものおかれている文化的環境や人間関係を一切考慮していないので、実際の子どもには必ずしもあてはまらないこともあるという批判も強くなっています。その点を考慮したヴィゴツキーの理論が最近では評価されるようになってきています。しかし、ピアジェが子どもの認知の構造をわかりやすく説明したその業績は評価されるものです。

用語解説

*3 **アニミズム的思考**
生物・無生物を問わず、すべてのものの中に霊魂、もしくは霊が宿っているという考え方のことです。原始的な心性とされ、小さな子どもの「風が怒っている」「太陽が笑っている」「クマさんのぬいぐるみが寒くて風邪を引いちゃう」といった表現の中にそれがみられるとされます。また、かつては未開社会の思考の特徴であると考えられたこともあります。

考えることができるようになり、抽象的な問題解決や推論も行うことができます。例えば、言語によって内容をあらわした命題について、内容が現実かどうかにかかわらず、論理的・形式的に考えたり、もしもの仮定などができるようになります。

ピアジェの理論は主として、生物としての人間の個人内の発達に注目していますが、それに対して後述のヴィゴツキー（Vygotsky, L. S.）は、発達を社会的に共有された認知過程を内部化する過程ととらえ、教育を重視しました。現在では認知の発達において、このような考え方が優勢になっています。

幼児は見たものではなく知っているものを描く

幼児期の思考の特徴として、知的リアリズムがあげられますが、これは見たものではなく知っているものを描くというものです。例えば、子どもに取っ手のついたコップを見せた後に、取っ手を隠した状態のコップを見せてその絵を描かせると、多くの子どもが取っ手のついたコップを描きます。

2 エリクソンの発達段階説[*6]

エリクソン（Erikson, E. H.）の発達段階説はフロイトの理論に基づきながら、生涯発達の観点から社会的な側面を重視した発達理論となっています。それぞれの段階に発達課題があり、それが達成できない場合に心理学的な危機の状態になるとしています。

■ 乳児期（0〜1歳頃）

信頼 **対** 不信
受けた養育の質により、信頼感を持ちますが、不適切な養育をされると、不信感を持つようになります。

■ 幼児期前期（1〜3歳頃）

自律性 **対** 恥・疑惑
自律心を持つようになりますが、過度の批判や制限により羞恥心や自分の適正さに対する疑惑の感覚を持つこともあります。

（つづく）

知っトク

*4 **保存性の概念**
「保存性」の概念が未発達の場合、高さだけに注目してBの方が量が多いと答えてしまう。

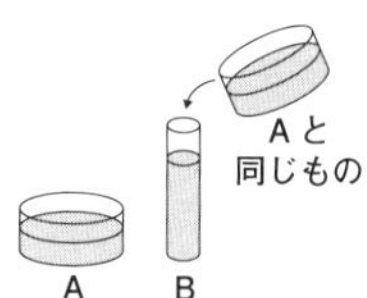

どちらも同じ容量

知っトク

*5 **3つの山の課題**
次のような場合において、A〜Dそれぞれの方向からどう見えるかを質問します。

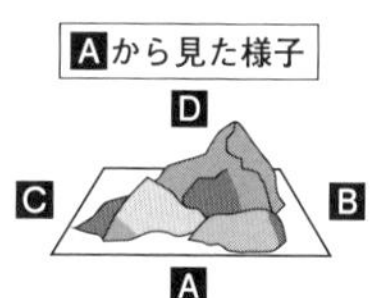

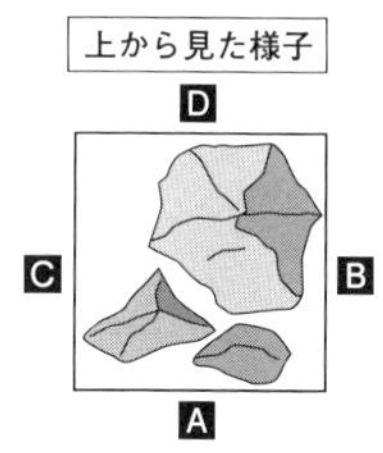

自己中心性から脱却していない4〜5歳では、自分と異なる視点（Aに立っているのであればB〜Dからどのように見えるか）では誤答が多く、他者からの視点が理解できませんでした。

*6 **エリクソンの発達段階説**
R4年(後) R5年(前)
R5年(後)
青年期以降の出題もありますので、生涯を通じた発達段階を理解しておきましょう。

■ **幼児期後期（3〜6歳頃）**

自主性（主導性、自発性）**対** 罪悪感
自発的な知的活動・運動活動に周囲が適切に対応すれば、自由や自発性の感覚が生まれますが、不適切な場合は罪悪感が生まれます。

■ **児童期（6〜12歳頃）**

勤勉性（生産性）**対** 劣等感
規則にしたがい、秩序に合わせ、自主的に努力をするなど、勤勉性が生まれますが、結果につながらないと劣等感を持つこともあります。

■ **青年期（12〜20歳頃）［思春期］**

同一性（自我同一性、アイデンティティ）**対** 同一性拡散
他者と異なる一貫した自分自身の同一性の確立と受容がなされます。同一性を発達させることができないと、自分は何者なのかわからずに混乱したり、社会的に受容されない役割を作り上げたりします。

■ **成人初期（20〜30歳頃）［若い成人期］**

親密 **対** 孤立
家族以外の他者に対する性的、情緒的、道徳的親密感を持ち、親密な人間関係と家庭を作り上げます。それがうまくいかない場合、孤立し孤独感が生じることがあります。

■ **成人期（30〜65歳頃）［成人期後期、壮年期］**

世代性（生殖性）**対** 自己陶酔（自己惑溺（わくでき）、自己耽溺（たんでき）、自己吸収）
家族や社会、次世代へと関心が広がります。こうした普遍的なものや将来への志向が発達しないと、自分自身の所有物や身体的健康だけにしか関心が向かなくなります。

■ **老年期（65歳頃〜）［成熟期］**

統合性（完全性、自我の統合）**対** 絶望、嫌悪
生涯最後の段階で今までを振り返り、完全性の感覚で一生の成就を楽しみますが、それが不満足であった場合には絶望に直面します。

エリクソンの理論（ライフサイクル論）は1950〜1960年代頃の欧米の男性をモデルにして組み立てられているため、現代では必ずしもあてはまらない部分も出てきています。また、人はそれぞれの文化の影響を受けるため、その発達の仕方は文化によって大いに異なるところもあります。ロゴフ（Rogoff, B.）*7 のように、発達におけるそのような文化的相違を強調する立場もあります。

さらに、子どもの頃は獲得することが多く、高齢では喪失することが多いと考えがちですが、どの年代でも獲得と喪失が混在した過程であるとするバルテス（Baltes, P. B.）

*7 **ロゴフ**
著書に『文化的営みとしての発達―個人、世代、コミュニティ』があります。

の生涯発達理論*8 が提唱されています。

言葉の発達*9

幼児期を通じて子どもが話す言葉は増加し、また文法も複雑になっていきます。言葉の発達はだいたいの目安として、次のような段階をたどります。

なお、言葉の発達には個人差がありますが、難聴や知的障害などの特定の障害や病気が原因で言葉の遅れがみられることもあります。言葉だけでなく全体的な発達の様子を観察しながら、必要な支援を行うことが重要です。

■ 新生児期

明確な言葉による反応はまだありませんが、話しかけのタイミングやリズムにあわせて身体を動かす相互同期性がみられます。

■ 2～3か月頃

「アー」「ウー」といったクーイング*10 が始まります。

■ 5～6か月頃

「バブバブ」などの繰り返しの多音節からなる音（喃語*11）が増えてきて、声を出すことでうれしい、気に入らないなどの簡単な意思表示ができるようになります。喃語は構造のあいまいな状態から、子音と母音の構造を持ち発音の基本となる「規準喃語」になっていきます。

■ 10か月頃

大人が「ちょうだい」と手を出すと、おもちゃを渡すなど、簡単なことであれば大人とコミュニケーションをとることができるようになります。

■ 1歳頃

伝えたい気持ちが強く出てきて、頻繁に指さしをするようになり、初めて「ワンワン」「マンマ」など意味のある言葉（初語*12）が出てきます。その後、子どもは「ママ（だっこ）」「ママ（の時計）」「ママ（どこ？）」など一語でいろ

＊8 バルテスの生涯発達理論

R4年（前）　R4年（後）　R5年（後）　R6年（前）

バルテスは高齢期のQOLを向上させるための方略（SOC理論）を構築しました。具体的には、失われていく身体的機能や認知的機能という現実的な制約の中で、目標を達成するために「選択（Selction）」「最適化（Optimization）」「補償（Compensation）」を行うという考え方です。

＊9 言葉の発達の段階

ほぼ毎年出題されていますので、年齢ごとにどのような過程をたどり言葉が発達していくのかを、確実に理解しておきましょう。

＊10 クーイング

R5年（前）

「アー」「ウウ」「クー」など鳩の鳴き声に似ていることからクーイング（cooing）と命名されました。主に母音を用いた発声のことです。発声器官の発達に伴って現れる音で、特に意味はないとされます。

いろな意味を表す一語文が出てくるなど、話す単語は劇的に増加していきます*13。

■ 1歳6か月頃

1歳6か月から2歳頃にかけて急激に語彙が増えます（語彙爆発/語彙噴出）。また、「ママ、来た」など、単語を二語文（にごぶん）で話し始めます。最初に出る言葉は名詞が多く、その後、動詞や形容詞が続きます。

■ 2歳6か月頃

「ママ、外に行った」など名詞と動詞を組み合わせ、3～4語で文章を構成して話すようになります。この頃までに語彙（ごい）数は100～200語に達します。

■ 3歳頃からそれ以降

「だから、○○ちゃんはね、おやつが食べたいの」など、間投詞*14や接続詞を使って文を構成して話すようになります。完全ではなくとも、日常生活に支障はない文法や言葉がほぼ習得されます。3～4歳くらいまでが言葉の獲得のピークとなり、5歳くらいまでに語彙数は2,000語程度に達します。文字と特定の音との対応についての音韻意識*15が高まり、絵本をながめたり、拾い読みをしたり、しりとりなどの言葉遊びをするなど、生活の中で読み書きに関連した行動をするようになります（プレリテラシー）。

道徳性の発達*16

道徳性の発達は社会性の発達を考える上で欠かせません。ピアジェは、行動の規準が自分本位に決定される段階から、養育者などの他者の期待や社会的慣習に基づいて行動する他律的道徳の段階に移行し、さらにそれらを超えて道徳的価値と自己の良心によって行動する自律的道徳の段階に道徳性が発達するとしました。

また、コールバーグ*17（Kohlberg, L.）によれば、道徳は次のような段階で発達していきます。それぞれの段階と

用語解説

*11 **喃語**
クーイングに続いて現れます。最初は一音のものが多いですが、やがて唇や舌の動きを活用し「あうあう」「バブバブ」といった繰り返しの語が現れます。母音から子音を含んだ、発音が明確で複雑なものへと変化していきます。言葉の前段階ではっきりとした意味はありませんが、何らかの感情を伝えようという意図がみられます。

*12 **初語**
R5年(前)

ココが出た！

*13 **語彙拡張と語彙縮小**
R4年(後)
ネコを「ニャー」と呼ぶことを覚えた子どもが、犬や馬など他の4本足の動物にもその呼び方を使うことがあります。このように言葉を本来の適用範囲よりも広く使うことを過大般用（語彙拡張）といいます。なお、反対の意味をもつ言葉に過小般用（語彙縮小）があります。

年齢は明確に対応していませんが、必ずこのような順番になるとされています。おおまかにいえば、児童期を通じて前慣習的段階から慣習的段階、脱慣習的段階へと移行していくと思われます。

■ **前慣習的段階**

① 服従と罰が中心の段階。この段階では、もろもろの行動は、事の善し悪しではなくて、それが人から罰せられる可能性があるかどうかという観点で評価されます。

② 素朴な利己的判断が中心の段階。この段階では、もろもろの行動は自分のニーズや快楽によって評価されます。

■ **慣習的段階**

③「よい子」としてふるまうことが中心の段階。この段階では、周りの人たちに喜ばれたり認められたりすることかどうかという点により評価されます。

④ 権威や社会秩序の維持が中心の段階。この段階では、法律や秩序、権威などが重要になり、自分の義務を果たすことや社会的なルールにしたがうことこそが善となります。

■ **脱慣習的段階**

⑤ 社会契約的な考え方の段階。この段階では、ある法律や規則を支持するかどうかは、合理的な分析や相互の同意に基づいて決定されます。

⑥ 普遍的な道徳原理が中心の段階。この段階では、個人的な道徳原理によって行動が決定されますが、その原理は正義や尊厳、平等など全体的、大局的、普遍的な方向性を持ったものです。

なお、コールバーグの段階説については、ギリガン(Gilligan, C.)*18 らの学者から、男性をモデルとしたもので、女性はこれとは異なる道徳性を持つという批判が行われています。そこから他者への関心や配慮を意味するケア・

*14 **間投詞**
「もしもし」「ええと」などの感動、応答、呼びかけを示す言葉のことです。

*15 **音韻意識**
R4年(前)
「音韻分解」とは、単語を音韻に分けることです。【例】い／ち／ご
「音韻抽出」とは、単語の音節を取り出して言うことです。【例】いちごのい

*16 **道徳性の発達**
R4年(後)　R6年(前)

*17 **コールバーグ**
R4年(前)

*18 **ギリガン**
主な著書に『もうひとつの声―男女の道徳観のちがいと女性のアイデンティティ』がある。

ケアリングという考え方が生まれています。

また、コールバーグの理論を継承し、「向社会性」の発達に注目した発達理論を提示した人物にアイゼンバーグ（Eisenberg.N.）がいます*19。

*19 **向社会的行動**
R4年（前）　R4年（後）
R5年（後）
他人あるいは他の人々の集団を助けようとしたり、人々のためになることをしようとしたりする自発的な行動のことです。
R4年（前）では、向社会性の発達のアイゼンバーグが出題されました。

心の理論*20

*20 **心の理論**
R5年（前）　R6年（前）

社会性が発達するということは、自分とは異なった他者の立場が理解できるということでもあります。「心の理論（Theory of Mind）」とは、他者の心の動きを類推したり、他者が自分とは違う信念を持っているということを理解したりする機能のことです。「心の理論」という用語は、1978年にプレマック（Premack, D.）とウッドラフ（Woodruff, G.）による「チンパンジーには心の理論はあるのか」という論文において初めて使用され、体系化されました。以下の「サリーとアン課題」はそういった「心の理論」が確立しているかどうかを調べる誤信念課題と呼ばれる代表的なテストです。

■ **サリーとアン課題**

1. サリーとアンが、部屋で一緒に遊んでいました。
2. サリーはボールをかごの中に入れて部屋を出て行きました。
3. サリーがいない間に、アンがボールを別の箱の中に移しました。
4. サリーが部屋に戻ってきました。
5. 「サリーはボールを取り出そうと、最初にどこを探すでしょう？」と被験者に質問します。

正解は「かごの中」ですが、４歳頃になると他者の心の動きを類推する「心の理論」が発達し、この課題に正答できるようになります。ただし、「心の理論」に障害がある子ども、例えば自閉スペクトラム症などの発達障害がある場合には、相手の思い込みという概念が理解できないために、「箱の中」と答える割合が高くなるという説があります。

理解度チェック　一問一答

全問クリア　　月　　日

Q

□ ❶ 脱中心化によって、複数の視点で物事を捉えることができるようになると、保存課題に正答できるようになる。 R5年（後期）

□ ❷ ブロンフェンブレンナーは、子どもが所属し多様な経験をする場として、家庭、保育所、地域などがあるとした。 R5年（後期）

□ ❸ 1歳頃になると、初めて意味のある言葉を発するようになるが、これをジャーゴンという。 R5年（後期）

□ ❹ 善悪の判断が、行為の意図を重視する判断から、行為の結果を重視する判断へと移行する。 R6年（前期）

□ ❺ アイゼンバーグ（Eisenberg, N.）は、向社会的行動の判断の理由づけは、自分の快楽に結びついた理由づけから、相手の立場に立った共感的な理由づけを経て、強く内面化された価値観に基づいた理由づけへと発達するとした。 R4年（前期）

A

❶ ○

❷ ○ これはブロンフェンブレンナーの生態学的システム理論のメゾシステムの説明である。

❸ × 初語の説明である。ジャーゴンとは、9～18か月頃に見られる文のようなメロディをともなった音のことである。

❹ × ピアジェの善悪の判断を問う課題によると、子どもは行為の結果を重視する判断から行為の意図を重視する判断に移行することがわかった。行為の意図を重視するようになるのは10歳頃からである。

❺ ○

3 保育の心理学 ⑶ 子どもの学びと保育

頻出度

ここでは、保育に関係のあるさまざまな学びの形を見ていきましょう。子どもにとっては遊びも重要な活動です。子どもは遊ぶことを通して、さまざまなことを学んでいきます。子どもにとっては、まさに、遊ぶことが学ぶことでもあるのです。

並行遊び
もっと高く したいなあ
一人で遊んでいるが、他の子どもたちの遊びからも影響を受けている状態
連合遊び
お城 つくるんだ！
ケーキ つくろう
他の子と同じ遊びをしているが、互いに関係なく遊んでおり共通の目的はない状態
協同遊び
トンネル つくって
わかった
共通の目的をもって役割分担が決まっているなど組織化されて遊んでいる状態

学習の定義

バウアーとヒルガード（Bower & Hilgard）は「学習とは、主体がある状況を繰り返し経験することによってもたらされたその状況に対する主体の行動、または行動ポテンシャルにおける変化をさす。ただし、その行動の変化が主体の生得的反応傾向、成熟、または一時的状態によって説明できないようなものであることを前提とする」としています。

つまり、身長が伸びたり声変わりをするなどのように、遺伝的なプログラムが展開していく過程は変化であっても学習とはいいません。薬物などによって一時的に能力が伸びたりする現象も同様に学習ではありません。

1 古典的条件づけ：パブロフ（Pavlov, I. P.）

古典的条件づけ（レスポンデント条件づけ）[*1] とは、刺激により誘発される反応です。例えば、「梅干しの食経験がある人は梅干しを見ると唾液が出てくる」といった反応が起こることです。唾液が出るという反応が起きたのは、食経験による「学習」の結果、梅干しの「見ため」と「味」が関連づけられたからです。

*1 **レスポンデント条件づけ**
R5年（後） R6年（前）

パブロフによる古典的条件づけの実験（パブロフの犬）

【条件づけ以前】
ベルの音（中性刺激） ➡ 実験対象の犬に唾液に関する反射は生じないが耳をそばだてる
餌を見る（無条件刺激） ➡ 唾液の分泌（無条件反応）
両者は関係しない（ベルの音を聞いても唾液は出ない）

【条件づけ】
ベルの音を聞かせ、その後に餌を与える。

【条件づけ後】
ベルの音（条件刺激） ➡ 唾液の分泌（条件反応）

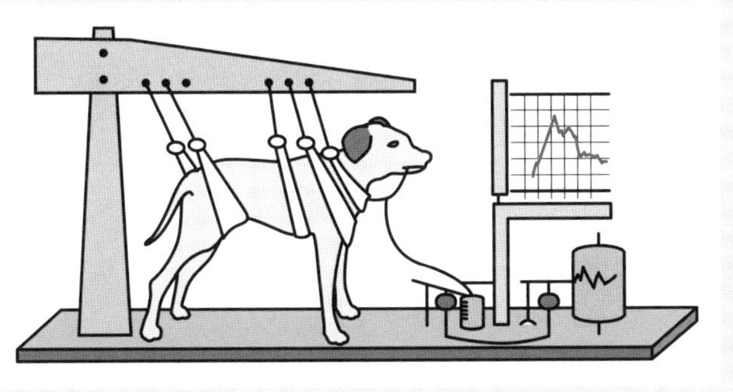

上記の実験に追加して、例えば鈴の音を聞かせたときには餌を与えないということを繰り返すことで、ベルの音と鈴の音を犬が区別して反応に違いが出るようになることを「分化」といいます。また、分化とは逆に、例えば白いネズミに噛まれて怖い思いをすると、それに似た白い髭のサンタクロース

や白いウサギまで怖がるようになる、など、類似性の高い異なる刺激でも同じ反応が起こることを「般化（はんか）」といいます。

子どもの食べ物の好き嫌いや恐怖症などは、この古典的条件づけのメカニズムによって形成される可能性があります。

知っトク

*2 **スキナーのオペラント条件づけ**

オペラント(operant)はスキナーによる造語で、操作する(operate)に由来しています。

過去に人名と理論のメカニズムを問う問題が出題されています。

2 オペラント条件づけ*2：スキナー（Skinner, B. F.）

古典的条件づけが刺激に対する受動的な反応であったのに対して、自発的な行動を学習することをオペラント条件づけ（道具的条件づけ）といいます。

スキナーによる道具的条件づけの実験

❶ 空腹時のネズミを「スキナー・ボックス」に入れる。
❷ 偶然ネズミがレバーに触れると餌が出る。
❸ 空腹のネズミは餌を食べる。
❹ その後、レバーを押すと餌が出ることを学習し、自発的にレバーに触れるようになる（オペラント条件づけ）。
❺ 餌を得ようとしてレバーに頻繁に触れるようになる（学習の強化）。

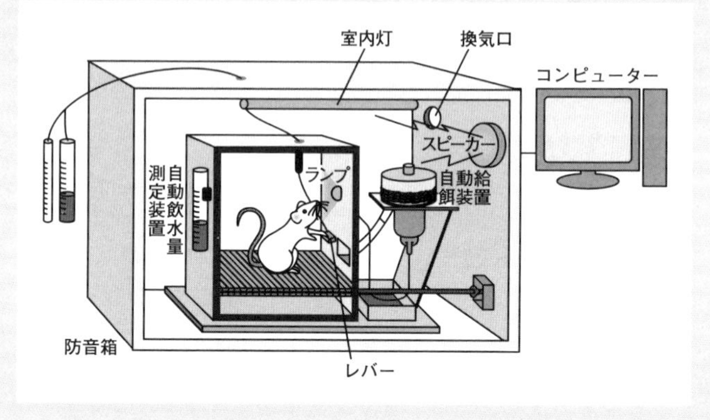

ココが出た！

*3 **強化**
R5年（前）

上記のような実験で特定の行動の頻度を高めることを「強化*3」といいます。上の例の場合、餌によってレバーに触れる行為が強化されたことになります。

なお、「正の強化」とは、何か行動した後に、その人にとって望ましい強化子（報酬）が与えられることで、それ以降、その行動が増えることをいいます。例えば、ほめられたいからお手伝いをする、などです。また「負の強化」とは、不快なことを取り去ることを目的として、行動が強化されることです。例えば、悪いことをすると罰が与えられる状況で、罰を受けるのは嫌なので、それを受けないように正しいことをする回数が増える、といったことです。このオペラント条件づけを応用することで、特定の行動を形作ったり消去したりすることができます。子どものしつけなどはまさにこの働きを応用したものです。

また、この条件づけを利用した学習法に「プログラム学習*4」があります。これは、課題を小さなステップ（スモール・ステップ）に分割し、学習者が自分のペースで自発的に、即時のフィードバックを受け、結果をその場で検証することによって学習を進めていく方法です。

3 学習の条件

学習がどのような時に起こるかには、身体の状態や脳の働きなどの生理学的条件や、周囲の環境などの環境条件が関係しています。

特に、いわゆる「やる気」は重要な要因です。これは「動機づけ*5」の問題として研究されています。動機づけには、ごほうびがもらえるから勉強をするなど、行動の要因が外部にある「外発的動機づけ」と、好奇心や興味があるから勉強するなど、行動それ自体が目的で、行動の要因が内部にある「内発的動機づけ」があります。基本的には内発的動機づけを育てていくことが大事ですが、外発的動機づけも適宜利用するとよいでしょう*6。

「やる気」は、成功や失敗の原因が何に帰属するかによっても変化してきます*7。帰属する要因にはおおまかに分けて、「能力」「運」「努力」「課題の困難さ」があります。例えば、自分の成功を「能力」や「努力」に帰属すると自信が持ててやる気も出てきますが、「運」に帰属してしまうと自分の評価は上がりません。逆に失敗を「能力」に帰属す

*4 **プログラム学習**
R5年（前）

*5 **動機づけ**
R4年（後）　R5年（前）

*6 **アンダーマイニング現象**
R4年（後）
外的な報酬が内発的な学習意欲を低下させる現象のことです。

*7 **学習の条件**
R4年（前）
ワイナーの原因帰属とセリグマンの学習性無力感が出題されました。
原因帰属は、成功または失敗の原因を統制の位置（内的統制：自分の能力や努力など、外的統制：達成したい課題の難易度や運など）と安定性という2つの次元から説明しようとしたものです。
学習無力感とは、努力を続けても結果に結びつかず、努力をしても無駄だと感じることです。

ると、自信を喪失してしまうかもしれませんが、「努力不足」や「課題の困難さ」に帰属すると、自分の評価はそれほど下がりません。支援する立場としては、子どもの成功や失敗を何に帰属させるかという点にも注意を払いたいものです。

■ 欲求階層説

マズロー（Maslow, A. H.）は動機づけとなる人間の欲求を階層構造として理解する「欲求階層説」を提唱しました。マズローは人間の欲求は、低次の欲求である食欲、睡眠欲、排泄などの基本的な「生理的欲求」からはじまり、身体の安全や快適さを求める「安全の欲求」、集団に所属したいという「所属と愛の欲求」、さらにはその中で自分の存在と価値を認められたいという「承認の欲求」を経て、可能性を発揮し成長しようとする最も高次の「自己実現の欲求[*8]」にいたるとしました。そして、低次の欲求が満たされてはじめてその上の欲求が生起するとしました。これを学習の現場に置き換えれば、子どもにはまず低次の欲求を満足させ、その後により高次の方向に進んでいき、最終的には自己実現の欲求の充足に導くのが適切ということになります。

***8 自己実現の欲求**
こちらのピラミッドのように、自己実現の欲求は最も高次の欲求であるとされています。

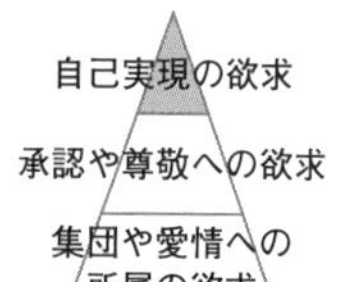

■ センス・オブ・ワンダー

レイチェル・カーソン（Carson, R. L.）は五感による自然との直接的なかかわりの中で、子どもが不思議に思ったり、感動したりすることをセンス・オブ・ワンダーと呼び、それを通じて子どものもっと知りたいという好奇心がうながされるとしました。

4 さまざまな学習

その他、次のような学習理論があります。

■ 試行錯誤学習[*9]

***9 試行錯誤学習**
R5年（前）

ソーンダイク（Thorndike, E. L.）は、ひもを引けば開く仕掛けのある箱の中にネコを入れました。すると、ネコはいろいろ試してみて、最後にやっと箱から出ることができました。このように、試行錯誤をして偶然正解にたどりつくことで、最終的に正解を学習することを試行錯誤学習といいます。

■ 社会的学習

社会的学習とは、他者からの影響によって思考や行動の形成及び変容が起こることです。これには、例えば他者の行動を模倣（モデリング）する「観察学習」などがあります[*10]。お兄さんが悪いことをして叱られるのを見て、弟が悪いことをしなくなったり、TVの暴力的な番組を見て、攻撃的な行動パターンを学ぶことなどです。乳幼児期はまだものごとに対する評価の能力が未熟で、好ましくない学習をしてしまうこともありますので、気を付けたいものです。バンデューラ（Bandura, A.）の、子どもの攻撃行動の観察学習の実験[*11]が有名です。

また、さまざまな場面で他者と自分を比べることを社会的比較といいます。自分より上のレベルとの比較を上方比較、下のレベルとの比較を下方比較といい、自己概念の形成に影響を与えることがあります。それらが過度の劣等感や優越感につながらないようにしましょう。

子どもは模倣しながら学ぶ

バンデューラは子どもの学習には直接自ら学ぶ「直接学習」と他者がしている行動から学ぶ「観察学習」があるとしました。すでに解説したように、子どもに攻撃的な映像を見せただけでも、その後に攻撃的な行動を模倣する傾向があることがわかっています。テレビの長時間の視聴が子どもの生活習慣に悪影響を与えることを示した実験もあります。

どのような番組をどれくらいの時間見せるのか、といったテレビとの付き合い方は家族への保育支援という意味でも気を付ける必要があります。どのような内容の映像を見せるかによっても子どもの発達に影響すると考えられますが、特に攻撃的な映像は子どもに悪影響をもたらすことがわかっていますので気を付ける必要があります。

*10 **モデリング**
R5年(前)　R6年(前)

*11 **バンデューラの子どもの攻撃行動の観察学習の実験**
R5年(後)
子どもたちを2つのグループに分け、①実験群の子どもたちには大人が風船の人形に乱暴しているのを見せ、②統制群の子どもたちには普通に大人が遊んでいるのを見せます。その後、子どもたちを一人ひとりその部屋に入れると①の実験群の子どもたちの方がはるかに攻撃性を示しました。この結果は、子どもたちが大人の行動を観察学習したことを示しています。

*12 洞察学習
R5年（前）

*13 メタ認知
R4年（前）

*14 学習の転移
R5年（後）

*15 ピグマリオン効果（教師期待効果）
R5年（前）

*16 ハロー効果（光背効果）
R5年（前）

■ **洞察学習**[*12]

洞察学習とは、自分のおかれた状況や過去の経験を統合することによって一気に認知の変化が起こり、解答にたどりつく高度な認知的学習です。ケーラー（Köhler, W.）のチンパンジーを用いた実験が有名です。チンパンジーは天井の高い場所からぶらさがったバナナを取るという課題において、しばらく考え込んだあげく、周りにあった箱をバナナの下に持ってきてその上に乗り、棒を使って取ることを思いつきました。箱の上に乗ったり、棒を使ったりした経験の有無が重要であり、試行錯誤せずに、問題場面の事態をじっくりと観察することで問題を解決するという学習です。条件づけだけではこのような行動は起こりません。

■ **メタ認知**[*13]

メタ認知とは、いわば「もう一人の自分」がいて、客観的に現在の自分の思考や行動を対象化して認識・監視・調整する能力です。メタ認知は幼児期後半から徐々に発達し、これが伸びてくると、計画に沿った行動などができるようになります。たとえば、「自分は何の知識が足りないか」とか「自分が今やるべきことは何か」「この目標を達成するには自分は何をすべきか」といったことを考え実行できるようになります。

■ **学習の転移**[*14]

以前の学習が後の学習にプラスまたはマイナスの影響をもたらすことです。前者は正の転移、後者は負の転移といいます。

■ **ピグマリオン効果（教師期待効果）**[*15]

子どもに対する教師の期待が子どもの態度や行動に影響を及ぼして、教師の期待した方向に変化させる現象のことです。

■ **ハロー効果（光背効果）**[*16]

人物評価を行う際に、初めに一部のよい特性に注目すると全体的によい評価をしてしまう人物評価のゆがみのことです。その逆の現象もあります。

■ スキーマとスクリプト[*17]

スキーマとは知識や経験のまとまりのことをいいます。たとえば、鳥のスキーマとは多くの人にとって、「顔にくちばしがあり、身体が羽毛で覆われており、翼を持っていて、空中を飛行する」ということでしょう。このスキーマのおかげで、初めて見る種類の鳥を前にしても、「これは鳥だ」と判断できますし（同化）、また例外的な種類の鳥、たとえばペンギンを見て新たに「空を飛ぶことはできないが、泳ぎが得意な鳥もいる」などと知識を複雑化、深化させることもできます（調節）[*18]。

スクリプトは上記のスキーマを時系列に並べるなどして、一連の構造にしたものです。これにより次の場面や行動を予測しやすくなり、円滑かつ適切に自分の行動を調整したり他人の行動を予測したりできます。

○ レストランのスクリプトの例

店に入る→テーブルに着く→メニューを見て注文する→食べる→レジのところに行く→会計をする→店を出る

スクリプトは文化によって異なる場合があり、たとえば海外のようにテーブルで会計をすることが一般的な場面では、このスクリプト通りに行動すると、かえって戸惑ったりすることもあります。

■ 正統的周辺参加[*19]

コミュニティへの参加の度合いを増すことが学習となるという考え方のことで、レイヴとウェンガーが提唱しました。

例えば、新入園児はクラスに溶け込み、その一員となっていく過程で、その保育所やクラスの行動様式を徐々に学び、身につけていきます。

*17 **スキーマとスクリプト**
R5年（前）
1歳児の食事場面のスクリプトについて出題されました。

*18 **同化と調節**
R4年（後） R5年（前）

*19 **正統的周辺参加**
R5年（後）

5 遊びの発達

年齢による遊びの内容の発達（遊びの社会的参加の分類）は、認知能力や運動能力の発達を反映しています。例えば、幼児期にみられる「ごっこ遊び」は物を何かに見立てる表象能力[*20]の発達を反映しています。そのため、言語の発達が著しい幼児期を通じて起こります。例えば、実際には砂であるものを「ご飯」として遊ぶことができるわけです。年齢が進むと、その表象（イメージ）を友達と共有して複雑なごっこ遊びをすることも可能となります。

ココが出た！

*20 **象徴機能**
R5年（後）
ものを何かに見立てる働きのことで、表象と同じ意味で使われます。

パーテン（Parten, M.B.）は遊びの発達を以下の表のような段階でとらえましたが、保育所では0歳児でも環境次第では豊かに遊ぶことが確かめられています。

ただし、遊びは必ずこのような順番で発達するわけではありませんし、一人遊びが協同遊びや連合遊びより未熟な形態というわけでもありません。他者と遊べない場合は一人遊びになることもありますし、一人でも高度な活動をしている場合もあります。また、子どもは他の子どもとの遊びを通して、ルールを守ることの意義を自覚したり、自立に向けての経験を積み重ねていきます。

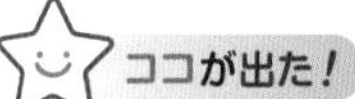

ココが出た！

*21 **パーテンの遊びの発達**
遊びの発達の段階
R4年（後）　R5年（前）

○ パーテンによる遊びの発達の段階[*21]

一人遊び（2～3歳から）
ほかの子がそばで遊んでいても無関心で一人で遊びます。
傍観（2～3歳から）
ほかの子の遊びに関心は示しますが、加わろうとせずじっと見ています。
並行遊び（2～3歳から）
ほかの子の近くで全く同じ遊びをしていても、子ども同士に交流はありません。
連合遊び（4～5歳から）
ほかの子と一緒に遊びますが、まだ全体にまとまりがありません。
協同遊び(4～5歳から)
集団で共通の目的を持って遊びます。役割分担もできてきます。

並行遊び
もっと高く
したいなあ
連合遊び
お城
つくるんだ！
ケーキ
つくろう
協同遊び
トンネル
つくって
わかった

理解度チェック　一問一答

全問クリア　月　日

Q

□ ❶ 病院で、注射の痛みで泣く経験をした子どもが、医者が着ている白衣に似たものを見ただけで泣き出すことは古典的条件づけ（レスポンデント条件づけ）の例である。 R5年（後期）

□ ❷ 学習の転移とは、ある学習をしたことがその後の別の学習に影響することである。 R5年（前期）

□ ❸ バンデューラ（Bandura, A.）は、経験をしていなくても他者の行動を観察するだけで学習者の行動が変化するというモデリング（模倣）を提唱した。 R6年（前期）

□ ❹ メタ認知とは、目標達成のために現在の自己の状態を監視・調整するモニタリングや、それに伴う感情体験なども含まれる。 H31年（前期）

□ ❺ ワイナー（Weiner, B）は、失敗や成功の原因をどのように捉えるのか、つまり原因帰属によって動機づけが異なることを明らかにした。 R4年（前期）

A

❶ ○ パブロフが提唱した条件反射のメカニズムによって行動の変化を説明する理論である。

❷ ○ 正の転移と負の転移がある。

❸ ○ この学習様式は観察学習ともいい、子どもの攻撃的な行動パターンの観察学習の実験が有名である。

❹ ○ 幼児期後半から徐々に発達し、忘れ物をせずに帰り支度ができるなど、プランに添った行動を可能にする。また、それに伴う感情体験、たとえば「忘れ物をしたら怒られて嫌な思いをするだろうな」といった思考ができる。

❺ ○

4 子ども家庭支援の心理学 (1) 生涯発達

頻出度

かつては、発達は大人になるまでの過程ととらえていましたが、現在では人間は生涯を通して変化・成長を続ける、という生涯発達の考え方が主流となっています。ここでは、生まれる前の母親の心理から始めて、それぞれの発達段階の特徴と問題点を見ていきましょう。また、特に発達初期の愛着の問題は、その後の発達に大きく影響するものとして、現在注目されています。

愛着・初期経験

用語解説

＊1 特定妊婦
児童福祉法で「出産後の養育について出産前において支援を行うことが特に必要と認められる妊婦」と定義されており、知的・精神的障害などで育児困難が予測される場合や、若年妊娠、貧困などの事情を抱えている場合などが該当します。

胎児・新生児に対する母親の影響

特定妊婦[＊1]として認められるような場合以外にも、胎児・新生児に影響を与える母親の健康や心理的な要因は数多くあり、それらを理解しておくことは保育者としても大切なことです。

1 胎児期の成長と障害

■ 胎児性アルコール症候群

胎児性アルコール症候群（FAS：Fetal Alcohol Syndrome）と

は、妊娠中の母親の習慣的なアルコール摂取によって生じると考えられている先天性疾患の一つで、神経系脳障害の一種です。妊婦のアルコールの量と頻度により、生まれてくる子どもに軽度から重度に及ぶ知的障害が現れることがあります。主な障害は知的障害、小頭症や頭部・顔面の形成不全、手足や心臓の部分欠損や発育不全などです。

■ **妊娠中の喫煙の胎児への影響**

妊娠中の喫煙が多いほど、自然流産、早産、先天異常、生後の発育不良などの危険度が高まります。

2 産後の母の心の病

出産は母親にとってうれしい経験であると同時に、それに伴う苦痛や新しい経験に対しての不適応など、多大なストレスをもたらします。さらに、体調の変化も影響し、出産に伴ってさまざまな精神症状が出現することがあります。代表的なものとして以下のものがあります。

■ **マタニティ・ブルーズ***2

産後2～3日目に、わけもなく涙もろくなり、他者のちょっとした言葉が気にさわって悲しくなることがあります。ホルモンバランスの急激な変化が自律神経系に影響し、感情の変化として本人の自覚のあるなしにかかわらず出現します。ピークは産後2～3日目で、産後1か月くらいで自然に消失します。特別な治療は必要ないとされています。

■ **産後うつ（産褥（さんじょく）うつ）***3

産後うつはうつ病の一種です。出産後のホルモンバランスの乱れにより誘発されるものと考えられています。わけもなくゆううつになってすぐに泣いたり、食欲不振、不眠、倦怠（けんたい）感などの症状が現れます。また、自責の念や自分は母親失格であるといった深刻な思いにかられることもあります。多くは産後4週間程度経ってから不調になり始め、産後約3か月～1年程でよくなっていきますが、本格的なうつ病となり何年も継続する場合もあります。薬物療法など

*2 **マタニティ・ブルーズ**
R5年（前）
過去には妊婦の抑うつが子どもの死産、早産、低体重出生のリスクになること、授乳中の母親への向精神薬の投与には、子どもへの大きな影響がないことなどが出題されました。

*3 **産後うつ病**
R6年（前）
EPDS（エジンバラ産後うつ病質問票）は、10項目で構成される自己記入式質問紙で、産後うつ病のスクリーニングに用いられます。

医療的な対処が必要です。

■ 産褥期精神病

会話が支離滅裂になり、不眠や妄想、幻覚などが現れます。落ち着きを失い、気分に安定がみられなくなり、突如として笑ったり、泣き出したりすることもあります。興奮から錯乱状態を引き起こし、最悪の場合は自殺や嬰児殺しに至ることもあります。薬物療法など医療的な対処が必要です。

*4 社会的参照
R5年（後）
乳児が信頼できる大人の表情を見て自らの行動に適用することをいいます。

胎児期・新生児期・乳児期*4 の特徴

1 身体的特徴

大人の脳の重量は男性で1,450g、女性で1,300gほどですが、受精後４か月ほどでは約20～30gくらいです。その後、胎内で急激に脳の重量は増加し、誕生直後には400g程度になっています。その後も重量は増えますが、１歳半から２歳頃にかけて徐々に増加の速度はゆっくりとなり、４歳～５歳ほどまでで大人の脳の重さの90%程度に達します。

新生児期（誕生から４週目頃まで）は終始ほとんど眠っており、睡眠時間は17時間にも及びます。この時期は短時間で睡眠と覚醒を繰り返すため、ていねいな養育が必要な時期でもあります。覚醒の時間はほとんどが授乳や排泄、入浴等に費やされ、泣いていることがほとんどですが、わずかに一人遊びの時間もみられます。

*5 低出生体重児
R5年（後）
低出生体重児とは、出生体重が2,500g未満の子どもをいいます。1,500g未満の子どもは極低出生体重児、1,000g未満は超低出生体重児といいます。

生後は体重*5 わずか3,000gで身長は50cm程度ですが、乳児期の１年ほどで体重は３倍の9,000g、身長は1.5倍の75cm程度に成長します。

感覚器官は誕生直後から比較的よく発達しており、以下のような特徴がみられます。

■ 聴覚

胎児期の頃より発達しており、すでに母親の声をはじめとする外界の音を聞いているといわれます。また、新生児期には物音に驚いてびくっとする驚愕反射もみられることから、音は十分聞き取れていると思われます*6。

■ **視覚**

新生児は、周囲はぼんやりと見え、目の前から数10cmの物体を見つめることができます。動くものに対して首を動かすなど追視をするような動作もみられます。また、生後４か月頃には、赤、黄、緑、青を異なる色として認識できるようになります*7。

■ **味覚と嗅覚**

母乳とミルクの味を好き嫌いの形で区別するなど、新生児期にも一定の味覚はあるようです。またそれに伴って、母乳や母親のにおいなども感じていると推定されます。

*6 **聴覚的選好**
R6年(前)
乳児の音の好み(聴覚的選好)を調べた結果、マザリーズ(育児語)のような抑揚のある高い音域の声により反応することがわかっています。

知っトク

*7 **視覚と初期模倣**
メルツォフ(Meltzoff, A.N)とムーア(Moore, M.K.)は、生まれて間もない新生児期においても、視覚的に捉えた相手の顔の表情を、「舌の突き出し」や「口の開閉」など、視覚的に捉えられない自己の顔の表情に写しとることなどで、他者の表情をいくつか模倣できることを示しました。新生児模倣とも呼ばれます。

2 新生児期にみられる原始反射

新生児には外部からの刺激にとっさに反応する機構が生得的に備わっています。このような運動のことを原始反射といいます。生命を維持するための基本的な動作や、進化上、下等な動物であった時代のなごりと思われるものがあります。ほとんどのものは成育するにつれて消失しますが、次の段階への足がかりになると考えられるものもあります。また、原始反射の種類については、科目「子どもの保健」で詳しく解説しています。

3 エントレインメント

エントレインメント*8は「引き込み現象」ともいわれ、生まれて間もない時期からみられる保育者と子どもの間の同調的な相互作用のことです。例えば、保育者が語りかけると、子どもはそれに反応するように手足を動かしたり、声を出したりします。また、保育者も子どもの動きや発声にタイミングよく応答します、こういった相互の同調的なかかわり合いは、その後の保育者と子ども、ひいては社会

*8 **エントレインメント**
R5年(後)

性を身につける上での基盤となります。

𝄞♪幼児期の特徴

*9 **幼児図式**
R5年（後）
幼児の外見を大人と比較した図のこと。幼児は大人に比べて丸く大きな頭部など外見の特徴があり、養育者にかわいさを感じさせ、養育行動を促すとされます。

*10 **エリクソン**
エリクソンについては199ページも参照してください。

幼児期（1～6、7歳）*9 は身体的な発達のみならず、基礎的な生活習慣、言葉、対人関係などの社会的な発達が著しい時期です。保育士の試験においては中核的な部分といえますが、それだけに出題内容も豊富かつ多岐にわたっています。このテキストで解説している専門用語などをきちんとおさえ、あわせて、問題への対処法などについて理解しておくとよいでしょう。

■ 幼児期の発達課題

エリクソン*10 は幼児期を前期と後期に分け、それぞれの心理社会的危機を「自律性 対 恥・疑惑」「自主性 対 罪悪感」としています。自律性は、自分の身の回りのことを自身で行うということで、例えば食事、睡眠、衣服の着脱、排便などの基本的なことです。周囲に不適切な対応を受けた場合は、恥の感覚を強く持つようになったり、自分に疑惑（自分に自信がもてない）を抱いたりすることがあります。また、自主性は、自分のことは自分自身で行うという自主独立の志向ですが、周囲がそれに対して懲罰的にふるまうなどすると、自主性を発揮することに対して罪悪感を感じたりします。

2～3歳頃に、何に対しても「イヤ」と言って反抗する、いわゆる第一次反抗期がみられることがありますが、これは自律性や自主性が育ってきた証拠です。

保育園や幼稚園に入ると、多くの他の子どもたちとかかわりを持つようになり、周囲の人の行動や社会生活に興味を持つようになります。人まねなどもするようになり、遊びも子ども同士で協力が必要なものや、いわゆる「ごっこ遊び」などをするようになります。これは、頭の中の想像で何かに見立てる能力（表象機能）が育ってきたということであり、言語の発達と同調しています。

児童期の特徴

児童期は就学が始まる時期であり、学業や人間関係など、いろいろな問題が表面化する時期でもあります。また、小学校高学年になると、第二次性徴が起こり、思春期にさしかかる子どもも出てきます。児童期に特有の人間関係などについておさえておきましょう。

1 児童期の発達課題

エリクソンによれば、児童期の心理社会的危機は「勤勉性 対 劣等感」であり、就学により規則や指導にしたがいいながら、勉強やスポーツをこなしていきます。他者との関係で社会的比較をしながら、うまくいった場合は優越感を抱く一方で、失敗や挫折を経験すると劣等感におちいる場合もあります。

■ トマスの気質の分類[*11]

トマスらは、9つの気質を5段階で評価し、各基準の評価の組み合わせによって、扱いやすい子、扱いにくい子、順応が遅い子、平均的な子の4タイプに分類しました。

*11 **トマスの気質の分類**
R6年(前)

2 ギャングエイジ

ギャングエイジとは、排他的な遊び仲間を求める児童期のうちの一時期のことをさします。幼児期の友人関係は継続性がありませんでしたが、学齢期に達すれば、友人関係は固定化し、継続性が出てきます。この時期の中期頃に形成される凝集性の高い集団をギャング・グループ[*12]と呼び、特に男児の間でよくみられます。

この年齢の友人関係は、他の世代を寄せ付けず、また同世代であっても特に認めた相手にしか友人関係の門戸を開きません。そして、友人関係に迎え入れるにあたっては、儀式などを行い（入会儀礼）、自己犠牲的な友情を要求します。このような人間関係の中で子どもは必要な生活上の

ココが出た！

*12 **ギャング・グループ／チャム・グループ**
R4年(後) R5年(前) R6年(前)

技能や、対人関係の技術を学んでいきます。

やがて思春期に達すると、関心の対象は内面の世界に移行し、ギャングエイジは終わります。ギャングは単に徒党、仲間の意であり、犯罪集団という意味はありません。最近はギャングエイジ的な体験を十分しないまま、思春期を迎える傾向が強くなっているといわれています。

なお、男児によくみられるギャング・グループに対し、女児によくみられるものとしてチャム・グループがあります。小学校高学年から中学生くらいにみられるグループで、同じ服装をしたり、同じアイドルを好きになるなど同一の行動が好まれる一方で、異質のものが排除される傾向にあります。

また、個人として互いを尊重し異質性を認めた上で形成されるものをピア・グループといい、高校生くらいからみられるとされています。

青年期と成人期、老年期の特徴

青年期以降の時期は、基本的には保育士が扱う対象とはいえない面もありますが、生涯発達の枠組みの中で、これまでも出題される例がありました。青年期以降の時期についての内容も除外せずにおさえておきましょう。

*13 **青年期の発達課題**
R5年(後)
青年期の発達課題は同一性の獲得ですが、形式的操作期や熟達化の用語も一緒に覚えておきましょう。

1 青年期の発達課題*13

自己同一性（セルフ・アイデンティティ（Self Identity））とは、自分は何者であり、何をなすべきかという個人の心の中に保持される概念です。時にはアイデンティティもしくは同一性といわれることもあります。エリクソンによる言葉で、この確立が青年期の発達課題です。

青年期は、「自分とは何か」「これからどう生きていくのか」「どの職業が自分に向いているのか」「社会の中で自分なりに生きるにはどうしたらよいのか」といった問いを通して、自分自身を形成していく時期です。この自己同一性を確立するために、一時的に社会的な義務や責任を猶予されている期間をモラトリアム*14と呼びます。自己同一性の確立がうまくいかない場合、自己同一性が混乱したり、反社会的な人間となるなど不適切な自己同一性を形成したりすることもあります。

現代は価値観が多様化し、就職先の選択なども困難になっています。そのため、定職につかずにフリーターやパラサイトシングル*15の状態で長く過ごす若者が増加するなど、自己同一性の確立が困難な時代ともいえます。

また、アイデンティティは単純に未確立の状態から確立へと移行するだけでなく、いくつかの状態があることがわかってきました。例えば、マーシア（Marcia, J. E.）はエリクソンの危機の概念と、現在の状態への積極関与を組み合わせて、アイデンティティの状態には、「アイデンティティ達成」「早期完了（権威受容）」「モラトリアム」「アイデンティティ拡散」の４つの種類があるとしました。その中でもアイデンティティ拡散はさらに、危機を経験していない「危機前」の状態と、経験したにもかかわらず確立していない「危機後」の状態があります。これらはアイデンティティ・ステイタス*16と呼ばれています。

アイデンティティ・ステイタスの４つの状態

アイデンティティ達成	モラトリアム
アイデンティティの探求経験：あり 関与の度合い：積極的 自分にとって意味ある危機を経験し、自分の信念に基づいて行動している	アイデンティティの探求経験：経験中 関与の度合い：あいまい 危機の最中で、まだ、自分の信念や価値観に基づいた行動をしようとしている
早期完了	**アイデンティティ拡散**
アイデンティティの探求経験：なし 関与の度合い：積極的 積極的に関与しているが、幼児期の体験を補強するものに過ぎない。危機は経験していない状態	アイデンティティの探求経験：あり or なし 関与の度合い：なし これまでの探求の結果、特定の信念や価値観への積極的な関与をやめた状態、もしくは探求の経験がなく特定の職業や信念にも関与したことがない状態

青年期の前期の思春期は個人同士が情緒的・内面的に強く結びついた友人関係が中心となります。このことは、家

＊14 モラトリアム
もとは支払いや決済の猶予といった経済学の用語でしたが、「自己同一性を確立し、社会に出て独り立ちすることを一時的に猶予されている状態」という意味でエリクソンによって心理学に導入されました。最初は社会的に認められた猶予期間ということで肯定的に用いられていましたが、現在では否定的な意味で用いられることもあります。

用語解説

＊15 パラサイトシングル
学業を終えた後もなお親と同居し、基礎的生活条件を親に依存している未婚者のこと。ひきこもりや未成熟などの心理的な背景と、晩婚化や就職難など社会的・経済的な背景があると考えられています。

＊16 アイデンティティ・ステイタス
R5年（後）　R6年（前）

庭や親からの独立を促進することにもなり、いわゆる心理的離乳をうながします。しかし、その独立の過程の否定的な側面が強調されると、親への反抗といった行動につながります。これは第二次反抗期などと呼ばれます。

2 若い成人期の発達課題

エリクソンによると、若い成人期の心理社会的危機は「親密 対 孤立」です。20代から30代にかけての若い成人期は就職や結婚という形で、家族以外の他者に対して性的、情緒的、道徳的親密感を持ちながら、親密な人間関係と家庭を作り上げていくことが課題となります。それがうまくいかない場合、職場の同僚、友人、異性とうまく関係が結べず、孤独感が生じることがあります。

また、職場などで過度の頑張りにより消耗し、挫折した結果起こる「燃え尽き症候群*17」などもみられます。

3 成人期（中年期）の発達課題

40代から50代のいわゆる中年期は、体力や気力の減退、結婚や離婚、子どもの成長と自立、夫婦関係の変化、親の老化と介護、昇進や配置換えなど社会的地位と責任の変化など多くのライフイベントが発生する起伏の大きい時期です。仕事と生活の両立と調和（ワーク・ライフ・バランス）も求められます。また、社会環境や経済情勢の変化が大きい現代社会では、青年期に獲得した社会的アイデンティティを中年期を通じて維持することが困難なことも少なくありません。特に最近は終身雇用制が崩れ出し、常にリストラの危険にさらされ、年功序列による賃金制度や昇進制度もあいまいになり、中年期の心理的・経済的な安定が必ずしも保証されなくなっています。そこで、これまではあまり問題にならなかった、中年期のアイデンティティの問題が生起してくることもあります*18（中年の危機、アイデンティティの再構築*19）。例えば、子育てにのみ生きがいを見出

用語解説

＊17 燃え尽き症候群
一定の職務に邁進し献身的に努力した人が、期待した報酬が得られなかったり、充実感が感じられなくなったりした結果、急性的に徒労感や無力感におちいり、社会的に機能せず、燃え尽きたような状態になってしまうことです。反応性のうつ病とも考えることができます。

＊18 アイデンティティの再構築
R5年（後）

＊19 ソーシャル・コンボイ
R5年（後）　R6年（前）
個人が有する社会的ネットワークのことで、身近で日頃から頼りにしている人との関係をどのように維持するのかという観点でモデル化されたものです。

してきた母親は子離れがうまくいかず「空の巣症候群[*20]」といわれる一種のうつ状態などになることもあります。また、リストラなどによるアイデンティティの喪失やそれに伴ううつ状態への移行などで、自殺なども多い時期です。

エリクソンは成人期の心理社会的危機として、「生殖性 対 停滞」を提起しました。生殖性とは生物学的な意味では子孫を生み育てる行為ですが、ここには社会的な意味も含まれ、例えば職場などで後輩や部下などを指導し育成することなどもそうです。それがうまくいかない場合は、関心が社会的なものや次世代に広がっていかず、物質的なものにこだわり過ぎたり、自分の健康などにしか興味・関心がなくなってしまいます。

4 老年期の発達課題

老年期は、人生における他の時期と連続性を持った最終段階として存在しており、心理社会的には、それまでの各発達段階の課題がいかに解決されたかによって大きく影響されます。

エリクソンは老年期の心理社会的危機として、「統合性対絶望」を提起しました[*21]。老年期は、心身の健康[*22 *23]、経済的基盤、社会的役割、生きがい、子どもの独立、友人・配偶者との別れ、そして死など、さまざまな喪失の時期でもあります。この老年期を充実したものにするためには、老いを自覚し、受容し、適応するという過程が必要です（サクセスフル・エイジング[*24]）。

しかし、この現実の老いに対する受容ができないと、人生をやり直す時間がないために悲観的になったり抑うつ状態になったりして、絶望的に人生を過ごすことになります。自分の人生を振り返って、それなりに完結し意義のあるものとしてとらえることができ、大きな時間の流れの中に自分を位置付け、次世代に安心して今後をゆだねることができるような境地が望ましい「統合」の状態といえるでしょう。

用語解説

*20 **空の巣症候群**
40～50代の女性にみられる抑うつ症状です。子育て期間が終わり、子どもが家を巣立っていったことをきっかけに、生きがいを失ったような状態で発症することが多いので、このように呼ばれます。

ココが出た！

*21 **老年期の発達課題**
R5年(後)
老年期の発達課題は自我の統合です。

*22 **フレイル**
R6年(前)
健常な状態と要介護状態の中間の状態のことです。高齢者は筋力が衰える「サルコペニア」という状態を経て、フレイルとなり、要介護状態にいたるとされています。

*23 **結晶性知能と流動性知能**
R5年(後)
結晶性知能とは、経験や学習などによって獲得される知能で、言語能力や理解力などがあてはまります。図形処理能力などを含む流動性知能に比べると、加齢による能力の低下が少ないといわれています。

*24 **サクセスフル・エイジング**
R4年（前）　R5年（前）

*25 **ポルトマン**
R4年（前）

用語解説

*26 **離巣性**
比較的長い妊娠期間を経て脳が発達した状態で生まれ、子どもがすぐに親と同じような行動がとれるなどの特徴を持ちます。ウマやサルなど比較的高等な哺乳動物がこれに該当するとされています。

用語解説

*27 **就巣性**
妊娠期間が比較的短く脳が未成熟で生まれてくること、多数の子どもが一度に生まれることなどの特徴を持ちます。ネズミやウサギなど、比較的下等な哺乳動物がこれに該当するとされています。

*28 **愛着理論**
R5年（前）　R6年（前）
理論の内容などについて出題されています。R6年（前）では、行動制御システムについて出題されました。

初期経験の重要性

人間が誕生した直後の新生児期から乳児期は、人生の中で最も重要な時期の一つといえます。この段階では、手厚い養育のもとに保護者としっかりとした愛着関係を形成することが必要ですが、もしそれが欠けてしまった場合、さまざまな問題が発生します。いくつかの用語や事例をもとに、そういった初期経験の重要性をおさえましょう。

1 生理的早産

ポルトマン（Portmann, A.）*25 による概念で、人間が生理的に未発達な状態で生まれてくることをいいます。哺乳動物は離巣性（りそうせい）*26 と就巣性（しゅうそうせい）*27 の２つに大きく分けることができます。高等哺乳動物である人間は離巣性に属しているはずですが、感覚器官はよく発達しているものの、運動能力が未熟な状態で生まれてきます（二次的就巣性）。これは、本来21か月程度で誕生すべきところが、二足歩行によって産道が狭まったこと、及び、頭脳の発達に伴い頭が大きく進化したことなどの理由で、未熟な状態で生まれてくるためだとポルトマンは考えました。また、この未熟な時期に保護者と緊密なやり取りをすることによって、必要な技能や知識を学んだり、しっかりとした愛着関係が形成されていったりすると考えられています。

2 ボウルビィの愛着理論

子どもは社会的、精神的発達を正常に行うために、少なくとも一定の養育者と親密な関係を維持しなければならず、もしそれがない場合は、社会的、心理学的な問題を抱えるようになるとする理論です。愛着理論*28 は、心理学者であり精神分析学者でもあるボウルビィ（Bowlby, J.）によって確立されました。

ボウルビィは愛着の発達段階を次のように区分していま

す。

■ **第1段階（誕生から12週）：人物を特定しない働きかけ**

無差別に、周囲の人間に興味を持ち働きかける段階です。

■ **第2段階（6か月頃まで）：差別的な社会的反応**

特定の人物（特に母親など）に対して関心を示すようになる段階です。人見知りが見られるようになるのは、6か月以降になってからです[*29]。

■ **第3段階（2歳頃まで）：真のアタッチメント形成**

特定の人物に対しての愛着が強まり、逆に見知らぬ人に対しては警戒したり不安を感じるようになる段階です。アタッチメントが形成されていると、次のような行動がみられるようになります（アタッチメントによる行動制御システム）。特定の人物（特に母親など）をよりどころ、すなわち安全基地として外界に興味を持ち、一定の範囲で探索行動を行い、不安があれば安全基地に戻ってきます。

■ **第4段階（2歳以降）目標修正的協調性**

特定の人物（特に母親など）がいなくても、情緒的な安定を保てるようになる段階です。特定の人物を独立した対象として認識し、その行動や目的も予測できるようになるため、その場にいなくても安心できるわけです。

なお、移行期と呼ばれるこの時期に、特に不安が高まった時に抱きしめたりする、ぬいぐるみ、毛布、タオルなどのことを「移行対象」といいます。

ボウルビィは非行少年などの研究から、幼年期におけるこうした愛着形成がその後の心身の発達に重要であることを見出しました。特定の人物とのかかわりは、やがて内的ワーキングモデル[*30]を形成し、自分自身や自分を取り巻く人々、世界についての理解や解釈、行動パターンなどを規定していくのです。ボウルビィはこうした母性的な愛着形成が阻害されている状態を母性剥奪（はくだつ）（マターナル・デプリベーション）と呼びました。

幼年期に長期にわたって条件の整わない病院や施設で暮

知っトク

*29 **8か月不安**
スピッツ(Spitz, R.A)は、見慣れた人と見知らぬ人を区別し、見知らぬ人があやそうとすると視線をそらしたり、泣き叫ぶなど不安を示す乳児の行動を「8か月不安」と呼びました。

用語解説

*30 **内的ワーキングモデル**
愛着の対象となる保護者等から受けた養育経験が、その後の他者との関係構築の基礎となるという考え方です。つまり、幼児期に適切な愛着形成が得られないと、幼児期以降の人間関係を上手に構築することが難しくなる可能性があります。

らしているため、愛着の形成が阻害され、心身の発達に影響が出ることを以前はホスピタリズム（施設病）ということもありました。ただし、家庭で育てられても、育児放棄や虐待などのために、母性剥奪の状態になり、結果として同様の障害がみられることもあります。

人見知りは親子の愛情の絆の証

人見知りがある子どもは、他者に対して抱っこされることを嫌がったり泣いたりするため、親にとってはヒヤヒヤしてしまうことがありますが、実はこの人見知りというのは、親と子どもの間に愛情の絆が形成され、他者と養育者とを区別することができたことを示すものです。人見知りというのは親子の愛着の形成の証でもあるのです。

＊31 **インプリンティング**
R5年（前）
「成育初期に与えられたある種の経験が、後年の生理的・心理的な発達に消しがたい行動を形成させる期間として、臨界期の存在を明らかにしたのは誰か」という問題が過去に出題されました。

3 インプリンティング（刷り込み、刻印づけ）＊31

生まれたばかりの鳥類が孵化して最初に見た動くものを親と認識するなど、一定の外部刺激が特定の行動パターンを誘導する現象をインプリンティング（刷り込み、刻印づけ）といいます。オーストリアの動物学者ローレンツ（Lorenz, K. Z.）による実験で明らかにされました。鳥類のインプリンティングは孵化後十数時間以内に起こり、成鳥になってもそれが消失しません。教育にはそれにふさわしい時期があり、それを逃すと変化しにくくなるという、いわゆる臨界期の例です。人間にインプリンティングがあるかどうかは確かめられていません。

4 アカゲザルの実験

ハーロウ（Harlow, H.F.）の実験では、生後間もないアカゲザルを母ザルから引き離し、母ザルの代わりに、哺乳瓶をつけられるようにした金網製の人形と、毛布でできた人形の２つを置きました。その結果、どちらから授乳を受けるかに関係なく、子猿はミルクを飲む時以外、毛布の母親にしがみついて過ごし、時にはそれを拠点としてさまざまな探索行動をとりました。また、不安や恐怖を感じるような状況になると、毛布の母親にしがみつきました。これは、密接な身体接触による快感が愛着の形成にとって重要であることを示しています。

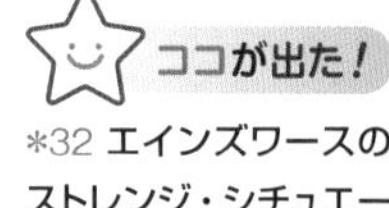

*32 エインズワースのストレンジ・シチュエーション法
R5年（前）

5 ストレンジ・シチュエーション法*32 （新奇場面法）

ストレンジ・シチュエーション法とは、ボウルビィの愛着理論に基づき、1960年代以降、エインズワース（Ainsworth, M. D. S.）により開発された母子関係に関する実験観察法のことです。実験室において、母子同室の場面、見知らぬ女性の入室場面、母親の外出・見知らぬ女性との同室場面、母親との再会場面などを経験させます。その状況において、新奇な場面や母親との再会にも無関心な回避的行動を示す不安定な愛着のAタイプ（回避群）、母親を求めて感情的な行動を取り母親との再会で落ち着く安定した愛着のBタイプ（安定群）、いつまでも機嫌が直らない不安定な愛着のCタイプ（アンビバレント群）などがあります。回避型とアンビバレント型をとる子どもには愛着関係（アタッチメント）の形成に問題があることが多いとされています。なお、愛着のタイプはのちに母親と再会したときに立ちすくんだり、顔を背けて接近するなど、反応に一貫性が見られない状態を示すDタイプの無秩序型が追加されました。

◯ ストレンジ・シチュエーション法

Aタイプ：回避型
母親との再会を喜ばず、愛着形成が不安定な状態。

Bタイプ：安定型
母親との分離で混乱し再会によって落ち着く愛着形成が安定している状態。

Cタイプ：アンビバレント型
母親との分離に混乱し、さらに再会した後も落ちつかず攻撃的になる愛着形成が不安定な状態。

6 適切な養育がなされなかった場合*33

乳幼児期に適切な養育がなされない場合、その後の発達においてさまざまな問題が現れることがあります。また、前述の臨界期のように、適切な時期に教育が行われない場合、後で遅れを取り戻そうと思っても困難であるといったことも考えられます。

知っトク

*33 **大人の愛着関係**
アダルト・アタッチメント・インタビューは、成人期のアタッチメント（愛着）の測定方法です。

理解度チェック 一問一答

全問クリア 月 日

Q

□ ❶ 結晶性知能は、語彙や社会的知識に代表されるもので、学習経験の影響を相対的に受けやすいとされる能力であり、高齢期に至るまで、緩やかに増加する。 R3年（後期）

□ ❷ 産後うつ病のスクリーニングに用いられるEPDS（エジンバラ産後うつ病質問票）は、10項目で構成される自己記入式質問紙である。 R6年（前期）

□ ❸ 養育者からの呼びかけに対して、乳児がリズミカルに体を動かし、またそれに養育者が応答するエントレインメントは、乳児期における養育者と子どもの関係づくりに貢献する。 R5年（後期）

□ ❹ 出生体重が1,500グラム未満の児を低出生体重児と呼び、その中でも、1,000グラム未満の児を極低出生体重児、700グラム未満の児を超低出生体重児と呼ぶ。 R5年（後期）

□ ❺ トマス（Thomas, A.）は、気質を分類する際に、活動水準、順応性、反応の強さなどを含めた5次元について観察し、その程度によって気質を3つのタイプに分類した。 R3年（後期）

□ ❻ 学童期には、ピアグループと呼ばれる小集団を形成する。この集団は、多くの場合、同性、同年齢のメンバーで構成され、強い閉鎖性や排他性をもち、大人からの干渉を極力避けようとする。 R6年（前期）

□ ❼ マーシアは、アイデンティティを獲得する過程において、危機と積極的関与に着目し、アイデンティティ・ステイタスを4つに分類した。 R6年（前期）

A

❶ ○

❷ ○ うつ項目、育児不安項目、うつによる睡眠障害の3カテゴリーからなる10 項目で構成される自己記入式質問紙である。

❸ ○ 引き込み現象ともいわれる。

❹ × 出生体重が2,500グラム未満の子どもを低出生体重児と呼び、その中で、1,500グラム未満を極低出生体重児、1,000グラム未満を超低出生体重児と呼ぶ。

❺ × トマスらは、9つの気質を5段階で評価し、各基準の評価の組み合わせによって、扱いやすい子、扱いにくい子、順応が遅い子、平均的な子の4タイプに分類した。

❻ × ギャング・グループについての説明である。

❼ ○ アイデンティティ・ステイタスの4分類は、「アイデンティティ達成」「早期完了（権威受容）」「モラトリアム」「アイデンティティ拡散」である。

□ ❽ 妊娠そのものを喜ぶことができず、受け入れることができない母親は、生まれた後の子どもとの関係性や育児態度に深刻な影響をもたらす可能性が高い。 H31年（前期）

□ ❾ 思春期は自己中心的な思考方法から脱し、親や教師との友好的な関係を結ぶ時期である。 H25年

□ ❿ ワトソン（Watson, J.B.）は、成育初期に与えられたある種の経験が、後年の生理的・心理的な発達に消しがたい行動を形成させる期間として、臨界期の存在を明らかにした。 R5年（前期）

❽ ○ 虐待や育児放棄などの可能性が高くなる。

❾ × 自己意識が高まる結果、ややもすると自己中心的な思考に陥り、親や教師との関係は疎遠ないし対立的なものになりやすくなる。

❿ × 臨界期の存在を明らかにしたのはローレンツである。

5 子ども家庭支援の心理学 (2) 家族・家庭の理解

近年、家族と家庭は従来と比べて大きく変化しています。その変化の内容と背景・理由をおさえましょう。家族・家庭の意義や意味をあらためて問い直すことも必要です。変化の肯定的な部分、問題の部分を併せて考察しましょう。家族・家庭の理解の実践的な方法もいくつか知っておくと役に立ちます。

頻出度

家族・家庭の意義と機能

家族は一般に婚姻関係や親子・きょうだいなどの血縁関係によって結ばれた親族関係に基づいています。一方で家庭は家族を元にしながらも、生活が展開される住居とそこで生計をともにする小集団を念頭に使われてきた概念です。しかし、家族・家庭ともに使用する人にとってイメージが異なる場合も多いので、実態把握の調査や法制度的には世帯という言葉で読み替えられることも多いです。世帯に基づいた家族・家庭の実態をみていくことにします。

1 国民生活基礎調査からみた家族・家庭の実態

詳細は科目「社会福祉」で紹介しています。たいへんおおまかにみれば、世帯の人数の縮小と世帯の構成の単純化（三世代世帯から単独世帯へ）、さらには夫婦のみの家庭、母子家庭・父子家庭の増加といった傾向があります。

知っトク

＊1 **時代の変化による影響**

時代の変化は、子どもの発達にも影響を与えています。

昭和前半の子どもに比べて、現代の子どもは身長・体重が増加したり、第二次性徴の時期が早まったりしています。このように、時代が進むにつれて、成熟が早まる現象を発達加速現象といいます。

発達加速現象の中でも、特に異なる世代間で発達が早くなることを年間加速現象といいます。

発達加速現象には二つの側面があります。身長や体重などの成長が加速する成長加速現象と、第二次性徴の開始年齢が早期化する成熟前傾現象です。

2 家族・家庭観の変化＊1

■ 家族の定義の変化

そもそも家族という言葉の定義＊2自体にも変化がみられます。家族の形が多様化する中で、現在では必ずしも婚姻関係にとらわれない、むしろ情緒や関係性が重要視されるようになっています。

■ 家族の機能の変化

さらには家族の機能にも変化がみられます。マードック（Murdock, G. P.）によれば、家族は性機能（夫婦間の情愛）、生殖機能（子どもを産むこと）、教育機能（子どもを育て教育すること）、経済機能（生計を営むこと）などと多面的に捉えられています。それに加えて、パーソンズ（Parsons, T.）による社会化の機能（家族を通して社会のルールや規範、それに適応するための技術を学ぶ）や安定化の機能（情緒的な安定と満足感を得る）などが注目されることもありました。

しかし、これら家族・家庭が持っていた機能は次第に外部の担い手がその役割を果たすことが多くなっています。たとえば、教育機能は学校や塾に、経済機能の一部である食生活なども外食産業に、また情緒的な満足も娯楽産業が大きな役割を担うといった具合です。これらは家族機能の外部化といわれる現象です。

＊2 **家族の定義**
R5年(前)

■ 現代における家族・家庭の役割

このようにみると、家族・家庭の役割は重要でなくなったようにみえますが、そうではありません。心理的な安全や満足などに、家庭・家族がとても大きな影響を与えています。また、どのように時代が変化をしても、人は一人で生きられるはずはありませんし、集団から切り離された状態では個として自分を確立することはできません。個人がまず他人と結びつく関係性を築く最初の場として、やはり家族・家庭は重要なものであり続けています。

このように考えると、現在の保育者は単なる養育者としてのみならず、上記の時代の変化を踏まえた上で、家族・家庭の外部機能の担い手としての役割、家族・家庭の問題に寄り添い、適切な助言や資源を提供する援助者としての役割など、重要で多面的な役割が求められています。

親子関係・家族関係の理解*3

家族心理学においては、親子関係の理解にあたり、家族を一つのシステムとしてみています（家族システム論*4）。我々はともすると、物事を原因と結果の単純で単一な因果関係でみようとします。たとえば、「父親が子どもに無関心なので、子どもが無気力になった」といったことです。しかし、家族システム論の観点からすると、結果は原因に、また原因は結果になっていることも多いです。たとえば、「子どもが無気力である結果、父親は子どもから目をそらそうとして無関心を装っている」ということもあり得ます。さらには、父親と子どもの親子関係だけでなく、それ以外の家族の構成員、たとえば母親や子どものきょうだいなども、同時に物事の原因であり結果になっている可能性もあります。このように、親子の問題は子どもを含めた家族システムの全体として捉えることが重要です。

心理療法のひとつである家族療法は家族システム論に基づいています。不適応行動や症状をみせている個人をIP（Identified Patient）と呼び、IPに影響を与えている「家族が抱えている問題」に介入することで治療を行います。

*3 ジェノグラム
R4年（後）　R6年（前）
家族の関係を図であらわして三世代程度の家族を把握する方法です。

*4 家族システム論
R4年（後）　R6年（前）

子育ての経験と親としての育ち

1 親を取り巻く環境の変化

通常、子どもを産み育てることは、期待とともに不安を伴うものです。また実際に出産の経験や子育ては過重な負担になることもあります。すでに家族内で出産した人や、身近に相談する相手や支援者が存在していれば、これらの負担や不安は軽減されることもあり得ます*5。

*5 **ソーシャルサポート**
R6年(前)
対人関係において他者から得られる援助のことです。ストレスを軽減する効果があるとされています。

■ **家庭環境の変化**

実際に三世代世帯が多かった時代においては、祖父母の世代や、同居のきょうだい及びその家族などが相談相手や支援者でした。しかし、前述のように家族・家庭の形態や機能が変化した現在、これらを家族に期待することは難しくなっています。よって、そのような人間関係の希薄化が、産後うつや乳幼児虐待などの発生する遠因になっています。

現代では、子育ての不安に寄り添い、適切な助言や支援をする保育者の存在が重要になっているといえます。

SNSも大事な子育てツール

現代の親を取り巻く環境の変化としては、育児の孤立化、少子化、都市化、情報化などがあげられます。例えば、インターネットによる子育て情報の曝露により、親がどの子育て情報を信頼すればよいのか不安を感じてしまうこともあります。しかしながら、子育て広場などを利用して、専門家に子育て相談ができる機会も増えてきていますし、ソーシャルメディア(SNS)などで子育て中の親同士が情報を共有し相談しあうこともピア・カウンセリングの機能を果たしているといえるでしょう。

2 親としての育ち

また、不安や負担といったものを積極的に捉えることも必要です。どんな親も最初は子育ての初心者なのです。エリクソン（Erikson, E. H.）によれば、成人期の発達課題は「世代性（生殖性）」とされています*6。これは子どもを含めた次世代を産み育てるということですが、当然、親自身の経験の蓄積や視野の広がり、新たな発見、生きがいといったものを含みます。子育ての経験が同時に親としての成長を促すという側面を積極的に意識し、また支援していきたいものです。

たとえば、カウンセリングのみならず、積極的に親が子どもに対する関わり方を学ぶペアレント・トレーニングなどがあります。ペアレント・トレーニングは応用行動分析や行動療法の考え方を基礎にしており、ロールプレイやモデリング、ホームワークといったものから構成されます。一般にグループで行われることが多く、そこで参加する親同士で情報や感情を共有する場にもなっています*7。

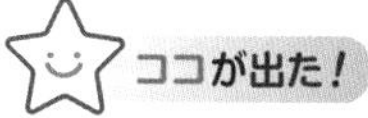

＊6 成人期の発達課題
R4年(後)
中年期の心理・社会的危機が出題されました。他に中年期の特徴として空の巣症候群や更年期症状が扱われています。

ココが出た！

＊7 親準備教育
R4年(後)　R5年(後)
子育てに関する知識や技能や親になるための心理的な準備状態を親準備性といい、学校で家族について学ぶことを親準備教育といいます。

理解度チェック　一問一答

全問クリア　　月　　日

Q	A
□ ❶ 親になることによる変化は、母親だけに生じるわけではなく、父親でも子育てをすることで親としての自覚、人間としての成熟、ストレスを感じることがみられる。R5年（後期）	❶ ○
□ ❷ 養護性（ナーチュランス）とは、まだ乳幼児を育てた経験のない思春期・青年期の人に対する、子育てに関する知識や技能、子どもへの関心、親になる楽しみなど、親になるための心理的な準備状態や態度などをいう。R4年（前期）	❷ × 親準備性についての記述である。養護性とは、「小さくて弱いものを見ると慈しみ育もうという気持ち」になる心の働きをいう。養護性は性別に限らず誰もが持っている特性である。
□ ❸ ジェノグラムは、当事者と家族と社会資源の関係性を図示するものである。R6年（前期）	❸ × ジェノグラムは家族の関係を図で表したもので、設問はエコマップについての記述である。

6 子ども家庭支援の心理学 ⑶ 子育て家庭に関する現状と課題

頻出度

家族や家庭の変化は社会環境に対応し、経済的、文化的な面で親の悩みの直接的な原因になっていることもありますので、この点を理解することが重要です。また、保育の心理学で大切なのは、これらの変化の子どもへの影響です。これを念頭に勉強を進め、それに対する支援のあり方も考えましょう。

子育て世代のライフコース

子育てを取り巻く社会的状況

*1 **多重役割**
R6年(前)
仕事と家庭、それぞれの役割(多重役割)をもつ人について、一方の役割が上手くいけば、他方の役割が上手くいく(ポジティブ・スピルオーバー)場合があることが出題されました。

一般に子育ては孤立化する傾向があります。夫婦でみた場合、男性が就業に専念する時間は多く、家事や育児にかかわる時間は一般に短い傾向があります。家事に専従している女性の場合はもちろん、共働きの家庭でさえ、女性の方が家事・育児のほとんどを負担しているケースが多くみられます*1。以上から女性に過重な負担が偏っている様子がうかがえます。諸外国と比較しても日本は女性へ負担がかかる傾向が顕著です。

女性の雇用者数は増加傾向を示しており、2021（令和

3）年の女性就業率は71.3%となっています。出産後に仕事を辞める女性もいますが、第一子出産後も就業を続ける女性が半数に上るなど、近年では増加傾向にあります。これは女性の社会参加という意識と制度の両面での改善による部分もありますが、経済状況の悪化による世帯収入の低下や母子家庭の場合などやむを得ない理由が原因の場合もあります*2。

男性はもちろん女性が就業している場合、子どもをしかるべき人や機関に預けることになりますが、核家族化などの影響で祖父母などの親族に頼ることができない場合は、当然、保育所や学童保育などを利用することになります。しかし希望者に比して受け入れの定員が少ない、いわゆる「待機児童」が増加し、大きな社会問題となっています。

*2 **絶対的貧困と相対的貧困**
R5年(後)
生存に必要な食料や衣服、衛生、住居など、人間としての最低限の生存条件を欠くような状況を絶対的貧困と呼び、世帯所得がその国の等価可処分所得の中央値の半分(貧困線)に満たない状態を相対的貧困と呼びます。

*3 **ライフサイクル**
R6年(前)

*4 **家族ライフサイクル論**
R4年(後)

ライフコースと仕事、子育て

1 ライフコースとライフサイクル

ライフコースの定義は様々なものがありますが、一般的にいえば「個人が一生の間にたどる道筋」ということであり、個人の一生を年齢ごとに、家族経歴、職業経歴、居住経歴などの様々な経歴として捉えたものです。

類似の概念としてライフサイクル*3がありますが、こちらは、いつの時代もどのような人も、皆が同じような人生をたどれるという前提があります。たとえば、前述のエリクソン（Erikson, E .H）の発達段階説はライフサイクルのモデルです*4。

一方、ライフコースは、その時代の人口構成や経済状態、社会制度、さらには戦争や災害といった特殊な事件なども考慮して、変化を念頭にその時代を生きる人々がどのような人生を歩むか理解を目指すものです。時代の変化や個人の事情、価値観なども反映しており、またどのような人生を選び取るかという主体的な側面もあるので、現在、注目されている概念です。

2 子育て世代のライフコースの変化

■ ライフコースの多様化

たとえば、女性の社会参加もライフコースの変化としてとらえることが可能です。女性の進学率が上がり、高学歴化が進み、就業率が増加しています。そして、女性の未婚率の増加や、就業中心の価値観なども、戦前から戦後、さらには現在に至るまで大きく変わった点といえます。男性の社会参加は従来、一貫して仕事中心であまり変化がないといわれていましたが、それでも昨今の経済状況の変化により、解雇や離職、転職により第二の人生の選択を迫られるなど、否応なく変化に晒されているといえます。なお、転職や再度の就学を主体的に選択する人も増えています。

■ 性役割分業についての認識の変化

親の世代のこのようなライフコースの変化は当然、子どもにも大きく影響してきます。たとえば、「夫は外で働き、妻は家庭を守るべきである」という伝統的な性役割分業の考え方に対する意識の変化*5はどうでしょうか。内閣府「男女共同参画白書令和３年版」によれば、1979（昭和54）年と比較すると伝統的な考えをもつ人は減少しています。しかし、2019（令和元）年でも「賛成」「どちらかといえば賛成」を合計すると、男性39.4％、女性31.1％となっており、女性でも少なくない人がこの考えを持っていることがわかります。家事を含めた子育ては女性がすべきという暗黙の社会的了解と圧力が、実際の子育ての意識の背景にもまだ根強く存在しているといえます。

***5 性役割分業の考え方に対する意識の変化**
R5年(前)
過去問では、「少子化対策白書」の「夫婦の家事・育児の調査」について出題されました。

もちろん、近年では男性の意識も変化しつつあり、制度的な支援も本格化しています。たとえば、育児・介護休業法が施行された2017年（平成29年）時点では民間企業に勤める男性の育児休暇取得率は5.14％でしたが、2021年度（令和３年度）には13.97％と約2.7倍に急増しています。

𝄞♪ 多様な家庭とその理解

近年では家庭のあり方も多様になっています。形態が変化したとはいえ、家族・家庭は子どもの発達や成長の第一のよりどころですので、それぞれのあり方が子どもにどのように影響するかは重要な点といえます。

■ 一人っ子の増加

まず、世帯構成の変化ですが、前述のように一貫して構成員の減少と単純化という傾向がみられます。これは具体的にいえば、祖父母の世代との同居の減少、そして、きょうだいのいないいわゆる一人っ子の増加ということです*6。

もちろんこれらの変化には肯定的な側面もあります。単一で一貫した価値観の元に子育てをすることができ、経済的あるいは情緒的な資源を特定の子どもに集中させることが可能となります。しかし、異なった世代と同居することによる伝統的な文化の継承や異なった価値観に触れることによる経験の多様化、あるいは幼少期におけるきょうだい間の協力関係や葛藤を経験するといったコミュニケーションの機会が減少する可能性などは無視できません。

これについては、保育所で同世代の子どもたちに触れたり、地域の行事に参加するなどして異なる世代の大人と交流する機会を持つなど、積極的に機会を利用することで体験を広げていくことが可能です。

■ 離婚率の増加*7

また、近年では離婚件数も増加*8しています。これは未成年の子どもと親一人の、いわゆるひとり親家庭の増加を招いています。もちろん、一人親家庭になった理由は死別や未婚などもありますが、最も多い理由は離婚によるものです。

子どもにとっての親の離婚の体験は個々のケースにより

*6 **少子化**
R4年(後)

ココが出た！

*7 **離婚**
R5年(前)
「令和４年(2022)人口動態統計(確定数)の概況」(厚生労働省)によると、日本の年間婚姻件数と離婚件数の割合は、日本の年間婚姻件数と離婚件数の割合は、ほぼ3：1でした。また、「結婚と家族をめぐる基礎データ」(令和4年3月内閣府男女共同参画局)によると、子連れ離婚が子なし離婚よりも多いという結果でした。

知っトク

*8 **離婚件数も増加**
離婚件数、離婚率ともにピークは2002(平成14)年ですが、2000年代以降はおおむね高い水準で推移しています。

様々ですが、離婚について、その前後の経験も含めて、子ども自身が不安感や罪悪感を抱きやすくなる傾向は否定できません。また離婚の経験、ないし、再婚の経験なども含めて、その後の成長や適応に影響を及ぼす可能性もあり、場合によっては適切な支援が必要になることもあります。

■ 新しい形態の家族の出現[*9]

現在の家族・家庭は、法律上の届け出を欠く事実婚、一人親、再婚して新たに築かれる家庭（ステップファミリー）、さらにはLGBTQなど、そのありようが、従来の婚姻関係に基づくもの以外にも多様な形で広がりつつあります。これからの保育者はそれぞれの家庭を理解し、また自身が開かれた価値観を持ちつつ、個々の家庭や子どもを支援していくことが求められています。

ココが出た！

*9 **ファミリー・アイデンティティ**

R6年（前）

家族の構成員は誰か、この家族の特徴は何か、など、自分が所属している家族についての意識のことをファミリー・アイデンティティと呼びます。様々な形態の家族が出現する中で、同じ家族の構成員であってもファミリー・アイデンティティが異なることもみられるようになっています。

児童虐待の原因と対策

児童虐待[*10]は近年被虐待児童の発達に深刻な影響を与えるため、大きな問題となっています。その原因としては、保護者の性格や資質、生育歴、育児環境をはじめ、地域や社会の時代的変化など、幅広い影響が考えられます。また、虐待の原因には、子どもの育てにくい発達的特徴も含まれます。保育者は虐待の早期発見も含め、予防や育児支援など幅広い役割を担わなくてはなりません。そういった観点から、虐待については試験でよく扱われるテーマとなっています。

*10 **児童虐待**

R5年（前）　R5年（後）

最近の研究では、虐待を受けると大脳の特定の部位に変化（器質的変化）が起こる場合があることがわかってきました。

1 児童虐待の定義

児童虐待は、子どもに対する虐待です。アメリカ疾病予防管理センターは、「児童に実際の危害を与える、危害の可能性にさらす、または危害が及ぶという脅しをすることに帰着する、その児童の両親あるいは保護者による単発あるいは連続した行為または不作為」と定義しています。なお児童虐待の種類や発見した場合の手続きなどは科目「子ども家庭福祉」に詳しく解説されているので、そちらを参照してください。

2 虐待の原因[*11]

虐待の原因としては、まず子育て機能の低下などの環境要因があげられます。核家族化が進行し、地域との交流も減少したため、親が孤立し育児に疲弊しても援助したりアドバイスしたりする者が周りにいません。そのため精神的なストレスを感じ、心理的に追い詰められ、そのイライラを子どもにぶつけてしまいます。また、親のアルコール依存症なども児童虐待の一因となり得ます。さらに、児童虐待をする親には、自分自身が親から虐待を受けて育った者が多いといわれています。いわゆる虐待の世代間連鎖ですが、この悪循環を断ち切ることが課題です。

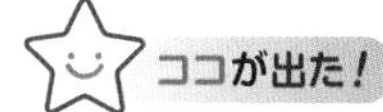

＊11 **虐待の原因**
R5年(前)
虐待の原因には、子どもの発達障害や育てにくさなどが含まれます。また、被虐待経験は、脳の器質的、機能的な影響をもたらすといわれています。

虐待の世代間連鎖を防ぐ保育者の関わり

研究によると、虐待の世代間連鎖がみられるのは20%くらいです。では、世代間連鎖が起こらなかったケースでは何が防御要因になったか調べてみると、親以外の祖父母との愛着関係や、保育者や教師との温かい人間関係、良好な仲間関係、信頼できる配偶者との出会いなどがあげられます。虐待を受けた子どもであっても、保育者や教師からの温かい関わりが子どもの立ち直りを促す重要な要因になるのです。

3 虐待の早期発見

虐待は学校や幼稚園、保育所などで教師や保育士によって発見されることもあります。原因が明らかでない打ち身や切り傷、青あざ、やけどの跡や衣服や身体の汚れ、身長や体重の発達の遅れなどが手掛かりとなります。また、急に元気がなくなったり、生気が失せたり、表情が乏しくなったり、逆に不自然に感情を表出させるなどの変化も見逃せません。また、愛着障害がみられることがあり、教師や保育者を必要以上に避けたり警戒したりする場合（抑制型（反応性愛着障害*12、反応性アタッチメント障害））と、逆に過度に甘えたりまとわりついたりする場合（脱抑制型（脱抑制型対人交流障害））があります。ふだんから子どものこういった状態をよく観察し、虐待の早期発見に努めることが必要です。

*12 **反応性愛着障害**
R4年（後）
愛着障害の一つ。長期にわたる虐待や育児放棄など、不適切な環境で育った子どもが、他人を極度に警戒したり、無表情であったり、逆に必要以上に無選択的になれなれしくしたりといった正常な場合にはみられない極度に不安定で複雑な行動を示す場合をいいます。適切な環境で養育すれば改善が期待できます。

4 虐待への対処

虐待をする親は子育てに対して自信がなかったり、不安を抱いていることもあります。親と緊密に連絡を取り、子育てに対する知識や技能を提供したりするなど、親に対する支援も必要です。このような地道な努力の積み重ねが、長い目でみると虐待の予防につながります。

被虐待児は多くの場合、他者を信頼できなくなっています。援助者はまず、不安を抱かせないように相手を受容しているという態度を示し、子どもとの信頼関係を築き、安心感を与えるようにします。また、被虐待児は自己肯定感が低く、無力感を感じている場合もあります。援助者とのコミュニケーションを通して、自己肯定感と自己への信頼、自信を取り戻させていくことも必要です。

5 PTSD（心的外傷後ストレス障害）*13

*13 **心的外傷（トラウマ）体験**
R4年（前）
トラウマ反応には、分離不安、退行、身体症状などがあります。心的外傷がストレス源となり、診断基準を満たす場合にはPTSDとなります。フラッシュバック、回避症状、過覚醒症状、認知・気分陰性の変化があります。

PTSD（Post-Traumatic Stress Disorder）は児童虐待のみが原因とは限りませんが、被虐待児童の症状としてみられることも多いので、ここで取り上げます。

PTSDとは、強烈なショックを受けたり、生命の危険にさらされるような出来事（心的外傷）がストレス源になり、心身に支障をきたし、社会生活にも影響を及ぼすストレス障害のことです。震災などの天災や、戦争、犯罪、いじめ、性犯罪の被害、虐待といったものが原因となり得ます。

主な症状は再体験（想起）、回避、過覚醒の３つです。

再体験（想起）	原因となった外傷体験が、はっきりと思い出されたり、悪夢として再現されたりすること
回避	外傷に関係する状況や場面を、意識的あるいは無意識的に避け続けたり、感情や感覚などが麻痺したりすること
過覚醒	交感神経が異常に高ぶり不眠やイライラ（感情発作）といった症状として現れること

理解度チェック　一問一答

全問クリア　月　日

Q

□ ❶ 仕事と結婚・子育ての両立を目指す場合、職業役割と家族役割（配偶者役割、親役割等）を担うことを多重役割という。 R6年（前期）

□ ❷ 生存に必要な食料や衣服、衛生、住居など、人間としての最低限の生存条件を欠くような貧困を相対的貧困という。 R5年（後期）

□ ❸ 不適切な養育を表すマルトリートメントは、過保護や過干渉、年齢不相応な厳しい教育など、子どもの健全な成長を阻害するような養育態度や環境を広く含むものである。 R5年（後期）

□ ❹ 被虐待体験は、心的外傷とはなり得ない。 R5年（前期）

□ ❺ 「少子化社会対策大綱」（令和2年5月29日閣議決定）には、男女ともに仕事と子育てを両立できる環境の整備として、就労希望者の潜在的な保育ニーズに対応し、就労しながら子育てをしたい家庭を支えるための待機児童解消、男性の家事・育児参画の促進を推進するとある。 R4年（前期）

A

❶ ○ 多重役割において、職業役割など一方の役割がうまくいくと他方の家族役割などもうまくいく場合があることをポジティブ・スピルオーバーという。

❷ × 絶対的貧困に関する記述である。子どもの相対的貧困とは、その国の文化水準、生活水準と比較して困窮した状態を指し、世帯所得がその国の等価可処分所得の中央値の半分に満たない状態にある。この場合、学習環境や塾などの学校外での子どもの学習の機会を奪い、ひいては学業達成に影響を及ぼす。

❸ ○

❹ × 被虐待体験は、心的外傷（PTSD）となり得る。

❺ ○

7 子ども家庭支援の心理学 (4) 子どもの精神保健とその課題

頻出度 ✿✿✿

幼児期から児童期、青年期にかけての各時期に起こりやすい心理的な問題がありますが、それらの具体的な内容、対処法などを見ていきます。また、保育をしていると「気になる子」に出会うことがあります。それらすべての背景に深刻な問題があるわけではありませんが、関連する可能性のある問題として、「発達障害」も見ていきましょう。

発達障害

それぞれの発達段階における心の問題

1 乳幼児期の心の問題

乳幼児期は食事、排泄、睡眠などの生活習慣が確立する時期ですが、家庭環境や不適切なしつけなどによって、不適応を起こす子どももみられます。こういった乳幼児期の心の問題は、主に、身体的、行動的な面に現れることが多いようです。小学校低学年までに現れる問題は、食や習癖に関する異常、または、遺尿（いにょう）、遺糞（いふん）、場面緘黙（かんもく）、チック、などです。さらに、睡眠などの異常としては、夜驚(やきょう)、夢遊病、悪夢などがあります。乳幼児期の心の病には、外因性*1、内因性*2、心因性*3のものがありますが、多くの問題は心因性です。

用語解説

*1 外因性
脳自体、あるいは脳への障害が明らかな原因になっていると思われるものです。

*2 内因性
何らかの脳の機能障害、あるいは遺伝的素因が原因になっていると思われるものです。

*3 心因性
心理的なストレスや性格、環境などが原因となっていると思われるものです。

■ 異食行動

異食とは、栄養価のないもの（土・紙・粘土・消しゴム・毛・木炭・チョークなど）を食べることです。場合によっては中毒症状を起こす物質などもあるので、注意が必要です。対応としては、食生活の改善や食育など、食に関連した保育環境全体の見直しを図ることが考えられます。また、特定の身体疾患や愛着障害、発達の未熟、精神遅滞や発達障害に起因する可能性も考慮に入れる必要があります。

■ 習癖異常

習癖異常とは習慣的に身体のある部分をいじる行為で、何らかの心の問題があることが考えられます。指しゃぶり、爪噛み、性器いじりなどがあります。

・指しゃぶり
指しゃぶりは通常の発達においてもみられますが、5歳以降も続き、あまりに頻繁にしゃぶるため指が炎症などを起こしている時には治療を要する場合があります。ほかに楽しみがない時に長く続くので、おもちゃを与えたり、戸外での子ども同士の遊びに関心を向けさせるように指導します。

・爪噛み
指しゃぶりよりも心理的葛藤が強く関与している場合が多いとされます。本人への精神的ケア、親へのカウンセリングなどが考えられます。

・性器いじり（自慰(じい)）
幼児期にみられる性器いじりには性的な意味合いはあまりなく、指しゃぶりと同様の対処でかまいません。すなわち、おもちゃを与えたり、戸外での子ども同士の遊びに関心を向けさせたりして指導します。

■ 吃音症(きつおんしょう)（小児期発症流暢(りゅうちょう)障害（症））

吃音症は、発語時に言葉が連続して発せられたり、瞬間あるいは一時的に無音状態が続くなど、言葉が円滑に話せない障害で、言語障害の一種のような症状を示す病気です。どもり、吃音ともいわれ、次のような種類があります。

・連続型
言葉の出だしが重複する症状です。「わ、わ、わ、わたしは」といったタイプで、最も多くみられます。

・難発型
問いかけてもすぐに返事ができない、出だしの言葉がなかなか出てこない、会話中も間が開いてしまうタイプです。

・中阻型
本人が会話している時、突然声が止まってしまう、声が出なくなるといったような、会話が中断して間が開いてしまうタイプです。

・伸発型
言葉の始まりが伸びるような感じの症状です。「こーーーれは」「あーーーりがとう」といったタイプです。

・混合型
上記のさまざまな種類の吃音が混合しているタイプです。

心因性の吃音症の場合は、緊張をうながすような環境、及び本人の性格的な理由によるものが多いと思われます。まず、本人の不安や緊張をやわらげることが重要です。また、精神療法などを用い、コミュニケーションに伴う不安を積極的に低減させる治療法も考えられます。

■ 遺尿症（夜尿症・昼間夜尿症）

遺尿症は排泄障害の一つです。トイレではない下着の中や床の上など、本来排尿すべきでない場所で排尿（いわゆる、おもらし）をしてしまいます。特に、身体的な異常や病気がないにもかかわらず、5歳以上の子どもが不適切な場所での排尿を週に2回以上行い、それを3か月以上繰り返す場合をいいます。4歳以下の遺尿はほとんど問題になりません。遺尿症は6％～9％程度みられ、男児の方が多い傾向があります。トイレットトレーニングが成功し、排尿の自立が形成された後の遺尿（二次的遺尿症）は精神的・肉体的なストレスが原因となっていることが多いです。対処としてはまず、そのストレスを取り除くように努めることです。

■ 遺糞症

遺糞症は排泄障害の一つです。トイレではなく下着の中や床の上など、本来排便すべきでない場所で排便してしまう状態をいいます。特に身体的な異常や病気がないにもかかわらず、4歳以上の子どもが不適切な場所での排便を月に1回以上行い、それを3か月以上繰り返す状態をいいます。遺尿症と同じく、精神的・肉体的なストレスが原因となっていることがあり、また不適切なしつけによって引き起こされるものや、親の注目をひくための故意のものもあります。

■ 場面緘黙（かんもく）症（選択性緘黙）

場面緘黙症[*4 *5]とは、家庭などでは話すことができるのに、社会不安（社会的状況における不安）のために、学校や幼稚園といったある特定の場面、状況では全く話すことができなくなる現象をいいます。5歳未満の幼児期に多く発症します。これ以外に、あらゆる生活場面で全く話さない完全緘黙症もありますが、ごくまれです。家庭環境やストレス、性格などが原因となっていると考えられます。厳しく叱ったり会話を無理強いしたりせず、他の子どもと自然なコミュニケーションを取れる機会を作るなど、子どもが安心して参加できる環境を整えていくことが必要です。

＊4 場面緘黙症（選択性緘黙）
R5年（後）
通常5歳未満の幼児期に多く発症し、家庭環境やストレス、性格などが原因となり学業や対人関係に問題を生じることがあります。

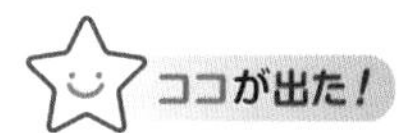

＊5 DSM-5の分類
R6年（前）
DSM-5では、自閉症スペクトラム症、知的能力障害、限局性学習症、チック症群は神経発達症群（神経発達障害群）に含まれますが、場面緘黙症（選択制緘黙）は不安症群に含まれます。

■ チック症

チック症とは、本人の意思とは関係なく、特定の細かくすばやい身体的動作が繰り返し起きてしまうものをいいます。一番多いのは瞬（まばた）きで、その他にも、肩をぴくっと動かす、頭をふる、顔をしかめる、口を曲げる、鼻をフンフンならす、などさまざまな形があります。不安、ストレス、緊張、心の葛藤などがきっかけで発症することが多いですが、特に問題がなくとも起きる場合があります。

精神的なストレスや緊張感から、一時的にこのような症状の出る子どもは多いですが、そのほとんどは、1年未満の短期間に消失します（一過性チック障害）。しかし、1年以上にもわたって続く慢性運動性チック障害、あるいは慢性音声チック障害と呼ばれるものもあります。

また、ド・ラ・トゥーレット症候群（トゥーレット障害、またはトゥーレット症候群）のように、音声や行動の症状を主体とし、チック症状が慢性化するものもあります。トゥーレット症候群は小児期に発症し、軽快・増悪（ぞうあく）を繰り返しながら慢性的に継続します。また、トゥーレット症候群のチック症状は衝動的行動や自傷のような激しい要素を含むこともあるので、社会的な不利益を生ずることもあります。そのため、二次的に自己評価が低下したり抑うつ的になることがあります。原因としては、脳内伝達物質*6の異常など、生物学的要因が大きいとされており、薬物療法などが行われます。

用語解説

***6 脳内伝達物質**
神経伝達物質とも称されます。神経細胞間で信号（刺激）をやり取りするために必要な物質です。50種類以上あるとされますが、ドーパミン、セロトニン、ノルアドレナリンなどが代表的なものです。

■ 睡眠時驚愕症（きょうがくしょう）（夜驚（やきょう））

睡眠時驚愕症（夜驚）とは、睡眠中に突然起き出し、恐怖の感情を示しながら叫び声をあげるといったことです。だいたい数分から十数分間症状が続きます。夢とは異なり目覚めた時に本人はそのことを覚えていないのが普通です。幼児期から小学校低学年の児童にみられる症状であり、高学年以上では稀です。睡眠中枢が未成熟なために起こる症状であると考えられています。比較的深い睡眠の時に起こるといわれているので、昼寝をするなどして夜の睡眠の状態をコントロールしたり、安心して就寝するまで保護者が付き添うことも有効です。薬物治療をすることもあります。

用語解説

***7 ノンレム睡眠**
レム睡眠以外の睡眠をノンレム睡眠といい、睡眠の約8割を占めます。レム睡眠は身体は休んでいるが脳が覚醒時のように活発に活動しており、この時に夢などを見ているといわれます。一方、ノンレム睡眠では脳の活動が休息しており、いわゆるぐっすり眠っている状態です。

■ 睡眠時遊行症（ゆうこうしょう）（夢遊病）

睡眠時遊行症とは、睡眠中に発作的に起こる異常行動のことです。夢遊病、夢中遊行症ともいいます。無意識の状態で起き出し、歩きまわったり何か特定の動作や作業をした後に再び就眠しますが、その間の出来事を記憶していない状態をいいます。このような夢遊病の多くは、就眠後１時間から３時間のノンレム睡眠*7時に発生することが多いことがわかっています。興奮状態のまま眠りについてしまうことや、精神のストレスによる理由が多いとされています。また、特に原因が見当たらず慢性的で難治性の場合もあります。

■ 悪夢（悪夢障害）

悪夢とは、眠る時に見る嫌な夢もしくは、不安を伴う悪い夢のことです。通常、夢の内容を細部まで鮮明に思い出すことができます。特に問題がない場合は、保護者が付き添い安心させて寝かしつけることでおさまります。しかし、現実世界で凄惨な場面を見たり、体験したりすると、夢で何度もそれを体験することがあり、新たな病気に発展することもあります。このような場合は、精神療法*8 など不安や精神的ストレスを除くためのケアが必要になります。

■ てんかん

てんかん（癲癇）とは、脳細胞のネットワークに起きる異常な神経活動のためてんかん発作を起こす疾患あるいは症状です。てんかん発作に伴う主な症状は、強直性、間代性（筋肉の収縮と弛緩を繰り返す不随意運動）の痙攣ですが、痙攣を伴わない発作もあります。また、意識障害として、突然意識や記憶が失われ、活動が止まって昏倒する場合もあります。ただし、大半の発作は一過性であり、数分から十数分程度で回復するのが一般的です。てんかんによる症状は繰り返し起こり、脳炎、外傷による一過性のものや薬物中毒の離脱期*9 に起こる痙攣はてんかんではありません。てんかんは大脳のどの部分が興奮するかによって、全般発作と部分発作に分類されます。

・全般発作
全般発作は大脳の全体が異常興奮することによって起こります。全般発作は痙攣を伴うものと伴わないものがあります。

・部分発作
部分発作は大脳の一部が異常興奮することによって起こります。興奮した部分が担っている脳の機能が停止したり、逆に昂進したりします。

てんかんの治療は薬物療法が中心となります。発作時には本人及び周囲の人間がぶつかったりしてけがをすること

用語解説

*8 **精神療法**
物理的・化学的方法によらず、精神的影響によって患者を治療する方法です。支持療法、暗示療法、精神分析療法、認知行動療法などがあります。心理療法とも称されます。

用語解説

*9 **離脱期**
薬物を中止することで、体内から薬物が消失・排出される時期のことです。この時に、不快な身体的・精神的症状に襲われることを離脱症状といいます。

があるので、注意が必要です。時間の経過とともにおさまる場合が多いことも特徴です。

2 学童期の心の問題

学童期は小学校時代にあたり、心身ともに比較的落ち着いた時期ではありますが、就学に伴う教科や人間関係のストレスから、不適応を起こしたり、幼児期には見過ごされていた問題があらわになる場合もあります。ここでは、学童期以降に比較的多くみられる抜毛症、難聴、強迫性障害、分離不安障害を見ていきます。

■ 抜毛症

抜毛症とは、正常な毛を引き抜いてしまう性癖によって頭部に脱毛斑（はん）が出現する精神疾患のことです。抜毛癖（ばつもうへき）、禿頭病（とくとうびょう）とも呼ばれます。本人が全く自覚せずに、無意識のうちに抜いている場合もあります。不満や不安から起こる神経症であるため、それを低減するようなカウンセリング、環境の整備が必要ですが、他の精神障害や発達障害に起因する場合はそれに応じた医療的な対処が必要となります。

■ 心因性難聴

耳や脳に明らかな障害（器質（きしつ）性障害）がないにもかかわらず、聴力検査結果で異常がみられることがあります。このような聴力障害の状態を、機能性難聴または非器質性難聴と呼びます。機能性難聴のうち、原因となる精神的ストレスが明らかであるものを心因性難聴、意図的に難聴を装った結果起こる難聴を詐聴（さちょう）と呼びます。

心因性難聴は、精神的ストレスが原因で女性に多い傾向があります。幼児的であったり依存心が強いなどの性格的な特徴がみられることもあります。

■ 強迫性障害（強迫症）

強迫性障害（強迫症）とは、自分でも不合理だと思いながら何回も特定の動作を繰り返したり、何かに対するこだわりが取れないことです。例えば、トイレに入った後何回も手を洗う、ドアのカギをかけたかどうか何回も確認するといった「強迫行為」、また、「火事になったらどうしよう」といった特定の考えが浮かんで頭から離れない強迫観念があります。こういった動作や思考自体は通常の人にもみられるものですが、それを何回〜何十回も確認しないと気がすまない状態になったり、始終ある考えが頭から離れない状態になると、社会的生活に支障をきたします。

本人の性格、家庭環境、対人関係などに起因する精神的ストレスが影響していると考えられるので、カウンセリングや精神療法が有効と考えられますが、脳の機能異常の場合は薬物治療の対象になることもあります。または、統合失調症の初期段階であることも考えられるので注意が必要です。

■ **分離不安障害（分離不安症）**

愛着を持っている人物からの分離に関して、発達的にみて不適切で過剰な不安あるいは恐怖がある場合をいいます。当該の人物から離れることに抵抗を示したり、家庭から離れて学校や仕事に出かけることを拒否したりします。また、分離の際に胃痛や頭痛などの身体症状が出たり、分離に関する悪夢を繰り返し見たりすることもあります。

3 思春期、青年期の心の問題

思春期になると第二次性徴*10 が起こり、身体のホルモンバランスや自律神経の失調などがみられるようになります。また、思春期から青年期にかけては、人間関係やアイデンティティの問題なども深刻となり、それがさまざまな障害となって現れます。ここでは、思春期以降に多くみられる摂食障害、起立性調節障害、過敏性腸症候群、解離性障害、そして不登校を見ていきます。

■ **摂食障害**

主として青年期の女性に発生する病気です。やせを希求する心理が著しい状態です。職場や学校、家庭でのストレ

用語解説

*10 **第二次性徴**
性徴とは雌雄の判別の基準となる特徴のことです。胎児期に始まる第一次性徴では生殖器のみ外形的性差がみられますが生殖能力は持ちません。思春期における、第二次性徴の発現においては生殖器以外でも外形的性差が生じ、生殖能力を持つようになります。

ス及びその発散としての食行動が原因となっているもの、美容や健康上の理由から意図的に食事を制限することにより、食行動に変調をきたしたものなどがあります。19世紀後半にヨーロッパで注目されはじめ、近年急増してきた病気です。主として先進国にみられ、発展途上国では未だ稀な病気です。そのため、やせた体形に関する肯定的なボディイメージなど、文化的な側面が一因であると考えられます。摂食障害には主に神経性無食欲症（神経性やせ症）と神経性過食症（神経性大食症）の2つの病態があります*11。近年では食事をとらない古典的無食欲症より、過食症の率が上昇しています。

*11 **思春期やせ症**
15歳未満の思春期の摂食障害をまとめて「思春期やせ症」ということもあります。

・神経性無食欲症（神経性やせ症）

症状は無食欲、やせ、無月経、過活動、時には盗癖などです。特に体重減少は著しい場合が多く、標準体重より10～20kgも減少し、骨格が目立つようになっても自分が異常だとは認めず、治療を拒否する場合もあります。しばしば、栄養失調とそれに伴う内臓疾患で死に至ることもあるので注意が必要です。

拒食により生命に危険が及ぶ場合は点滴による栄養補給などの緊急の処置が必要となる場合もあり、また薬物療法が必要な場合もあります。基本的に医療レベルの対応が必要な障害です。ただし、個人的な性格、家庭環境、対人関係などに起因することが多いので、カウンセリングや認知行動療法、家族全体の問題としてとらえて家族療法を行うなど、各種の精神療法も考えられます。また、食生活や栄養の指導なども場合によっては有効です。

・神経性過食症（神経性大食症）

「むちゃ食い」「気晴らし食い」と呼ばれる過食行動を頻繁に繰り返します。過食直後に嘔吐あるいは下剤を乱用するなどの行動がみられます。神経性無食欲症に比べて、怒りやすく衝動的という特徴があり、そのため万引き、自殺企図、自己破壊的性行動などが多く、抑うつ状態も強くみられます。神経性無食欲症と異なり、異常を自覚している場合もあります。

■ 起立性調節障害*12

*12 **起立性調節障害**
R5年(後)

起立性調節障害とは、自律神経失調症の一種で中学生の約10%にみられ、特に思春期の女子に多いとされます。身体的な症状としてはめまいや立ちくらみが一番多くみられ、その他にも動悸、息切れ、睡眠障害、食欲不振、腹痛、頭痛、倦怠感など人によりさまざまな症状が現れます。症状に対応した各種の薬物治療のほか、精神的ストレスのない環境の整備も必要です。

■ 過敏性腸症候群

過敏性腸症候群（IBS：Irritable Bowel Syndrome）は、主として大腸の運動及び分泌機能の異常で起こる病気の総称です。炎症や潰瘍など目に見える異常が認められないにもかかわらず、下痢や便秘、ガス過多による下腹部の張りなどの症状が起こります。以前は「過敏性大腸症候群」と呼ばれていましたが、最近では、大腸だけではなく小腸にも関係することなどから「過敏性腸症候群」と呼ばれます。

■ 解離性障害

解離性障害とは、心的外傷への自己防衛として、自己同一性を失う神経症の一種のことです。自分が誰かがわからなかったり、複数の自己を持ったりします。症状の発生と、ストレスをもたらす事柄の間に時期的関連があることが診断の必要条件です。

単なる物忘れといった程度ではなく、ストレスに関係する自らの個人情報を広い範囲にわたって想起できない状態（解離性健忘）、急に学校や職場から旅立ってしまい、過去を想起することができないまま、特定の場所あるいは見知らぬ場所を放浪する状態（解離性遁走）、明確に区別できる複数の人格が同一人に存在し、それらの複数の人格が本人の行動を支配する状態（解離性同一性障害（症）*13）、自分の精神または身体から遊離して、あたかも自分が外部

*13 **解離性同一性障害**
一般的に多重人格障害といわれているものです。

の傍観者であるかのように感じる持続的または反復的な体験（離人感・現実感消失障害（症））などいくつかの形態があります。本人にとってこれらの状態が苦痛で、社会的機能に障害を起こしている場合もあります。精神療法的対応が必要です。

*14 **不登校**
R5年（前）

■ 不登校*14

不登校とは、「何らかの心理的、情緒的、身体的、あるいは社会的要因・背景により、児童生徒が登校しないあるいはしたくともできない状況にあること（ただし、病気や経済的な理由によるものを除く）」をいいます。このように、文部科学省の定義では「長期間（30日以上）学校へ行かない」状態をさす言葉であり、病気によるものを除外しています。不登校の原因は以下のものが考えられます。

・分離不安型
親子、特に母親と子どもとの間の情緒的な依存関係が重要な要因となっています。登校などで、母親から引き離されることから生じる不安による不登校です。

・順応挫折型
自我が未成熟で自律に欠け、保護者や周囲に順応･依存してきた子どもが、自我意識が強まる思春期に、それらから心理的に独立しようとして挫折したことによる不登校です。

・無気力型
成功体験が乏しく、自分の能力に劣等感を持っている子どもが、学習やさまざまな学校生活の場面で挫折感を感じることによって意欲が低下して生じる不登校です。

・耐性不足型
情緒や社会性の発達が未成熟で、欲求不満に対する耐性が弱い子どもが、学校でのさまざまな場面で不適応を起こし、不安感を持つことによる不登校です。

・ミスマッチ型
学校が子どもに要求する性格ないし行動特性と本人の性格や行動特性がかけ離れていて学校の期待に適応するのに疲れて起こる不登校です。

不登校児の数は一貫して増えていましたが、ここ数年、やや減少しています。不登校児は特に不登校であることについて不安や緊張が高く、自責感の強い神経症的要因によるものは精神医学的に問題となります。面会などが難しい時期もあるので、援助者は決して無理強いはせず、根気よく信頼関係を作っていくことが必要です。適応指導教室*15や塾、保健室登校なども利用しながら、徐々に復帰していくように働きかけることが考えられます。また、フリースクール、ホームスクールなどの代替的な学校を利用して社会参加していく方法も有効になってきています。国もこうした代替的な教育機関を支援するようになってきています。また、復帰後の援助も必要です。

用語解説

*15 **適応指導教室**
学校以外の場所、または学校の余裕教室等を利用して校内に設置されます。学校と連携し、カウンセリング、集団での指導、教科指導等を行います。一定の要件を満たせば、指導を受けた日数を出席扱いにできるものです。

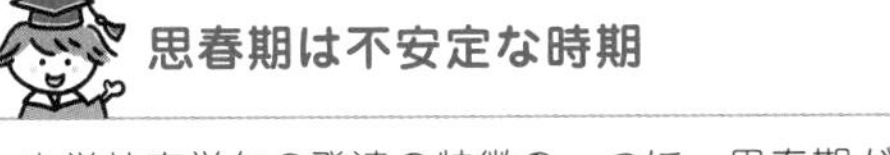

小学校高学年の発達の特徴の一つに、思春期があげられます。思春期の特徴としては、第二次性徴により身体が大人のからだつきに変化し、思考面では視野が広がることにより、他者と自分を比較して、「自分はダメだ」と自己否定を感じるようになってしまう傾向があります。この時期は心理的に不安定になってしまう傾向があることから、人間関係の問題が深刻化しやすい時期でもあります。

𝄞♪ 発達障害について理解しよう

近年、これまではいわゆる三障害（知的障害、身体障害、精神障害）に含まれなかった障害として、発達障害が注目されています。以前は単に扱いにくい子、どことなく変わった子とみなされていた子どもたちですが、近年ではある種の脳機能に由来する障害であることがわかってきました。保育所や学校では現実に問題になることも多いので、出題頻度も高いです*16。それぞれの特徴、違いをしっかりおさえておきましょう。保育現場での保育者が感じる違和感は神経学的ソフトサイン（微細な兆候）である可能性もあります。ここでは、知的障害も含め、限局性学習症（SLD）、注意欠如・多動症（AD/HD）、自閉スペクトラム症（自閉症スペクトラム障害）について見ていきます。

*16 **障害や発達上の課題への対応**
R4年(後)

1 知的障害（知的能力障害、知的発達障害（症））

知的障害は精神遅滞ともいわれ、知的機能に制約があること、適応行動に制約を伴う状態であること、発達期に生じる障害であることの３点で定義されますが、一般的には読み書き・計算など、日常生活や学校生活で頭脳を使う知的行動に支障がある状態であることをいいます。

■ 障害の程度

障害の程度により境界域・軽度・中度・重度・最重度に分類することがあります。

程度	内容
境界域（ボーダー） IQ　70～85程度	知的障害者とは認定されません
軽度 IQ　50～69程度	理論上は知的障害者の約8割がこのカテゴリーに分類されますが、本人・周囲とも障害にはっきりと気付かずに社会生活を営んでいて、障害の自認がない場合も多いため、認定数はこれより少なくなります。生理的要因による障害が多く、一般的に健康状態は良好です
中等度（中度） IQ　35～49程度	合併症*17 が多数みられます。過半数の精神年齢は小学生低学年程度です
重度 IQ　20～34程度	大部分に合併症がみられます。多動や嗜好の偏りなどの行為が問題になります。おおむね精神年齢は4歳児程度しかありません
最重度 IQ　20未満程度	大部分に合併症がみられます。寝たきりの場合も多いです。運動機能に問題がない場合、多動や嗜好の偏りなどの行為が問題になる場合があります。精神年齢は1歳児程度しかありません

用語解説

*17 **合併症**
知的障害にみられる合併症は、てんかん、視聴覚障害、肢体不自由、奇形、内分泌障害などです。

知的障害の原因には病理的要因、生理的要因、心理的要因が考えられます。

■ 病理的要因

ダウン症候群*18 やレット症候群などの染色体異常によるもの、自閉症などの脳機能における何らかの先天性疾患によるもの、出産時の酸素不足・脳の圧迫などの出産前後の時期の事故や、生後の高熱の後遺症などの疾患・事故などが原因の知的障害もあります。脳性麻痺やてんかんなど

用語解説

*18 **ダウン症候群**
21番目の染色体が1本多いことによって起こります。特有の顔貌を示し、全身の筋肉弛緩、心臓の形態異常、てんかん、乾燥肌、知的障害などを伴うことが多くありますが、個人差があります。

の脳の障害、心臓病などの内部障害を合併している場合（重複障害）も多く、身体的に健康ではないことも多いです。染色体異常が原因の場合は知的障害が中度・重度であることが多く、外見的に特徴的な容貌がみられることもあります。フェニルケトン尿症[*19]は遺伝子による異常で、脳の成長に影響を及ぼしますが、食事療法により精神遅滞を事前に食い止めることもできます。

用語解説

＊19 フェニルケトン尿症
遺伝性のアミノ酸代謝障害。血液や脳にフェニルアラニンが蓄積し、尿にフェニルピルビン酸を排出します。放置すれば精神発達を阻害し知的障害を生じますが、生後すぐにフェニルアラニンをほとんど含まない食事を与えて治療すれば正常な発達を得ることができます。

■ 生理的要因

特に病理的要因となる疾患はみられないものの、たまたま知能指数が低くて知的障害と判定されたという場合です。知的障害がある親からの遺伝や、知的障害がない親から偶然に知能指数が低くなる遺伝子の組み合わせで生まれたことなどが原因と思われます。合併症はないことが多く、多くは健康状態に関しては良好です。知的障害者の大部分はこのタイプであり、知的障害は軽度・中度であることが多いです。

■ 心理的要因

養育者による虐待や育児放棄によるコミュニケーションの不足など、発育環境が原因で発生する知的障害です。リハビリによって知能が回復することもあります。

■ 知能と創造性

創造性は、ただ記憶するだけではなく自分の頭で考え、未知の問題であっても自分の力で解決しながら、これまでに考えられなかった新しい何かを作り出していく能力であり、生きる力、たくましさにも通じるものです。創造性には流暢性、柔軟性、実用性、独創性などの要素があり、これらは知能の一部とも考えられますが、別個の要素という見方もあります。実際に、知能検査ではそれほど高い得点にはならずとも、とてもユニークな考え方をしていたり、他人とは違った感性を持っていたりということはあり得ます。また、知能のとらえ方も近年は変化してきています。例えば、ガードナー（Gardner, H.）による「多重知能」

の概念などがあります。これは、知能は一元的なものではなく、それぞれに独立性のある「言語的知能」「論理数学的知能」「空間的知能」「身体運動的知能」「音楽的知能」「対人的知能」「内省的知能」など、多様な分野にわたるものではないかという考え方です。知能検査や学校の成績に一喜一憂せずに、子どもの能力をもっと幅広く柔軟にとらえていく態度が必要なのではないでしょうか。

2 限局性学習症（学習障害）

*20 **限局性学習症**
R5年（後）

日本では旧文部省が1999（平成11）年に、学習障害（限局性学習症（SLD））*20 を以下のように定義しています。

「学習障害とは、基本的には全般的な知的発達に遅れはないが、聞く、話す、読む、書く、計算するまたは推論する能力のうち特定のものの習得と使用に著しい困難を示す様々な状態を指すものである。学習障害は、その原因として、中枢神経系に何らかの機能障害があると推定されるが、視覚障害、聴覚障害、知的障害、情緒障害などの障害や、環境的な要因が直接の原因となるものではない」。

具体的な障害にはさまざまなものがみられ、書く時に鏡文字になる書字障害、「ツ」と「シ」など似ている文字の区別がつかないなどの読字障害、計算の繰り上がりがわからない算数障害などがあります。学校において、国語はできるが算数が全くできないといった教科間の成績の差が激しい場合や、同じ算数でも計算はできるが図形の問題が全くわからないなど、特異な特徴によって気付かれる場合が多くあります。

原因は不明ですが、脳機能に何らかの障害があるためと考えられ、決定的な治療方法はありません。自己評価の低下や衝動的な行動の増加などの二次的な問題が出現することもあります。対処法としては、学校の中で本人が劣等感や疎外感を感じないように配慮し、基礎的な部分から丁寧に指導する一方で、本人の得意な部分を伸ばし弱い部分をカバーなどするとよいでしょう。

3 注意欠如・多動症（注意欠如・多動性障害）

注意欠如・多動症（AD/HD）*21 は多動性、不注意、衝動性を特徴とし、環境により行動障害を起こすことがあります。全般的な特徴により、不注意優勢型、多動性－衝動性優勢型、混合型に分類する場合があります。

■ **不注意優勢型**
注意や集中を保つことが難しく、必要なものに対して継続的かつ選択的に意識を向けることができません。そのため、人の話を聞いていない、忘れ物が多い、集団活動が苦手、などの傾向がみられます。

■ **多動性－衝動性優勢型**
じっとしていることが苦手で、席を立って歩いたり、衝動的な行動をすることがあります。そのため、順番が守れない、思わず友だちに手を上げてしまう、静かに活動に従事できない、などの傾向がみられます。

■ **混合型**
上記2つの型が混合したタイプです。

注意欠如・多動症は幼稚園や保育園などで集団生活を始めると、その傾向があらわになってくる場合が多いです。通常の発達と重なる要素もあるため、単に「元気のよい子」「落ち着きのない子」ということで見過ごされがちです。児童期以降の就学後に、さまざまな不適応によって診断が確定する場合が多いです。

治療は薬物療法のほか、集中力を高めるための行動訓練、気が散るものを周りに置かないなど環境の整備などが考えられます。また、問題行動による孤立やいじめなどの二次的な問題が発生しないように留意します。成長するにしたがって軽快する場合も多くあります。

用語解説

*21 **注意欠如・多動症（AD/HD）**
一般にはこの名称が用いられていますが、ICD-10（WHO発行の「国際疾病分類第10版」）では「多動性障害」という名称でくくられています。おおむね「注意欠如・多動症（AD/HD）」と同義と考えてよいものと思われます。なお、以前は「注意欠陥／多動性障害」の表記が使用されていました。

4 自閉スペクトラム症（自閉症スペクトラム障害）

自閉スペクトラム症*22 は、社会性や他者とのコミュニケーション能力に困難が生じる発達障害の一種です。先天性の脳機能障害ですが、発症の具体的なメカニズムについては未解明の部分が多いです。時に、早期幼児自閉症、小

*22 **自閉スペクトラム症**
R5年（後）

児自閉症、あるいはカナー自閉症と呼ばれます。

診断基準には次の２つの行動特徴があげられます。

■ 社会性・対人関係の障害

社会的な場面での不適切なふるまい、対人関係の形成や維持の困難さがみられます。

■ 限定された反復的な行動様式

興味や関心の幅が狭く、特定のものへの強いこだわり、行為の反復などがあります。

通常は知的障害を伴う場合が多いですが、上記の２つの特徴を持ちながらも知的な障害がないものもあります。これらは、以前は高機能自閉症やアスペルガー症候群*23と呼ばれ、知的には問題がなく、「知的障害がない自閉症」として扱われていましたが、最新のDSM-5（『精神疾患の分類と診断の手引』アメリカ精神医学会）では自閉症スペクトラム障害として、自閉症の一つの段階として、位置付けられています。対人関係の障害や、他者の気持ちの推測力など、心の理論*24 の障害が原因の一つであるという説もあります。特定の分野への強いこだわりを示したり、運動機能の軽度な障害もみられることがあります。

自閉スペクトラム症の子どもには、手順や教示などについて本人が理解しやすいような工夫をする、不必要なプレッシャーを与えず安心して落ち着けるような環境を整える、本人の興味や関心を伸ばしてあげる、などの対応が望まれます。また、社会性の問題から、周囲から孤立していたり、いじめの対象になることもあるので注意が必要です。

自閉スペクトラム症と同様に、広汎性発達障害の一つとして扱われるものとしてレット症候群、小児期崩壊性障害があります。レット症候群は女児に多くみられ、知能や言語・運動能力が遅れ、小さな手足や、常に手をもむような動作や、手をたたいたりする動作が特徴的です。小児期崩壊性障害は３～４歳までは正常に発達するものの、その後、精神遅滞や社会性の喪失などの退行がみられます。

*23 **アスペルガー症候群**
過去問では、「知的障害を伴わない自閉症」として出題されています。
なお、治療として行われる感覚統合療法とは、学習スキルや運動スキルの獲得よりも発達障害児の中枢神経系の機能を改善することを目的として考案されました。子どもに対して個別的な計画を立て、子どもの能動的取り組みを重視し、スイングやボールプール、平均台などの器具を用いて行います。

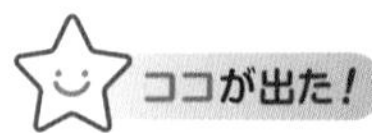

*24 **心の理論**
R5年（後）
相手の心の中を推察したり、他者が自分とは異なる立場や意識を持つと考えることができる能力のことです。一般に正常な発達では、児童期には確立するとされています。

理解度チェック　一問一答

全問クリア　月　日

Q

□ ❶ 自閉スペクトラム症については、心の理論説、実行機能説、中枢性統合説などによって説明されてきたが、どれか一つの理論のみで説明することは難しいとされている。R5年（後期）

□ ❷ 選択性緘黙とは、DSM-5によれば、他の状況で話しているにもかかわらず、話すことが期待されている特定の社会的状況（例：学校）において、話すことが一貫してできない症状をいう。R5年（後期）

□ ❸ 起立性調節障害は、起立に伴う循環動態の変化に対応できず、低血圧や頻脈を起こし、症状が強いと失神することがある。小学校入学前頃に発症し、1年以上持続する。R5年（後期）

□ ❹ 限局性学習症は、勉強ができない子ども一般をさすものであり、子どもの読み書きや計算における二つ以上の能力の低さを必ず併発するものである。R5年（後期）

□ ❺ 不登校は、病気により入院治療を受けている場合や、家計が苦しくて教育費が出せないなどの経済的な問題による長期欠席も含まれる。H30年（前期）

□ ❻ 来園への行きしぶりが続き、登園中に雷が鳴るのを聞いて以来、全く園に行けなくなった1歳半の男児について、その原因として、場所見知り、分離不安、感覚過敏、雷によるトラウマなどが考えられる。H31年（前期）

□ ❼ 夫婦間暴力の目撃は、乳幼児にとって心的外傷（トラウマ）になりうる。R4年（前期）

A

❶ ○

❷ ○ 場面緘黙症ともいい、DSM-5では不安症群に分類される。

❸ × 起立性調節障害は、小学校入学前ではなく、中学生以降に発症する。

❹ × 限局性学習症は、基本的には全般的な知的発達の遅れはなく、子どもの聞く、話す、読む、書く、計算または推論する能力のうち特定のものの習得と使用に著しい困難を示す状態を指すものである。

❺ × 不登校の定義は「義務教育である小・中学校に在籍していて、年間で30日以上欠席した児童生徒（ただし病気や経済的な理由の場合は除く）」とされている。

❻ ○ 原因には様々なものが考えられ、かつそれぞれが複合している可能性がある。

❼ ○

8 子どもの理解と援助

頻出度

子どもの発達にとっては、その時期において適切な援助が求められます。個性や自主性を尊重しつつも、適度な誘導や禁止も時によっては必要です。それぞれの段階の発達の特徴をよく理解した上で、その子どもの個性にあったかかわりと援助ができるようになりたいものです。

発達段階に応じた援助

子どもを理解する方法

1 観察法

通常、乳幼児は言語を用いて自分の行動や感情を詳細に正確に説明したり、質問文を読みそれに対して回答をしたりするといったことが難しいか、あるいは不可能です。よって、子どものアセスメントをする際には、目で見て取れる子どもの行動を外部から観察し記録するといった方法がとられることが多いです。これを観察法*1 *2 といいます。

観察法は自然な状況の中で観察を行う「自然的観察法」と、何らかの統制を加えた上で観察を行う「実験的観察法」に分類できます。前者はたとえば、保育の自由遊びの場面

ココが出た！
*1 観察法
R4年(後)

ココが出た！
*2 行動目録法
R4年(後)
行動目録法とは、チェックリスト法とも呼ばれ、観察する行動のカテゴリーを予め決めておき、その行動が生起したら行動測定に従って記録する方法です。時間見本法の場合によくとられる記録方法です。

で子どもの様子を観察するといったことで、後者はエインズワースのストレンジシチュエーション法のように、親との分離と再会の場面を人工的に設定し、子どもの反応を見るといったことです。

観察の形態も、観察者が自ら子どもの中に入って、一緒に活動をしながら観察する「参加観察法」や、マジックミラーを通して子どもの行動を一方的に観察するような「非参加観察法」などがあります。

観察の記録の方法はいくつかありますが、特に観察者の印象に残った行動を記述する「エピソード記述法」、けんかやいざこざなど観察対象となる行動の生起しやすい場面を観察する「行動見本法」、砂場での遊びなど観察対象となっている行動の出現頻度が高い場面を取り上げて行動を観察する「場面見本法」、一定の区分された時間を設けて、その中で対象とする行動が生起するかどうかを観察する「時間見本法」などがあります。

2 検査法

特定の課題が用意されており、それに対する子どもの反応やパフォーマンスをみる方法を検査法といいます。子どもの発達状態を理解するためには、子どもの行動を観察するだけでなく、発達検査や知能検査を参考にします*3。

発達検査は特定の課題に対する当該年齢の子どもの達成度をみることにより、乳幼児や小学生の発達の度合いを調べる検査です。「遠城寺式・乳幼児分析的発達検査法 」「乳幼児精神発達診断法（津守式）」「新版K式発達検査」などがあります*4。

■ 知能の測定

知能を測定する方法には、個別式検査と集団式検査があります。個別式検査は検査者が被験者に対して1対1で実施していきます。そのため、単に記述的な反応をみるだけでなく、さまざまな課題を実施することができます。しか

*3 **発達検査、知能検査**
R4年（後）

*4 **発達検査**
新版K式発達検査2020」は0歳児から成人までの測定が可能であり、「姿勢・運動領域」「認知・適応領域」「言語・社会領域」の3領域で構成されている個別式検査です。
遠城寺式・乳幼児分析的発達検査法、乳幼児精神発達診断法（津守式）は、保護者などがつける質問紙形式になっています。

し、一般的に検査は複雑で時間がかかり、また熟練を要します。代表的な個別式検査として、「田中ビネー知能検査」と「ウェクスラー知能検査」などがあります*5。

*5 **知能検査**
田中ビネー知能検査は全般的な知能の発達水準を知能指数によって計測できます。
ウェクスラー式の知能検査では、知的水準が同年齢集団の中でどのあたりに位置するかを表す偏差知能指数(DIQ)が用いられています。

代表的な検査方法

・田中ビネー知能検査
【IQ＝精神年齢（知的発達を示す年齢）／生活年齢（実年齢）×100】
IQをもとに知的障害の程度を「軽度」「中度」「重度」「最重度」の4つの等級に分類。

・ウェクスラー知能検査
対象年齢が異なる以下の検査がある。
WPPS(3歳10か月～7歳1か月)、WISC−Ⅳ（5歳～16歳11か月)、WAIS−Ⅳ（16歳～90歳11か月）

一方、集団式検査は、比較的簡単に実施でき、一度に多数を対象にすることも可能なので効率的です。また、初心者でもマニュアル等に基づいて容易に行うことが可能です。しかし、記述形式のみであるため一般に課題は限定されます。

それぞれの発達段階に応じた援助

*6 **保育における発達援助についての『保育所保育指針』**
ほぼ毎年何らかの形で出題されています。

1 乳児期の発達援助*6

この時期は特定の養育者との間に愛着が形作られていく非常に大切な時期です。愛着はその後の人生の豊かな基盤となる可能性を秘めています。言葉だけでなく、抱きしめたりなでたり温かさを感じさせたりといった肌と肌とのコミュニケーションを大切にしていく必要があります。人見知りなどがあっても、それはしっかりとした愛着が形成されている証拠なので過度な心配は不要ですが、気になる点があれば迷わず専門家に相談しましょう。また、乳児期は身体の不調があってもそれを言葉に出すことができませんので、健康管理には細心の注意が必要となります。

2 幼児期の発達援助*7

この時期は言葉と身体の発達が急速に進み、社会性が育っていきます。友達との遊びや一人遊びも含めて、多様な活動が始まりますので、危険には細心の注意を払いながらも、子どもの自由な活動をのびのびと見守る姿勢があってもいいでしょう。衣食住にかかわる生活習慣をきちんと身に付けさせる一方で、ある程度の自主性を尊重することも必要です。また、次の児童期の就学にむけて、集団生活に慣れさせたり、社会的なマナーの基本をおさえておくのもよいかもしれません。

3 児童期の発達援助

この時期は今までの親子や家庭から、学校生活に活動の中心が移ってきます。そのため、親への全面依存の傾向が弱まり、子どもだけの生活領域を持つ傾向も出てきます。保護者などと連絡を取りつつも、ある程度距離をおいて見守るのもよいでしょう。一方で、集団生活も始まり教科学習も本格的になってきます。自己責任に基づいた、社会的なルールを尊重した行動をとらせることも必要です。一方で、劣等感を持ったり、集団の中で不適応を起こしたりする子どもも出てきますので、注意深い観察を怠らないようにしましょう。

いずれの時期においても強調されるべきことは、子どもの主体性と自主性を尊重するということでしょう。画一的な行動を強制したり、一方的に指示を与えるのみでは、子どもの個性は圧殺され、自由で自発的な人間性は育ちません。また、どのような状況であれ、子どもに対する共感と理解を忘れてはいけません。一見、大人にとっては不可解に思えるような行動であっても、子どもにとっては意味のあることかもしれませんし、また、それなりの立場や考えがあるかもしれません。ただし、野放図に子どものするが

*7 **発達援助と社会化**
R4年（後）
社会の価値や規範を身に付け、それに基づき社会の一員として行動できるようになる過程を社会化といい、発達援助はこの社会化をうながすものです。

ままにさせておくのがよいかというと、そういうわけでもありません。やはり不適切な行為はありますし、そこに何らかのつまずきがあるかもしれません。子どもをよく観察した上で、保育者の側からの、それなりの理念を持った介入はある程度必要でしょう。

4 ヴィゴツキーの発達理論

ヴィゴツキー（Vygotsky, L. S.）は、子どもの発達を大人や社会との相互作用にあるとし、個人間の社会的なやり取り、すなわち精神間機能が、やがて個人の内部に移行し内面化すると考えました。子どもはまず親や教師、学校の仲間に教えられたり、ヒントをもらったり、真似をしたりしながら新しい問題に対処しますが、やがて自らの力で解決できるようになっていきます。このように、子どもの発達においては、現在の発達レベルである自分で解決可能な領域と、全く解決不可能な領域との間に、他からの援助があれば解決できるという潜在的な発達の領域があります。これをヴィゴツキーは「発達の最近接領域*8」と呼び、教育において重視しました。教育においてはこの領域に働きかけ、発達を引き上げてやることが重要だとしたのです。

ココが出た！
*8 発達の最近接領域
R4年(後)

保育においても保育者はまさにこの「発達の最近接領域」に働きかけることで、子どもの主体性と自発性を尊重しつつ、適切な発達の援助ができるのではないでしょうか。

◯ 発達の最近接領域

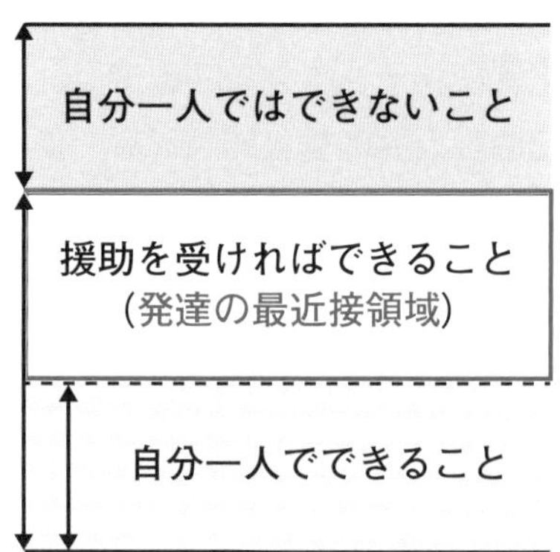

赤枠の部分に対して適切な援助を行い、発達を引き上げる（一人でできることを増やす）ことが教育において重要である 。

最近接領域こそ保育者の重要な役割

ヴィゴツキーの発達の最近接領域とは、自分一人でできる現在の発達レベルに親や保育者、教師などが援助することによって自分ひとりではできない発達のレベルまで引き上げることが重要だとした考え方です。このように潜在的な発達の領域に引き上げる教師の働きかけを「足場かけ」といいます。この足場かけの考え方は、世界中の幼児教育の基礎理論として活用されています。

5 保護者への援助

また子どもだけでなく、保護者に対する援助も必要です。保護者は何らかの形で子どもの発達について不安を持ち、また期待をしているものです（発達期待）。保育者はそれらを受けとめ、その気持ちに寄り添い、必要に応じてアドバイスや情報提供を行わなくてはなりません。場合によっては他職種の専門家や関係機関との連携も必要となります。

理解度チェック　一問一答

全問クリア　月　日

Q

□ ❶ 教育と心的機能の発達の相互作用に関する理論の中で、ヴィゴツキー（Vygotsky, L.S.）は、問題解決の場面で子どもが自力で解決できる既に「完成した水準」と、大人の援助や指導によって解決が可能となる「成熟しつつある水準」の２つの発達水準を区別することができるとし、この２つの発達水準の差の範囲を発達の最近接領域と呼んだ。 H30年（後期）

□ ❷ 子ども同士のトラブルへの保育士の対応として、どのような場合でも見守る・待つ姿勢が大切である。 H30年（前期）

A

❶ ○ ヴィゴツキー（Vygotsky, L.S.）は、教育的働きかけは、発達の最近接領域の範囲に対してなされなければ子どもの発達に貢献できないと述べた。

❷ × 身体的な危険がある場合は介入する必要がある。また、解決へのヒントを与えたり促したりすることも場合によってはあり得る。

□ ❸ 支援対象に、直接支援するのはコンサルタントであり、間接支援するのがコンサルティである。 R6年（前期）

□ ❹ 就学時期の子どもの心理的不安を軽減させる目的で、長時間の着席や文字や数を習得するなど小学校教育の先取りをすることは有効である。 R5年（後期）

□ ❺ 発達変化を捉えるために、同一の対象者を長期間にわたって調べる方法を、縦断的方法という。 R5年（後期）

□ ❻ 巡回相談は、外部機関の子どもの発達に関する専門家である相談員が保育所等を訪問し、保育を支援するための相談活動である。園を訪れた相談員が支援を必要とする子どもと取り巻く保育状況についてアセスメントを行い、その後に保育士とケースカンファレンスを行う形式が多い。 H31年（前期）

❸ × 支援対象に、直接支援するのはコンサルティであり、間接支援するのがコンサルタントである。保育場面では、コンサルタントである保育カウンセラーがコンサルティである保育者に助言をし、保育者が直接保護者を支援するなどである。

❹ × 就学時期の子どもの心理的不安を軽減させる目的であっても、長時間の着席や文字や数を習得するなど小学校教育の先取りをすることは幼児期の発達にはふさわしくない。

❺ ○

❻ ○ R6年（前期）にも出題された。巡回相談はアウトリーチ型支援として、保育や教育現場において重要で効果的なものであり、保育者とカウンセラーのように異なる専門性を持つ複数の者が、コンサルテーションを通して、支援対象についての知識の提供や新しい視点の提示などが行われる。

子どもの保健

保育は子どもの心身の発育・発達の状態に合わせて行いますので、この科目で標準的な発育・発達を学び、一人ひとりの違いに合わせた対応を学ぶことは、日常の保育や子育てに大いに役立ちます。また、感染症対策や体調不良への対応や事故対応など、日常生活でも必要な知識も学びます。
新型コロナウイルス感染症の影響で、普段、保育所で行っている感染予防やワクチンについても出題される可能性がありますので、時代の動きを常に意識しながら勉強しましょう。

出題の傾向と対策

過去5回の出題傾向と対策

① 子どもの健康と保健

保育所保育指針と絡めて出題されることが多いので、健康と安全に関する部分は目を通しておく必要があります。また、日本の子どもの保健水準を理解するために最近の人口動態の統計にも目を通しておきましょう。最近の出題では、保育現場の環境や衛生管理、保健計画も重視されるようになりました。

② 発育と発達

子どもの保健では必ず出る項目です。身体計測の仕方、成長曲線、発育の評価の仕方、通常の発達の仕方、発達の評価の仕方をおさえておく必要があります。発達は運動発達、精神発達、社会的発達に分けて年齢ごとにできるようになることを覚えておきましょう。

③ 生理機能

成人とは違う子どもの生理機能やその発達について、健康の評価の仕方が必要となってきます。睡眠、排泄の発達と生活習慣についても大切です。

④ 症状と看護

体調不良時の症状とその対応が大切です。また、健康に関係する保育の仕方や保護者への助言、情報収集の仕方もしばしば取り上げられています。

⑤ 感染症と予防

子どもの体調不良で最も多いのは感染症です。主な感染症の症状と集団生活での留意点を理解しておくことが大切です。感染症の予防の仕方や、感染した場合に集団生活ができない期間を覚えておく必要があります。予防接種は新しく定期接種に加わったものもあり、接種回数や間隔などは最新のものを確認しましょう。

⑥ 事故と救急処置

子どもが起こしやすい事故や救急処置について、毎回出題されています。保育所での対応の仕方や事故防止や安全対策も重要です。またわが国の事故に関する統計もおさえておきましょう。

⑦ 子どもの疾患

子ども特有の疾患は、症状や対応を含めていくつか出題されています。具体的症例が出されることもあります。

⑧ 母子保健

毎回、行政サービスや今後の政策、母子支援、母子健康手帳について出題されています。健診についても実施の仕方をおさえておきましょう。地域の関係機関との連携も重視されるようになっています。

⑨ 個別的な配慮を要する子どもへの対応

慢性疾患、アレルギー疾患のある子どもや、障害のある子どもへの保健的対応について理解しておきましょう。病児保育事業や医療的ケア児の保育についても理解しておきましょう。

⑩ 最近の話題

災害による子どもへの影響、食物アレルギーへの対応、子どもの生活習慣も取り上げられています。新型コロナウイルス感染症に対する対策などについても、出題されました。

原典を確認しておきたい法律・資料

「子どもの保健」の過去5回の出題キーワード

問題	R6年（前期） 2024年	R5年（後期） 2023年	R5年（前期） 2023年	R4年（後期） 2022年	R4年（前期） 2022年
1	保育所保育指針	情緒の安定	保育所保育指針	母子保健の人口動態統計	保育所保育指針：子育て支援
2	日本における母子保健	原始反射	糖尿病	乳幼児の体調不良	保育所保育指針：養護
3	児童虐待の発生予防・防止	生理機能の仕組み	保育所保育指針	保育所における感染症対策	虐待
4	身体的発育	子どもの生理機能の発達	小児の歯科保健	子どものけいれん	子どもの生理機能の発達
5	脳の構造と機能	発疹の種類と内容	乳児の事故	救急蘇生法	保育所における感染症対策
6	乳幼児の排尿・排便の自立	頭囲の測定法	SIDS	保育所のアレルギー対応	感染症と症状
7	乳幼児の健康診査	感染症の原因病原体と症状	乳児の栄養指導	乳幼児の感染症	ノロウイルスに対する消毒
8	RSウイルス感染症	子どもの与薬に関する留意点	子どもの生理発達	児童虐待	紫外線対策
9	感染症の原因ウイルスと症状	生ワクチンについて	てんかん	睡眠	伝染性軟属腫
10	学校において予防すべき感染症	午睡について	乳幼児の与薬の仕方	保育所の食中毒予防	保育所での事故防止
11	保育所における防災	保育所の消毒薬に関して	保育施設の衛生管理	流行性耳下腺炎事例	幼児期の言語発達
12	保育所等における防災・防犯訓練	災害発生時の対応体制と避難への備え	保育施設における嘔吐処理	嘱託医の役割	子どもの身体症状と対応
13	小児のけいれん	保育所での集団感染の予防	WHOの健康の定義	保育所保育指針	事例：自閉スペクトラム症
14	子どもの体調不良や事故	子どもの事故	感染症	乳児の精神機能発達	事例：不安神経症
15	保育所における嘔吐時の対応	アナフィラキシーが起こった時の対応	ワクチン	保健計画	事例：ネグレクト
16	保育所における発熱時の対応	血液媒介感染	保育所保育指針	体調不良事例	保育所での衛生管理
17	病児保育事業	保育所での感染症	乳幼児の発育	体調不良事例（百日咳）	保育所等での災害の備え
18	「エピペン」の使用について	食物アレルギーの誤飲事故の防止	乳幼児の身体測定	保育施設における事故防止	心肺蘇生
19	食物アレルギー	保育所における事故の応急処置	食物アレルギー	保育施設における事故防止	新型コロナウイルス
20	血友病の子どもの保育	子どものアレルギー	児童虐待	医療的ケア児	慢性疾患児と医療的ケア児

1 子どもの心身の健康と保健の意義

子どもの保健の基本となります。保育所保育指針の第3章「健康及び安全」が大切です。よく読んでおきましょう。わが国の子どもの保健の水準を理解するために、最近の人口動態も理解しておきましょう。

頻出度

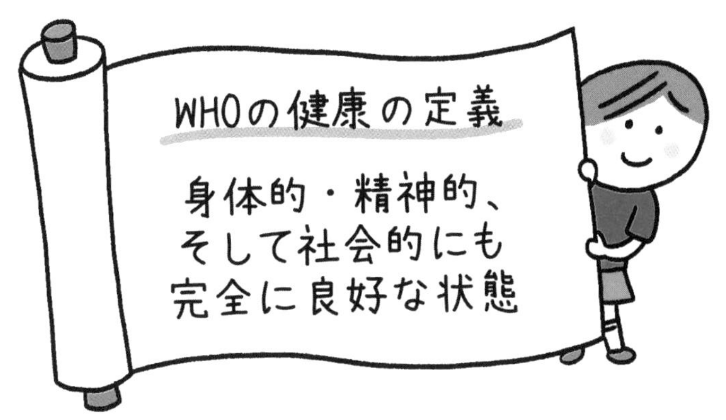

WHOの健康の定義
身体的・精神的、
そして社会的にも
完全に良好な状態

生命の保持と情緒の安定にかかわる保健活動

1 子どもの特徴

子どもの特徴は、絶えず発育、発達していることです。順調な発育、発達をし、支障のない生活を送るためには、子どもは先天的条件、養育の条件、環境の条件の影響を特に受けやすいので、成人や社会の適切な対応が必要となります。すなわち子どもの保健は保育の基本です。

2 保育所保育指針～健康と保育の関係性

2018（平成30）年施行の保育所保育指針*1 の第３章には次のような記載があります。

*1 保育所保育指針
R4年(前)　R4年(後)
R5年(前)　R6年(前)
ほぼ毎年、キーワードの穴埋め問題が出題されています。R5年(前)では、保育所保育指針に関する問題が3問出題されました。

> 子どもの健康及び安全の確保は、子どもの生命の保持と健やかな生活の基本であり、一人一人の子どもの健康の保持及び増進並びに安全の確保とともに、保育所全体における健康及び安全の確保に努めることが重要となる。
> また、子どもが、自らの体や健康に関心を持ち、心身の機能を高めていくこと*2 が大切である。(中略)
>
> ア　子どもの心身の状態に応じて保育するために、子どもの健康状態並びに発育及び発達状態について、定期的・継続的に、また、必要に応じて随時、把握すること。
>
> イ　保護者からの情報とともに、登所時及び保育中を通じて子どもの状態を観察し、何らかの疾病が疑われる状態や傷害が認められた場合には、保護者に連絡するとともに、嘱託医と相談するなど適切な対応を図ること。看護師等が配置されている場合には、その専門性を生かした対応を図ること。

*2 子どもの健康の増進
過去に文部科学省の「幼児期運動指針」について出題されています。

用語解説

*3 世界保健機関(WHO)
人間の健康を基本的人権の一つととらえ、すべての人々が可能な最高の健康水準に到達することを目的として設立された国際連合の専門機関です。

子どもの生命と心の安定が保たれ、健やかな生活が確立されることは、日々の保育における基本です。そのためには、一人ひとりの子どもの健康状態、発育及び発達状態に応じて保育することが大切です。一人ひとりの健康状態を把握することによって、早期に感染症の流行を予防することや、慢性的疾患や障害の早期発見、不適切な養育などに気付くことにも役立ちます。

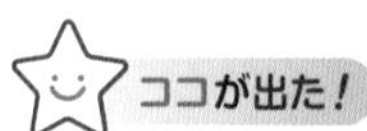

*4 WHOの健康の定義
R5年(前)
もう少しわかりやすい表現にすると、「病気にかかっておらず、虚弱な状態ではないということだけではなく、身体的、精神的さらに社会的に完全に良好な状態である」ということです。

健康の概念と健康指標

世界保健機関(WHO)*3 では、健康の定義*4 を「健康とは、完全な肉体的、精神的および社会的福祉の状態であり、単に疾病または病弱の存在しないことではない」としています。子どもの保健とは、子どもたちの心と身体の健康を維持し、増進することを目的とした医学分野で、そのための実践活動です。

*5 乳児死亡率
R4年(後)　R6年(前)
1,000出生児に対する1歳未満の死亡数のことです。

現代社会における子どもの健康に関する現状と課題

1 日本の乳児の死亡率

日本の乳児の死亡率*5 は、この60年で20分の1に減少し、2023（令和５）年は1,000の出生に対し、約1.8で、世界でトップクラスの低さです。かつては、肺炎、腸炎などによる死亡が多かったのですが、小児医学の発展・普及、栄養の改善、予防接種の開発と普及、上下水道の整備、周産期死亡率の低下＊6により死亡率が改善されました。

◯ 乳児死亡率の推移と死亡原因

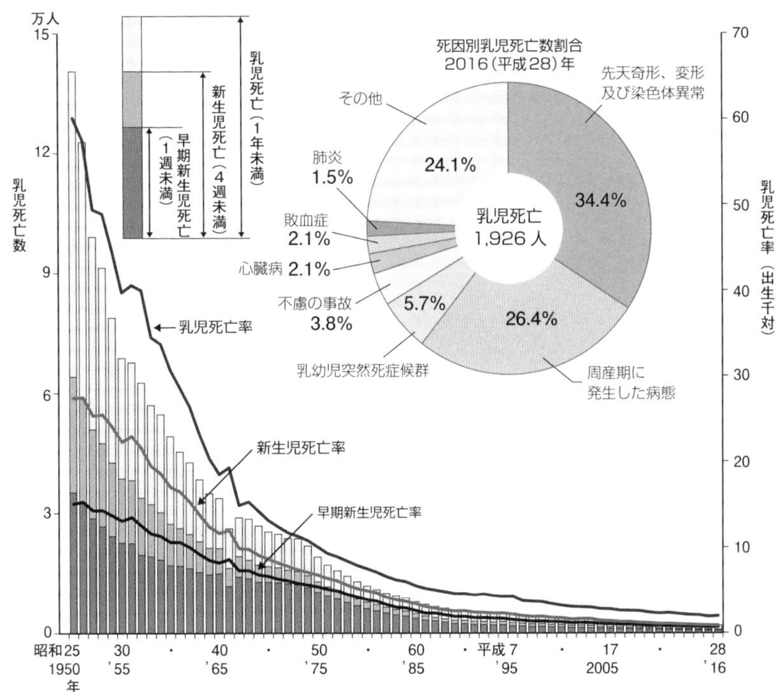

※ 乳児死亡とは、生後１年未満の死亡であり、このうち４週（28日）未満の死亡を新生児死亡、１週（７日）未満の死亡を早期新生児死亡という。
（出典：厚生労働省「我が国の人口動態」より）

2 日本の合計特殊出生率＊7

日本では少子化が進行しており、出生率＊8が下がっています。合計特殊出生率は、2005（平成17）年には1.26となりました。2012（平成24）年には1.41、2015（平成27）年には1.45と一旦、上昇しました。しかし、その後は再び低下傾向となり、2023（令和５）年には1.20と過去最低となりました。2023（令和５）年の出生数は72万7,277

＊6 **周産期死亡率の低下**

R4年（後）

周産期死亡とは妊娠22週以後の死産と生後1週未満の早期新生児死亡をあわせたものです。

ココが出た！

＊7 **合計特殊出生率**
R4年(後)
一人の女性が一生の間に出産する子どもの予測数のこと。将来の人口の年齢構成に影響します。先進国においては約2.07を下回ると人口の自然減につながるとされています。

人で死亡数より少なく、人口総数の減少が続いています。第１子出生の母親の年齢の上昇が続いており、合計特殊出生率の伸びが抑制されている一因にもなっています。出産がしやすい環境の整備や子育て支援のための施策を一層考えていくことが必要になっています。

○ 第１子出生時の母親の平均年齢

1980年	1990年	2000年	2010年	2020年
26.4歳	27.0歳	28.0歳	29.9歳	30.7歳

（出典：内閣府「令和４年版少子化社会対策白書」より）

○ 主な国の合計特殊出生率の推移

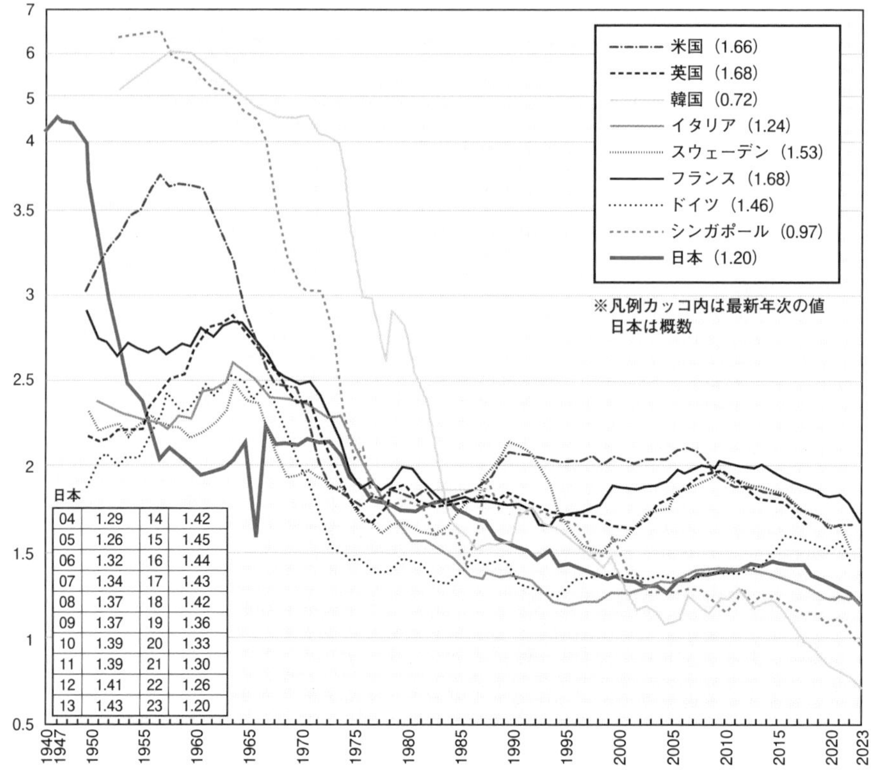

04	1.29	14	1.42
05	1.26	15	1.45
06	1.32	16	1.44
07	1.34	17	1.43
08	1.37	18	1.42
09	1.37	19	1.36
10	1.39	20	1.33
11	1.39	21	1.30
12	1.41	22	1.26
13	1.43	23	1.20

(注)ドイツの1990年までは西独の値、英国の1981年までの値はイングランド・ウェールズの値
(資料)厚生労働省「平成13年度人口動態統計特殊報告」「人口動態統計」(日本全年、その他諸国の最新年)、国立社会保障・人口問題研究所「人口統計資料集2015」、韓国(韓国統計庁)、フランス'23(東京新聞'24.4.23夕)

（出典：HonKawa Data Tribune 社会実情データ図録（https://honkawa2.sakura.ne.jp/index.html）より）

２つの合計特殊出生率

合計特殊出生率は、ある期間（１年間）の出生状況に着目して、その年における各年齢（15 ～ 49歳）の女性の出生率を合計した「期間」合計特殊出生率と、同一世代生まれ（コーホート）の女性の各年齢（15 ～ 49歳）の出生率を過去から積み上げた「コーホート」合計特殊出生率があります。本来は、「コーホート」合計特殊出生率を用いるべきですが、この値はその世代が50歳に到達するまで得られないため、それに相当するものとして「期間」合計特殊出生率が一般に用いられています。ただし、晩婚化・晩産化が進行している状況で、各世代の結婚や出産の行動に違いがあり、各年齢の出生率が世代により異なる場合には、２種類の値は異なってきますので、注意が必要です。（厚生労働省：https://www.mhlw.go.jp/toukei/saikin/hw/jinkou/geppo/nengai23/dl/tfr.pdf）

2023（令和５）年度はコロナ禍の影響もあって合計特殊出生率は1.2で前年度より下がり、出生率が最も高い30～34歳で減少しています。また、20代の婚姻率も下がっており、今後も少子化が続く可能性が高くなっています。

用語解説

*8 **出生率**
人口1,000人に対する出生数の割合のことです。

𝄞♪ 地域における保健活動と子ども虐待防止

1 保育所保育指針～保護者との連携

保育所保育指針第3章1の（1）「子どもの健康状態並びに発育及び発達状態の把握」には、次のような記載があります。

> **イ**　保護者からの情報とともに、登所時及び保育中を通じて子どもの状態を観察し、何らかの疾病が疑われる状態や傷害が認められた場合には、保護者に連絡するとともに、嘱託医*9と相談するなど適切な対応を図ること。看護師等が配置されている場合には、その専門性を生かした対応を図ること。

何らかの疾病が疑われる時は、必ず保護者に連絡しなければなりません。保護者との丁寧な情報交換が、子どもの健康を守るためには不可欠です。

用語解説

*9 **嘱託医**
学校や保育所、幼稚園から依頼を受けて健康診断、健康管理を行う医師のことです。乳幼児の健診だけでなく、感染症の対策の指導や年間保健計画の策定にもかかわります。
常勤ではなく、月に数回の勤務のところが多いようです。

2 保育所保育指針～地域との連携

また、感染症の流行予防のためには、

> イ　感染症やその他の疾病の発生予防に努め、その発生や疑いがある場合には、必要に応じて嘱託医、市町村、保健所等に連絡し、その指示に従うとともに、保護者や全職員に連絡し、協力を求めること。また、感染症に関する保育所の対応方法等について、あらかじめ関係機関の協力を得ておくこと。看護師等が配置されている場合には、その専門性を生かした対応を図ること。

と記載されており（第３章１の（3）イ）、保護者、職員だけでなく、地域との連携が必要となります。

3 保育所保育指針～関係機関との連携

不適切な養育の早期発見のためには、

> ウ　子どもの心身の状態等を観察し、不適切な養育の兆候が見られる場合には、市町村や関係機関と連携し、児童福祉法第25条に基づき、適切な対応を図ること。また、虐待が疑われる場合には、速やかに市町村又は児童相談所に通告し、適切な対応を図ること。

と記載されており（第３章１の（１）ウ）、通告及び適切な対応を図る必要があります。

4 子どもの虐待防止

児童相談所への虐待の通報件数は、この20年間で約15倍になっていますが、社会の関心の高まりからくる「掘り起こし」の要素も大きいものと思われます。

虐待の種類は、暴言や家族のDVを見るなどの心理的虐待が最も多く、次いで、身体的虐待、ネグレクト*10、性的虐待の順です。心理的虐待や性的虐待はなかなか発見されづらく、実際はもっと多い可能性があります。

用語解説

*10 **ネグレクト**
育児放棄のことで子どもの養育を著しく怠ることです。学校に通わせない、病気になっても病院に受診させないことも含みます。

◯ 児童相談所での虐待相談件数（令和４年度速報値）

心理的虐待	身体的虐待	ネグレクト	性的虐待	総数
12万9,484件 (59.1%)	5万1,679件 (23.6%)	3万5,556件 (16.2%)	2,451件 (1.1%)	21万9,170件 (100.0%)

（出典：厚生労働省「令和４年度児童相談所での児童虐待相談対応件数<速報値>」より）

児童虐待のリスク要因として、保護者の被虐待経験、望まない妊娠、配偶者からの暴力などがあり、虐待児のリスク要因として、早産児、障害児などがあります。

児童にかかわる者は、児童虐待[*11]の早期発見に努め、発見した時には児童相談所に通告しなければなりません。

虐待を受けた子どもは、不安や怯え、うつ状態など心理的問題や反応性愛着障害を示すことが多く、虐待を行っていた保護者も心理的、経済的問題を抱えていることが多いので、長期にわたったサポートが大切です。

身体的児童虐待の特徴には以下のようなことがあります。

- 発育、発達が遅れている。
- 創傷が多発し、新旧の創傷が混在している。
- 通常では考えられない部位の創傷がある。

虐待を含む不適切な養育を受けた子どもには、精神的な症状のみならず、身体的影響がみられることがあります。具体的には、脳に器質的・機能的な変化[*12]をもたらすことや、成長ホルモンの抑制による成長不全を引き起こすことが知られています。

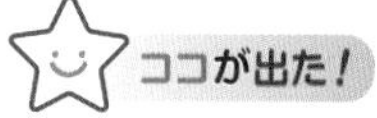

*11 **児童虐待**
R4年（前）　R4年（後）
R5年（前）
児童虐待の種類と定義などについて出題されました。

用語解説

*12 **器質的な変化**
萎縮などの形態的な変化がみられることをいいます。

理解度チェック　一問一答

全問クリア　月　日

Q

☐ ❶ 虐待は子どもの心身に深刻な影響を及ぼす。身体的影響には、成長ホルモンの抑制による成長不全を呈することもある。 R4年（前期）

☐ ❷ 乳児死亡率は、出生千に対する乳児死亡数で表す。 R3年（後期） R4年（後期）

☐ ❸ 「子ども虐待による死亡事例等の検証結果等について（第19次報告）」（厚生労働省）によると、虐待による死亡事例のうち、1歳以下のものはまれである。 R3年（後期）改

☐ ❹ 「保育所保育指針」では、「子どもの心身の健康状態や疾病等の把握のために、嘱託医等により定期的に健康診断を行い、その結果を記録し、保育に活用するとともに、保護者が子どもの状態を理解し、日常生活に活用できるようにすること」と記載されている。 R5年（前期）

☐ ❺ 「保育所保育指針」では、「子どもの生活の連続性を踏まえ、家庭及び地域社会と連携して保育が展開されるよう配慮すること。その際、家庭や地域の機関及び団体の協力を得て、地域の自然、高齢者や異年齢の子ども等を含む人材、行事、施設等の地域の資源を積極的に活用し、豊かな生活体験をはじめ保育内容の充実が図られるよう配慮すること」と記載されている。 R5年（前期）

☐ ❻ 「保育所保育指針」では、「保育所保育において、子どもの健康及び安全の確保は、子どもの生命の保持と健やかな生活の基本であり、一人一人の子どもの健康の保持及び増進並びに安全の確保とともに、保育所全体における健康及び安全の確保に努めることが重要となる」と記載されている。 R5年（前期）

☐ ❼ 児童虐待の発生予防として新生児スクリーニング検査がある。 R6年（前期）

A

❶ ○

❷ ○

❸ × 虐待による死亡例は1歳以下が最も多く、48.0%である。

❹ ○

❺ ○

❻ ○

❼ × 新生児スクリーニング検査は、先天性代謝異常症などを早期発見するための検査である。

2 子どもの身体的発育・発達と保健

子どもの発育では、身体測定の仕方とその評価、子どもの発達では標準的な発達とその評価を理解しましょう。子どもの発育・発達に合わせた保育方法もおさえましょう。

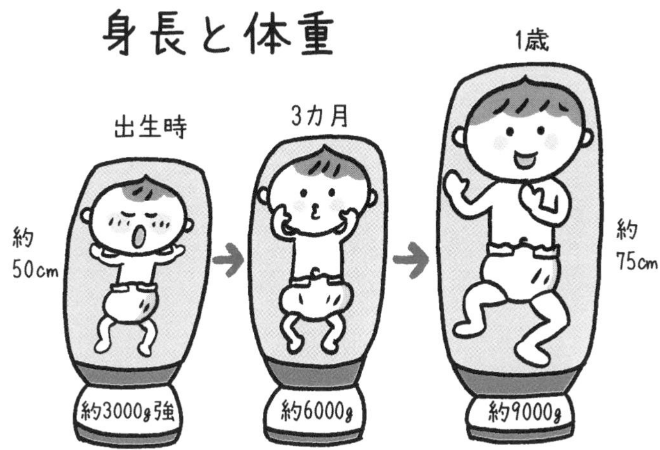

身体発育と保健

1 胎児の発育

卵子と精子が融合した受精卵が、子宮内膜に着床する時が妊娠の始まりとされます。妊娠の週数は、最終月経の第1日目からの満の週数で表します。

受精卵が発育して胎芽となり、妊娠8～10週からは胎児といいます。なお、妊娠22週未満の分娩は流産となります。出産予定日は、妊娠40週で、妊娠37週から42週までの出産は正期産といい、37週未満の出産は早期産といいます。

2 成熟児

正期産による新生児は成熟児といい、体重は3,000g前後、身長は50cm前後です。体重が2,500g未満の時には、低出生体重児とされます。

身体のバランスは、新生児はほぼ4頭身で、頭囲と胸囲では、頭囲の方が大きいです。

知っトク

*1 **発育期の区分**
過去に「生後30日未満を新生児という」という出題がありました。答えは×です。

3 発育期の区分*1

生後の子どもの発育区分は以下の通りになります。

- **新生児**：生後28日未満
- **乳児**：新生児期以降、1歳未満
- **幼児**：満1歳以降、小学校就学前まで
- **学童**：小学校就学後、卒業まで
- **生徒**：中学校就学後、卒業まで

「小児」は15歳まで。「青年」として20歳までを扱うこともあります。児童福祉法では満18歳未満を「児童」とし、小学校就学後満18歳に達するまでの者を「少年」としています。

4 子どもの発育評価

知っトク

*2 **中央値**
計測値を小さい順から並べたときに真ん中にある値のこと。

例 5人の試験結果

(人) 2人 2人 1人
25 50 150 (点)

中央値：真ん中の3番目の人の点数：50点
平均値：点数の平均：(25×2+50×2+150×1)÷5=60点

子どもの身体発育の評価をするためには、じっとすることが難しい子どもの身体測定を正しく行うことが必要です。体重の測定の仕方は、乳児では、授乳の前に測定し、おむつや服をつけている場合は、着衣やおむつの分を差し引きます。計測前に体重計が0位になっていることを確かめることが大切です。

■ 体重

出生時体重は、男児が3.0kg、女児は2.95kgが中央値*2 です。生後数日間の新生児の体重は、出生体重の5〜10%ほど減少します。これを生理的体重減少といいます。生後1週間で、出生時の体重に戻り、哺乳が十分でき

るようになると、体重は1日あたり30～40g増加するようになります。その後は通常生後3か月で出生体重の約2倍となり、生後1年で約3倍となります。

＊3 **身体測定方法・測定時の配慮**
R5年（前）

■ 身長の測定法＊3

身長の測定の仕方は、2歳未満は、仰臥位（ぎょうがい）（仰向けに寝た姿勢）で頭頂部から足底までの水平身長を測ります。二人一組で測定し、子どもの頭頂部を固定板につけ、眼窩点（がんかてん）と耳珠点（じしゅてん）がつくる平面（耳眼面＊4）が台板と垂直になるように頭部を保持します。下肢は伸展させ、足底が台板と垂直になるように測定します。

＊4 **耳眼面**

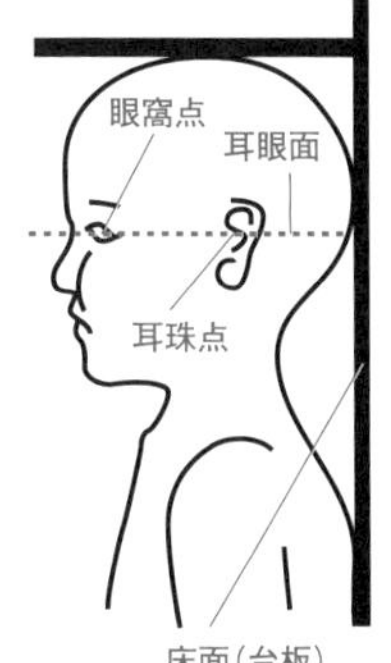

眼窩：頭蓋骨の眼球を入れるためのへこみ部分。
耳珠：耳の外耳口のでっぱり部分。

2歳以上では立位で左右の足先の間を約30°に開き、後頭部、背部、臀部、かかとを身長計の尺柱に密着するように直立させて測定します。生後1年で出生時身長の約1.5倍となり、4歳で約2倍、12歳で約3倍となります。

■ 頭囲の測定法

頭囲の測定は、前方は眉の上、後方は後頭結節を通って、ミリメートル単位まで測定します。

乳児は、頭蓋骨を形成している骨と骨の間にすき間があり、前方の骨のすき間を大泉門＊5といい、後方の骨のすき間を小泉門＊5といいます。大泉門の大きさは、四角形のすきまの対辺の距離を測定します。大泉門は生後1か月では約2cmあり、次第に小さくなって、通常は、生後1歳半頃に閉鎖します。出生時は頭囲が胸囲より大きいですが、出生後3か月で少しずつ胸囲の方が大きくなります。頭囲は出生時約33cmで、男児の方が女児よりやや大きく、男児は4歳、女児は5歳で約50cmとなります。

＊5 **大泉門と小泉門**
R5年（後）　R6年（前）

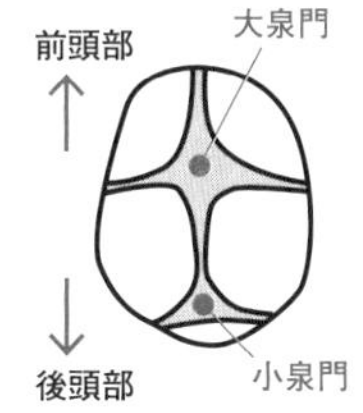

上から見た新生児の頭蓋骨。成長とともに大泉門、小泉門は閉鎖します。過去に出題がありましたので、覚えておきましょう。

5 乳幼児の発育評価

■ パーセンタイル値

乳幼児の発育評価は、厚生労働省の乳幼児身体発育値が用いられていますが、これは、パーセンタイル値で示されています。パーセンタイル値とは、計測値の全体を100％

とした時、小さい方から数えて何％かを示す値で、50パーセンタイル値[*6]は中央値です。3パーセンタイル値未満、97パーセンタイル値を超えるときは、発育の偏りとして、原因を探します[*7]。

◯ 男女別の成長曲線

例えば、3歳男子で体重9kgであれば、
3パーセンタイル未満になるので、
発育の偏りとなります。

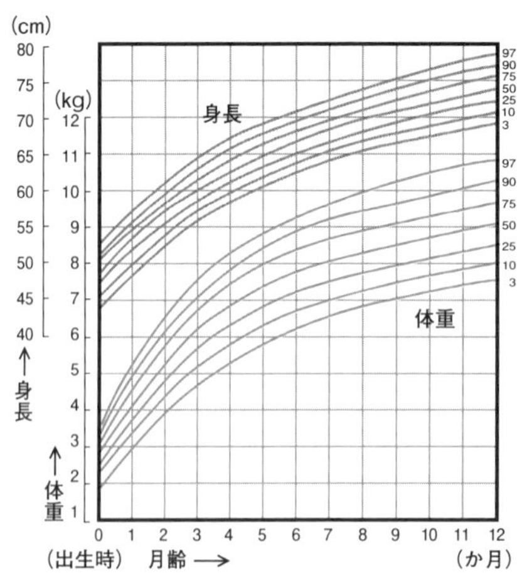

2010（平成22）年調査　乳児（男子）身体発育曲線

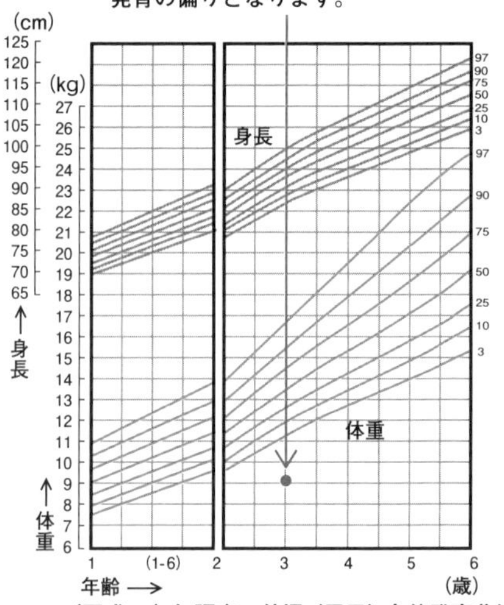

2010（平成22）年調査　幼児（男子）身体発育曲線

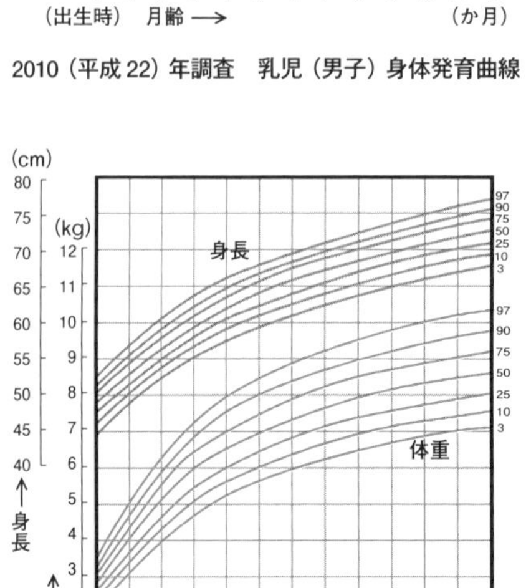

2010（平成22）年調査　乳児（女子）身体発育曲線

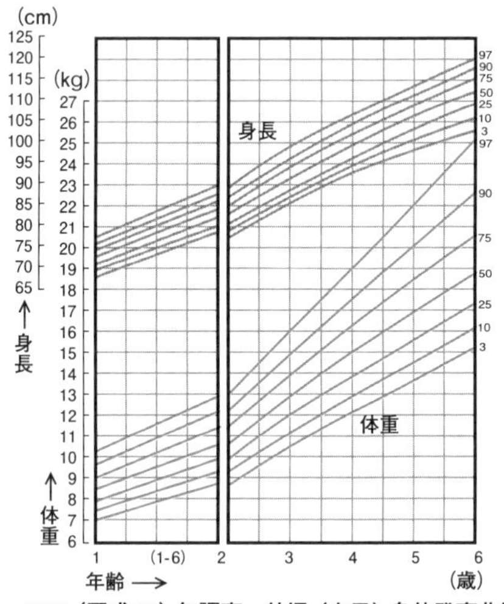

2010（平成22）年調査　幼児（女子）身体発育曲線

7本の線は、それぞれ下から3、10、25、50、75、90、97パーセンタイル値を示す

（出典：厚生労働省「平成22年度乳幼児身体発育調査報告書」）

■ カウプ指数

乳幼児期に体重と身長から栄養状態を知るには、身体発育曲線で評価する方法とカウプ指数*8 で評価する方法があります。カウプ指数は、体重(kg)／(身長(m))^{2}または、体重(g)／(身長(cm))^2×10で計算され、成人で用いられるBMIと同じですが、年齢によって標準範囲が異なるので注意が必要です。なお、体重と身長をグラフに記入する肥満度判定曲線もあります。

○ 肥満度判定曲線（1‐6）歳男子（2000 年度乳幼児身体発育調査）

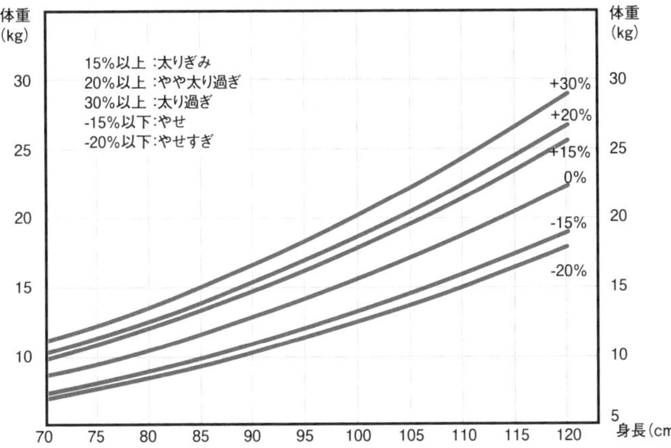

○ 肥満度判定曲線（1‐6）歳女子（2000 年度乳幼児身体発育調査）

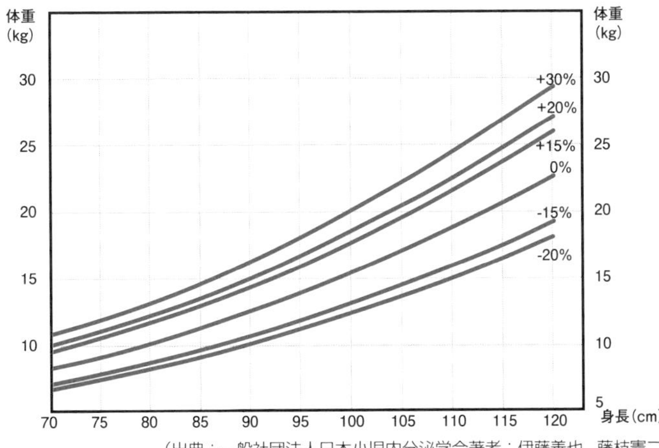

（出典：一般社団法人日本小児内分泌学会著者：伊藤善也，藤枝憲二，奥野晃正 Clin Pediatr Endocrinol 25: 77‐82, 2016）

知っトク

＊6 50パーセンタイル値

50パーセンタイル値は、平均値ではなく、中央値です。たとえば、値が100個あったとすると、小さい方から数えて3番目の値が3パーセンタイル、50番目が50パーセンタイル、97番目が97パーセンタイルになります。3パーセンタイル未満は成長の不足、97パーセンタイル以上は成長の過多が疑われるので経過観察が必要になります。

＊7 パーセンタイル値

母子健康手帳には3パーセンタイルと97パーセンタイルが図示されています。

＊8 カウプ指数

R5年(前)

■ 発育の進む時期

発育速度は器官によって異なります。身長や体重は、乳児期に最も増加しますが、思春期に第二の成長期があります。神経系の発育は、乳児期に最も急速で、神経細胞の数は2歳半でほぼ成人と同じになります。免疫系は、学童期に最も活発となり、その後次第に落ち着いていきます。

生殖系の発育が最も遅く、思春期になって成長し始め、一般に女児の方が男児より早く成長します。

○ Scammon（スキャモン）の発育曲線

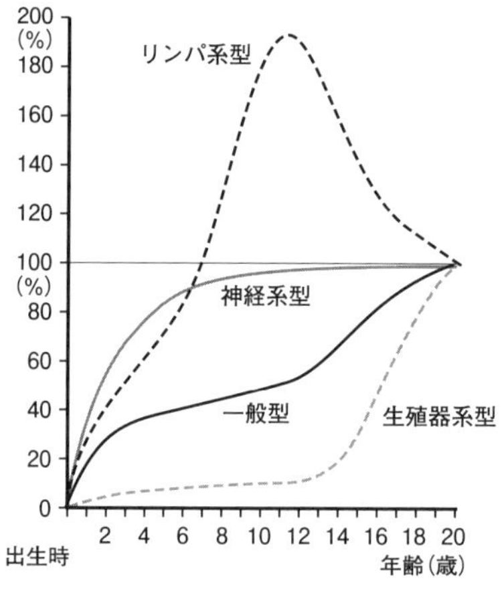

スキャモンの発育型は体組織の発育の４型です。20歳（成熟時）の発育を100として、各年齢の値をその100分比で示しています。これは全身の臓器の発育が一様でないことを示しています。

- **一般型**：身長、呼吸器、消化器、腎臓、心臓、脾臓、筋肉、骨など
- **神経系型**：脳、脊髄、視覚器など
- **生殖器系型**：精巣（睾丸）、卵巣、子宮など
- **リンパ系型**：胸腺、リンパ節、扁桃腺など

身体測定と発育の評価

学校で身長と体重が測定されるようになったのは1900（明治33）年からでしたが、用いられていたのは平均値か標準偏差で、体格の大きさが評価の中心におかれていました。これに対し、1966（昭和41）年から乳幼児の身長、体重はパーセンタイル曲線が用いられていたため、指標が異なり、１人の子どもを継続的に評価するのが難しい状態でした。2016（平成28）年から学校健診で座高の検査が外されたのをきっかけとして、１～18歳までの身長、体重の評価はパーセンタイル曲線で統一され、経時的に子どもの発育を評価し指導することが可能となりました。

子どもの発達と保健

1 原始反射

刺激に反応して起こる新生児特有の反射を原始反射*9といい、これは、本人の意思とは無関係に出るもので、生後３か月頃から６か月くらいの間に消失していくものが多いので、消失が遅い時には、運動発達障害を起こしている場合があります。

ココが出た！

*9 原始反射
R5年(後) R6年(前)
生後３か月より前に、原始反射が出ないのは運動麻痺などの異常を考えますが、原始反射の消失が遅い時は、運動発達の異常を考えます。
なお、この図で解説している原始反射については、おおよそ生後6か月までに消失しますが、バビンスキー反射と呼ばれるものは、他のものより長く、生後24か月頃までに消失するとされています。

○ 原始反射の種類

探索反射	モロー反射

口唇や口角を刺激すると刺激の方向に口と頭を向けます。	頭部が急に落下したり、大きな音がした時に両上下肢を開いて、抱きつくような動作を行います。

（つづく）

吸啜反射

口の中に指や乳首を入れると吸い付きます。

把握反射

掌や足の裏を指で押すと握るような動作をします。

自動歩行反射

新生児の脇の下を支えて足底を台につけると、下肢を交互に曲げ伸ばして、歩行しているような動作をします。

非対称性緊張性頸反射

仰向けに寝かせて頭を一方に向けると、向けた側の上下肢は伸展し、反対側の上下肢は屈曲します。

バビンスキー反射

足の裏の外側（小指側）をペンなどで刺激すると、足の指は背屈し扇状に広がる

*10 **子どもの運動機能の発達**
R4年(後)
どの運動がいつからできるようになるかを覚えておきましょう。

2 子どもの運動機能の発達*10

運動機能の発達は、次のような一定の方向性、一定の順序があり、連続性があります。

・頭部から下方へ
・身体の中心から末梢へ
・粗大運動から微細運動へ

■ 粗大運動の発達

① 首のすわり

上半身の筋肉群の発達によって、胸部を支えて前後左右に傾けても頭部が垂直位に保持できる状態で、生後3～4か月までには可能となります（90％以上の乳幼児ができるようになるのは4～5か月未満）。仰臥位（ぎょうがい）（仰向け）から両手を持って起こして首がついてくるかどうかを見る引き起こし反応で判断します。

② 寝返り

仰臥位から腹臥位*11 となることが、生後5～6か月までにできるようになることが多いです（90％以上の乳幼児ができるようになるのは6～7か月未満）。腹臥位から仰臥位にもなれるようになると、移動が可能となります。

③ ひとりすわり

両手をつかないで、1分以上座れるようになるとひとりすわりが可能になったとし、生後7～9か月頃までにできるようになることが多いです（90％以上の乳幼児ができるようになるのは9～10か月未満）。

乳児を抱えて上体を倒した時に、瞬間的に両手を出して上半身を支えようとするパラシュート反射が出るようになり、ひとりすわりができるようになると、視野が広がり、手で遊ぶことが多くなり、おんぶも可能となります。

④ はいはい

両腕でからだを支えて進むずりばいから、四つばいで進む高ばいをすることが多いですが、おすわりの姿勢で足を使って進むシャフリングベビーや、はいはいを経ずにいきなりつかまり立ちをすることもあります。

知っトク

*11 **腹臥位**
伏臥位ともいう。うつぶせで寝ている状態。

⑤ つかまり立ち

ものにつかまって立つことです。つかまり立ちができるようになると、立位で体を傾けた時に、足を交差させて転倒するのを防ぐ動作であるホッピング反応が認められます。

⑥ つたい歩き

手を持つと歩くようになり、手で何かにつかまっていれば移動できるつたい歩きができるようになります。次第に手を離して立つひとり立ちをするようになります。

⑦ ひとり歩き

ひとり歩きは、立位の姿勢がとれるだけでなく、平衡感覚と交互運動が必要です。通常１歳～１歳３か月頃までにはできるようになります。

⑧ 階段の昇り降り

ひとり歩きがしっかりできるようになり、走れるようになると、階段を１段ずつ、足をそろえて昇れるようになります。この頃は、階段を降りる時は後ろ向きで降りるようにします。４歳頃には、階段を交互に足を出して降りることができるようになります。

⑨ 片足立ち後の発達

片足立ちは、３歳頃からできるようになり、４歳になると片足とび、５歳になるとスキップやつま先歩き、デングリ返しができるようになります。

○ 粗大運動の発達時期

運動	時期※	運動の内容
首のすわり	4～5か月未満	仰向けにし、両手を持って、引き起こしたとき、首がついてくる。
寝返り	6～7か月未満	仰向けの状態から、自ら、うつぶせになることができる。
ひとりすわり	9～10か月未満	両手をつかず、支えなしで1分以上座ることができる。
はいはい	9～10か月未満	はって移動ができる。
つかまり立ち	11～12か月未満	物につかまって立つことができる。
ひとり歩き	1年3～4か月未満	立位の姿勢をとり、2~3歩歩くことができる。

※ 90%以上の乳幼児が可能になる時期（「平成 22 年乳幼児身体発育調査」より）

■ 微細運動の発達

微細運動の発達には、協調運動の発達と原始反射の消失が関係します。原始反射である把握反射が3か月頃に消失すると、自発的にものをつかめるようになります。5か月頃になると、顔にハンカチをのせて視界を遮ると自分の手でハンカチをつかんでとろうとしたり、目の前におもちゃを持っていくと手を出したりします。初めは、手のひら全体でものをつかんでいますが、次第に拇指（親指）と示指（人差し指）で物をつかめるようになり、1歳を過ぎると積み木を積めるようになります。手でものをつかめるようになると、手に持ったものを口に持っていくようになるので、誤飲事故に注意する必要があります。

3歳になると円をまねて描けるようになり、ハサミで紙を切ることもできるようになります。

3 運動能力

運動がどのくらい上手にできるかという能力を運動能力といいます。運動能力は、運動に必要な身体的エネルギーを生み出す運動体力と状況判断や認知的な働きを含む運動コントロール能力からなります。文部科学省の幼児の運動能力の全国調査では、1980年代半ばから運動能力の低下がみられました。幼児期の運動体力向上には、要素的な体力トレーニングはあまり効果がなく、ボール遊びやおにごっこなどの自在な遊びの運動が有効です。同じ運動でも全体的に体力を高めることができます。運動コントロール能力は、運動の多様性によって向上させられるので、多様な運動のパターンがある幼児の遊びは有効で、同時に子どもたちの運動に対する有能感を養います。

4 精神機能の発達と保健[*12]

■ 子どもの言葉の発達

生後2か月くらいから泣き叫ばない発声ができるように

ひとこと

*12
精神機能の発達については科目「保育の心理学」でも解説しています。

なり、反復的に繰り返すようになります。これを喃語(なんご)といいます。次第に周囲の人の言葉をまねるようになり、10か月頃には、あたかも話しているようなジャルゴンという発声がみられます。通常は1歳～1歳半までに、意味のある単語を言える初語が認められます。1歳半頃には単語が意味する絵を指し示す指差しができるようになり、2歳くらいまでには「マンマちょうだい」「ブーブー来た」などの二語文を言えるようになります。言葉の発達は個人差があり、養育環境によっても異なるので、言葉の遅れが本当にあるかどうかは、慎重に判断する必要があります。1歳半までに、全く言葉を理解しないようであれば、難聴がないか、他の神経発達に異常はないか医療機関で相談する必要が出てきます。

■ 子どもの知能の発達

胎生7か月で、子宮内の音を記憶しているといわれており、新生児に母親の血液が流れる音を聞かせると落ち着く様子が観察されます。生後5か月になると物が隠されても、その物がそこに存在すること(物の永続性)を覚え、いないいないばーをしてあげると喜ぶようになります。

人のすることを模倣する様子は、新生児の頃から舌出しをまねする様子が観察されていますが、生後7か月頃より身振りも模倣をするようになり、バイバイ、パチパチなどの手振りやコンニチハ、イヤイヤなどの動作をしたりします。

1歳半になると、クレヨンで円をまねてなぐり書きができるようになり、3歳頃には、三角形や四角形の形の区別ができ、5歳頃には、三角形をまねて描くことができるようになります。

数の理解は、最初は固まりとして把握し、4～5歳頃から、数字や文字を書くことができるようになり、自分の年齢や名前がわかるようになります。

■ 子どもの情緒の発達

新生児期の初めは興奮のみを示し、泣くだけで感情を示しているように見えますが、次第に機嫌のよい時はほほえむようになり、生後４か月くらいには、あやしたりすると声をたてて笑うようになります。生後７～８か月くらいになると、知らない人をいやがる人見知りを示すようになり、２～３歳になると、自分の意思を示して親の言うことを聞かなくなる反抗期が認められ、５歳頃には、成人とほぼ同じ感情を示すようになります。

■ 子どもの社会性の発達

最初は、母子関係、父子関係から兄弟関係となって、対人関係が広がっていきます。

１歳までは、ひとり遊びが主体ですが、２歳児は並んで遊ぶ並行遊び、３歳をすぎると仲間遊びやごっこ遊びができるようになります。

■ 精神機能の発達の評価

子どもの精神発達の評価では、子どもの発達を固定したものととらえないこと、個人差があることへの理解が大切です。知能の発達は知能指数（IQ）で表されます。

IQは、これまで知能年齢／生活年齢×100で算出されていましたが、あまり正確ではないということで、最近では新しい計算方法[*13]に替わりつつあります。

乳幼児では、発達検査で評価する発達指数で表されます。

■ 発達スクリーニング検査

発達の状態を評価する検査法にはいくつかあります。発達遅延の可能性を客観的に明らかにするために世界的に利用されてきたものとして、1967年に出版されたデンバー式発達スクリーニング検査（DDST：Denver Developmental Screening Test）があります。日本のものでは、遠城寺式幼児分析的発達検査法があります。これは、領域ごとの発達の程度を簡単な質問で判定する検査方法です。

知っトク

*13 **新しいIQの計算方法**

$$IQ=\frac{個人偏差}{標準偏差}\times 15+100$$

＊14 **デンバー式発達スクリーニング検査の記録表**

言語、粗大運動、微細運動などの発達の目安がこの表で一覧できます。なお、通過率はできるようになる割合を示したもので、「通過率50%」のところの横軸は、50%の子どもができるようになる時期を示しています。加えて、75～90%の通過率を標準の発達達成時期と判断します。

◎デンバー式発達スクリーニング検査の記録表＊17

DENVER Ⅱ　記録票

記録日　年　月　日　整理番号　年　月　日
生年月日　年　月　日　氏名　年　月　日
年月年齢　年　月　日　記録者　年　月　日

2月 4月 6月 9月 12月 15月 18月 2歳 3歳 4歳 5歳 6歳

通過率 25 50 75 90
報告でもよい→ R
裏面の注No → 1 項目

個人—社会
一人で歯磨きをする
ゲームをする
一人で服を着る
Tシャツを着る
友達の名前
上着、靴などをつける
手を洗ってふく
手伝って歯磨き
上着を脱ぐ
人形に食べさせる
スプーンを使う
簡単なお手伝い
コップで飲む
ボールのやりとり
大人の真似
バイバイをする
ほしいものを示す
拍手をまねる
自分で食べる
玩具をとる
手をみつめる
あやし笑い
笑いかける
顔をみつめる

微細運動—適応
6部分人物画
□模写
□模倣
3部分人物画
長い方を指差す
十模写
○模写
親指だけを動かす
縦線模倣
8個の積み木の塔
6個の積み木の塔
4個の積み木の塔
2個の積み木の塔
瓶からレーズンを出す
なぐり書きをする
コップに積み木を入れる
積み木を打ち合わせる
親指を使ってつかむ
積み木をもちかえる
両手に積み木をもつ
毛糸を探す
熊手形でつかむ
物に手を伸ばす
レーズンを見つめる
両手を合わす
180°追視
ガラガラを握る
正中線を越えて追視
正中線まで追視

言語
単語定義7語
寒い、疲労、空腹の理解(3/3)
反対語類推2/3
5つ数える
単語定義5語
前後上下の理解
動作の理解4つ
用途理解3つ
1つ数える
用途理解2つ
色の名前4色
わかるように話す
寒い、疲労、空腹の理解(2/3)
色の名前1色
絵の名称4つ
動作の理解2つ
ほぼ明瞭に話す
絵を4つ指差す
6つの身体部分
2語文
絵の名称1つ
絵を2つ指差す
パパ、ママ以外に6語
パパ、ママ以外に3語
パパ、ママ以外に2語
意味ある1語
意味なくパパママ
3音以上つなげる
喃語を話す
バ、ダ、マなど言う
声の方向に振り向く
音に振り向く
キャアキャア喜ぶ
声を出して笑う
「アー」「ウー」などの発声
声を出す
ベルに反応

粗大運動
爪先かかと歩き
片足立ち6秒
片足立ち5秒
片足立ち4秒
片足立ち3秒
けんけん
片足立ち2秒
片足立ち1秒
幅跳び
ジャンプ
上手投げ
ボールをける
階段を登る
走る
後退り歩き
上手に歩く
拾い上げる
一人で立つ10秒
一人で立つ2秒
つかまって立ち上がる
一人ですわる
つかまり立ち、5秒以上
すわれる、5秒以上
寝返り
引き起こし
胸を上げる
両足で体を支える
90°頭を上げる
首がすわる
45°頭を上げる
頭を上げる
対称運動

判定中の様子

1、2、3回目の検査結果をそれぞれのチェック欄に記入

	1	2	3
一般的印象			
普通			
異状			
判定実施の受け入れ			
いつもよい			
たいていよい			
ほとんどよい			
周囲への興味			
敏感			
あまり興味がない			
全く興味がない			
恐怖感			
ない			
少しある			
非常に強い			
注意を向けている時間			
適当			
いくらか気が散りやすい			
非常に気が散りやすい			

保護者との情報共有

入園時には、保護者と面談して子どもの健康情報を共有します。特に出産した時の状態（出生体重、出生までの週数など）、予防接種歴、今までの病気や感染症の罹患歴、アレルギー歴、かかりつけ医の連絡先などは記入用紙に記載して提出してもらいます。入園後も、保護者と保育者との連絡帳で、子どもの体調について、①体温、②起床・就寝時刻、③食事の内容・食欲、④排便の回数・便の性状を中心に情報共有します。

また、保育所で体重・身長測定、嘱託医の診察をした時には、その結果を保護者に連絡します*15。保護者が子どもに医療機関を受診させたときには、その内容を伝えてもらいます。怪我や体調の変化があったときの情報は、連絡帳への記載だけでなく、直接伝える方がよい場合もあります。

感染症が流行した場合は、早めに保護者に連絡して、注意喚起をします。保育所で行っている対策を、保護者と協力して家庭でも実践できるように情報を伝えます。

慢性疾患や障害があるときは、個別面談で保護者と情報交換し、運動制限があるときには学校生活管理指導表を、アレルギーがあるときには保育所におけるアレルギー疾患生活管理指導表を提出してもらいます。

*15 **保護者との連絡**
保護者以外が送迎に来る場合は保護者に内容を伝えてもらうようお願いします。また、保育者が交代する場合には、子どもの健康等に関する情報をきちんと引き継ぎます。

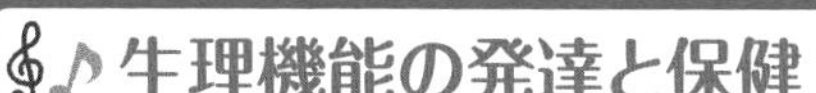

生理機能の発達と保健

1 子どもの体温調節

子どもは、成人と比べ体重あたりの体表面積*16が広いため、環境温度に左右されやすいので、体温調節に気を付ける必要があります。新生児は、低体温になりやすいため、保温が大切ですが、生後2か月以降の乳児では、着せ過ぎによるうつ熱で、体温が上昇することもあります。また、

用語解説

*16 **体表面積**
身体表面の面積の総和。実際に計測するのは手数がかかるため身長と体重から算出できる計算式があります。

用語解説

*17 **新陳代謝**
古いものが新しいものに次々と入れ替わること。生命維持に不可欠なものです。

子どもは新陳代謝[*17]が盛んで産生熱が多いため、平熱が成人より高い[*18]ことが多く、平熱より１℃以上上昇した時に発熱かもしれないと考えます。なお、健康な乳幼児の体温は腋窩測定では37℃前後です。37℃台でも平熱の子どももいます。日内変動もあるので、発熱の判断では注意が必要です。

*18 **平熱が成人より高い**
R4年（前）　R5年（前）
新陳代謝、体温について出題されました。

測定部位としては、脇の下、首の下、耳腔の中、口腔内、肛門内がありますが、口腔内、肛門内は高めになり子どもの場合は、じっとしていることが難しいので口腔内、肛門内の測定はなるべく避けます。測定する部位や体温計の種類により温度が異なるので、時間の変化で体温の変化を見る時には、同じ部位で同じ体温計を使って測定することが必要です。脇の下で測る時には、体温計の先端が正しく腋窩にくるようにはさみ、しばらくじっとしているように、抱いて一緒に測るようにします。

2 子どもの呼吸機能

*19 **呼吸**
R4年（前）
子どもの生理機能の発達について、呼吸、脈拍数、必要水分量、不感蒸泄について、出題されました。

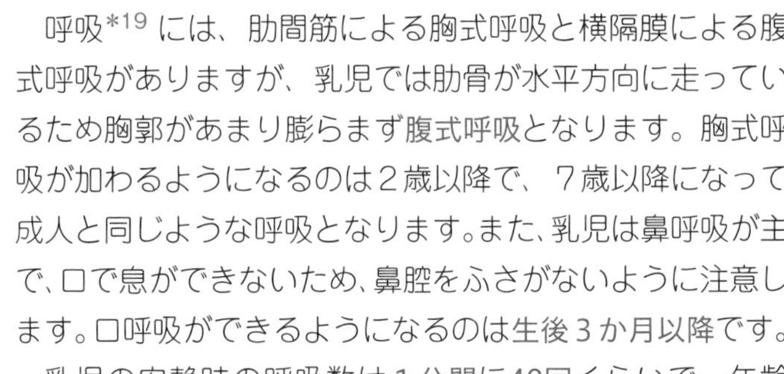

呼吸[*19]には、肋間筋による胸式呼吸と横隔膜による腹式呼吸がありますが、乳児では肋骨が水平方向に走っているため胸郭があまり膨らまず腹式呼吸となります。胸式呼吸が加わるようになるのは２歳以降で、７歳以降になって成人と同じような呼吸となります。また、乳児は鼻呼吸が主で、口で息ができないため、鼻腔をふさがないように注意します。口呼吸ができるようになるのは生後３か月以降です。

乳児の安静時の呼吸数は１分間に40回くらいで、年齢とともに回数は少なくなります。また、発熱時や運動時には増加します。安静時に呼吸数が増加している時は、体調不良の可能性があります。

3 子どもの循環機能

年齢が低いほど脈拍数は多く、安静時の乳児は１分間に120前後です。発熱、疼痛、興奮、運動で脈拍数が増加します。脈拍は手首の撓骨動脈で触れますが、触れづらい時には、上腕動脈や大腿動脈で測定します。

血圧は、成長するにしたがって上昇します。また、発熱、疼痛、興奮、運動で血圧は上がります*20。

*20 子どもの血圧
R5年(前)

4 子どもの体液調節機能

幼少ほど、体重あたりの水分量は多く、成人に比べ体表面積も大きいため、皮膚から失われる水分（不感蒸泄）も多くなります。腎機能が未熟で尿の濃縮力が低いため、薄い尿が出て、水分も失われやすく、容易に脱水症になりやすいので注意が必要です。

5 子どもの免疫系

生体に病原体や異物が侵入すると、白血球などが血管外に出て病原体と戦います。白血球の単球が変化したマクロファージや好中球は病原体を貪食して排除します。白血球のリンパ球には２種類あり、直接病原体を攻撃する細胞性免疫を行うT細胞と、抗体を放出して攻撃する液性免疫（体液性免疫）を担うB細胞があります。

母体から新生児に胎盤を通じて渡される抗体は液性免疫です。母親が持っている特定の病原体に対する抗体である免疫グロブリンG（IgG）が、新生児に渡されるので、免疫が発達していない新生児では母親から渡された抗体により病原体の感染を予防することができます。このように、他の人が産生した抗体を利用することを受動免疫といいますが、その効果は数か月しか持続しません。子どもは受動免疫がなくなった後には自分で病原体に感染して抗体をつくらなければなりません。この自分でつくる免疫を能動免疫といい、長期間効果があります。小児が母親からもらった受動免疫がなくなる生後６か月頃から、自分でつくる能動免疫ができあがる頃まで、風邪などの感染にかかりやすいのはこのためです。

6 子どもの視覚

強い光刺激に対し、まぶたを閉じる反射である瞬目反射が新生児に認められます。出生時からものを見ることはできますが、白、黒、灰色しか見えず、遠視気味で、輪郭はぼんやりとしており、左右の眼球運動は協調できず、視野は狭いです。

生後２か月頃に、人の顔を固視できるようになり、４か月頃までに180°までものを追いかける追視ができるようになります。子どもの視力検査は、３歳頃から視力検査表で行うことができます。

7 子どもの聴覚

胎内でも聴覚はあります。出生直後は鼓膜の奥に粘液や羊水がつまっていますが、生後数時間すると音に反応するようになり、高い声によく反応します。生後３か月までに声のする方を振り向くようになり、自分でも声を出すようになります。成人と同じ聴力検査ができるのは５歳以降ですが、聴力に障害がある場合は早めに支援の開始が必要なため、新生児を対象にした検査があります。新生児から聴覚のスクリーニングを行う方法として、音を聞かせた時に起こる反応をとらえて判定する自動聴性脳幹反応（自動ABR）があります。

*21 **子どもの排泄**
R6年（前）

8 子どもの排泄*21

■ 排泄

出生直後は、尿の濃縮力がなく、腸の動きも活発になるため、頻繁に排尿、排便をします。離乳食開始前は、軟便であることが多く、授乳のたびに排便することもあります。次第に、排尿、排便をまとまってするようになり、回数が減ってきます。

おむつの交換時には、両足をそろえて持ち上げると、股関節脱臼[*22]となることがあるので、なるべく腰を持ち上げるようにして、おむつは股おむつとし、足を広げるようにつけます。おむつかぶれの予防のため、排尿、排便をしたらできるだけ早くおむつを交換するようにし、排便後は、よく洗い、よく乾かすことが大切です。

■トイレトレーニング

尿意の自覚は、2歳頃で可能となるといわれていて、この頃より少し前からトイレトレーニングを開始します。トイレトレーニングでは、尿意を感じたらすぐにトイレに行けるようにパンツ式とし、トイレに行きやすいような専用の便座にするなどの工夫をします。布おむつよりも紙おむつが一般的になって、トイレに連れていくタイミングが遅くなり、排泄の自立の時期が遅くなる傾向にあります。昼間の排尿の自立は大体3歳前後です。最初の頃は、トイレに行くことを誘導して、うまくトイレでできたらほめるという成功体験を増やしていくことが大切です。夜間は排尿を抑制する抗利尿ホルモン[*23]の分泌が十分ではなく、4歳くらいまでは夜尿があることが多いため、夜間のみおむつを使用することが多いです。排便は排尿より短期間のトレーニングで自立することが多いですが、心理的な影響を受けやすいです。

9 子どもの睡眠[*24]

成長とともに睡眠時間は短くなります。昼夜問わず新生児は寝たり起きたりを繰り返しますが、次第に昼、夜の区別がつくようになります。夜の睡眠時間が長くなると、深い眠りであるノンレム睡眠と浅い眠りであるレム睡眠とを繰り返すようになります。

乳児期はレム睡眠が長く、しばしば夜泣きが続くことがあります。また、うつぶせ寝にすると、SIDS（乳幼児突然死症候群）[*25]のリスクが高くなるといわれています。

発育期における睡眠時間は大切で、減少するとノンレム

用語解説

*22 股関節脱臼
新生児は、骨盤の発達が不十分なため、股関節が脱臼しやすい状態になっています。先天性股関節脱臼は、股の開きが悪いことで気が付かれ、放置しておくと、歩行に影響します。乳児の間は、股関節を開き気味にしておくことが大切です。

用語解説

*23 抗利尿ホルモン
脳下垂体から出ているホルモンで、尿を濃縮します。汗をかいて体内の水分が足りなくなったり、就寝したりすると抗利尿ホルモンが分泌されて尿量が減ります。

*24 子どもの睡眠
R4年(後)

*25 SIDS
R5年(前)
原因不明で、乳児の睡眠中に呼吸が止まって死亡します。リスク要因として、うつぶせ寝、両親の喫煙、非母乳栄養があげられています。日本での発症頻度はおおよそ出生6,000～7,000人に1人とされています。

睡眠時に分泌される成長ホルモンが減少したり、生活リズムが崩れたりします。最近は夜型社会となり、子どもの就寝時刻が遅くなる傾向があり、その結果、睡眠時間が短くなったり、起床時刻が遅くなって、朝食が食べられなくなったり、昼間の活動時間が短くなるなどの問題が出てきています。

10 子どもの消化機能

■ 母乳と人工乳

母乳には、消化吸収がよい、感染予防に役立つ免疫グロブリンAが含まれている、ミルクアレルギーの心配が少ない、母体の子宮の収縮によい、経済的であるなどの利点があります。欠点としては、ビタミンK欠乏症*26による出血傾向が発生する可能性があるので出生直後と生後1か月時に数回ビタミンKを補充する必要がある、新生児黄疸が長引きやすい、母乳中のHTLV-1*27やHIV*28などのウイルスや環境汚染物質が乳児に移行される可能性がある、母乳が十分でなかった時は、授乳不足になることがあるということがあげられます。世界保健機関（WHO）では、母子相互関係を重視して、母乳が十分出るのであれば、なるべく母乳で育てることを推奨していますが、母親の体調で母乳を与えられない時や母乳の分泌が十分でない時には、人工ミルクで育てても栄養的には問題はありません。早産児や低出生体重児の場合は、消化管感染のリスクが高いので、できるだけ母乳を搾乳して与えるようにします。

■ 咀嚼（そしゃく）機能

哺乳の際に、新生児にみられた探索反射や吸啜（きゅうてつ）反射は生後3か月くらいには消失し、その後は自分の意思による随意的哺乳行為に移行します。体の発育とともに、母乳やミルクだけの栄養では十分ではなくなるので、母乳やミルク以外の栄養が必要となります。

母乳やミルクから幼児食へ移行する過程を離乳といい、その時与える食事を離乳食といいます。口唇の間に固形物

用語解説

*26 **ビタミンK欠乏症**
新生児は、腸内細菌叢が未発達のため、体内でビタミンKを産生することができません。ビタミンKは、血液の凝固因子をつくるために必要です。出血傾向が出た時に、消化管出血や頭蓋内出血となることがあるため、出生直後に補充して予防します。母乳には、ビタミンKが含まれていないため、生後1か月時にもビタミンKを補充する必要があります。

*27 **HTLV−1**
ヒトT細胞白血病ウイルスI型（HTLV-1）のことで、成人T細胞白血病（ALT）の原因となります。

*28 **HIV**
エイズウイルス（ヒト免疫不全ウイルス）のことです。

を入れると押し出す押し出し反射は、生後４か月になると消失するようになりますので、水分以外のものを与えられるようになります。食物によるアレルギー症状を考慮して生後５か月頃から離乳食を開始します。離乳の開始が遅れると鉄欠乏による貧血などが生じるので、発達が良好であるなら、遅くとも生後６か月までに開始することが望ましいです。

まず、スプーンからゴックンする練習から始め、この離乳準備ができたら、１日１回の離乳食を始め、ドロドロとした食物を一口から摂取させ、少しずつ量と食材の種類を増やしていきます。離乳食の初期は、舌の動きは前後のみですが、次第に上下、左右に動くようになり、舌でモグモグすることから歯ぐきでカミカミすることができるようになります。離乳食を開始後１～２か月して、モグモグできるようになったら１日２回与えます。カミカミできるようになったら１日３回となります。

栄養素の大部分を母乳やミルク以外の食物から取れるようになった状態を離乳の完了といい、通常は１歳～１歳３か月です。この時期に母乳や哺乳びんによる哺乳をやめることを卒乳といいますが、この時期には、牛乳か粉乳を１日に400ml程度は飲みます。離乳食をあまり食べないからと牛乳を飲み過ぎると、逆に食事量が減ったりすることがあるので飲み過ぎないように注意します。

■ 歯の発達*29

乳児の歯は一般に生後４～６か月に下顎前歯より生えてきます。１歳頃に上下４本がそろい、１歳半頃に乳臼歯が生えて、２歳半頃には20本が生えそろいます。永久歯には６歳頃より生え変わり、生えそろうと32本となります。

口腔の常在菌が歯に沈着増殖すると歯垢が形成され、歯質を溶かすと、むし歯になります。乳歯は永久歯と比べると歯質のエナメル質と象牙質が薄く、むし歯の進行も早いのが普通です。むし歯に適切な処置をとらないと、かみあわせが悪くなり、永久歯の発育が障害され、異所萌出*30

***29 歯の発達**
R5年（前）
乳歯の生え方について出題されました。

用語解説

***30 異所萌出**
正常な位置とは異なる位置に歯が生えること。

となり、歯並びが悪くなります。また、乳歯についたむし歯菌が永久歯に付き、永久歯が生えてきた時からむし歯になってしまったりします。そこで、乳児期には甘味飲料の摂取をやめさせる、食後に白湯を与える習慣をつける、幼児期には間食に甘いものをあげすぎない、歯磨きの習慣をつけさせ、磨き方を指導するといったことが大切です。

■ 成長に伴う栄養所要量

個人が最適な健康状態を維持し、充実した生活活動を営むために、1日に摂取することが望まれる栄養素量を栄養所要量といいます。このうち、エネルギー所要量*31は、体重1kgあたり、生後0～6か月では110～120kcal、生後6～12か月では100kcalです。

用語解説

*31 **エネルギー所要量**
1日に消費するエネルギー量を補給するために摂取すべき1日の総エネルギー量のこと。

幼児期は、乳児期に次いで発育が継続し、運動も活発となるので、栄養は1日3回の食事だけでなく、補食の意味を持つ間食も必要です。甘味の強いものは避け、3回の食事量を減らすことがないように注意します。

小学生後半から中学生にかけて、発育が促進する第二次成長期になると、エネルギー所要量は一生のうちで最高となります。この時期に第二次性徴も出現し、特に女子は生理が始まるため、貧血になることがありますので、鉄分の多い食品を摂取するように注意します。

理解度チェック　一問一答

全問クリア　月　日

Q

- □ ❶ 新生児期の生理的体重減少においては通常、出生体重の15%程度減少する。 R3年（後期）
- □ ❷ 乳幼児身体発育調査における身長の計測は、2歳未満の乳幼児では仰向けに寝た状態で、2歳以上の幼児では立った状態で行われる。 R1年（後期） R5年（前期）
- □ ❸ 身長、体重などの身体計測値の統計的分布で10パーセンタイルとは、100名のうち大きい方から10番目の値をさす。 予想
- □ ❹ 運動機能の発達は、「寝返り→首のすわり→ひとりすわり→はいはい→つかまり立ち→ひとり歩き」の順で進む。 予想
- □ ❺ 成長ホルモンは、主にレム睡眠の時に分泌される。 H30年（前期） R4年（後期）
- □ ❻ 妊娠37週、体重2,450gで出生した場合、早産で低出生体重児である。 R3年（前期）改
- □ ❼ カウプ指数は身長と腹囲の相対的な関係を示す指標である。 R3年（後期）
- □ ❽ 体温は測定箇所で異なり、腋窩温は直腸温より高い。 R5年（前期）
- □ ❾ モロー反射は出生時に認められるが、発達が進むと共に消失する。 R3年（後期）
- □ ❿ 頭囲は口頭結節と前額の突出部に巻尺を合わせて測定する。 R5年（後期）
- □ ⓫ 発育をうながすホルモンには、成長ホルモンのほか、甲状腺ホルモン、副腎皮質ホルモンなどがある。 R6年（前期）

A

- ❶ × 出生直後の通常の生理的体重減少は5～10%である。
- ❷ ○
- ❸ × 小さい方からである。
- ❹ × 首のすわり→寝返り→ひとりすわりの順である。
- ❺ × レム睡眠ではなく、ノンレム睡眠である。
- ❻ × 早産ではないが、低出生体重児である。
- ❼ × カウプ指数は、身長と体重から栄養状態を知る指標である。
- ❽ × 直腸温の方が高い。
- ❾ ○ 発達が進むと共に消失するのが通常である。
- ❿ × 前額部の突出部ではなく、眉と眉の間である。
- ⓫ × 副腎皮質ホルモンではなく、性腺ホルモンである。

3 子どもの心身の健康状態とその把握

頻出度 ✿✿✿

子どもの健康状態を観察して心身の不調を早期発見することは日々の保育で欠かせません。通常の発育、発達が標準範囲であるかは定期的健診で把握します。子どもが体調不良となる代表的疾患と対応も知っておくことが必要です。

健康状態の把握と主な疾病の特徴

1 健康状態の観察

子どもの場合、基礎疾患がなければ全身状態を最初に評価することが大切です。一般に、「食欲、睡眠、活動性」（食べる、寝る、遊ぶ）があれば大きな問題がないことが多いです。ウイルス感染症の場合は、安静と対症療法が基本になります。

2 心身の不調等の早期発見

■ 発熱

発熱は本来、免疫機構が病原体と戦っている時に、生体の防御反応の一つとして表れるものですが、子どもは元気にしていても、突然発熱することがしばしばあります。何かいつもと様子が違う時には検温してみることが必要です。発熱時には、嘔吐、下痢、咳、鼻水、発疹などほかの症状がないか注意し、病院にかかる時にはこのことも伝えます。また、嘔吐、下痢、食欲低下や発汗などによる脱水にも注意します。

■ 嘔吐

乳児では、ミルクが逆流する溢乳（いつにゅう）がしばしば認められます。哺乳時に空気を飲み込んで逆流しやすくなるので、哺乳後は排気（ゲップをさせること）を十分に行います。

子どもは、発熱時や感染症の時にしばしば嘔吐、下痢を認めますが、同じ症状が複数人、同時期に突然発症した時には、食中毒の可能性もありますので、直前の食事を保存しておきます。

頻回に嘔吐したり、発熱や下痢を伴ったりする時には脱水症になる心配が出てきますので、嘔吐の回数、飲水量、尿量を記録します。脱水症になると目が落ち窪んだり、皮膚の張りがなくなり、唇が乾いたりします。最も大切な症状は、尿の回数や量が減少することです。

■ 下痢

便の回数、色、性状を記録します。血性の便や白色便の時には診断のために便を保存します。

■ 便秘

新生児では哺乳量が少ないために便秘になることがあるので、体重増加があるかどうかを確認します。

年長児では、食生活や排便習慣の影響もあるので、食事の内容と毎朝排便しているかを注意します。

■ 咳

子どもは、ウイルス感染による上気道炎を認めることがしばしばありますが、痰がうまく出せずに続けて咳きこんで、嘔吐することがあります。

呼気時にぜいぜいする喘鳴（ぜんめい）を認める時は、気管支喘息や気管支炎のことがあります。飲食中に突然ぜいぜいするようになった時は、誤嚥（ごえん）のことがあります。ピーナッツなど小さいものを誤嚥した時には、誤嚥したことに気が付かず、誤嚥性肺炎になって気が付くこともあります。

■ **鼻水、鼻づまり**

乳児は、鼻呼吸が主体で口呼吸が十分にできないので分泌物がたまると呼吸が苦しそうになります。

■ **発疹**

子どもの感染症では、しばしば発疹を伴うことがあり、発疹と発熱の経過で診断できる疾患も多いです。症状を認めた時には検温し、全身をチェックして、発疹が出ている場所と性状を記録します。かゆみがあるかないかも原因を決めるために大切な情報です。感染症以外にも湿疹や蕁麻疹（じんましん）などで発疹が出ることもあります。

○ **発疹の種類**

① 紅斑	盛り上がりがない発疹で、赤くなっているものです。
② 丘疹	盛り上がりのある発疹で、湿疹や虫刺症で認められます。
③ 水疱	表皮内、表皮下に液体がたまっている発疹です。
④ 膿疱	表皮下にたまっている液体が膿状になっているものです。

*1 **乳幼児の健康診査（健診）**
R6年（前）

3 発育・発達の把握と健康診断*1

出生時、生後1か月健診は、医療機関を中心に任意で行われています。

母子保健法が定めているものは、1歳6か月、3歳健診で、その他の時期は市町村や医療機関が必要に応じて行っており、保健センターなどで集団方式で行われていることが多いです。内科医師による健診の他、歯科検診、栄養相談、保健師による保健相談などが行われています。

■ **出生時健診**

出生後には、体重、身長、頭囲、胸囲を測定し、先天性の奇形がないか、呼吸状態が問題ないか診察し、その後、哺乳、排泄等が順調か、黄疸がひどくないかを観察します。生後4～5日目に採血をして、先天性代謝異常症等の有無を調べる新生児マススクリーニング*2 を公費で行います。異常が発見された時には、早期に治療を開始します。また、新生児聴覚スクリーニング検査（自動OAE、自動ABR）を行って、聴覚異常を早期に発見します。

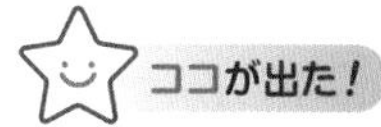

***2 新生児マススクリーニング**
R6年（前）
検査対象となる主な疾患には以下のようなものがあります。
フェニルケトン尿症、ガラクトース血症などの先天性代謝異常症や先天性甲状腺機能低下症（クレチン病）、外性器の異常をきたす副腎皮質過形成症
2024（令和6）年度からは、脊髄性筋萎縮症（SMA）、重症複合型免疫不全症（SCID）、B細胞欠損症（BCD）などの神経筋疾患、免疫不全症も加わりました。

■ 1か月健診

出生した病院で母子一緒に行うことが多いです。体重、身長、頭囲、胸囲を測定し、授乳が適切か、発育は順調か、先天的疾患がないか、などを診察し、ビタミンKの投与を行います。出生後に行った検査で異常がある場合は、その後の指導を行います。

■ 3～4か月健診

体重、身長、頭囲などの発育は順調か、首がすわっているか、追視があるか、音に対する反応があるか、喃語（なんご）の発声があるか、先天性疾患はないかなど、発育、発達の異常をチェックし、離乳食開始にむけての指導を行います。

■ 1歳6か月健診（根拠法：母子保健法）

離乳食が完了し、歩行の開始、言葉の発語がみられているかを診察します。発語がみられない時には、聴力の異常がないか、精神発達の指導が必要かを判断します。また、むし歯の予防の指導も行います。

■ 3歳健診（根拠法：母子保健法）

聴力、視力の異常はないか、運動、精神発達の異常がないか、最終的なチェックをします。また、尿検査を行い、腎臓病、糖尿病の早期発見を行います。

■ 就学時健康診断

学校保健安全法により、市町村の教育委員会に実施が義務づけられています（受診については任意）。疾患等がある場合は、学校での集団生活に備えてあらかじめ必要な治療を勧めることを主な目的としています。また、障害がある場合は、就学先を判断する際に診断結果が参考とされます。

■ **学校健診**

学校保健安全法施行規則により、毎学年６月末日までに定期健康診断を実施します。健診の結果、異常が疑われた場合は、21日以内に治療勧告がなされ、保護者の責任において、医療機関を受診するようにします。

■ **児童福祉施設における健診**

児童福祉施設に入所している子どもの健康診断は、「児童福祉施設の設備及び運営に関する基準」により、入所時と年２回、必要に応じて臨時に行います。健康診断は、嘱託医により行い、看護師等と連携して、結果を保護者に通知し、必要に応じ、医療機関への受診を勧めます。また、診断の結果は、保育にも活かすようにします。

毎日の子どもの健康観察は、保育所と保護者との連絡帳で情報を交換し、睡眠、食欲、排泄、体温などについて共有します。子どもの健康状態の変化に適切に対応するとともに、不適切な養育が疑われる場合は、保護者の相談に応じ、支援することも必要です。

乳幼児の身体計測は、体重は月に１回、身長は３～４か月に１回計測して、保護者に連絡します。乳幼児の身体発育曲線を用いて、発育を評価することも大切です。

時代とともに高まる乳幼児健診の意義

乳幼児健診は、1938（昭和13）年に乳幼児の栄養状態や疾病の有無を診察して育児指導をすることから始まり、乳児の死亡率低下にも大きな役割を果たしました。第二次大戦後は、児童福祉法、母子保健法で乳幼児健診が位置付けられ、発達段階に応じた適切な時期に行われるようになりました。

乳児の死亡率が低下し、少子化が進行するにつれて、乳幼児健診の子育て支援としての役割も重視されるようになりました。保健相談だけでなく、心理士や保育士を配置して、虐待予防を含む子育て支援を行い地域の連携に結びつけるなど、子どもの発達を見守る役割も担うようになってきています。

4 集団全体の健康・安全・衛生管理

子どもの健康支援においては、全職員の協力や保護者、地域との連携が欠かせません。感染症の予防においては、集団全体での取り組みが重要となります。保育所保育指針では、「感染症やその他の疾病の発生予防に努め、その発生や疑いがある場合には、必要に応じて嘱託医、市町村、保健所等に連絡し、その指示に従うとともに、保護者や全職員に連絡し、予防等について協力を求めること。また、感染症に関する保育所の対応方法等について、あらかじめ関係機関の協力を得ておくこと」とあります。日頃からの保健活動や、関係機関との連携が大切です。子どもだけでなく、職員の健康状態にも気を配ることが必要です。

また、事故防止のためには、「保育中の事故防止のために、子どもの心身の状態等を踏まえつつ、施設内外の安全点検に努め、安全対策のために全職員の共通理解や体制づくりを図るとともに、家庭や地域の関係機関の協力の下に安全指導を行うこと」とあります。安全教育や避難訓練は、保護者とともに、地域の協力を得たマニュアルづくりも大切です。

𝄞♪子どもの主な疾病の特徴

子どもは、免疫の発達途上であるため、特に集団生活をし始めた時には、感染症にかかることが多いです。発熱の経過や発疹の性状で診断できる疾患も多く、それぞれの疾患の症状や主な治療法を知っておく必要があります。また、病名が医学名と一般に用いられている言い方と２通りある場合は、両者を覚えるようにしましょう。

◯ 感染経路と感染予防策

名称	感染が成立する経路	代表的な疾患と感染予防策
飛沫感染	感染している人が咳やくしゃみ、会話をした際に、病原体が含まれた小さな水滴（飛沫）が口から飛び、これを近くにいる人が吸い込むことで感染する。飛沫が飛び散る範囲は1～2m	・インフルエンザや百日咳、新型コロナウイルス感染症などの呼吸器症状を起こす疾患に多くみられる ・感染している者から2m以上離れることや感染者がマスクの着用などの咳エチケットを確実に実施する ・症状がみられる子どもには、登園を控えてもらい、保育所内で急に発病した場合には医務室等の別室で保育する
空気感染	感染者の口から飛び出した飛沫が乾燥しても病原体が感染性を保ったまま空気の流れによって拡散し、感染を引き起こす。飛沫感染と異なり、感染は空調が共通の部屋間等も含めた空間内の全域に及ぶ	・保育所内で気を付けるべき疾患は、麻疹、水痘及び結核であり、感染力が強く隔離のみでは対策が難しい場合も多く保健所と連携して対応を行う。また、予防接種が非常に重要である
経口感染	病原体を含んだ食物や水分を口にすることによって、病原体が消化管に達して感染が成立する	・保育所内で気を付けるべき疾患は、ノロウイルス感染症、腸管出血性大腸菌などの食中毒、ロタウイルス感染症など ・食事を提供する際には、調理中・調理後の温度管理に気を付ける ・感染の可能性のある、嘔吐物・下痢等の処理を適切に行う
接触感染	病原体の付着した手で口、鼻または眼をさわることや、傷のある皮膚から病原体が侵入することで感染が成立する。体の表面に病原体が付着しただけでは感染しない	・飛沫感染や経口感染を起こす疾患の多くや、ダニなどの皮膚感染症を起こす疾患でみられる ・最も重要な対策は手洗い等により手指を清潔に保つこと。使用中に不潔になりやすい固形石けんよりも液体石けんの使用が望ましい ・タオルの共用をせずに手洗いの時にはペーパータオルを使用することが望ましい ・飛沫感染予防でマスクをしている場合は、マスク表面を触らないように注意する

名称	感染が成立する経路	代表的な疾患と感染予防策
血液媒介感染	血液に潜んでいる病原体が傷のある皮膚や粘膜から侵入して感染する。感染性は弱い病原体が多い	・B型肝炎ウイルス、C型肝炎ウイルス、ヒト免疫不全ウイルスなど ・対策としては、他人の血液や体液は、防護なく触れないようにする。引っ掻き傷は、ガーゼなどで覆うなど

厚生労働省「保育所における感染症対策ガイドライン（2023年改訂版）」を参考に作成

1 感染症*3

■ 麻疹（はしか）

麻疹ウイルスは空気感染の他、飛沫感染、接触感染で感染し、感染力がきわめて強いです。接触してから発症するまでの潜伏期間は10日から２週間で、発熱、咳、目やになどのカタル症状から始まり、頬粘膜に白い斑点であるコプリック斑が出て、再発熱してから全身に発疹が広がります。３～４日後、発疹は色素沈着を残して回復します。肺炎になると重症化することがあり、１歳をすぎたら予防接種をするように勧められています。

■ 風疹*4（三日ばしか）

潜伏期間は２～３週間で、発熱と発疹が同時に出現し、頸部リンパ節腫脹を伴います。麻疹より症状は軽く、３～４日で改善し、発疹は色素沈着を残しません。

妊娠初期に罹患すると、胎児が心疾患や白内障、聴力障害を合併する先天性風疹症候群になる可能性があります。

■ 突発性発疹*5

生まれて初めて発熱した時に、この疾患であることがしばしばあります。ヒトヘルペス６型、７型が原因です。突然、38℃以上の高熱が３日ほど続いて解熱と同時に体幹を中心に発疹が出るのが特徴です。発熱時は意外と食欲が減らないのに、発疹が出てから下痢になったり食欲が減ることがあります。

■ 水痘（水ぼうそう）*6・帯状疱疹

麻疹と同じ空気感染と飛沫感染、接触感染で潜伏期間は

*3 **感染症の感染**
どの疾患（病原体）がどの感染経路をとるかが出題されています。

*4 **風疹**
R4年（前）　R5年（後）

*5 **突発性発疹**
R5年（前）　R5年（後）

*6 **水痘**
R4年（前）　R6年（前）

2～3週間です。発熱と同時に発疹が出現し、水疱となり次第に乾燥して痂皮（かさぶた）化しますが、同時期にいろいろな段階の発疹が認められるのが特徴です。水痘が治癒した後、ウイルスが神経節に入り込み、抵抗力が落ちた時に痛みを伴った発疹が出る帯状疱疹となることがあります。

■ **単純ヘルペス感染症**

口腔に感染すると口唇ヘルペス、歯肉口内炎になり、食べる時に痛みを伴います。子どもでは発熱して全身感染になることもあります。アトピー性皮膚炎のある子どもでは水疱が全身に広がることがあり、カポジ水痘様発疹といわれます。

*7 **手足口病**
R6年(前)

*8 **伝染性紅斑（りんご病）**
R4年(前)　R6年(前)

*9 **流行性耳下腺炎（おたふくかぜ：ムンプス）**
R4年(後)　R5年(後)

■ **手足口病** *7

A群コクサッキーウイルス、エンテロウイルスが原因で手、足、口腔に水疱性発疹を認めます。発熱は軽度ですが、口腔内の発疹が痛みを伴う時には、食事の内容や摂食方法に配慮する必要があります。

■ **伝染性紅斑（りんご病）** *8

ヒトパルボウイルスが原因で、頬部、四肢伸側部にレース状紅斑が出現します。発疹が出た時には、感染性はほぼありません。

■ **流行性耳下腺炎（おたふくかぜ：ムンプス）** *9

潜伏期間は2～3週間で、有痛性の耳下腺、顎下腺の腫脹を認めます。片側のみ腫れることもあります。子どもでは微熱のことが多いですが、頭痛が強く、嘔吐がある時は、髄膜炎の可能性があります。また、聴覚障害や腹痛・嘔吐がある膵炎や成人では睾丸炎の合併が問題となります。

■ **インフルエンザ** *10

飛沫感染や接触感染で広がります。冬に流行し、突然の高熱、関節痛、頭痛で発症します。子どもでは急性脳症の合併が問題となります。

ひとこと

*10 **新型インフルエンザ**
新たにヒト同士に伝染するようになったインフルエンザウイルスによる感染症のことで、世界的に流行する可能性があります（パンデミック）。2009年に流行したのは、豚インフルエンザで、他にも鳥インフルエンザなども人に感染して、新型インフルエンザとなる可能性があります。

■ **新型コロナウイルス感染症（COVID-19）**

2019（令和元）年より集団発生し、パンデミック（全世界的流行）となった感染症で、重症肺炎となると致命率が高くなります。感染経路は飛沫感染が主で接触感染もあります。潜伏期間は１～１４日間で、無症状感染が８割と多く、発熱、呼吸器症状、頭痛、倦怠感で消化器症状や味覚・嗅覚障害があることもあります。感染した場合は、発症翌日から５日間経過し、症状改善後１日までは登園を控えます。予防は、手洗い、手指消毒、手が触れるところの消毒、定期的換気をすることです。マスクの着用は飛沫感染の予防となりますが、熱中症のリスクがあるので、２歳以下や運動時は控えます。

■ **咽頭結膜熱（プール熱）**＊11

アデノウイルスが原因で、主に夏に流行します。発熱、咽頭痛、眼瞼（がんけん）結膜（まぶたの裏側）の充血を認めます。プールが始まる頃に流行するので、プール熱ともいいますが、眼脂、唾液だけでなく、便からもウイルスが排泄され、飛沫感染、接触感染、経口感染のいずれの可能性もあります。

＊11 **咽頭結膜熱（プール熱）**
R4年（前）　R6年（前）

■ **ヘルパンギーナ**

A群コクサッキーウイルスが原因のことが多く、夏に流行します。高熱と咽頭痛があり、口蓋垂に水疱ができます。

■ **乳幼児嘔吐下痢症（感染性胃腸炎）**

主に冬期に流行し、嘔吐や発熱を伴うことが多く、腹痛を訴えることもあり、食欲不振となります。便の色が白色となる時はロタウイルスが原因で、白色便にならない嘔吐下痢症では、アデノウイルスやノロウイルスが原因のことが多いです。

乳児では発熱、嘔吐、下痢が激しく脱水症になりやすいので食事療法や水分補給の注意が必要です。

■ **ブドウ球菌感染症**

子どもでは、接触感染で皮膚に広がる伝染性膿痂疹（のうかしん）（とびひ）がしばしばみられます。アトピー性皮膚炎や湿疹がある時に皮膚をかいて、広がったりします。皮膚の炎症をおさえるために抗生剤を服用します。乳幼児では全身感染になることもあり、皮膚がむけるブドウ球菌性熱傷様皮膚症候群（SSSS）となった時には、入院治療が必要となります。院内感染で注目されているMRSA*12は、通常の抗生剤に耐性となったブドウ球菌で、免疫の落ちた患者さんを治療する上で問題となっています。

*12 **MRSA**
R4年（後）
メチシリン耐性黄色ブドウ球菌のことです。従来の抗生剤への耐性があるブドウ球菌で、抗生剤を長期にわたって投与していると、さらに耐性となって、効果のある抗生剤がなくなる危険があります。

■ RSウイルス感染症*13

発熱、咳、鼻水などの症状がある呼吸器感染症ですが、乳児が感染すると重症となって、入院が必要となることもあります。しばしば再感染が起こりますが、２歳以上では軽い鼻炎程度のことも多いです。

*13 **RSウイルス感染症**
R6年（前）

■ 溶連菌（ようれん）感染症*14

A群溶連菌による感染症で、幼児から学童によくみられ、発熱、発疹、咽頭扁桃炎のほかに苺舌（いちごじた）*15 が特徴的です。全身感染となったものは、猩紅熱（しょうこうねつ）といいますが、子どもでは咽頭痛以外の症状がはっきりしないことがあります。感染後、腎炎やリウマチ熱になることがありますので、感染がわかった時には通常より長く抗生剤を飲みます。

のどの分泌物を綿棒でとる迅速検査で診断ができますが、症状がよくなってから腎炎の合併症があるか尿検査をすることもあります。

*14 **溶連菌感染症**
R4年（前）

用語解説

*15 **苺舌**
苺のように赤いぶつぶつが見える舌のこと。溶連菌感染症と川崎病で特徴的な症状です。

■ 百日咳*16

百日咳菌が原因で、連続した咳（スタッカート）と笛吹様吸気を繰り返すレプリーゼという症状がみられます。ジフテリア、破傷風、ポリオ、インフルエンザ菌b型との５種混合ワクチンで予防できますが、予防接種をしていない乳児では肺炎になることもあります。

*16 **百日咳**
R5年（前）

■ マイコプラズマ感染症

発熱、咳が続き、しばしば肺炎や中耳炎になります。胸膜炎になって胸部の痛みを感じる時もあります。

■ 蟯虫症（ギョウ虫症）

成虫は、ヒトの腸管に寄生し、夜間、肛門に産卵します。かゆみがあり、夜間の不眠の原因となります。セロハン法で虫卵の有無を確認します。発見された時には駆虫剤を家族全員で飲みます。

■ 伝染性軟属腫（水いぼ）*17

伝染性軟属腫ウイルスが原因で子どもの皮膚に感染する水疱疹です。かきこわして水疱の中のウイルスが手につくと広がっていきますが、数か月後には自然に治癒します。早期に完全に治癒させるためには、一つひとつのイボを芯からつまんでとることですが、特に症状はないので自然治癒するまでそのままにしても大きな問題はありません。

*17 伝染性軟属腫（水いぼ）
R4年(前)

■ 頭ジラミ

集団で同じシーツで寝たり、同じタオルを使うと感染することがあります。卵だけの時はふけと区別が難しく、成虫になるとかゆみが出てきます。人体用殺虫剤フェノトリン0.4%粉剤（スミスリンパウダー）で駆虫しますが、髪を短くすることや、シーツ、タオルの洗濯なども大切です。

■ 鵞口瘡（がこうそう）（口腔カンジダ症）

乳児は、口腔内に真菌の一種であるカンジダが感染、舌や頬粘膜が白くなることがあります。哺乳が悪くなった時には抗真菌剤を投与します。

2 アレルギー*18 疾患

アレルギーとは、免疫反応が自分に不利な方向に働いたものです。人体に不利な作用を起こす原因となるものをアレルゲンといい、遺伝的体質や環境により影響を受けます。年齢、季節により症状が変化したり、いろいろなアレルギー疾患を繰り返したりします。

*18 アレルギー
R4年(後)　R5年(前)
R5年(後)　R6年(前)
ほぼ毎年出題されていますので、解説内容は確実におさえておきましょう。
また、「保育所におけるアレルギー対応ガイドライン」に目を通しておきましょう。

■ 食物アレルギー

ある特定の食品を食べると、食べた後に嘔吐、下痢などの腹部症状や蕁麻疹（じんましん）などの皮膚症状が出ることです。主なアレルゲンとしては、牛乳、卵、ソバなどがあります。疑いがある時には医療機関で検査を受け、その診断をもとにアレルゲンとなる食物を除去したり、再開する時期について指導を受けます。除去食（アレルゲンを除いた食事）を行う時には、加工品に含まれる食品についても注意が必要です。また、成長期の子どもでは除去した食べ物に代わる栄養についても、配慮が必要です。

知っトク

*19 **アトピー性皮膚炎**
アトピー性皮膚炎は感染症ではなく、プールに入っても問題ありません。ただし、プールの塩素が症状悪化の一因となるので、プールの後はシャワーをよく浴びるようにします。

■ アトピー性皮膚炎[*19]

乳幼児期に湿疹から始まり、皮膚がかさかさになり、かゆみを伴うようになる皮膚炎です。子どもの場合、皮膚をかきこわしてとびひを合併したりすることがありますので、注意が必要です。皮膚を清潔にし、保湿剤や非ステロイド系抗炎症剤、ステロイド剤などの塗り薬を症状によって使い分けます。

■ 気管支喘息

アレルギー反応により、気管支の平滑筋が収縮し、気道が狭窄することで、呼気性呼吸困難を起こします。アレルゲンは、ハウスダストやダニなどの吸入抗原が多いです。発作が起きた時には、水分をとらせ、腹式呼吸をさせるようにします。水分が飲めなくなったり、苦しそうな咳や呼吸が続いたりする時には、医療機関で吸入や点滴などの治療を受けます。

発作が起きていない時の普段の生活も大切で、アレルゲンとなるハウスダスト、ダニなどが生活環境になるべく少なくなるように、ほこりを吸収するものは周囲に置かないようにし、絨毯（じゅうたん）やぬいぐるみなどはなるべく取り除きます。動物や観葉植物を屋内に置くこともなるべく避けます。また、腹筋や皮膚を鍛えるようにし、息を吐き出す練習として、笛を吹いたり、ピークフローメーターを用いて自分の息を吐き出す力を記録したりします。

■ 花粉症

くしゃみ、鼻水などの症状のアレルギー性鼻炎や目がかゆくなるなどのアレルギー性結膜炎をしばしば起こします。アレルゲンはスギ花粉が多いです。年長になってから突然発症することが多いですが、最近は低年齢化しています。症状を和らげるために、点鼻薬や点眼薬、飲み薬がありますが、外出から帰宅した時のうがいや手洗いも大切です。

■ アナフィラキシー*20

複数の臓器や全身にアレルギー症状を起こすことで、アナフィラキシーショックになると命の危険があります。原因として、食物、蜂毒、薬物などがあり、蕁麻疹（じんましん）、口腔、咽頭のアレルギー性腫脹、喘鳴（ぜんめい）、呼吸障害、血圧低下などの一連の症状を認めます。通常原因物質と接触後30分以内に起こることが多いため、疑われる時には、急いで救急病院に連れていくことが必要です。過去にアナフィラキシーを起こしたことがある場合には、緊急時に筋肉注射できるアドレナリン自己注射製剤（エピペン）*21 を使用することもあります。なお、エピペンの保管、使用にあたっては以下の点に留意します。

- 15～30℃で保存が望ましい。冷蔵庫や、日光のあたる場所等を避けて保管する
- 「エピペン」を預かる場合、緊急時の対応内容について保護者と協議の上、緊急時個別対応票を作成する
- 体重15kg未満の子どもには使用できない
- エピペンの使用後は速やかに救急搬送し、医療機関を受診する

（出典：厚生労働省「保育所におけるアレルギー対応ガイドライン（2019 改訂版）」

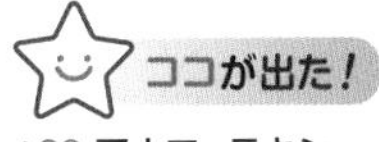

*20 **アナフィラキシー**
R5年（後）

*21 **エピペンの使用**
R5年（後）　R6年（前）
子どもが自分で注射できない場合は、保護者の依頼をもとに保育者が本人に代わって注射しても構いません。

3 神経筋疾患

■ 脳性麻痺

脳性麻痺とは胎児期や周生期の原因による大脳の非進行性病変により、運動障害をきたしたものをいいます。症状としては、筋緊張の異常、姿勢の異常、言語障害、けいれんなどがあります。精神遅滞は伴う場合と伴わない場合があります。大脳に残った病変により、症状が多様で介護や

援助の仕方が異なります。

＊23 **てんかん**
R5年(前)

■ てんかん＊22

てんかんは３歳以下の発病が最も多く発作的にけいれん、意識障害、精神症状などを反復して起こすもので、脳に受けた外傷や腫瘍などの病変後に起こるものもあれば、原因不明のこともあります。

発作があり、脳波に発作波が認められれば抗けいれん剤を服用します。服用によってけいれん発作がおさえられていれば、日常生活において特に活動を制限する必要はありません。

■ 精神遅滞（知的障害）

精神遅滞とは、明らかに平均以下の全般的な知的障害があり、発達期の18歳未満に発症し、適応行動が年齢基準より明らかに低い場合のことをいいます。原因疾患はさまざまなため、それぞれに合わせた対応が必要です。知能指数（IQ）が70以下であることが診断基準となっていますが、その後の教育で社会生活指数（SQ）を上げることはできます。

4 発達障害

発達障害者支援法では、発達障害は、「自閉症、アスペルガー症候群その他の広汎性発達障害、学習障害、注意欠陥多動性障害その他これに類する脳機能の障害であってその症状が通常低年齢において発現するもの」としています。2014（平成26）年に改訂された日本精神神経学会のDSM-5の病名ガイドラインでは、発達障害は神経発達障害、自閉症、アスペルガー症候群、広汎性発達障害は自閉スペクトラム症で統一し、注意欠陥／多動性障害は、注意欠如・多動症に、学習障害は、限局性学習症と呼ぶことを推奨しています。

ココが出た！

＊22 **自閉スペクトラム症**
R4年(後)
よく出題されていますので、定義や症状、保育所での対応方法などをおさえておきましょう。

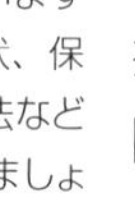

■ 自閉スペクトラム症/ASD（自閉症スペクトラム障害）＊23

自閉スペクトラム症は、従来広汎性発達障害と呼ばれた

ものを含み、自閉症とアスペルガー症候群、その他の脳の機能性障害を含みます。

自閉症は3歳くらいまでに気づかれることが多く、視線を合わせることができない対人的関係障害、言葉の遅れで気づく言語・コミュニケーション障害、1つの物や行為に極端にこだわる常同的な反復があります。医療機関へは言語の発達の遅れで受診することが多く、聴力障害や精神遅滞と鑑別する必要があります。

自閉症と類似疾患のアスペルガー症候群またはアスペルガー障害では、言語の遅れ、知的発達の遅れはありませんが、社会的関係形成の困難さが認められます。知的障害のない自閉症を高機能自閉症といい、アスペルガー障害と同一の病像と扱われることが多いです。最近は、それぞれ独立した障害ではなく、自閉を本態とする連続的なものであるとする概念でとらえられるようになったため、自閉スペクトラム症と呼ばれるようになりました。

日常生活では、作業手順を言葉ではなく絵や写真で示す*24ようにし、パニックに陥った時には気持ちが落ち着ける空間を用意します。また、知覚過敏があることが多く、不快な音や触られ方があるので、一人ひとりの特性をよく知っておくことが大切です。

■ 注意欠如・多動症：注意欠陥／多動性障害（AD/HD：Attention Deficit/Hyperactivity Disorder）

注意欠如・多動症（AD/HD）*25は、年齢あるいは発達に不釣り合いな、多動性、不注意、衝動性で特徴づけられる発達障害です。AD/HDは集団における同調行動が苦手なため、学校生活で問題となって自尊感情を傷つけられることによる二次障害が起こらないように配慮する必要があります。薬物療法のほかに、しつけを系統的に行う行動療法や注意が散漫とならないような環境整備が大切です。

***24 絵や写真で示す**
自閉症の子どもへの指示には視覚情報を用いた方がよいことがH25年に出題されています。

***25 注意欠如・多動症（AD/HD）**
特徴や対応などが問われています。

■ 限局性学習症：学習障害（SLD：Specific Learning Disorders、Learning Disabilities）

限局性学習症（SLD）は知的発達の遅れはないものの、聞く、話す、読む、書く、計算する、推論する能力のいずれかに困難がある状態です。脳の機能性障害によるものと思われますが、学校教育での個別的な配慮が必要となります。

5 先天性心疾患

母体内で妊娠初期に障害が起きると先天性心疾患となります。最も多いのは心室中隔欠損症*26 です。これは自然閉鎖することもありますが、心不全になると手術を行わなければなりません。心不全がある時には、水分制限をしたり、利尿剤を飲んだりします。疾患により、運動制限をする必要があるかどうか、主治医に診断書を作成してもらいます。チアノーゼ型心疾患の代表はファロー四徴症で心室中隔欠損、肺動脈狭窄、大動脈騎乗、右心室肥大の4つの特徴がみられる疾患です。

知っトク

*26 **心室中隔欠損症**
左心室と右心室を隔てる壁に穴が存在する疾患です。むし歯(う歯)が進むと心内膜炎の危険が増すのでう歯予防と治療が大切であることが出題されました。

6 子どもの泌尿器疾患

■ 急性糸球体腎炎

溶連菌感染後、血尿、蛋白尿、高血圧が認められる疾患です。急性期に乏尿が認められる時には安静にします。

■ ネフローゼ症候群

高度の浮腫、高度の蛋白尿を認める疾患で原因不明のことが多いです。治療では、ステロイド剤を長期に投与するため感染症にかかりやすくなる傾向がありますので、集団生活で配慮が必要になることがあります。

■ IgA血管炎（アレルギー性紫斑病）

血小板や凝固因子の減少は認められず、血管病変により紫斑が出現する疾患です。血便や浮腫を認めることもあります。安静にしていると1か月以内に回復しますが、腎炎を合併した時には後遺症として残ることがあります。

7 子どもの内分泌疾患

■ 糖尿病*27

子どもに多い１型の糖尿病では、血糖値を下げるインスリンが欠如しているので定期的にインスリンの皮下注射をしないと高血糖になってしまいます。

年長児より、自己注射の指導を行いますが、集団生活をしている時には、落ち着いて注射できる保健室などの場所を提供し、手洗いをして清潔に注射できるように配慮します。持続皮下インスリン注入をポンプ式で行っている時は器械の不具合がないか気を付けます。インスリンの皮下注射を行っている際には、時に、低血糖になって、顔色が悪くなって、倒れてしまうことがあります。その時には早めにジュースを飲ませるか、ビスケットや飴を食べさせます。他の小児には、健康のために飲ませたり食べさせたりする必要があることをあらかじめ説明して、誤解を受けないように配慮をしておきます。

２型の糖尿病は、生活習慣病ともいわれ、食生活と関連して成人で発症することが多いものですが、近年子どもにも肥満が増え、増加傾向にあります。この場合は、食事指導や運動指導などの日常生活の改善が重要です。

■ 脳下垂体小人症

脳下垂体から分泌されている成長ホルモンの分泌障害で小人症となります。成長ホルモンの注射を行います。

■ 甲状腺の疾患

甲状腺ホルモンの分泌障害で、先天性の時にはクレチン病、後天性の時には甲状腺機能低下症となります。クレチン病では発育や知能が障害されるために、新生児マススクリーニング検査で先天性代謝異常症と一緒に検査し、異常がみつかった時には甲状腺ホルモンを投与します。分泌亢進はバセドウ病となり、思春期以後の女性に多く、眼球突出、発汗などの症状が認められます。

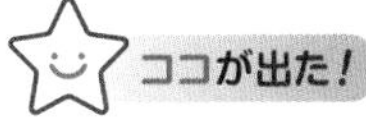

*27 **糖尿病**
R5年(前)
膵臓のランゲルハンス島のβ細胞から分泌されるインスリンは血糖値を減少させるホルモンです。インスリンが欠如したり、作用不十分の時は、糖尿病が発症します。
主な合併症としては眼の合併症、腎不全、神経症(末梢部の痛みなどの感覚が鈍くなるなど)が知られています。

8 消化器の疾患

■ ヒルシュプルング病

腸の動きを制御する神経節細胞が生まれつき無いために腸の動きが悪く腸閉塞や重い便秘症を起こす病気です。

■ 先天性胆道閉鎖症

先天的に胆汁が流れる管がつまって腸に胆汁が流れず、黄疸が進み肝硬変になってしまう病気で、便の色が白くなります。母子健康手帳にはこの病気を早期発見するための便色カードが掲載されています。

■ 腸重積症

口側の腸管が肛門側の腸管に入り込むことによって腸が閉塞状態となる病気です。乳児に発症することが多く、腹痛、嘔吐、血便が出ます。

9 悪性腫瘍（小児がん）

子どもの死因として、先天異常や事故と並んで上位の疾患です。最近の医療の進歩により子どもの悪性腫瘍は成人の悪性腫瘍と比べ、根治できる可能性が高くなっていますが、治療が長期にわたるため、成長や学業、後遺症、そして家族への配慮が必要です。治療をしながら集団生活をする場合は、免疫低下によって感染しやすいことがありますので、保育所、学校などで感染の可能性が高い疾患が発生した時には早めに保護者に連絡します。また、日光にあたると皮膚症状が悪化する可能性がある場合は、屋外での活動を制限することもあります。治療が終了している時には、日常生活上の制限は特に必要のないことが多いです*28。

*28 小児がん
最近は子どもにも病名を知らせることもありますが、病名を知らされていないこともありますので、本人や兄弟、友人への接し方には、細心の配慮が必要です。

■ 白血病

子どもの悪性腫瘍の中で最も多い疾患です。不明熱、全身倦怠、関節痛、出血斑などで発症します。抗がん剤の多剤併用による化学療法により、根治することも多くなりました。血液検査で異常がなくなる寛解の後にも２～３年の治療が必要です。再発を繰り返したり、難治性の時には、骨髄移植などの造血幹細胞移植を行うこともあります。

■ 神経芽腫

子どもの腹部の悪性腫瘍の中で最も多い疾患です。以前は神経芽細胞腫といわれました。副腎など交感神経節より発生します。病初期より、骨、肝臓、骨髄によく転移します。一般に１歳以前に発症したものは予後がよいですが、１歳以降に発症したものは難治性で、化学療法、手術療法、放射線療法などを組み合わせた集学的治療法を行います。

10 その他の疾患

■ 川崎病（MCLS）*29

*29 川崎病（MCLS）
R4年（後）

５日以上の発熱、発疹、頸部リンパ節腫脹、眼球結膜の充血、口唇発赤または苺舌、手足の硬性浮腫を認める疾患です。原因は不明で、後遺症で冠動脈瘤となり心筋梗塞を起こすことがあります。冠動脈瘤の形成を予防するため診断がついたら、免疫グロブリンの大量投与を行います。

11 心身症

身体異常がありながら、身体の治療だけでなく、心理的問題や生活上の問題も対応しないと治らない病気のことを心身症といいます。子どもの場合は成長発達期であるため、心理的ストレスが心身両面に影響しやすいです。身体面では、頭痛、腹痛、食欲不振を訴えることが多く、不登校につながることも多くあります。

■ 起立性調節障害（OD：Orthostatic Dysregulation）

思春期に多く、朝なかなか起きられない、急に立ち上がった時に目の前が暗くなる立ちくらみなどの症状があり、不登校の原因にもなります。自律神経失調が関係しています。頭痛、腹痛などの不定愁訴（しゅうそ）も多く、睡眠時刻の調節や朝食を食べるようにするなど生活習慣の改善を行います。

■ **過換気症候群（過呼吸）**

強い不安などがきっかけとなって、速い呼吸が起こり、体内の二酸化炭素の過剰排出により意識障害、手足のしびれが起きます。呼吸を整えることで改善します。

■ **過敏性腸症候群**

腸管の機能異常に基づき、腹痛と下痢を認めます。登校前の朝に症状が強く出ます。規則正しい生活や刺激物や脂肪の多い食事を控えるなど食生活の改善が大切です。

■ **チック症（チック、チック障害）**

心因性に出現するくせで、幼児期から学童期にみられ、男児に多い傾向があります。まばたきをする、首をふる、咳払い、鼻をならす、顔をしかめるなどの動作を反復して行います。緊張したり、注意したりすると悪化します。

■ **神経性頻尿**

排尿回数が多い頻尿がみられますが、尿路感染症と異なり、尿所見に異常がありません。また、尿量は多くなく、夜間に頻尿はありません。

■ **神経性やせ症（拒食症）**

思春期の女子に多く発症し、何かのきっかけから拒食が始まり、食行動の異常を認め、極度のやせとなり、無月経となります。

■ **吃音症**

最初の発声で言葉が出てこなかったり、つまったりすることで、幼少時の緊張と関係するといわれています。

理解度チェック　一問一答

全問クリア　月　日

Q

□ ❶ RSウイルス感染症は大人がかかると重症化することが多い。 R6年（前期）

□ ❷ てんかんは、乳幼児期から高齢期まで幅広く発症するが、３歳以下の発症が多い。 R5年（前期）

□ ❸ チック障害は、女児に多く見られる。 H28年（前期）

□ ❹ 発熱が続くと、食欲が低下して水分も摂らなくなることがある。 H31年（前期）

□ ❺ MRSA 感染症とは、ペニシリン製剤が無効であるブドウ球菌によって起こる感染症である。 R4年（後期）

□ ❻ りんご病とは、溶連菌感染症のことである。 H30年（後期）改

□ ❼ 咽頭結膜熱はエコーウイルスによって起こる。 R6年（前期）

□ ❽ 流行性耳下腺炎（おたふくかぜ）は、ムンプスウイルスが原因であるが、耳下腺の腫脹、痛み、発熱が主な症状である。合併症はなく、軽症で治癒する。 R1年（後期）

□ ❾ アトピー性皮膚炎のある園児は、プールに入れない。 H31年（前期）

□ ❿ 注意欠如・多動症の子どもへの対応として、やるべきこと、予定、規則を視覚的に示すようにした。 H31年（前期）

□ ⓫ 食物アレルギーのある幼児の割合は、年齢が上がるにつれ上昇する。 R6年（前期）

□ ⓬ エピペンは冷蔵庫に保管する。 R6年（前期）

A

❶ × ６か月未満の乳児がかかると重症化する。

❷ ○

❸ × 男児の方が多い。

❹ ○

❺ ○

❻ × 伝染性紅斑のことである。

❼ × アデノウイルスによって起こる。

❽ × おたふくかぜでは、髄膜炎や膵炎、聴覚障害などの合併症がある。

❾ × アトピー性皮膚炎でも皮膚感染症がなければプールに入れる。プールから出た時には、シャワーを浴びることも大切である。

❿ ○ 予定や規則をあらかじめ提示しておくとよい。

⓫ × 年齢が上がるにつれ減少する。

⓬ × 室温・遮光保存をする。

4 子どもの疾病の予防及び適切な対応

子どもの健康づくりについて理解し、健康状態の評価の仕方と体調不良時の対応を学び、子どもがかかりやすい疾病とその予防対策を理解します。麻疹、風疹、突発性発疹といった子どもがかかる主だった疾患名とその原因、症状、主なワクチンの予防接種の概要については暗記しておく必要があります。

頻出度

ワクチン（定期接種）

【不活化ワクチン】
インフルエンザ菌ｂ型（Hib）、肺炎球菌、Ｂ型肝炎、５種混合（DPT-IPV-Hib：ジフテリア、百日せき、破傷風、ポリオ、Hib）、２種混合（DT：ジフテリア、破傷風）、日本脳炎、子宮頸がん（HPV）

【生ワクチン】
BCG（結核）、麻疹風疹混合（MR）、水痘、ロタウイルス

子どもの疾病の予防と適切な対応

1 子どもの体調不良時の対応

■ 発熱

急に高熱になった時は、体を震わせる悪寒を認めることがあります。その時は一時的に温めてあげる必要がありますが、悪寒がおさまったら部屋を涼しくし、薄着にさせ、水分をこまめにとらせることが大切です。

解熱剤は、ぐったりして水分もとれないという時に使いますが、病気を治すものではないので、必ずしも必要なものではありません。

■ ひきつけ（けいれん）*1

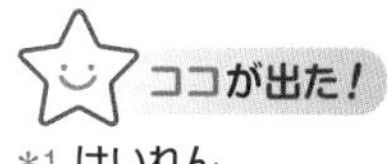

*1 けいれん
R4年（後） R6年（前）

6歳までの幼児では、発熱時にひきつける熱性けいれんを起こすことがあります。意識がなくなり、眼球が上転して手足が硬くなりガタガタふるえることが多いです。大概は5分以内におさまり、後遺症の心配がないものがほとんどです。舌をかみきることはまずありませんが、口の中に何かを突っ込んだりすると、嘔吐を誘発して、気道をつまらせる危険がありますのでやってはいけません。洋服をゆるめて、体と頭を横にして楽な姿勢にし、けいれんが何分続くか計ります。5分以上けいれんが続く時、何回もひきつけを繰り返す時、ひきつけ後に意識が戻らない時、ひきつけ後に手足の麻痺があるような時には病院に連れて行きます。ひきつけが10分以上続く時は、救急車を呼んでも構いません。熱性けいれんは、熱の上がり始めに起こることが多いので、ひきつけを起こしたことがある場合で解熱剤を使用する時はけいれんを予防する薬と一緒に使います。

■ 嘔吐*2

*2 嘔吐した子どもの対応
R5年（前） R6年（前）

発症してすぐに食事をしてしまうと、症状が悪化することがありますので、しばらく落ち着くまで、嘔吐してから1時間は経口摂取をさせないことが大切です。寝かせる時には、嘔吐物が気管に入らないように横向きに寝かせます。経口摂取を再開する時は水分から少しずつ与えます。塩分、糖分が少し混ざっているイオン飲料がよいでしょう。固形物はお腹がしっかりすいてから与えるようにします。食事を再開する時は温かい汁物がよいです。

目が落ち窪んだり、皮膚の張りがなくなり唇が乾いたりして、尿の回数や量が減少するなど、脱水症が疑われる時には、医療機関を受診します。

■ 下痢

発症してすぐに通常の食事をすると、症状が悪化することがありますので、しばらく落ち着くまで食事の内容に注意します。下痢が頻回だったり、腹痛を伴う時には、脱水症に注意し固形物をやめて水分だけにします。離乳前の場合はミルクを薄めにしておなかの負担を減らします。柑橘類は下痢を悪化させますので控え、果物はリンゴ類にします。

おむつかぶれの予防では、排便のたびに臀部をよく洗って、皮膚を乾かしてからおむつをつけるようにします。

■ 便秘

乳児では、腹部を「の」の字にマッサージしたり、オイルをつけた綿棒で肛門のところを刺激する綿棒浣腸などで排便させます。水分をよくとることも大切です。年長児で便が硬くなってなかなか出ない時には、下剤やグリセリン浣腸をして排便させてから、便をためないように日常生活の指導を行います。

■ 咳

咳がひどい時は室内をなるべく加湿し、水分を飲ませて、寝ている時は体を起こして背中を軽く叩いて痰を出しやすくしてあげます。喘鳴(ぜんめい)がひどくなって水分がとれなくなったり、眠れなくなったりしたら医療機関を受診します。

■ 鼻水、鼻づまり

室内を十分加湿し、水分を多めにとらせて鼻水を出しやすくしてあげます。

鼻水が多い時には、鼻水吸い器などを用いて鼻水を取ってあげますが、あまりやりすぎると粘膜を傷つけて鼻血が出ることがあるので気を付けます。ティッシュで拭き取る時には、鼻の下が赤くただれることがあるので、ワセリンを塗って予防します。鼻づまりがひどい時には鼻頭を蒸しタオルで温めたり、お湯の蒸気をかがせたりすると少し楽になります。

■ 発疹

かゆみがひどい時には、かきこわして皮膚を傷つけないように、かゆみ止めを塗ったり、冷やしてあげます。

■ 乳幼児の与薬のしかた[*3]

乳幼児に粉薬を与えるときは少量のぬるま湯で練ってペースト状にして、上あご、または、頬の内側にぬるか、スポイトで与えます。ミルクには混ぜないようにします。座薬は横になって腹部に力を入れないように前かがみの姿勢にして入れます[*4]。

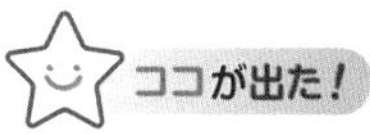

＊3 乳幼児への薬の飲ませ方の工夫
R5年(前)　R5年(後)
ミルクに薬を混ぜると、ミルク嫌いを起こす可能性があるので行わないようにします。

ココが出た！

＊4 保育所で薬を預かる場合の注意点
R5年(後)
保育所で、薬を預かる場合には、保護者に医師名、薬の種類、服用方法等を具体的に記載した与薬依頼票を持参してもらいます。

2 感染症の集団発生の予防

■ 手洗いと咳エチケット

日頃から、正しい手洗い、咳エチケットの指導を行います。手洗いは、下図の通り１本１本の指だけでなく、手首もしっかり洗います。子どもたちにも指導し、保育者は、おむつがえや食事の時には、手洗いをきちんと行うことが大切です。

○ 子どもたちへの手洗い指導のポイントの例

おねがいのポーズ	カメのポーズ	お山のポーズ	おおかみのポーズ	バイクのポーズ	つかまえたーのポーズ
てのひらをあわせて**スリスリ**。 まずは、いちばんひろいところからしっかりとね。	おやこガメのようにりょうてをかさねて**スリスリ**。 わすれがちなてのこうを、きちんとね。	ゆびをくんで、さんかくのおやまをつくって**ゴシゴシ**。 あらいにくいゆびのあいだも、きちんとね。	おおかみのように、つめをたてて**ゴシゴシ**。 なかにかくれたばいきんを、おいだそうね。	ばいくのうんてんみたいに、おやゆびをつけねから**グリグリ**。 おくちにはいりやすいゆびだからね。	てくびをにぎって**グリグリ**。 つくえにあたるてくびは、いがいによごれているね。

急性胃腸炎が流行した時には、吐物や下痢便の始末に気を付けます。可能なら手袋、マスクをして子どもたちを離して処理します。汚れた衣服などは、ビニール袋に入れます。処理した後には手洗いを行います。

咳エチケットでは、咳がある時には口を覆い、マスクをするようにし、はずしたマスクや咳で汚れた手でドアやテーブルを汚さないように注意します。

○ 吐物や下痢便の処理のポイント

■ 予防接種*5

予防接種とは、弱毒化したウイルスや細菌を接種する生ワクチンやウイルスや細菌を殺したものを接種する不活化ワクチン、mRNAワクチンなどで、病気に対し免疫をつけさせることを目的に行われます。予防接種歴は、母子健康手帳に記載されているので、集団生活を始める時には、確認しておくことが大切です。

新予防接種法では、予防接種の意義を理解して積極的に受けるよう努力を義務づけ、自治体から費用の援助がある定期（勧奨）接種と、接種する時は有料となる個人の任意の意思で受ける任意接種に分けられます。定期接種としては、BCG、ポリオ*6、百日咳、ジフテリア*7、破傷風、麻疹（はしか）、風疹、日本脳炎、肺炎球菌*8、インフルエンザ菌b型（ヒブ）、ヒトパピローマウイルス（HPV）*9、

ココが出た！

＊5 予防接種
R5年(前)　R5年(後)
予防接種の種類、接種の時期など最新の制度を確認しておきましょう。

＊6 ポリオ
R5年(前)　R5年(後)
全身の筋肉の運動障害を起こすウイルスです。

＊7 ジフテリア
R5年(前)
上気道の粘膜に偽膜が形成され気道が閉鎖することがある病気です。

知っトク

＊8 肺炎球菌ワクチン
乳幼児では13価ワクチンを主に髄膜炎の予防のために行います。

＊9 HPVワクチン(子宮頸がん予防ワクチン)
HPVが子宮頸がんの原因となるため、小学校6年～高校1年相当の女子に3回接種します。HPVの型のうち2種類のウイルスのみの予防のため接種後も子宮頸がん検診は受ける必要があります。

＊10 水痘（水ぼうそう）ワクチン
2014(平成26)年9月以前は任意接種でしたが、10月より定期接種となり、1歳以上3歳未満の間に3か月以上の間隔をおいて2回接種します。

水痘（水ぼうそう）*10、B型肝炎*11、ロタウイルス*12が対象になっています。

任意接種にはインフルエンザ、流行性耳下腺炎（おたふくかぜ：ムンプス）、A型肝炎*13などがあります。予防接種は、以前は集団を対象に行っていた集団接種でしたが、現在はほとんどが個人の状態にあわせて行う個別接種になっています。

■ ワクチン接種の間隔

予防接種を行える間隔は、注射生ワクチン接種後に注射生ワクチンを接種するときは27日以上です*14。それ以外のワクチンについては、制限がなくなりました。現在の日本では、注射生ワクチンは、BCG*15、麻疹・風疹（MRワクチン）、水痘、流行性耳下腺炎、経口生ワクチンは、ロタウイルスです。mRNAワクチンは新型コロナウイルスワクチンの一部に用いられています。それ以外は、不活化ワクチンです。2012（平成24）年より、ポリオは不活化ワクチンに切り替わりました。生ワクチンの場合は、接種後軽く感染症状が出ることもあるので、注意が必要です。接種しなければならないワクチンが増えたので、最近は異なるワクチンを1回の通院で接種する同時接種がしばしば行われます。

ワクチンの同時接種とは？

同時接種とは、１回の診察で複数のワクチンを接種することです。日本では2008（平成20）年より乳幼児が受けることができるワクチンの種類が増え、同時接種を行うようになってきています。

同時接種を行ってもその効果が落ちたり、副反応が増えたりするということはなく、むしろ医療機関に行く回数を減らし、早く免疫をつけることができます。複数のワクチンを一緒に混ぜて接種することはできないので、両腕、両腿の４箇所に経口ワクチンを加えて２～５種類のワクチンを打つことが可能です。

*11 **B型肝炎**
R5年（前）
血液・体液を介して感染し一過性感染と持続感染があり子どもの感染は母子間による持続感染が多かったがワクチン接種で予防できるようになりました。

知っトク

*12 **ロタウイルスワクチン**
経口で投与する生ワクチンです。1価ワクチンは2回、5価ワクチンは3回接種します。接種後はワクチンが排泄されますので、便の取り扱いに注意します。

*13 **A型肝炎**
R5年（前）
経口感染で急性肝炎となり黄疸・肝機能障害が起こります。

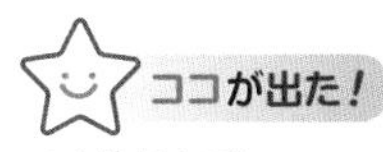

*14 **生ワクチン**
R5年（後）

*15 BCG
R5年（前）
結核の予防のための生ワクチンです。乳児では粟粒結核や結核性髄膜炎となり、重症になることがあるのでワクチンで予防します。

■ 主なワクチンの種類

・**BCG**：結核のワクチンで、日本では管針法で行われており、接種後１か月後に赤くはれてしばらくするとかさぶた状になります。1歳までに接種します。

・**DPT-IPV**：ジフテリア、百日咳、破傷風、ポリオの４種混合ワクチンです。Ⅰ期では３～８週間隔で３回接種して基礎免疫をつけ、１年後に追加接種し、Ⅱ期では、ジフテリア、破傷風の2種混合（DT）を１回接種します。2024年２月以降に生まれた乳児は、４種混合ワクチンにヒブワクチンを加えた５種混合ワクチン（DPT-IPV-Hib）を接種することになりました。

・**MRワクチン**：麻疹と風疹の混合ワクチンで、１歳以上２歳未満と小学校に上がる前の１年の間の２回接種を行います。

○ 主なワクチンの種類（一覧）

	ワクチン	種類	標準的な接種年齢	回数
定期接種	インフルエンザ菌b型（Hib（ヒブ））	不活化	初回：生後2～4か月 追加：生後12～17か月	初回：3回 追加：1回
	肺炎球菌（PCV13）	不活化	初回：生後2～4か月、 追加：生後12～15か月	初回：3回 追加：1回
	B型肝炎	不活化	生後2、3、8か月	3回
	5種混合（DPT-IPV-Hib）	不活化	1期初回：2～6か月 1期追加：初回終了後6か月おく	1期初回：3回 1期追加：1回
	2種混合（DT）	不活化	2期：11歳以上13歳未満	2期：1回
	日本脳炎	不活化	1期：3歳、4歳 2期：9歳	1期：3歳2回、4歳1回 2期：1回
	BCG	生	生後5～7か月	1回
	麻疹風疹混合（MR）	生	1期：生後12～24か月 2期：5歳以上7歳未満	1期：1回 2期：1回
	水痘	生	生後12～36か月	2回
	ロタウイルス（2020年10月より）	生	生後2～4か月	1価ワクチンは2回、5価ワクチンは3回
	子宮頸がん（HPV）	不活化	小学校6年生～高校1年生相当の女子	2価、4価ワクチンの場合：3回、9価ワクチンの場合：2回

	ワクチン	種類	標準的な接種年齢	回数
任意接種	流行性耳下腺炎（おたふくかぜ）	生	1歳以上の未罹患者	2回接種を推奨
	インフルエンザ	不活化	全年齢（B類の対象者除く）	1～2回

3 感染症発生時と罹患後の対応*16

子どもの集団生活では感染症の拡大を防ぐことが重要です。流行しやすい感染症が発症した時には情報を流して注意を喚起しておきます。体調が悪い時は保健室や別室で休養させ、保護者に連絡します。

学校保健安全法施行規則で、学校において予防すべき感染症は第１種から第３種に分けられています。子どもに多い飛沫感染と空気感染は第２種に分類され、インフルエンザ、百日咳、髄膜炎菌性髄膜炎、麻疹、風疹、水痘、流行性耳下腺炎、咽頭結膜熱、結核、新型コロナウイルス感染症があり、出席停止期間の基準があります。保育所や幼稚園でもこの規則を準用することになっています。登校、登園する時には、医療機関で治癒したことを診断してもらいます。具体的な基準は以下の通りです。

*16 **感染症の予防と拡大防止**
R6年（前）
学校保健安全法施行規則や出席停止期間についておさえておきましょう。

○ 感染症と出席停止期間

病名	基準
インフルエンザ	発症した後、5日を経過し、かつ解熱後2日（幼児は3日）を経過するまで
百日咳	特有の咳が消失するまで、または、5日間の適正な抗菌性物質製剤による治療が終了するまで
麻疹	解熱後3日を経過するまで
風疹	発疹が消失するまで
水痘	すべての発疹が痂皮化するまで
流行性耳下腺炎	耳下腺、顎下腺、舌下腺の腫脹が発現した後、5日を経過し、かつ全身状態が良好になるまで
咽頭結膜熱	主要症状消退後、2日経過するまで
結核・髄膜炎菌性髄膜炎	病状により学校医、その他の医師において感染のおそれがないと認められるまで
新型コロナウイルス感染症	発症後5日を経過し、かつ症状が軽快した後1日を経過するまで

出席停止の日数の数え方は、その現象がみられた日（発症した日、解熱した日）は数えず、その翌日を第１日とします。

出席停止期間：「解熱した後３日を経過するまで」の考え方

日曜日	月曜日	火曜日	水曜日	木曜日	金曜日	土曜日
	解熱	1日目	2日目	3日目	出席可能	

理解度チェック　一問一答

全問クリア　月　日

Q

□ ❶ けいれんが起こったら、あおむけに寝かせ、唾液やおう吐物が気管に入らないようにする。 R4年（後期）

□ ❷ 学校において予防すべき感染症は、「学校保健安全法施行規則」で定められる。 R6年（前期）

□ ❸ 嘔吐した子どもがいたときは、他児への対応と嘔吐した子どもの介助と嘔吐処理を同時に行う。 R5年（前期）

□ ❹ 「解熱した後3日を経過するまで」とは、解熱した日を入れて4日間である。 H25年

□ ❺ ロタウイルス予防接種は、生後12か月以上の希望者に行う。 R5年（前期）

□ ❻ 日本の小児に接種可能な定期接種は、インフルエンザや流行性耳下腺炎も含まれる。 R１年（後期）改

□ ❼ 予防接種の接種間隔は、注射生ワクチン製剤同士では、20日以上が目安である。 R3年（前期）改

A

❶ ×　体と頭を横にする。

❷ ○

❸ ×　応援を頼み、他の子どもをすぐに部屋から出し、嘔吐した子の介助を行ってから、嘔吐物の処理を行う。

❹ ○

❺ ×　ロタウイルスワクチンは定期接種で生後6週以後から接種できる。

❻ ×　どちらも任意接種である。

❼ ×　27日以上が目安である。

5 子どもの健康と安全

保育環境の整備は、子どもの健康に大きくかかわります。「学校環境衛生基準」の内容を理解する必要があります。また、子どもの事故防止では応急処置の知識とともに保育現場における安全対策や安全教育も大切です。

頻出度

保育環境整備と保健

保育所保育指針（2018（平成30）年４月施行）では、保育の環境について「施設の温度、湿度、換気、採光、音などの環境を常に適切な状態に保持するとともに、施設内外の設備及び用具等の衛生管理に努めること」と記載されています。

児童福祉施設の設備及び運営に関する基準では、保育所について以下のように示されています。

1）乳児又は満2歳に満たない幼児を入所させる保育所には、乳児室又はほふく室、医務室、調理室及び便所を設けること。
2）乳児室の面積は、乳児又は満2歳に満たない幼児1人につき、1.65m²以上であること。
3）ほふく室の面積は、乳児又は満2歳に満たない幼児1人につき3.3m²以上であること。

満2歳以上の幼児を入所させる保育所には、
1）保育室又は遊戯室、屋外遊戯場（保育所の付近にある屋外遊戯場に代わるべき場所を含む。以下同じ）、調理室及び便所を設けること。
2）保育室又は遊戯室の面積は、幼児1人につき1.98m^2以上、屋外遊戯場の面積は、幼児1人につき3.3m^2以上であること。

学校環境衛生基準では、室温は、「18℃以上、28℃以下であることが望ましい」、湿度は、「30％以上、80％以下であることが望ましい」、となっていますので、保育所もこれに準ずるものと考えられますが、乳幼児は、床付近で活動することが多いので、この部分の環境にも注意します。部屋の換気は、適宜行うことが必要です。

保育現場における衛生管理

1 屋内の衛生管理

保育所や施設の設備における消毒については、学校環境衛生基準、感染症新法や学校保健安全法施行規則などに定められています。食事と関連する調理場や給食用のテーブル、水回りの場所であるトイレ、洗面所、沐浴室のほかに、直接触れるドアのノブやオモチャ、ロッカーなどは、消毒液*1 で拭くことが大切です。1年に1回、飲料水の水質検査や、室内の空気の汚染度の測定をしなければなりません。室内空気の検査は、粉塵や細菌による汚染だけでなく、建築材料から発生するホルムアルデヒドなどの揮発性有機化合物の濃度測定も行わなければなりません。

*1 **消毒液の種類と用法**
R4年(前) R4年(後) R5年(前) R5年(後) R6年(前)

○ 消毒液の種類と使い方

種類	消毒をする場所・もの	使用上の注意
次亜塩素酸ナトリウム	・調理器具、室内環境、衣類、遊具など（200ppm液） ・嘔吐物や排泄物が付着した箇所（1000ppm液）	・吸引したり、目や皮膚に付着したりすると有害 ・脱色（漂白）作用がある ・金属には使用できない

亜塩素酸水	・調理器具、室内環境、衣類、遊具など（遊離塩素濃度25ppm液） ・嘔吐物や排泄物が付着した箇所（遊離塩素濃度100ppm液）	・ステンレス以外の金属には使用に注意する ・酸性物質（トイレ用洗剤など）と混合すると有毒な塩素ガスが生じる ・吸引したり、目や皮膚に付着したりすると有害 ・衣類の脱色や変色に注意
逆性石けん	・手指、室内環境、家具など、用具類（1000ppm液） ・食器の漬け置き（200ppm液）	・一般の石けんと同時に使うと効果がなくなる ・誤飲に注意 ・新型コロナウイルスには効果があるが、ノロウイルスを含む大部分のウイルス、結核菌には無効
アルコール類（消毒用エタノールなど）	・手指、遊具、室内環境、家具など（製品濃度70～80％の場合の原液）	・傷や手荒れがある手指には使用しない ・引火性に注意 ・ノロウイルス、ロタウイルスには無効

○ **消毒液の使い方**

保管時の注意	・消毒薬は子どもの手の届かないところに保管する
使用時の注意	・ドアノブや手すり、照明のスイッチ（押しボタン）などは、水拭きした後、アルコールなどによる消毒を行う ・保育室内のドアノブや手すりの消毒は、0.02％（200ppm）の次亜塩素酸ナトリウムか、濃度70～80%の消毒用エタノールを状況に応じて使用する ・消毒を行うときは子どもを別室に移動させ、消毒を行う者はマスク、手袋を使用する
希釈	・希釈するものについては、濃度、消毒時間を守り使用する ・希釈したものは時間が経つと効果が減っていくので、希釈液は保存せずその都度つくる

出典：こども家庭庁「保育所における感染症対策ガイドライン」より作成

2 屋外の衛生管理

■ 砂場

砂場の衛生管理のためには、定期的に砂を掘り返して点検し、砂遊びの後にはよく手洗いさせます。小動物により汚染されることもあるので、使わない時はシートで覆っておきます。

■ **動物小舎**

動物小舎のそうじは、マスクをして行います。動物に触れた後には手洗いをするように指導します。また、アレルギー疾患のある小児では、動物の接触によるアレルギー反応を起こす可能性がないか、あらかじめ保護者に問い合わせておきます。

■ **プール**

プールの管理は、学校環境衛生基準に準じて行います。水温は市町村によって少しずつ違いますが、22℃以上としている所が多く、気温については24℃以上が好ましいと考えられます。また、水質検査を定期的に行います。使用しない時に、小児が入って遊んだりしないように、柵やカバーをかけるようにします。また、皮膚の敏感な小児もいるので、プールの後には、シャワー、うがい、目の洗浄をして、タオルは共用しないように注意します。

保育現場における事故防止及び安全対策並びに危機管理

*2 **乳幼児の発達と事故**
R5年(前)

1 子どもの事故の特徴*2

日本の人口動態統計によると、０～４歳児では先天奇形等による死因が第１位ですが、不慮の事故は０～９歳児において死因の第３位以内となっています。したがって、不慮の事故を予防することは子どもの死亡率を減らすためにも重要な課題です。事故の種類の内訳では、０歳児では窒息が最も多く、１～４歳では、2017（平成29）年～2021（令和３）年の統計では、交通事故が最も多くなっています（消費者庁「子どもの不慮の事故の発生傾向」）。子どもの事故の特徴を知り、事故防止や安全教育を行うことは、不慮の事故を減少させるために大切なことです。

子どもの事故やそれに伴う傷害には、子どもの次のような特性が強く関係しています。

- 身長に占める頭の大きさの割合が大きい。
- 子どもの運動発達の未熟性。
- 子どもの周囲の事物に対する関心の発達の未熟性。
- 子どもの危険認知の発達の未熟性。

○ 年齢別にみた死亡原因の順位

	1位	2位	3位
0歳	先天奇形等	呼吸障害等	不慮の事故
1～4歳	先天奇形等	悪性新生物〈腫瘍〉	不慮の事故
5～9歳	悪性新生物〈腫瘍〉	不慮の事故	先天奇形等
10～14歳	自殺	悪性新生物〈腫瘍〉	不慮の事故

出典：厚生労働省「令和5年（2023）人口動態統計月報年計（概数）の概況」より作成

2 子どもの発達と（予想される）事故

子どもの場合、一人だけの時よりも子ども同士で遊んでいる時に事故になることが多く、状況に応じた注意が必要です。

子どもの事故では、発達の段階により、事故の種類や発生場所が異なってきます。乳児期初期は自らの能力で場所を移動することができないので、屋内の事故が多くなります。首がすわっていない3か月までの事故[*3]は窒息が最も多く、寝返りや座ることができるようになると、転倒・転落が多くなります。子どもが動く範囲が広くなると事故が屋外で発生するようになります。傷害は、発達が未熟なうちは頭部、顔面などの上半身が多く、運動発達に伴い活動範囲が広がると下半身が多くなります。

運動発達は、段階状に発達していきます。たとえば前の日まで寝返りができないと油断していると、突然寝返りしてベッドから転落するというような事故が発生するので、常に子どもの発達を予測した予防対策が必要です。

***3 乳児の事故予防対策**

R4年(後)

首がすわっていない乳児では、やわらかい布団に寝かせない、ベッド柵を必ずあげておくなどの予防対策が必要です。

3 傷害時の応急処置

■ 出血

まず、出血がある部位を清潔なガーゼなどで圧迫します。それでも出血が続く時には、さらに傷口より心臓に近い部分を圧迫します。止血がなかなかできない時は、傷口を圧迫しながら出血している手足を心臓より高くします。気持ちが悪そうな様子になった時には、横にして、足を高くします。

鼻出血の時には、鼻をつまんで下を向かせて静かにし、鼻頭のところを冷やします。子どもの場合、興奮して泣き止まないと、なかなか出血が止まらないことがありますのでやさしく抱いて落ち着かせることも大切です。

■ 切り傷、刺し傷、擦り傷

傷からの感染防止のため、傷口を流水で洗って汚れを取り除きます。傷口が大きい場合は、きれいな滅菌ガーゼで保護し、傷が深い場合は縫合が必要な時もありますので、外科のある医療機関を受診します。

*4 捻挫の対応
R5年(後)

■ 骨折、脱臼、捻挫*4

動きがおかしかったり、激しい痛みがある時には、受傷部位を安静にして冷やし、関節が動かないようにダンボールか太い棒を包帯で固定して医療機関を受診します。

*5 肘内障
R5年(後)　R6年(前)

■ 肘内障(ちゅうないしょう)*5

子どもでは、片手を急にひっぱると肘の関節が靭帯の外側にぬける肘内障になることがあります。手を上にあげると痛がるという症状がみられ、医療機関でもとに戻してもらいます。

■ 頭部打撲

打撲直後に泣いてしばらく後で元気になれば、そのまま様子をみてもかまいません。ぐったりして泣かなかったり、呼吸がおかしかったり、顔色が悪い時は、救急車を呼びます。すぐに元気になっても、その後１日は、嘔吐がないか、目つきや意識状態の変化がないか注意して、異常がある時には、脳外科のある医療機関を受診します。

■ やけど*6

まず流水で冷やすことが大切で、10～15分ほど痛みがとれるまで冷やします。流水がない時は、氷や保冷剤で冷やしてもよいです。衣類を着ているところをやけどした時には、衣類を着たまま冷やします。焼けて皮膚が真っ黒になっている時や、炎を気道に吸い込んでいる時には至急、救急車を呼びます。

*6 **やけど**
R5年(後)

■ 溺水*7

口の中の水を外に出し、体が冷えすぎないように、着替えさせて温めます。呼吸していない時は、人工呼吸などの一次救命措置を行います。

*7 **溺水**
R6年(前)

■ 誤飲

乳幼児は手に取ったものを何でも口に持っていく習慣があり、誤飲をしばしば起こします。最も多いのはタバコで、吸い殻の入った水を飲んだ時は、ただちに嘔吐させ、医療機関で胃洗浄を行うこともあります。大きなものを誤飲して食道のところに留まった時には、医療機関で除去してもらう必要があります。ボタン電池は胃穿孔(いせんこう)*8 の危険があるため、医療機関で磁石付カテーテルを用いて除去します。

知っトク

*8 **胃穿孔**
胃に穴が空くことです。

■ 誤嚥(ごえん)

経口摂取していたものや嘔吐したものが、気道に入ることを誤嚥といい、何かを食べている時に突然咳き込み、喘鳴(ぜんめい)が聞こえた時には誤嚥を疑います。子どもで最も多い誤嚥はピーナッツなどの豆類で、他に餅、コンニャクゼリー、ガム、飴、小さな玩具も注意が必要です。誤嚥を起こした時には、背中を叩いて誤嚥物の排出（背部叩打法）をうながします。年長児では腹部を圧迫突き上げ法で排出させます。子どもの食事介助では発達に応じた食材にし、食べ物を飲み込んだことを確認して与えることも重要です。

*9 **熱中症の予防**
R4年（前）　R6年（前）
夏場のマスクの着用は体温を上昇させ、熱中症のリスクを高めるとされています。

■ **熱中症** *9

高温多湿の場所で運動を行う時や、乳幼児では過度の厚着や炎天下の車内に放置した時に発症する熱性障害で、症状の軽い順より、熱けいれん、熱疲労、熱射病があります。熱けいれんは、突然の有痛性の筋肉のけいれんです。熱疲労は、体温調節機能は保たれていますが、発汗による脱水を認めます。涼しいところに連れていき発汗により失われた塩分を含む水分を補給します。熱射病では、高度の脱水、発熱、意識障害をきたします。衣服を脱がせて水で湿らせたスポンジで体を拭き、救急車を呼びます。

■ **凍傷**

暖かい場所に移動させ、靴下や手袋をそっと脱がせます。両手を子ども自身の脇の下に入れ、足は介助者の脇で温めます。こすったりしない方がよいです。

■ **電撃傷**

子どもが感電し、まだ電源から離れていない時には、電源スイッチを切るか、救助者が絶縁体の上に乗って、木製のものか、乾いたタオルなどを用いて子どもを電源から離します。受傷部位を10分以上、流水で冷やします。

*10 **食中毒**
R4年（後）

■ **食中毒** *10

同時期に複数の子どもに嘔吐、下痢などの症状が出た時は食中毒の可能性があります。食中毒は細菌やウイルスがついた食べ物を食べて起こるので、調理者の健康と手洗いが大切です。

4 救急処置及び救急蘇生法

事故や急病で子どもがぐったりしている時は、まず大声で人を呼び、手分けして処置をする必要があります。意識があるかないかの確認は、耳元で子どもの名前を呼び、肩を叩きます。反応がない時はただちに救急車を手配し、呼吸を確認し、大丈夫な時には脈などの状態を確認してから、半うつぶせ寝の回復体位にします。呼吸が止まっている時には、心肺蘇生（CPR）を開始します。

心臓や呼吸が止まっている人の命を救うためには、（1）迅速な通報、（2）迅速な心肺蘇生、（3）迅速な電気的除細動、の３つが大切です。この３つを一次救命処置といいます。子どもの場合は、（2）の心肺蘇生をすばやく行うことが最も大切です。

*11 **心肺蘇生**
R4年(前)　R4年(後)

○ 小児の心肺蘇生*11 手順

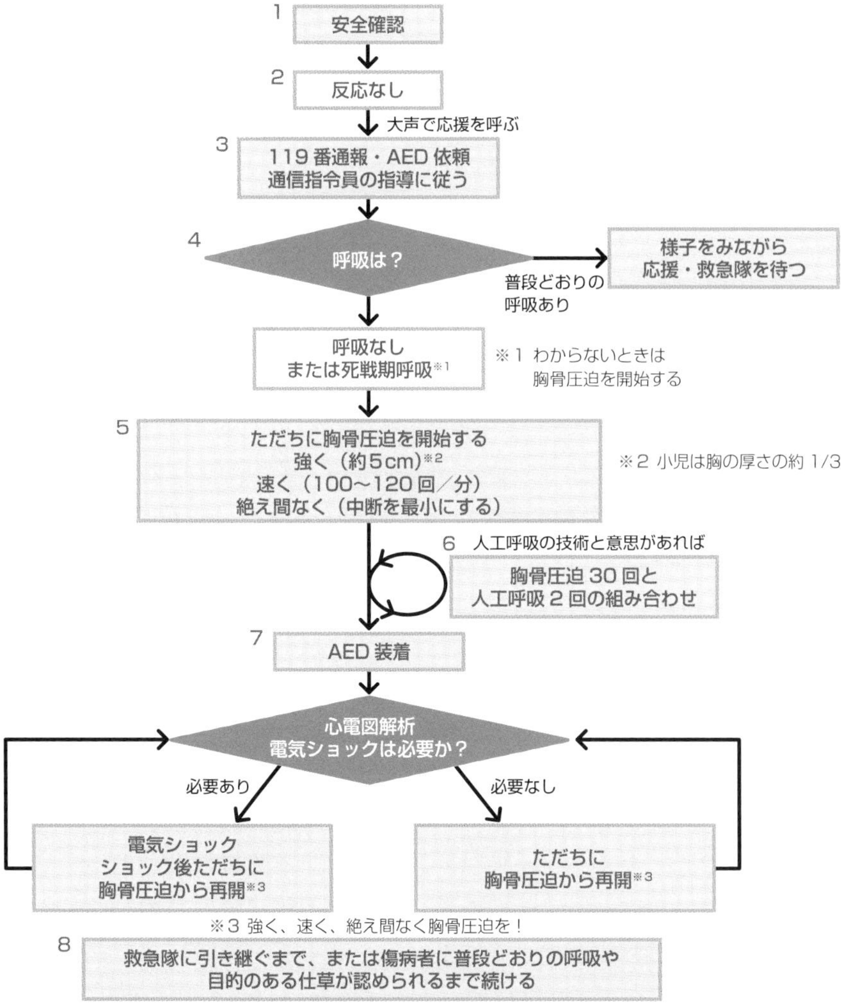

1 安全確認
↓
2 反応なし
↓ 大声で応援を呼ぶ
3 119番通報・AED依頼
通信指令員の指導に従う
↓
4 呼吸は？ → 普段どおりの呼吸あり → 様子をみながら応援・救急隊を待つ
↓
呼吸なし
または死戦期呼吸※1
※1 わからないときは胸骨圧迫を開始する
↓
5 ただちに胸骨圧迫を開始する
強く（約5cm）※2
速く（100〜120回／分）
絶え間なく（中断を最小にする）
※2 小児は胸の厚さの約1/3
↓
6 人工呼吸の技術と意思があれば
胸骨圧迫30回と
人工呼吸2回の組み合わせ
↓
7 AED装着
↓
心電図解析
電気ショックは必要か？
- 必要あり → 電気ショック
ショック後ただちに
胸骨圧迫から再開※3
- 必要なし → ただちに
胸骨圧迫から再開※3

※3 強く、速く、絶え間なく胸骨圧迫を！

8 救急隊に引き継ぐまで、または傷病者に普段どおりの呼吸や
目的のある仕草が認められるまで続ける

（出典：日本蘇生協議会 監修「JRC蘇生ガイドライン2015」18ページ、医学書院、2016年）

■ 子どもの心肺蘇生法

従来は、A→B→Cの手順でしたが、呼吸がない時の最新の手順はC→A→Bで、胸骨圧迫を最優先します。

C：**Circulation：胸骨圧迫：**刺激をして反応がなく、呼吸がない時にはただちに胸骨圧迫を行います。胸骨圧迫を行う時は固い床や板に移して行います。乳児から幼児期前半までは、胸郭の中央（乳首を結んだ位置）を指２本で約1/3押し込むくらい圧迫します。幼児期後半からは片手の手のひらで行います。８歳以上では両手を重ねて行います。１分間に100回程度行います。１人で人工呼吸と併用する場合は胸骨圧迫30回に対し、２回人工呼吸を行います。

A：**Airway：気道確保：**寝かせた状態で首を少し持ち上げ、前頭部を下方に押し、喉頭から気管までを一直線にします。口腔内に吐物がある時には取り出します。

B：**Breathing：人工呼吸：**気道確保をしながら胸部や腹部の動きがあるか、鼻から息が出ているかを見て、呼吸の有無を確認します。呼吸が止まっている時には、口対口の人工呼吸を行います。乳児の場合、口と鼻の両方に息を吹き込みます。幼児以上の子どもの場合、鼻をつまんで口から息を吹き込みます。人工呼吸は、３～４秒に１回行います。

■ 子どものAED[*12]（自動体外式除細動器）の使用方法

成人と異なり、子どもの心肺停止の原因では、気道閉鎖によることが多いので、人工呼吸と胸骨圧迫による心肺蘇生を優先しますが、ボールが心臓部位を強打した心臓震盪（しんとう）による心停止の時にはAEDによる除細動が必要となります。６歳以上であれば、成人と同じAEDを用いることができますが、６歳未満の時はAEDの機種により切りかえスイッチを押したりパッドを取りかえたり、小児用キーを差しこんだりします。成人用のパッドを用いる時はパッド

知っトク

*12 AED
保健所の安全管理に関して出題されました。AEDは厚生労働省のガイドラインにおいて設置が推奨され、自治体によっては条例で設置が義務化されている所もあります。

同士が重ならないようにします。AEDによる通電を行った後はすぐ胸骨圧迫を続けます。

5 事故防止と安全対策*13

*13 **事故防止と安全対策**
R4年(前)
事故防止の取り組みについて出題されました。

■ 安全への配慮

子どもは、遊びを通じて心身能力を高めて事故を回避できる力を育てます。遊びの要素の冒険や挑戦には危険性も内在していますが、「事故の回避能力を育むことにつながる危険性」は対応を学ぶ機会を増やすようにし、「子どもが判断不可能な危険性」は、危険因子を減らすように、安全対策を行います。

■ 安全教育

日常生活の場面で、安全な生活習慣や態度を身に付けるようにします。事故災害時には、保育者・保護者の指示にしたがい行動できるようにし、危険な状態を発見した時には近くの大人に伝えることができるようにします。安全教育では、子どもの特性を配慮します。

1) **身体的特性：**子どもが自分で状況に応じ、体を動かして危険を回避できるようにします。
2) **知的特性：**子どもの好奇心を大切にしながら、危険に対する注意力を身に付けるようにします。
3) **精神的特性：**必要以上に臆病にならないように、場面を限定して危険を理解させ、慎重に行動させるように指導します。

- **交通安全教育：**交通ルールやマナーは、何度も同じ行動を反復しながら身に付けさせます。子どもの目の高さは低く、視野は大人より狭いことも配慮します。
- **避難訓練：**消防法で義務付けられており、火災や地震を想定した訓練を定期的に行います。事前に訓練の必要性や行動の仕方を指導し、保護者との協力体制を確立しておくことが大切です。
- **防犯指導：**出入り口の施錠、防犯カメラの設置、防犯ブザーなどの対策のほかに、不審者が侵入した時の対応の指導や、地域との協力体制が必要です。

■ 事故や災害と精神保健

地震、洪水、台風、火山噴火、津波などの自然災害、交通事故、火災などの人為的災害など、突発的な災害に巻き込まれた時には、災害弱者であるCWAP（C＝Children：子ども、W＝Women：女性、A＝Aged people：高齢者、P＝Patient：病人、障害者）への配慮が必要です。特に子どもは、自分の欲求を適切に表現できなかったり、周囲の大人が復興に向けて忙しく動いている中で取り残されたりしがちで、子どもへの配慮がなかなか行き届かないことがあります。1995（平成7）年に起きた阪神・淡路大震災や2011（平成23）年の東日本大震災では、その後の心的外傷後ストレス障害（PTSD：Post-Traumatic Stress Disorder）から回復するのに時間がかかったり、生活環境の変化への適応に問題があったりしたことが指摘されています。子どもの場合は特に臆病になって、活発な活動ができなくなったり、夜中にうなされたり、食欲不振や頻尿になったり、幼児がえりすることがしばしばあります。事故や災害発生の早期から、このことを念頭に置いた対応が必要です。災害後の治療にあたっては保護者とできる限り分離しないこと、水などの配給では感染に弱く、脱水になりやすい子どもには優先的に配給すること、子どもの遊びの空間を確保しておくことなどが大切です。

＊14 **危機管理**
R4年（後）　R5年（後）

■ 危機管理＊14

事故予防を行うためには、日頃より事故につながる危険性について点検し、問題があれば解決方法を考えるリスクマネジメントが必要です。そのためには、事故につながるかもしれない事例をヒヤリ・ハット報告として出してもらい、数が多い事例や重大事故につながる可能性のある事例については改善策を作成し、実行します。室内、屋外に分けて複数の目で点検し、実際に子どもが行動した時を想定してチェックします。他の施設で実際に起きた事故について検討することも大切です。

安全管理には対人管理と対物管理とがあり、対人管理では各職員の協力体制や責任体制の明確化があります。対物管理では、施設設備や遊具・用具の日々の点検、整備が必要です。管理体制が強すぎて、子どもの行動を規制しすぎたり、過保護にならないようにすることも大切です。

実際に子どもが急変した時の対応の手順は全職員で研修を行って役割分担のシミュレーションをしながら点検します。急変した子どものそばには必ず一人は離れずについていて周りの子どもを保育する職員、記録をとる職員、連絡する職員の動きも確認します。その際に必要な物品や器具の点検も行いましょう。災害時に備え、必需品は最低３日分は備蓄しておきましょう。

避難訓練*15、消火訓練は少なくとも毎月１回は行います。

*15 **避難訓練・消火器の点検**
R6年（前）

ヒヤリ・ハット報告

ヒヤリ・ハットとは、事故になりそうな危ないことが起こったけれど、幸い事故には至らなかった事象のことです。ハインリッヒの法則（1：29：300、分析により導かれた労働災害の発生比率）では、１件の重大事故のウラに、29件の軽傷事故、300件の無傷事故（ヒヤリ・ハット）があるといわれています。海外ではインシデント報告ともいわれています。日本では、「ヒヤリ」として「ハッとした」という事例を集めて対策をすることで事故予防に生かしています。ヒヤリ・ハット報告では、報告した人のミスを責めることなく、皆で予防のための方策を考えることが大切です。

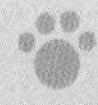

理解度チェック　一問一答

全問クリア　　月　　日

Q

- □ ❶ 子どもの食事の介助では、食事時間がなるべく短く済むように心がける。 R3年（前期）
- □ ❷ 子どもが意識を失って倒れていた場合、近くに人がいなかったので、AED を取りにその場を離れた。 R2年（後期）
- □ ❸ 希釈して使用する消毒薬は原液の濃度が異なり換算して作るため、毎週希釈しなおして常備する。 R5年（前期）
- □ ❹ 水の中では汗をかかないため、プール遊びで熱中症は起こらない。 R1年（後期）
- □ ❺ 乳幼児突然死症候群（SIDS）の予防のためには、乳児の体を冷やさないように、衣類や布団を多めに使用する。 R5年（前期）
- □ ❻ 家庭内で発生する乳幼児の溺水事故の大半は、浴室での事故である。 H21年
- □ ❼ 生後3か月までの乳児では、身体の保護のためにやわらかい布団に寝かせるようにする。 H26年 R4年（後期）
- □ ❽ 万が一に備え保育所内では最低3日分の必需品を備蓄する。 R6年（前期）

A

❶ × 食べ物を飲み込んだことを確認してから次の食べ物を口に入れるように介助するので急いではいけない。

❷ × その場で大声で人を呼び集めて頼むのはよいが、必ず一人は子どものそばにいる。

❸ × 毎週ではなく、毎日希釈して常備する。

❹ × プールでも起こることがあるので、プール遊びの後には塩分を含む水分補給が必要である。

❺ × 衣類や布団を多めに使用するとSIDSの可能性が高くなる。

❻ ○

❼ × 首がすわっていない時は、窒息の危険があるので固い布団に寝かせる。

❽ ○

6 保育における保健活動の計画及び評価

保健活動においては計画の立案とその評価を定期的に行うことが大切です。子どもの健康については定期的に健康診査を行っています。

頻出度

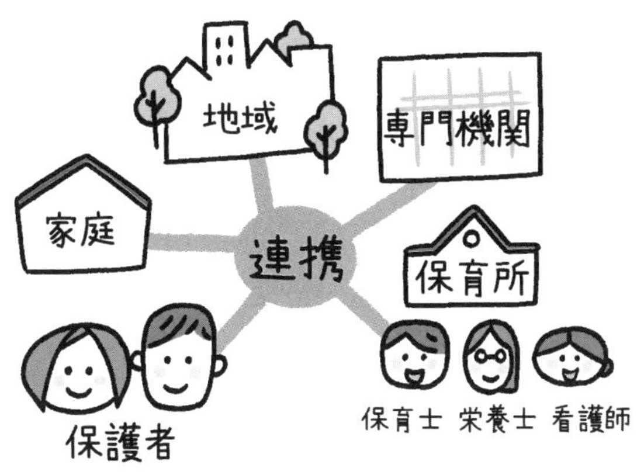

職員間の連携・協働と組織的取組

保育所や施設における保健活動を充実したものとするためには施設内の職員同士の連携、家庭との連携、地域との連携が重要です。施設内においては、保育士、栄養士、児童福祉司、心理士、看護師、嘱託医、理学療法士、事務職員など他職種間でも相互に連絡し、情報を共有することが大切です。職員全体で、定期的に会合を開き、子どもの健康状態や安全管理について話し合い、問題点がある時には、共同して解決することが必要です。家庭の状況はさまざまですが、子どもの健康や安全管理に関する情報は成長過程にあわせてできるだけ共有します。その際に個人情報の守秘義務は認識しておく必要があります。地域との連携では、地域の保健サービスや医療機関、保健所などとも必要に応じて情報交換や指示を受けることもあります。

𝄞♪保健計画の作成と活用

保育所保育指針（2018（平成30）年4月施行）の第3章1「子どもの健康支援」では以下の記述があります。

> 子どもの健康に関する保健計画を全体的な計画に基づいて作成し、全職員がそのねらいや内容を踏まえ、一人一人の子どもの健康の保持及び増進に努めていくこと

*1 保健計画
R4年(後)

保健計画*1 は、保健活動を担当する者が中心となって立案しますが、保育課程の中で展開されるもので、保育にかかわる者全員が共通の認識を持てるように作成されます。

年間計画として作成する場合、健康目標に基づいて、保健行事を行い、健康や安全面での留意点や、保護者や子どもたちへの働きかけも明確にしておく必要があります。

また、子どもの成長を考えた長期的計画と、具体的な活動内容を行うための短期的計画を作成します。健康上の配慮が必要な子どもや障害のある子どもに対しては、一人ひとりに対応した保健計画が必要となります。

𝄞♪保健活動の記録と自己評価

保育所保育指針では、「子どもの心身の健康状態や疾病等の把握のために、嘱託医等により定期的に健康診断を行い、その結果を記録し、保育に活用するとともに、保護者が子どもの状態を理解し、日常生活に活用できるようにすること」という記述がありますが、保育においては、子どもの健康状態にかかわることを保育記録として記載し、保護者に伝える必要があります。また、保育所で取り組んでいる保健活動や、集団としての子どもたちの健康状態に関

する記録を保護者や職員に伝え、協働で子どもの健康増進に努める必要があります。

保健活動は、保育活動と同様に自己評価とそれに基づく改善の公表が必要です。厚生労働省の作成した「保育所における自己評価ガイドライン」では、健康及び安全の管理として保健的環境の整備、安全の確保、子どもの健康や発育・発達状態等の把握、健康の保持及び増進にかかわる取組み、疾病・事故等の発生予防や対応にかかわる職員内の連携や体制構築、家庭や保健・医療機関等との連携などの観点を示しています。自己評価は職員一人ひとりだけでなく、保育所全体の社会的役割についても点検する必要があり、よりよい保健活動を行うために必要となります。

𝄞♪ 母子保健・地域保健における自治体との連携

1937（昭和12）年に保健所法が制定され、全国に保健所ができ、ここを拠点に妊産婦と乳幼児の保健指導が実施されてきました。翌年に厚生省（現：厚生労働省）が設置され、1947（昭和22）年に児童局が設置され、母子保健対策がとられてきました。1965（昭和40）年に母子保健法が制定され、この法律により、妊娠の届出をした者には母子健康手帳を配布するようになりました。1994（平成6）年、地域における保健活動のあり方を定める地域保健法が改正され、母子保健サービスの中で、市町村が健康診査、保健指導、健康教育を実施しています。

対人保健の最も基本的な保健が母子保健です。母性保健と子どもの保健とが密接に一貫性のある保健と位置づけられ、地域保健の中で重要な保健活動を行い、ヘルスプロモーションを基盤に推進される必要があります。また、日本では少子化が進行しているため、1994（平成6）年に「今後の子育て支援のための施策の基本的方向について」というエンゼルプラン、1999（平成11）年に新エンゼルプランが示されました。さらに、21世紀の母子保健のビジョンを示すものとして、健やか親子21（第２次）で、３つの基盤課題と２つの重点課題を設定しました。

基盤課題A：切れ目のない妊産婦・乳幼児への保健対策
基盤課題B：学童期・思春期から成人期に向けた保健対策
基盤課題C：子どもの健やかな成長を見守り育む地域づくり
重点課題①：育てにくさを感じる親に寄り添う支援
重点課題②：妊娠期からの児童虐待防止対策

𝄞♪家庭・専門機関・地域の関係機関等との連携

1　乳幼児の成長における連携

新生児期は希望により保健師の家庭訪問を行い、低出生体重児など養育に配慮が必要な子どもを重点的に扱っています。乳幼児健診は、市町村が主体となって行われていますが、精密検査が必要な場合は医療機関に紹介され、発育、発達に経過観察が必要な時には保健センターなどで行われています。内科医師による健診の他、歯科検診、栄養相談、保健師による保健相談などが行われています。

2　母子保健サービスと保育との連携

地域で行われている母子保健サービスを情報として共有し、保育に活かしていくことも大切です。同時に保育で得られた情報も保健所などに提供して、子どもの健康増進に役立てることで、地域と保育を連携させていくことも重要です。

子どもの保育、教育の場で配慮が必要な慢性疾患、障害にはいくつかあります。障害や疾患があること以外でできる能力を最大限活かすことが大切で、慢性疾患や障害があっても、健常児との統合保育や統合教育を行う機会も増えてきています。障害児にとっては、幅広い同世代との交流による成長が期待できるだけでなく、健常児にとっても、さまざまな個性を経験し、交流の仕方を学ぶ機会にもなります。

慢性疾患がある子どもは、長期の入院生活や通院をしなければならないことがしばしばありますが、発達途上の子どもにとっては、治療を受けるだけでなく、発達をうながす遊びや学習が欠かせません。その援助を行うために、病児保育、病棟保育、院内学級などを行う場所が増えてきています。

さらには、慢性疾患や障害のある子どもの家族の協力に対する配慮も大切で、保護者への支援や、兄弟への配慮も必要となります。

在宅医療とは、慢性的な疾病や障害があって継続した治療管理が必要な場合に、患者自身あるいは家族の介護のもとに、家庭生活を送りながら進める医療です。医師の指導のもとに家庭で行う介護行為の種類は年々増えています。在宅医療を行う条件として、病状が安定していることや家族や地域の支援システムが整っていることが重要です。在宅医療を行う子どもが増加するにつれ、学校においても看護職員の配置を条件に、口腔内吸引、気管カニューレ内吸引、自己導尿の介助、経管栄養などの医療的ケアは、研修を受けた教職員の参加が認められるようになりました*2。

*2 医療的ケア児
R4年(前) R4年(後)

医療的ケア児支援法

医療的ケアを行っている子どもは、医療の進歩によりこの10年で倍増していますが、家族が在宅で医療的ケアを日々行っていて、保育園や幼稚園、小学校では家族の付き添いがないと受け入れてもらえない現状が続いていました。

2021（令和３）年６月11日に医療的ケア児支援法（医療的ケア児及びその家族に対する支援に関する法律）が可決し、医療的ケア児が通常児と一緒に教育を受けられるように、家族も含め支援することが国、自治体の責務とされました。今後は、保育所、学校などでも積極的な受け入れと支援が必要となります。在宅で医療的ケアを受けている子どもは、年々増加しており、2019（令和元）年には２万人を超えています。

理解度チェック　一問一答

全問クリア　月　日

Q

- □ ❶ 病児保育事業の対象は、未就学児に限られている。R6年（前期）
- □ ❷ 乳幼児健診は全て法律に基づき市町村において定期健康診査として実施される。R6年（前期）
- □ ❸ 子どもの健康に関する保健計画の作成は、看護師の責任のもとで行われればよい。H25年
- □ ❹ 保護者に「保育所での健診は、市町村による乳幼児健診の代わりになります」と説明した。H29年（後期）
- □ ❺ わが国の母子保健行政の基本方針は、小児保健法によって運営されている。H22年
- □ ❻ 生後4か月までの乳児家庭全戸訪問事業は、育児不安への相談、養育環境の把握等のために行われている「児童福祉法」による事業であり、保育士も訪問できる。R3年（前期）
- □ ❼ 保育所等では、登録認定を受けた保育士等が、医師の指示のもとに特定の医療的ケアを実施することができる。R4年（後期）
- □ ❽ 慢性疾患のある子どもが保育所で健康に過ごせるよう、他機関や施設と連携を行う場合には、個人情報を共有するために保護者の承諾を必要とする。H22年
- □ ❾ 医療的ケア児には、歩ける児から寝たきりの重症心身障害児まで含まれる。R4年（前期）R4年（後期）
- □ ❿ 家庭での子どもへの虐待が疑われるときの児童相談所等への通告は、「疑い」の段階では行ってはならない。H27年

A

- ❶ × おおむね10歳未満児まで預かる。
- ❷ × 1か月健診など、任意の検診もある。
- ❸ × 全職員がそのねらいや内容を明確にしながら行う必要がある。
- ❹ × 保育所での健診は、集団生活において問題ないかを診察するものであり、乳幼児健診とは別である。
- ❺ × 母子保健法である。
- ❻ ○
- ❼ ○
- ❽ ○
- ❾ ○
- ❿ × 「疑い」の段階でも速やかに通告する必要がある。

保育所保育指針（全文）

2017.3.31 厚生労働省告示　2018.4.1 施行

※上巻で解説した箇所や実際に出題されたキーワードなどをマーキングしています。
下巻も参照してください。

目次

第１章 総則

この指針は、児童福祉施設の設備及び運営に関する基準（昭和２３年厚生省令第６３号。以下「設備運営基準」という。）第３５条の規定に基づき、保育所における保育の内容に関する事項及びこれに関連する運営に関する事項を定めるものである。各保育所は、この指針において規定される保育の内容に 係る基本原則に関する事項等を踏まえ、各保育所の実情に応じて創意工夫を図り、保育所の機能及び質の向上に努めなければならない。

１ 保育所保育に関する基本原則

（１）保育所の役割

ア 保育所は、児童福祉法（昭和２２年法律第１６４号）第３９条の規定に基づき、保育を必要とする子どもの保育を行い、その健全な心身の発達を図ることを目的とする児童福祉施設であり、入所する子どもの最善の利益を考慮し、その福祉を積極的に増進することに最もふさわしい生活の場でなければならない。

イ 保育所は、その目的を達成するために、保育に関する専門性を有する職員が、家庭との緊密な連携の下に、子どもの状況や発達過程を踏まえ、保育所における環境を通して、養護及び教育を一体的に行うことを特性としている。

ウ 保育所は、入所する子どもを保育するとともに、家庭や地域の様々な社会資源との連携を図りながら、入所する子どもの保護者に対する支援及び地域の子育て家庭に対する支援等を行う役割を担うものである。

エ 保育所における保育士は、児童福祉法第１８条の４の規定を踏まえ、保育所の役割及び機能が適切に発揮されるように、倫理観に裏付けられた専門的知識、技術及び判断をもって、子どもを保育するとともに、子どもの保護者に対する保育に関する指導を行うものであり、その職責を遂行するための専門性の向上に絶えず努めなければならない。

（２）保育の目標

ア 保育所は、子どもが生涯にわたる人間形成にとって極めて重要な時期に、その生活時間の大半を過ごす場である。このため、保育所の保育は、子どもが現在を最も良く生き、望ましい未来をつくり出す力の基礎を培うために、次の目標を目指して行わなければならない。

（ア） 十分に養護の行き届いた環境の下に、くつろいだ雰囲気の中で子どもの様々な欲求を満たし、生命の保持及び情緒の安定を図ること。

（イ） 健康、安全など生活に必要な基本的な習慣や態度を養い、心身の健康の基礎を培うこと。

(ウ) 人との関わりの中で、人に対する愛情と信頼感、そして人権を大切にする心を育てるとともに、自主、自立及び協調の態度を養い、道徳性の芽生えを培うこと。

(エ) 生命、自然及び社会の事象についての興味や関心を育て、それらに対する豊かな心情や思考力の芽生えを培うこと。

(オ) 生活の中で、言葉への興味や関心を育て、話したり、聞いたり、相手の話を理解しようとするなど、言葉の豊かさを養うこと。

(カ) 様々な体験を通して、豊かな感性や表現力を育み、創造性の芽生えを培うこと。

イ 保育所は、入所する子どもの保護者に対し、その意向を受け止め、子どもと保護者の安定した関係に配慮し、保育所の特性や保育士等の専門性を生かして、その援助に当たらなければならない。

(3) 保育の方法

保育の目標を達成するために、保育士等は、次の事項に留意して保育しなければならない。

ア 一人一人の子どもの状況や家庭及び地域社会での生活の実態を把握するとともに、子どもが安心感と信頼感をもって活動できるよう、子どもの主体としての思いや願いを受け止めること。

イ 子どもの生活のリズムを大切にし、健康、安全で情緒の安定した生活ができる環境や、自己を十分に発揮できる環境を整えること。

ウ 子どもの発達について理解し、一人一人の発達過程に応じて保育すること。その際、子どもの個人差に十分配慮すること。

エ 子ども相互の関係づくりや互いに尊重する心を大切にし、集団における活動を効果あるものにするよう援助すること。

オ 子どもが自発的・意欲的に関われるような環境を構成し、子どもの主体的な活動や子ども相互の関わりを大切にすること。特に、乳幼児期にふさわしい体験が得られるように、生活や遊びを通して総合的に保育すること。

カ 一人一人の保護者の状況やその意向を理解、受容し、それぞれの親子関係や家庭生活等に配慮しながら、様々な機会をとらえ、適切に援助すること。

(4) 保育の環境

保育の環境には、保育士等や子どもなどの人的環境、施設や遊具などの物的環境、更には自然や社会の事象などがある。保育所は、こうした人、物、場などの環境が相互に関連し合い、子どもの生活が豊かなものとなるよう、次の事項に留意しつつ、計画的に環境を構成し、工夫して保育しなければならない。

ア 子ども自らが環境に関わり、自発的に活動し、様々な経験を積んでいくことができるよう配慮すること。

イ 子どもの活動が豊かに展開されるよう、保育所の設備や環境を整え、保育所の保健的環境や安全の確保などに努めること。

ウ 保育室は、温かな親しみとくつろぎの場となるとともに、生き生きと活動できる場となるように配慮すること。

エ 子どもが人と関わる力を育てていくため、子ども自らが周囲の子どもや大人と関わっていくことができる環境を整えること。

(5) 保育所の社会的責任

ア 保育所は、子どもの人権に十分配慮するとともに、子ども一人一人の人格を尊重して保育を行わなければならない。

イ 保育所は、地域社会との交流や連携を図り、保護者や地域社会に、当該保育所が行う保育の内容を適切に説明するよう努めなければならない。

ウ 保育所は、入所する子ども等の個人情報を適切に取り扱うとともに、保護者の苦情などに対し、その解決を図るよう努めなければならない。

2 養護に関する基本的事項

（1）養護の理念

保育における養護とは、子どもの生命の保持及び情緒の安定を図るために保育士等が行う援助や関わりであり、保育所における保育は、養護及び教育を一体的に行うことをその特性とするものである。保育所における保育全体を通じて、養護に関するねらい及び内容を踏まえた保育が展開されなければならない。

（2）養護に関わるねらい及び内容

ア 生命の保持

（ア）ねらい

① 一人一人の子どもが、快適に生活できるようにする。

② 一人一人の子どもが、健康で安全に過ごせるようにする。

③ 一人一人の子どもの生理的欲求が、十分に満たされるようにする。

④ 一人一人の子どもの健康増進が、積極的に図られるようにする。

（イ）内容

① 一人一人の子どもの平常の健康状態や発育及び発達状態を的確に把握し、異常を感じる場合は、速やかに適切に対応する。

② 家庭との連携を密にし、嘱託医等との連携を図りながら、子どもの疾病や事故防止に関する認識を深め、保健的で安全な保育環境の維持及び向上に努める。

③ 清潔で安全な環境を整え、適切な援助や応答的な関わりを通して子どもの生理的欲求を 満たしていく。また、家庭と協力しながら、子どもの発達過程等に応じた適切な生活のリズムがつくられていくようにする。

④ 子どもの発達過程等に応じて、適度な運動と休息を取ることができるようにする。また、食事、排泄（せつ）、衣類の着脱、身の回りを清潔にすることなどについて、子どもが意欲的に生活できるよう適切に援助する。

イ 情緒の安定

（ア）ねらい

① 一人一人の子どもが、安定感をもって過ごせるようにする。

② 一人一人の子どもが、自分の気持ちを安心して表すことができるようにする。

③ 一人一人の子どもが、周囲から主体として受け止められ、主体として育ち、自分を肯定する気持ちが育まれていくようにする。

④ 一人一人の子どもがくつろいで共に過ごし、心身の疲れが癒されるようにする。

（イ）内容

① 一人一人の子どもの置かれている状態や発達過程などを的確に把握し、子どもの欲求を適切に満たしながら、応答的な触れ合いや言葉がけを行う。

② 一人一人の子どもの気持ちを受容し、共感しながら、子どもとの継続的な信頼関係を築いていく。

③ 保育士等との信頼関係を基盤に、一人一人の子どもが主体的に活動し、自発性や探索意欲などを高めるとともに、自分への自信をもつことができるよう成長の過程を見守り、適切に働きかける。

④ 一人一人の子どもの生活のリズム、発達過程、保育時間などに応じて、活動内容のバランスや調和を図りながら、適切な食事や休息が取れるようにする。

3 保育の計画及び評価

（1）全体的な計画の作成

ア 保育所は、１の（２）に示した保育の目標を達成するために、各保育所の保育の方針や目標に基づき、子どもの発達過程を踏まえて、保育の内容が組織的・計画的に構成され、保育所の生活の全体を通して、総合的に展開されるよう、全体的な計画を作成しなければならない。

イ 全体的な計画は、子どもや家庭の状況、地域の実態、保育時間などを考慮し、子どもの育ちに関する長期的見通しをもって適切に作成されなければならない。

ウ 全体的な計画は、保育所保育の全体像を包括的に示すものとし、これに基づく指導計画、保健計画、食育計画等を通じて、各保育所が創意工夫して保育できるよう、作成されなければならない。

(2) 指導計画の作成

ア 保育所は、全体的な計画に基づき、具体的な保育が適切に展開されるよう、子どもの生活や発達を見通した長期的な指導計画と、それに関連しながら、より具体的な子どもの日々の生活に即した短期的な指導計画を作成しなければならない。

イ 指導計画の作成に当たっては、第２章及びその他の関連する章に示された事項のほか、子ども一人一人の発達過程や状況を十分に踏まえるとともに、次の事項に留意しなければならない。

(ア) ３歳未満児については、一人一人の子どもの生育歴、心身の発達、活動の実態等に即して、個別的な計画を作成すること。

(イ) ３歳以上児については、個の成長と、子ども相互の関係や協同的な活動が促されるよう配慮すること。

(ウ) 異年齢で構成される組やグループでの保育においては、一人一人の子どもの生活や経験、発達過程などを把握し、適切な援助や環境構成ができるよう配慮すること。

ウ 指導計画においては、保育所の生活における子どもの発達過程を見通し、生活の連続性、季節の変化などを考慮し、子どもの実態に即した具体的なねらい及び内容を設定すること。また、具体的なねらいが達成されるよう、子どもの生活する姿や発想を大切にして適切な環境を構成し、子どもが主体的に活動できるようにすること。

エ 一日の生活のリズムや在園時間が異なる子どもが共に過ごすことを踏まえ、活動と休息、緊張感と解放感等の調和を図るよう配慮すること。

オ 午睡は生活のリズムを構成する重要な要素であり、安心して眠ることのできる安全な睡眠環境を確保するとともに、在園時間が異なることや、睡眠時間は子どもの発達の状況や個人によって差があることから、一律とならないよう配慮すること。

カ 長時間にわたる保育については、子どもの発達過程、生活のリズム及び心身の状態に十分配慮して、保育の内容や方法、職員の協力体制、家庭との連携などを指導計画に位置付けること。

キ 障害のある子どもの保育については、一人一人の子どもの発達過程や障害の状態を把握し、適切な環境の下で、障害のある子どもが他の子どもとの生活を通して共に成長できるよう、指導計画の中に位置付けること。また、子どもの状況に応じた保育を実施する観点から、家庭や関係機関と連携した支援のための計画を個別に作成するなど適切な対応を図ること。

(3) 指導計画の展開

指導計画に基づく保育の実施に当たっては、次の事項に留意しなければならない。

ア 施設長、保育士など、全職員による適切な役割分担と協力体制を整えること。

イ 子どもが行う具体的な活動は、生活の中で様々に変化することに留意して、子どもが望ましい方向に向かって自ら活動を展開できるよう必要な援助を行うこと。

ウ 子どもの主体的な活動を促すためには、保育士等が多様な関わりをもつことが重要であることを踏まえ、子どもの情緒の安定や発達に必要な豊かな体験が得られるよう援助すること。

エ 保育士等は、子どもの実態や子どもを取り巻く状況の変化などに即して保育の過程を記録するとともに、これらを踏まえ、指導計画に基づく保育の内容の見直しを行い、改善を図ること。

（4）保育内容等の評価

ア 保育士等の自己評価

(ア) 保育士等は、保育の計画や保育の記録を通して、自らの保育実践を振り返り、自己評価することを通して、その専門性の向上や保育実践の改善に努めなければならない。

(イ) 保育士等による自己評価に当たっては、子どもの活動内容やその結果だけでなく、子どもの心の育ちや意欲、取り組む過程などにも十分配慮するよう留意すること。

(ウ) 保育士等は、自己評価における自らの保育実践の振り返りや職員相互の話し合い等を通じて、専門性の向上及び保育の質の向上のための課題を明確にするとともに、保育所全体の保育の内容に関する認識を深めること。

イ 保育所の自己評価

(ア) 保育所は、保育の質の向上を図るため、保育の計画の展開や保育士等の自己評価を踏まえ、当該保育所の保育の内容等について、自ら評価を行い、その結果を公表するよう努めなければならない。

(イ) 保育所が自己評価を行うに当たっては、地域の実情や保育所の実態に即して、適切に評価の観点や項目等を設定し、全職員による共通理解をもって取り組むよう留意すること。

(ウ) 設備運営基準第３６条の趣旨を踏まえ、保育の内容等の評価に関し、保護者及び地域住民等の意見を聴くことが望ましいこと。

（5）評価を踏まえた計画の改善

ア 保育所は、評価の結果を踏まえ、当該保育所の保育の内容等の改善を図ること。

イ 保育の計画に基づく保育、保育の内容の評価及びこれに基づく改善という一連の取組により、保育の質の向上が図られるよう、全職員が共通理解をもって取り組むことに留意すること。

4 幼児教育を行う施設として共有すべき事項

（1）育みたい資質・能力

ア 保育所においては、生涯にわたる生きる力の基礎を培うため、１の（2）に示す保育の目標を踏まえ、次に掲げる資質・能力を一体的に育むよう努めるものとする。

(ア) 豊かな体験を通じて、感じたり、気付いたり、分かったり、できるようになったりする「知識及び技能の基礎」

(イ) 気付いたことや、できるようになったことなどを使い、考えたり、試したり、工夫したり、表現したりする「思考力、判断力、表現力等の基礎」

(ウ) 心情、意欲、態度が育つ中で、よりよい生活を営もうとする「学びに向かう力、人間性等」

イ アに示す資質・能力は、第２章に示すねらい及び内容に基づく保育活動全体によって育むものである。

（2）幼児期の終わりまでに育ってほしい姿

次に示す「幼児期の終わりまでに育ってほしい姿」は、第２章に示すねらい及び内容に基づく保育活動全体を通して資質・能力が育まれている子どもの小学校就学時の具体的な姿であり、保育士等が指導を行う際に考慮するものである。

ア 健康な心と体

保育所の生活の中で、充実感をもって自分のやりたいことに向かって心と体を十分に働かせ、見通しをもって行動し、自ら健康で安全な生活をつくり出すようになる。

イ 自立心

身近な環境に主体的に関わり様々な活動

を楽しむ中で、しなければならないことを自覚し、自分の力で行うために考えたり、工夫したりしながら、諦めずにやり遂げることで達成感を味わい、自信をもって行動するようになる。

ウ 協同性

友達と関わる中で、互いの思いや考えなどを共有し、共通の目的の実現に向けて、考えたり 、工夫したり、協力したりし、充実感をもってやり遂げるようになる。

エ 道徳性・規範意識の芽生え

友達と様々な体験を重ねる中で、してよいことや悪いことが分かり、自分の行動を振り返ったり、友達の気持ちに共感したりし、相手の立場に立って行動するようになる。また、きまりを守る必要性が分かり、自分の気持ちを調整し、友達と折り合いを付けながら、きまりをつくったり、守ったりするようになる。

オ 社会生活との関わり

家族を大切にしようとする気持ちをもつとともに、地域の身近な人と触れ合う中で、人との 様々な関わり方に気付き、相手の気持ちを考えて関わり、自分が役に立つ喜びを感じ、地域に親しみをもつようになる。また、保育所内外の様々な環境に関わる中で、遊びや生活に必要な情報を取り入れ、情報に基づき判断したり、情報を伝え合ったり、活用したりするなど、情報を役立てながら活動するようになるとともに、公共の施設を大切に利用するなどして、社会とのつながりなどを意識するようになる。

カ 思考力の芽生え

身近な事象に積極的に関わる中で、物の性質や仕組みなどを感じ取ったり、気付いたりし、考えたり、予想したり、工夫したりするなど、多様な関わりを楽しむようになる。また、友達の様々な考えに触れる中で、自分と異なる考えがあることに気付き、自ら判断したり、考え直したりするなど、新しい考えを生み出す喜びを味わいながら、自分の考えをよりよいものにするようになる。

キ 自然との関わり・生命尊重

自然に触れて感動する体験を通して、自然の変化などを感じ取り、好奇心や探究心をもって考え言葉などで表現しながら、身近な事象への関心が高まるとともに、自然への愛情や畏敬の念をもつようになる。また、身近な動植物に心を動かされる中で、生命の不思議さや尊さに気付き、身近な動植物への接し方を考え、命あるものとしていたわり、大切にする気持ちをもって関わるようになる。

ク 数量や図形、標識や文字などへの関心・感覚

遊びや生活の中で、数量や図形、標識や文字などに親しむ体験を重ねたり、標識や文字の役割に気付いたりし、自らの必要感に基づきこれらを活用し、興味や関心、感覚をもつようになる。

ケ 言葉による伝え合い

保育士等や友達と心を通わせる中で、絵本や物語などに親しみながら、豊かな言葉や表現を身に付け、経験したことや考えたことなどを言葉で伝えたり、相手の話を注意して聞いたりし、言葉による伝え合いを楽しむようになる。

コ 豊かな感性と表現

心を動かす出来事などに触れ感性を働かせる中で、様々な素材の特徴や表現の仕方などに気付き、感じたことや考えたことを自分で表現したり、友達同士で表現する過程を楽しんだりし、表現する喜びを味わい、意欲をもつようになる。

第２章 保育の内容

この章に示す「ねらい」は、第１章の１の（２）に示された保育の目標をより具体化したものであり、子どもが保育所において、安定した生活を送り、充実した活動ができるように、保育を通じて育みたい資質・能力を、子どもの生活する姿から捉えたものである。また、「内容」は、「ねらい」を達成するために、子どもの生活やその状況に応じて保育士等が適切に行う事項と、保育士等が援助して子どもが環境に関わって経験する事項を示したものである。

保育における「養護」とは、子どもの生命の保持及び情緒の安定を図るために保育士等が行う援助や関わりであり、「教育」とは、子どもが健やかに成長し、その活動がより豊かに展開されるための発達の援助である。本章では、保育士等が、「ねらい」及び「内容」を具体的に把握するため、主に教育に関わる側面からの視点を示しているが、実際の保育においては、養護と教育が一体となって展開されることに留意する必要がある。

1 乳児保育に関わるねらい及び内容

（1）基本的事項

ア 乳児期の発達については、視覚、聴覚などの感覚や、座る、はう、歩くなどの運動機能が著しく発達し、特定の大人との応答的な関わりを通じて、情緒的な絆（きずな）が形成されるといった特徴がある。これらの発達の特徴を踏まえて、乳児保育は、愛情豊かに、応答的に行われることが特に必要である。

イ 本項においては、この時期の発達の特徴を踏まえ、乳児保育の「ねらい」及び「内容」については、身体的発達に関する視点「健やかに伸び伸びと育つ」、社会的発達に関する視点「身近な人と気持ちが通じ合う」及び精神的発達に関する視点「身近なものと関わり感性が育つ」としてまとめ、示している。

ウ 本項の各視点において示す保育の内容は、第１章の２に示された養護における「生命の保持」及び「情緒の安定」に関わる保育の内容と、一体となって展開されるものであることに留意が必要である。

（2）ねらい及び内容

ア 健やかに伸び伸びと育つ

健康な心と体を育て、自ら健康で安全な生活をつくり出す力の基盤を培う。

（ア）ねらい

① 身体感覚が育ち、快適な環境に心地よさを感じる。

② 伸び伸びと体を動かし、はう、歩くなどの運動をしようとする。

③ 食事、睡眠等の生活のリズムの感覚が芽生える。

（イ）内容

① 保育士等の愛情豊かな受容の下で、生理的・心理的欲求を満たし、心地よく生活をする。

② 一人一人の発育に応じて、はう、立つ、歩くなど、十分に体を動かす。

③ 個人差に応じて授乳を行い、離乳を進めていく中で、様々な食品に少しずつ慣れ、食べることを楽しむ。

④ 一人一人の生活のリズムに応じて、安全な環境の下で十分に午睡をする。

⑤ おむつ交換や衣服の着脱などを通じて、清潔になることの心地よさを感じる。

（ウ）内容の取扱い

上記の取扱いに当たっては、次の事項に留意する必要がある。

① 心と体の健康は、相互に密接な関連があるものであることを踏まえ、温かい触れ合いの中で、心と体の発達を促すこと。特に、寝返り、お座り、はいはい、つかまり立ち、伝い歩きなど、発育に応じて、遊びの中で体を動かす機会を十分に確保し、自ら体を動かそうとする意欲が育つようにすること。

② 健康な心と体を育てるためには望ましい食習慣の形成が重要であることを踏まえ、離乳食が完了期へと徐々に移行する中で、様々な食品に慣れるようにするとともに、和やかな雰囲気の中で食べる喜びや楽し

さを味わい、進んで食べようとする気持ちが育つようにすること。なお、食物アレルギーのある子どもへの対応については、嘱託医等の指示や協力の下に適切に対応すること。

イ 身近な人と気持ちが通じ合う

受容的・応答的な関わりの下で、何かを伝えようとする意欲や身近な大人との信頼関係を育て、人と関わる力の基盤を培う。

(ア) ねらい

① 安心できる関係の下で、身近な人と共に過ごす喜びを感じる。
② 体の動きや表情、発声等により、保育士等と気持ちを通わせようとする。
③ 身近な人と親しみ、関わりを深め、愛情や信頼感が芽生える。

(イ) 内容

① 子どもからの働きかけを踏まえた、応答的な触れ合いや言葉がけによって、欲求が満たされ、安定感をもって過ごす。
② 体の動きや表情、発声、喃(なん)語等を優しく受け止めてもらい、保育士等とのやり取りを楽しむ。
③ 生活や遊びの中で、自分の身近な人の存在に気付き、親しみの気持ちを表す。
④ 保育士等による語りかけや歌いかけ、発声や喃(なん)語等への応答を通じて、言葉の理解や発語の意欲が育つ。
⑤ 温かく、受容的な関わりを通じて、自分を肯定する気持ちが芽生える。

(ウ) 内容の取扱い

上記の取扱いに当たっては、次の事項に留意する必要がある。

① 保育士等との信頼関係に支えられて生活を確立していくことが人と関わる基盤となることを考慮して、子どもの多様な感情を受け止め、温かく受容的・応答的に関わり、一人一人に応じた適切な援助を行うようにすること。
② 身近な人に親しみをもって接し、自分の感情などを表し、それに相手が応答する言葉を聞くことを通して、次第に言葉が獲得されていくことを考慮して、楽しい雰囲気の中での 保育士等との関わり合いを大切にし、ゆっくりと優しく話しかけるなど、積極的に言葉のやり取りを楽しむことができるようにすること。

ウ 身近なものと関わり感性が育つ

身近な環境に興味や好奇心をもって関わり、感じたことや考えたことを表現する力の基盤を培う。

(ア) ねらい

① 身の回りのものに親しみ、様々なものに興味や関心をもつ。
② 見る、触れる、探索するなど、身近な環境に自分から関わろうとする。
③ 身体の諸感覚による認識が豊かになり、表情や手足、体の動き等で表現する。

(イ) 内容

① 身近な生活用具、玩具や絵本などが用意された中で、身の回りのものに対する興味や好奇心をもつ。
② 生活や遊びの中で様々なものに触れ、音、形、色、手触りなどに気付き、感覚の働きを豊かにする。
③ 保育士等と一緒に様々な色彩や形のものや絵本などを見る。
④ 玩具や身の回りのものを、つまむ、つかむ、たたく、引っ張るなど、手や指を使って遊ぶ。
⑤ 保育士等のあやし遊びに機嫌よく応じたり、歌やリズムに合わせて手足や体を動かして楽しんだりする。

(ウ) 内容の取扱い

上記の取扱いに当たっては、次の事項に留意する必要がある。

① 玩具などは、音質、形、色、大きさなど子どもの発達状態に応じて適切なものを選び、その時々の子どもの興味や関心を踏まえるなど、遊びを通して感覚の発達が促されるものとなるように工夫するこ

と。なお、安全な環境の下で、子どもが探索意欲を満たして自由に遊べるよう、身の回りのものについては、常に十分な点検を行うこと。

② 乳児期においては、表情、発声、体の動きなどで、感情を表現することが多いことから、これらの表現しようとする意欲を積極的に受け止めて、子どもが様々な活動を楽しむことを通して表現が豊かになるようにすること。

(3) 保育の実施に関わる配慮事項

ア 乳児は疾病への抵抗力が弱く、心身の機能の未熟さに伴う疾病の発生が多いことから、一人一人の発育及び発達状態や健康状態についての適切な判断に基づく保健的な対応を行うこと。

イ 一人一人の子どもの生育歴の違いに留意しつつ、欲求を適切に満たし、特定の保育士が応答的に関わるように努めること。

ウ 乳児保育に関わる職員間の連携や嘱託医との連携を図り、第3章に示す事項を踏まえ、適切に対応すること。栄養士及び看護師等が配置されている場合は、その専門性を生かした対応を図ること。

エ 保護者との信頼関係を築きながら保育を進めるとともに、保護者からの相談に応じ、保護者への支援に努めていくこと。

オ 担当の保育士が替わる場合には、子どものそれまでの生育歴や発達過程に留意し、職員間で協力して対応すること。

2 1歳以上3歳未満児の保育に関わるねらい及び内容

(1) 基本的事項

ア この時期においては、歩き始めから、歩く、走る、跳ぶなどへと、基本的な運動機能が次第に発達し、排泄(せつ)の自立のための身体的機能も整うようになる。つまむ、めくるなどの指先の機能も発達し、食事、衣類の着脱なども、保育士等の援助の下で自分で行うようになる。発声も明瞭になり、語彙も増加し、自分の意思や欲求を言葉で表出できるようになる。このように自分でできることが増えてくる時期であることから、保育士等は、子どもの生活の安定を図りながら、自分でしようとする気持ちを尊重し、温かく見守るとともに、愛情豊かに、応答的に関わることが必要である。

イ 本項においては、この時期の発達の特徴を踏まえ、保育の「ねらい」及び「内容」について、心身の健康に関する領域「健康」、人との関わりに関する領域「人間関係」、身近な環境との関わりに関する領域「環境」、言葉の獲得に関する領域「言葉」及び感性と表現に関する領域「表現」としてまとめ、示している。

ウ 本項の各領域において示す保育の内容は、第1章の2に示された養護における「生命の保持」及び「情緒の安定」に関わる保育の内容と、一体となって展開されるものであることに留意が必要である。

(2) ねらい及び内容

ア 健康

健康な心と体を育て、自ら健康で安全な生活をつくり出す力を養う。

(ア) ねらい

① 明るく伸び伸びと生活し、自分から体を動かすことを楽しむ。

② 自分の体を十分に動かし、様々な動きをしようとする。

③ 健康、安全な生活に必要な習慣に気付き、自分でしてみようとする気持ちが育つ。

(イ) 内容

① 保育士等の愛情豊かな受容の下で、安定感をもって生活をする。

② 食事や午睡、遊びと休息など、保育所における生活のリズムが形成される。

③ 走る、跳ぶ、登る、押す、引っ張るなど全身を使う遊びを楽しむ。

④ 様々な食品や調理形態に慣れ、ゆったりとした雰囲気の中で食事や間食を楽し

む。

⑤ 身の回りを清潔に保つ心地よさを感じ、その習慣が少しずつ身に付く。

⑥ 保育士等の助けを借りながら、衣類の着脱を自分でしようとする。

⑦ 便器での排泄（せつ）に慣れ、自分で排泄（せつ）ができるようになる。

（ウ）内容の取扱い

上記の取扱いに当たっては、次の事項に留意する必要がある。

① 心と体の健康は、相互に密接な関連があるものであることを踏まえ、子どもの気持ちに配慮した温かい触れ合いの中で、心と体の発達を促すこと。特に、一人一人の発育に応じて、体を動かす機会を十分に確保し、自ら体を動かそうとする意欲が育つようにすること。

② 健康な心と体を育てるためには望ましい食習慣の形成が重要であることを踏まえ、ゆったりとした雰囲気の中で食べる喜びや楽しさを味わい、進んで食べようとする気持ちが育つようにすること。なお、食物アレルギーのある子どもへの対応については、嘱託医等の指示や協力の下に適切に対応すること。

③ 排泄（せつ）の習慣については、一人一人の排尿間隔等を踏まえ、おむつが汚れていないときに便器に座らせるなどにより、少しずつ慣れさせるようにすること。

④ 食事、排泄（せつ）、睡眠、衣類の着脱、身の回りを清潔にすることなど、生活に必要な基本的な習慣については、一人一人の状態に応じ、落ち着いた雰囲気の中で行うようにし、子どもが自分でしようとする気持ちを尊重すること。また、基本的な生活習慣の形成に当たっては、家庭での生活経験に配慮し、家庭との適切な連携の下で行うようにすること。

イ 人間関係

他の人々と親しみ、支え合って生活するために、自立心を育て、人と関わる力を養う。

（ア）ねらい

① 保育所での生活を楽しみ、身近な人と関わる心地よさを感じる。

② 周囲の子ども等への興味や関心が高まり、関わりをもとうとする。

③ 保育所の生活の仕方に慣れ、きまりの大切さに気付く。

（イ）内容

① 保育士等や周囲の子ども等との安定した関係の中で、共に過ごす心地よさを感じる。

② 保育士等の受容的・応答的な関わりの中で、欲求を適切に満たし、安定感をもって過ごす。

③ 身の回りに様々な人がいることに気付き、徐々に他の子どもと関わりをもって遊ぶ。

④ 保育士等の仲立ちにより、他の子どもとの関わり方を少しずつ身につける。

⑤ 保育所の生活の仕方に慣れ、きまりがあることや、その大切さに気付く。

⑥ 生活や遊びの中で、年長児や保育士等の真似をしたり、ごっこ遊びを楽しんだりする。

（ウ）内容の取扱い

上記の取扱いに当たっては、次の事項に留意する必要がある。

① 保育士等との信頼関係に支えられて生活を確立するとともに、自分で何かをしようとする気持ちが旺盛になる時期であることに鑑み、そのような子どもの気持ちを尊重し、温かく見守るとともに、愛情豊かに、応答的に関わり、適切な援助を行うようにすること。

② 思い通りにいかない場合等の子どもの不安定な感情の表出については、保育士等が受容的に受け止めるとともに、そうした気持ちから立ち直る経験や感情をコントロールすることへの気付き等につなげていけるように援助すること。

③ この時期は自己と他者との違いの認識がまだ十分ではないことから、子どもの自我の育ちを見守るとともに、保育士等が仲立ちとなって、自分の気持ちを相手に伝えることや相手の気持ちに気付くことの大切さなど、友達の気持ちや友達との関わり方を丁寧に伝えていくこと。

ウ 環境

周囲の様々な環境に好奇心や探究心をもって関わり、それらを生活に取り入れていこうとする力を養う。

(ア) ねらい

① 身近な環境に親しみ、触れ合う中で、様々なものに興味や関心をもつ。

② 様々なものに関わる中で、発見を楽しんだり、考えたりしようとする。

③ 見る、聞く、触るなどの経験を通して、感覚の働きを豊かにする。

(イ) 内容

① 安全で活動しやすい環境での探索活動等を通して、見る、聞く、触れる、嗅ぐ、味わうなどの感覚の働きを豊かにする。

② 玩具、絵本、遊具などに興味をもち、それらを使った遊びを楽しむ。

③ 身の回りの物に触れる中で、形、色、大きさ、量などの物の性質や仕組みに気付く。

④ 自分の物と人の物の区別や、場所的感覚など、環境を捉える感覚が育つ。

⑤ 身近な生き物に気付き、親しみをもつ。

⑥ 近隣の生活や季節の行事などに興味や関心をもつ。

(ウ) 内容の取扱い

上記の取扱いに当たっては、次の事項に留意する必要がある。

① 玩具などは、音質、形、色、大きさなど子どもの発達状態に応じて適切なものを選び、遊びを通して感覚の発達が促されるように工夫すること。

② 身近な生き物との関わりについては、子どもが命を感じ、生命の尊さに気付く経験へとつながるものであることから、そうした気付きを促すような関わりとなるようにすること。

③ 地域の生活や季節の行事などに触れる際には、社会とのつながりや地域社会の文化への気付きにつながるものとなることが望ましいこと。その際、保育所内外の行事や地域の人々との触れ合いなどを通して行うこと等も考慮すること。

エ 言葉

経験したことや考えたことなどを自分なりの言葉で表現し、相手の話す言葉を聞こうとする意欲や態度を育て、言葉に対する感覚や言葉で表現する力を養う。

(ア) ねらい

① 言葉遊びや言葉で表現する楽しさを感じる。

② 人の言葉や話などを聞き、自分でも思ったことを伝えようとする。

③ 絵本や物語等に親しむとともに、言葉のやり取りを通じて身近な人と気持ちを通わせる。

(イ) 内容

① 保育士等の応答的な関わりや話しかけにより、自ら言葉を使おうとする。

② 生活に必要な簡単な言葉に気付き、聞き分ける。

③ 親しみをもって日常の挨拶に応じる。

④ 絵本や紙芝居を楽しみ、簡単な言葉を繰り返したり、模倣をしたりして遊ぶ。

⑤ 保育士等とごっこ遊びをする中で、言葉のやり取りを楽しむ。

⑥ 保育士等を仲立ちとして、生活や遊びの中で友達との言葉のやり取りを楽しむ。

⑦ 保育士等や友達の言葉や話に興味や関心をもって、聞いたり、話したりする。

(ウ) 内容の取扱い

上記の取扱いに当たっては、次の事項に留意する必要がある。

① 身近な人に親しみをもって接し、自分の感情などを伝え、それに相手が応答し、

その言葉を聞くことを通して、次第に言葉が獲得されていくものであることを考慮して、楽しい雰囲気の中で保育士等との言葉のやり取りができるようにすること。

② 子どもが自分の思いを言葉で伝えるとともに、他の子どもの話などを聞くことを通して、次第に話を理解し、言葉による伝え合いができるようになるよう、気持ちや経験等の言語化を行うことを援助するなど、子ども同士の関わりの仲立ちを行うようにすること。

③ この時期は、片言から、二語文、ごっこ遊びでのやり取りができる程度へと、大きく言葉の習得が進む時期であることから、それぞれの子どもの発達の状況に応じて、遊びや関わりの工夫など、保育の内容を適切に展開することが必要であること。

オ 表現

感じたことや考えたことを自分なりに表現することを通して、豊かな感性や表現する力を養い、創造性を豊かにする。

(ア) ねらい

① 身体の諸感覚の経験を豊かにし、様々な感覚を味わう。

② 感じたことや考えたことなどを自分なりに表現しようとする。

③ 生活や遊びの様々な体験を通して、イメージや感性が豊かになる。

(イ) 内容

① 水、砂、土、紙、粘土など様々な素材に触れて楽しむ。

② 音楽、リズムやそれに合わせた体の動きを楽しむ。

③ 生活の中で様々な音、形、色、手触り、動き、味、香りなどに気付いたり、感じたりして楽しむ。

④ 歌を歌ったり、簡単な手遊びや全身を使う遊びを楽しんだりする。

⑤ 保育士等からの話や、生活や遊びの中での出来事を通して、イメージを豊かにする。

⑥ 生活や遊びの中で、興味のあることや経験したことなどを自分なりに表現する。

(ウ) 内容の取扱い

上記の取扱いに当たっては、次の事項に留意する必要がある。

① 子どもの表現は、遊びや生活の様々な場面で表出されているものであることから、それらを積極的に受け止め、様々な表現の仕方や感性を豊かにする経験となるようにすること。

② 子どもが試行錯誤しながら様々な表現を楽しむことや、自分の力でやり遂げる充実感などに気付くよう、温かく見守るとともに、適切に援助を行うようにすること。

③ 様々な感情の表現等を通じて、子どもが自分の感情や気持ちに気付くようになる時期であることに鑑み、受容的な関わりの中で自信をもって表現をすることや、諦めずに続けた後の達成感等を感じられるような経験が蓄積されるようにすること。

④ 身近な自然や身の回りの事物に関わる中で、発見や心が動く経験が得られるよう、諸感覚を働かせることを楽しむ遊びや素材を用意するなど保育の環境を整えること。

(3) 保育の実施に関わる配慮事項

ア 特に感染症にかかりやすい時期であるので、体の状態、機嫌、食欲などの日常の状態の観察を十分に行うとともに、適切な判断に基づく保健的な対応を心がけること。

イ 探索活動が十分できるように、事故防止に努めながら活動しやすい環境を整え、全身を使う遊びなど様々な遊びを取り入れること。

ウ 自我が形成され、子どもが自分の感情や気持ちに気付くようになる重要な時期であることに鑑み、情緒の安定を図りながら、子どもの自発的な活動を尊重するとともに促していくこと。

エ 担当の保育士が替わる場合には、子どものそれまでの経験や発達過程に留意し、職員間で協力して対応すること。

3 3歳以上児の保育に関するねらい及び内容

(1) 基本的事項

ア この時期においては、運動機能の発達により、基本的な動作が一通りできるようになるとともに、基本的な生活習慣もほぼ自立できるようになる。理解する語彙数が急激に増加し、知的興味や関心も高まってくる。仲間と遊び、仲間の中の一人という自覚が生じ、集団的な遊びや協同的な活動も見られるようになる。これらの発達の特徴を踏まえて、この時期の保育においては、個の成長と集団としての活動の充実が図られるようにしなければならない。

イ 本項においては、この時期の発達の特徴を踏まえ、保育の「ねらい」及び「内容」について、心身の健康に関する領域「健康」、人との関わりに関する領域「人間関係」、身近な環境との関わりに関する領域「環境」、言葉の獲得に関する領域「言葉」及び感性と表現に関する領域「表現」としてまとめ、示している。

ウ 本項の各領域において示す保育の内容は、第1章の2に示された養護における「生命の保持」及び「情緒の安定」に関わる保育の内容と、一体となって展開されるものであることに留意が必要である。

(2) ねらい及び内容

ア 健康

健康な心と体を育て、自ら健康で安全な生活をつくり出す力を養う。

(ア) ねらい

① 明るく伸び伸びと行動し、充実感を味わう。

② 自分の体を十分に動かし、進んで運動しようとする。

③ 健康、安全な生活に必要な習慣や態度を身に付け、見通しをもって行動する。

(イ) 内容

① 保育士等や友達と触れ合い、安定感をもって行動する。

② いろいろな遊びの中で十分に体を動かす。

③ 進んで戸外で遊ぶ。

④ 様々な活動に親しみ、楽しんで取り組む。

⑤ 保育士等や友達と食べることを楽しみ、食べ物への興味や関心をもつ。

⑥ 健康な生活のリズムを身に付ける。

⑦ 身の回りを清潔にし、衣服の着脱、食事、排泄(せつ)などの生活に必要な活動を自分でする。

⑧ 保育所における生活の仕方を知り、自分たちで生活の場を整えながら見通しをもって行動する。

⑨ 自分の健康に関心をもち、病気の予防などに必要な活動を進んで行う。

⑩ 危険な場所、危険な遊び方、災害時などの行動の仕方が分かり、安全に気を付けて行動する。

(ウ) 内容の取扱い

上記の取扱いに当たっては、次の事項に留意する必要がある。

① 心と体の健康は、相互に密接な関連があるものであることを踏まえ、子どもが保育士等や他の子どもとの温かい触れ合いの中で自己の存在感や充実感を味わうことなどを基盤として、しなやかな心と体の発達を促すこと。特に、十分に体を動かす気持ちよさを体験し、自ら体を動かそうとする意欲が育つようにすること。

② 様々な遊びの中で、子どもが興味や関心、能力に応じて全身を使って活動することにより、体を動かす楽しさを味わい、自分の体を大切にしようとする気持ちが育つようにすること。その際、多様な動きを経験する中で、体の動きを調整するよ

うにすること。

③ 自然の中で伸び伸びと体を動かして遊ぶことにより、体の諸機能の発達が促されることに留意し、子どもの興味や関心が戸外にも向くようにすること。その際、子どもの動線に配慮した園庭や遊具の配置などを工夫すること。

④ 健康な心と体を育てるためには食育を通じた望ましい食習慣の形成が大切であることを踏まえ、子どもの食生活の実情に配慮し、和やかな雰囲気の中で保育士等や他の子どもと食べる喜びや楽しさを味わったり、様々な食べ物への興味や関心をもったりするなどし、食の大切さに気付き、進んで食べようとする気持ちが育つようにすること。

⑤ 基本的な生活習慣の形成に当たっては、家庭での生活経験に配慮し、子どもの自立心を育て、子どもが他の子どもと関わりながら主体的な活動を展開する中で、生活に必要な習慣を身に付け、次第に見通しをもって行動できるようにすること。

⑥ 安全に関する指導に当たっては、情緒の安定を図り、遊びを通して安全についての構えを身に付け、危険な場所や事物などが分かり、安全についての理解を深めるようにすること。また、交通安全の習慣を身に付けるようにするとともに、避難訓練などを通して、災害などの緊急時に適切な行動がとれるようにすること。

イ 人間関係

他の人々と親しみ、支え合って生活するために、自立心を育て、人と関わる力を養う。

(ア) ねらい

① 保育所の生活を楽しみ、自分の力で行動することの充実感を味わう。

② 身近な人と親しみ、関わりを深め、工夫したり、協力したりして一緒に活動する楽しさを味わい、愛情や信頼感をもつ。

③ 社会生活における望ましい習慣や態度を身に付ける。

(イ) 内容

① 保育士等や友達と共に過ごすことの喜びを味わう。

② 自分で考え、自分で行動する。

③ 自分でできることは自分でする。

④ いろいろな遊びを楽しみながら物事をやり遂げようとする気持ちをもつ。

⑤ 友達と積極的に関わりながら喜びや悲しみを共感し合う。

⑥ 自分の思ったことを相手に伝え、相手の思っていることに気付く。

⑦ 友達のよさに気付き、一緒に活動する楽しさを味わう。

⑧ 友達と楽しく活動する中で、共通の目的を見いだし、工夫したり、協力したりなどする。

⑨ よいことや悪いことがあることに気付き、考えながら行動する。

⑩ 友達との関わりを深め、思いやりをもつ。

⑪ 友達と楽しく生活する中できまりの大切さに気付き、守ろうとする。

⑫ 共同の遊具や用具を大切にし、皆で使う。

⑬ 高齢者をはじめ地域の人々などの自分の生活に関係の深いいろいろな人に親しみをもつ。

(ウ) 内容の取扱い

上記の取扱いに当たっては、次の事項に留意する必要がある。

① 保育士等との信頼関係に支えられて自分自身の生活を確立していくことが人と関わる基盤となることを考慮し、子どもが自ら周囲に働き掛けることにより多様な感情を体験し、試行錯誤しながら諦めずにやり遂げることの達成感や、前向きな見通しをもって自分の力で行うことの充実感を味わうことができるよう、子どもの行動を見守りながら適切な援助を行うようにすること。

② 一人一人を生かした集団を形成しながら人と関わる力を育てていくようにするこ

と。その際、集団の生活の中で、子どもが自己を発揮し、保育士等や他の子どもに認められる体験をし、自分のよさや特徴に気付き、自信をもって行動できるようにすること。

③ 子どもが互いに関わりを深め、協同して遊ぶようになるため、自ら行動する力を育てるとともに、他の子どもと試行錯誤しながら活動を展開する楽しさや共通の目的が実現する喜びを味わうことができるようにすること。

④ 道徳性の芽生えを培うに当たっては、基本的な生活習慣の形成を図るとともに、子どもが他の子どもとの関わりの中で他人の存在に気付き、相手を尊重する気持ちをもって行動できるようにし、また、自然や身近な動植物に親しむことなどを通して豊かな心情が育つようにすること。特に、人に対する信頼感や思いやりの気持ちは、葛藤やつまずきをも体験し、それらを乗り越えることにより次第に芽生えてくることに配慮すること。

⑤ 集団の生活を通して、子どもが人との関わりを深め、規範意識の芽生えが培われることを考慮し、子どもが保育士等との信頼関係に支えられて自己を発揮する中で、互いに思いを主張し、折り合いを付ける体験をし、きまりの必要性などに気付き、自分の気持ちを調整する力が育つようにすること。

⑥ 高齢者をはじめ地域の人々などの自分の生活に関係の深いいろいろな人と触れ合い、自分の感情や意志を表現しながら共に楽しみ、共感し合う体験を通して、これらの人々などに親しみをもち、人と関わることの楽しさや人の役に立つ喜びを味わうことができるようにすること。また、生活を通して親や祖父母などの家族の愛情に気付き、家族を大切にしようとする気持ちが育つようにすること。

ウ 環境

周囲の様々な環境に好奇心や探究心をもって関わり、それらを生活に取り入れていこうとする力を養う。

(ア) ねらい

① 身近な環境に親しみ、自然と触れ合う中で様々な事象に興味や関心をもつ。

② 身近な環境に自分から関わり、発見を楽しんだり、考えたりし、それを生活に取り入れようとする。

③ 身近な事象を見たり、考えたり、扱ったりする中で、物の性質や数量、文字などに対する感覚を豊かにする。

(イ) 内容

① 自然に触れて生活し、その大きさ、美しさ、不思議さなどに気付く。

② 生活の中で、様々な物に触れ、その性質や仕組みに興味や関心をもつ。

③ 季節により自然や人間の生活に変化のあることに気付く。

④ 自然などの身近な事象に関心をもち、取り入れて遊ぶ。

⑤ 身近な動植物に親しみをもって接し、生命の尊さに気付き、いたわったり、大切にしたりする。

⑥ 日常生活の中で、我が国や地域社会における様々な文化や伝統に親しむ。

⑦ 身近な物を大切にする。

⑧ 身近な物や遊具に興味をもって関わり、自分なりに比べたり、関連付けたりしながら考えたり、試したりして工夫して遊ぶ。

⑨ 日常生活の中で数量や図形などに関心をもつ。

⑩ 日常生活の中で簡単な標識や文字などに関心をもつ。

⑪ 生活に関係の深い情報や施設などに興味や関心をもつ。

⑫ 保育所内外の行事において国旗に親しむ。

(ウ) 内容の取扱い

上記の取扱いに当たっては、次の事項に

留意する必要がある。

① 子どもが、遊びの中で周囲の環境と関わり、次第に周囲の世界に好奇心を抱き、その意味や操作の仕方に関心をもち、物事の法則性に気付き、自分なりに考えることができるようになる過程を大切にすること。また、他の子どもの考えなどに触れて新しい考えを生み出す喜びや楽しさを味わい、自分の考えをよりよいものにしようとする気持ちが育つようにすること。

② 幼児期において自然のもつ意味は大きく、自然の大きさ、美しさ、不思議さなどに直接触れる体験を通して、子どもの心が安らぎ、豊かな感情、好奇心、思考力、表現力の基礎が培われることを踏まえ、子どもが自然との関わりを深めることができるよう工夫すること。

③ 身近な事象や動植物に対する感動を伝え合い、共感し合うことなどを通して自分から関わろうとする意欲を育てるとともに、様々な関わり方を通してそれらに対する親しみや畏敬の念、生命を大切にする気持ち、公共心、探究心などが養われるようにすること。

④ 文化や伝統に親しむ際には、正月や節句など我が国の伝統的な行事、国歌、唱歌、わらべうたや我が国の伝統的な遊びに親しんだり、異なる文化に触れる活動に親しんだりすることを通じて、社会とのつながりの意識や国際理解の意識の芽生えなどが養われるようにすること。

⑤ 数量や文字などに関しては、日常生活の中で子ども自身の必要感に基づく体験を大切にし、数量や文字などに関する興味や関心、感覚が養われるようにすること。

エ 言葉

経験したことや考えたことなどを自分なりの言葉で表現し、相手の話す言葉を聞こうとする意欲や態度を育て、言葉に対する感覚や言葉で表現する力を養う。

（ア）ねらい

① 自分の気持ちを言葉で表現する楽しさを味わう。

② 人の言葉や話などをよく聞き、自分の経験したことや考えたことを話し、伝え合う喜びを味わう。

③ 日常生活に必要な言葉が分かるようになるとともに、絵本や物語などに親しみ、言葉に対する感覚を豊かにし、保育士等や友達と心を通わせる。

（イ）内容

① 保育士等や友達の言葉や話に興味や関心をもち、親しみをもって聞いたり、話したりする。

② したり、見たり、聞いたり、感じたり、考えたりなどしたことを自分なりに言葉で表現する。

③ したいこと、してほしいことを言葉で表現したり、分からないことを尋ねたりする。

④ 人の話を注意して聞き、相手に分かるように話す。

⑤ 生活の中で必要な言葉が分かり、使う。

⑥ 親しみをもって日常の挨拶をする。

⑦ 生活の中で言葉の楽しさや美しさに気付く。

⑧ いろいろな体験を通じてイメージや言葉を豊かにする。

⑨ 絵本や物語などに親しみ、興味をもって聞き、想像をする楽しさを味わう。

⑩ 日常生活の中で、文字などで伝える楽しさを味わう。

（ウ）内容の取扱い

上記の取扱いに当たっては、次の事項に留意する必要がある。

① 言葉は、身近な人に親しみをもって接し、自分の感情や意志などを伝え、それに相手が応答し、その言葉を聞くことを通して次第に獲得されていくものであることを考慮して、子どもが保育士等や他の子どもと関わることにより心を動かされる

ような体験をし、言葉を交わす喜びを味わえるようにすること。

② 子どもが自分の思いを言葉で伝えるとともに、保育士等や他の子どもなどの話を興味をもって注意して聞くことを通して次第に話を理解するようになっていき、言葉による伝え合いができるようにすること。

③ 絵本や物語などで、その内容と自分の経験とを結び付けたり、想像を巡らせたりするなど、楽しみを十分に味わうことによって、次第に豊かなイメージをもち、言葉に対する感覚が養われるようにすること。

④ 子どもが生活の中で、言葉の響きやリズム、新しい言葉や表現などに触れ、これらを使う楽しさを味わえるようにすること。その際、絵本や物語に親しんだり、言葉遊びなどをしたりすることを通して、言葉が豊かになるようにすること。

⑤ 子どもが日常生活の中で、文字などを使いながら思ったことや考えたことを伝える喜びや楽しさを味わい、文字に対する興味や関心をもつようにすること。

オ 表現

感じたことや考えたことを自分なりに表現することを通して、豊かな感性や表現する力を養い、創造性を豊かにする。

(ア) ねらい

① いろいろなものの美しさなどに対する豊かな感性をもつ。

② 感じたことや考えたことを自分なりに表現して楽しむ。

③ 生活の中でイメージを豊かにし、様々な表現を楽しむ。

(イ) 内容

① 生活の中で様々な音、形、色、手触り、動きなどに気付いたり、感じたりするなどして楽しむ。

② 生活の中で美しいものや心を動かす出来事に触れ、イメージを豊かにする。

③ 様々な出来事の中で、感動したことを伝え合う楽しさを味わう。

④ 感じたこと、考えたことなどを音や動きなどで表現したり、自由にかいたり、つくったりなどする。

⑤ いろいろな素材に親しみ、工夫して遊ぶ。

⑥ 音楽に親しみ、歌を歌ったり、簡単なリズム楽器を使ったりなどする楽しさを味わう。

⑦ かいたり、つくったりすることを楽しみ、遊びに使ったり、飾ったりなどする。

⑧ 自分のイメージを動きや言葉などで表現したり、演じて遊んだりするなどの楽しさを味わう。

(ウ) 内容の取扱い

上記の取扱いに当たっては、次の事項に留意する必要がある。

① 豊かな感性は、身近な環境と十分に関わる中で美しいもの、優れたもの、心を動かす出来事などに出会い、そこから得た感動を他の子どもや保育士等と共有し、様々に表現することなどを通して養われるようにすること。その際、風の音や雨の音、身近にある草や花の形や色など自然の中にある音、形、色などに気付くようにすること。

② 子どもの自己表現は素朴な形で行われることが多いので、保育士等はそのような表現を 受容し、子ども自身の表現しようとする意欲を受け止めて、子どもが生活の中で子どもらしい様々な表現を楽しむことができるようにすること。

③ 生活経験や発達に応じ、自ら様々な表現を楽しみ、表現する意欲を十分に発揮させることができるように、遊具や用具などを整えたり、様々な素材や表現の仕方に親しんだり、他の子どもの表現に触れられるよう配慮したりし、表現する過程を大切にして自己表現を楽しめるように工夫すること。

（3）保育の実施に関わる配慮事項

ア 第１章の４の（２）に示す「幼児期の終わりまでに育ってほしい姿」が、ねらい及び内容に基づく活動全体を通して資質・能力が育まれている子どもの小学校就学時の具体的な姿であることを踏まえ、指導を行う際には適宜考慮すること。

イ 子どもの発達や成長の援助をねらいとした活動の時間については、意識的に保育の計画等において位置付けて、実施することが重要であること。なお、そのような活動の時間については、保護者の就労状況等に応じて子どもが保育所で過ごす時間がそれぞれ異なることに留意して設定すること。

ウ 特に必要な場合には、各領域に示すねらいの趣旨に基づいて、具体的な内容を工夫し、それを加えても差し支えないが、その場合には、それが第１章の１に示す保育所保育に関する基本原則を逸脱しないよう慎重に配慮する必要があること。

4 保育の実施に関して留意すべき事項

（1）保育全般に関わる配慮事項

ア 子どもの心身の発達及び活動の実態などの個人差を踏まえるとともに、一人一人の子どもの気持ちを受け止め、援助すること。

イ 子どもの健康は、生理的・身体的な育ちとともに、自主性や社会性、豊かな感性の育ちとがあいまってもたらされることに留意すること。

ウ 子どもが自ら周囲に働きかけ、試行錯誤しつつ自分の力で行う活動を見守りながら、適切に援助すること。

エ 子どもの入所時の保育に当たっては、できるだけ個別的に対応し、子どもが安定感を得て、次第に保育所の生活になじんでいくようにするとともに、既に入所している子どもに不安や動揺を与えないようにすること。

オ 子どもの国籍や文化の違いを認め、互いに尊重する心を育てるようにすること。

カ 子どもの性差や個人差にも留意しつつ、性別などによる固定的な意識を植え付けることがないようにすること。

（2）小学校との連携

ア 保育所においては、保育所保育が、小学校以降の生活や学習の基盤の育成につながることに配慮し、幼児期にふさわしい生活を通じて、創造的な思考や主体的な生活態度などの基礎を培うようにすること。

イ 保育所保育において育まれた資質・能力を踏まえ、小学校教育が円滑に行われるよう、小学校教師との意見交換や合同の研究の機会などを設け、第１章の４の（２）に示す「幼児期の終わりまでに育って欲しい姿」を共有するなど連携を図り、保育所保育と小学校教育との円滑な接続を図るよう努めること。

ウ 子どもに関する情報共有に関して、保育所に入所している子どもの就学に際し、市町村の支援の下に、子どもの育ちを支えるための資料が保育所から小学校へ送付されるようにすること。

（3）家庭及び地域社会との連携

子どもの生活の連続性を踏まえ、家庭及び地域社会と連携して保育が展開されるよう配慮すること。その際、家庭や地域の機関及び団体の協力を得て、地域の自然、高齢者や異年齢の子ども等を含む人材、行事、施設等の地域の資源を積極的に活用し、豊かな生活体験をはじめ保育内容の充実が図られるよう配慮すること。

第３章 健康及び安全

保育所保育において、子どもの健康及び安全の確保は、子どもの生命の保持と健やかな生活の基本であり、一人一人の子どもの健康の保持及び増進並びに安全の確保とともに、保育所全体における健康及び安全の確保に努めることが重要となる。

また、子どもが、自らの体や健康に関心をもち、心身の機能を高めていくことが大切である。このため、第１章及び第２章等の関連する事項に留意し、次に示す事項を踏まえ、保育を行うこととする。

1 子どもの健康支援

（1）子どもの健康状態並びに発育及び発達状態の把握

ア 子どもの心身の状態に応じて保育するために、子どもの健康状態並びに発育及び発達状態について、定期的・継続的に、また、必要に応じて随時、把握すること。

イ 保護者からの情報とともに、登所時及び保育中を通じて子どもの状態を観察し、何らかの疾病が疑われる状態や傷害が認められた場合には、保護者に連絡するとともに、嘱託医と相談するなど適切な対応を図ること。看護師等が配置されている場合には、その専門性を生かした対応を図ること。

ウ 子どもの心身の状態等を観察し、不適切な養育の兆候が見られる場合には、市町村や関係機関と連携し、児童福祉法第２５条に基づき、適切な対応を図ること。また、虐待が疑われる場合には、速やかに市町村又は児童相談所に通告し、適切な対応を図ること。

（2）健康増進

ア 子どもの健康に関する保健計画を全体的な計画に基づいて作成し、全職員がそのねらいや内容を踏まえ、一人一人の子どもの健康の保持及び増進に努めていくこと。

イ 子どもの心身の健康状態や疾病等の把握のために、嘱託医等により定期的に健康診断を行い、その結果を記録し、保育に活用するとともに、保護者が子どもの状態を理解し、日常生活に活用できるようにすること。

（3）疾病等への対応

ア 保育中に体調不良や傷害が発生した場合には、その子どもの状態等に応じて、保護者に連絡するとともに、適宜、嘱託医や子どものかかりつけ医等と相談し、適切な処置を行うこと。看護師等が配置されている場合には、その専門性を生かした対応を図ること。

イ 感染症やその他の疾病の発生予防に努め、その発生や疑いがある場合には、必要に応じて嘱託医、市町村、保健所等に連絡し、その指示に従うとともに、保護者や全職員に連絡し、予防等について協力を求めること。また、感染症に関する保育所の対応方法等について、あらかじめ関係機関の協力を得ておくこと。看護師等が配置されている場合には、その専門性を生かした対応を図ること。

ウ アレルギー疾患を有する子どもの保育については、保護者と連携し、医師の診断及び指示に基づき、適切な対応を行うこと。また、食物アレルギーに関して、関係機関と連携して、当該保育所の体制構築など、安全な環境の整備を行うこと。看護師や栄養士等が配置されている場合には、その専門性を生かした対応を図ること。

エ 子どもの疾病等の事態に備え、医務室等の環境を整え、救急用の薬品、材料等を適切な管理の下に常備し、全職員が対応できるようにしておくこと。

2 食育の推進

（1）保育所の特性を生かした食育

ア 保育所における食育は、健康な生活の基本としての「食を営む力」の育成に向け、その基礎を培うことを目標とすること。

イ 子どもが生活と遊びの中で、意欲をもって食に関わる体験を積み重ね、食べることを楽しみ、食事を楽しみ合う子どもに成長していくことを期待するものであること。

ウ 乳幼児期にふさわしい食生活が展開され、適切な援助が行われるよう、食事の提供を含む食育計画を全体的な計画に基づいて作成し、その評価及び改善に努めること。栄養士が配置されている場合は、専門性を生かした対応を図ること。

（2）食育の環境の整備等

ア 子どもが自らの感覚や体験を通して、自然の恵みとしての食材や食の循環・環境への意識、調理する人への感謝の気持ちが育つように、子どもと調理員等との関わりや、調理室など食に関わる保育環境に配慮すること。

イ 保護者や地域の多様な関係者との連携及び協働の下で、食に関する取組が進められること。また、市町村の支援の下に、地域の関係機関等との日常的な連携を図り、必要な協力が得られるよう努めること。

ウ 体調不良、食物アレルギー、障害のある子どもなど、一人一人の子どもの心身の状態等に応じ、嘱託医、かかりつけ医等の指示や協力の下に適切に対応すること。栄養士が配置されている場合は、専門性を生かした対応を図ること。

3 環境及び衛生管理並びに安全管理

（1）環境及び衛生管理

ア 施設の温度、湿度、換気、採光、音などの環境を常に適切な状態に保持するとともに、施設内外の設備及び用具等の衛生管理に努めること。

イ 施設内外の適切な環境の維持に努めるとともに、子ども及び全職員が清潔を保つようにすること。また、職員は衛生知識の向上に努めること。

（2）事故防止及び安全対策

ア 保育中の事故防止のために、子どもの心身の状態等を踏まえつつ、施設内外の安全点検に努め、安全対策のために全職員の共通理解や体制づくりを図るとともに、家庭や地域の関係機関の協力の下に安全指導を行うこと。

イ 事故防止の取組を行う際には、特に、睡眠中、プール活動・水遊び中、食事中等の場面では重大事故が発生しやすいことを踏まえ、子どもの主体的な活動を大切にしつつ、施設内外の環境の配慮や指導の工夫を行うなど、必要な対策を講じること。

ウ 保育中の事故の発生に備え、施設内外の危険箇所の点検や訓練を実施するとともに、外部からの不審者等の侵入防止のための措置や訓練など不測の事態に備えて必要な対応を行うこと。また、子どもの精神保健面における対応に留意すること。

4 災害への備え

（1）施設・設備等の安全確保

ア 防火設備、避難経路等の安全性が確保されるよう、定期的にこれらの安全点検を行うこと。

イ 備品、遊具等の配置、保管を適切に行い、日頃から、安全環境の整備に努めること。

（2）災害発生時の対応体制及び避難への備え

ア 火災や地震などの災害の発生に備え、緊急時の対応の具体的内容及び手順、職員の役割分担、避難訓練計画等に関するマニュアルを作成すること。

イ 定期的に避難訓練を実施するなど、必要な対応を図ること。

ウ 災害の発生時に、保護者等への連絡及び子どもの引渡しを円滑に行うため、日頃から保護者との密接な連携に努め、連絡体制や引渡し方法等について確認をしておくこと。

（3）地域の関係機関等との連携

ア 市町村の支援の下に、地域の関係機関との日常的な連携を図り、必要な協力が得られるよう努めること。

イ 避難訓練については、地域の関係機関や保護者との連携の下に行うなど工夫すること。

第４章 子育て支援

保育所における保護者に対する子育て支援は、全ての子どもの健やかな育ちを実現することができるよう、第１章及び第２章等の関連する事項を踏まえ、子どもの育ちを家庭と連携して支援していくとともに、保護者及び地域が有する子育てを自ら実践する力の向上に資するよう、次の事項に留意するものとする。

1 保育所における子育て支援に関する基本的事項

(1) 保育所の特性を生かした子育て支援

ア 保護者に対する子育て支援を行う際には、各地域や家庭の実態等を踏まえるとともに、保護者の気持ちを受け止め、相互の信頼関係を基本に、保護者の自己決定を尊重すること。

イ 保育及び子育てに関する知識や技術など、保育士等の専門性や、子どもが常に存在する環境など、保育所の特性を生かし、保護者が子どもの成長に気付き子育ての喜びを感じられるように努めること。

(2) 子育て支援に関して留意すべき事項

ア 保護者に対する子育て支援における地域の関係機関等との連携及び協働を図り、保育所全体の体制構築に努めること。

イ 子どもの利益に反しない限りにおいて、保護者や子どものプライバシーを保護し、知り得た事柄の秘密を保持すること。

2 保育所を利用している保護者に対する子育て支援

(1) 保護者との相互理解

ア 日常の保育に関連した様々な機会を活用し子どもの日々の様子の伝達や収集、保育所保育の意図の説明などを通じて、保護者との相互理解を図るよう努めること。

イ 保育の活動に対する保護者の積極的な参加は、保護者の子育てを自ら実践する力の向上に寄与することから、これを促すこと。

(2) 保護者の状況に配慮した個別の支援

ア 保護者の就労と子育ての両立等を支援するため、保護者の多様化した保育の需要に応じ、病児保育事業など多様な事業を実施する場合には、保護者の状況に配慮するとともに、子どもの福祉が尊重されるよう努め、子どもの生活の連続性を考慮すること。

イ 子どもに障害や発達上の課題が見られる場合には、市町村や関係機関と連携及び協力を図りつつ、保護者に対する個別の支援を行うよう努めること。

ウ 外国籍家庭など、特別な配慮を必要とする家庭の場合には、状況等に応じて個別の支援を行うよう努めること。

(3) 不適切な養育等が疑われる家庭への支援

ア 保護者に育児不安等が見られる場合には、保護者の希望に応じて個別の支援を行うよう努めること。

イ 保護者に不適切な養育等が疑われる場合には、市町村や関係機関と連携し、要保護児童対策地域協議会で検討するなど適切な対応を図ること。また、虐待が疑われる場合には、速やかに市町村又は児童相談所に通告し、適切な対応を図ること。

3 地域の保護者等に対する子育て支援

(1) 地域に開かれた子育て支援

ア 保育所は、児童福祉法第４８条の４の規定に基づき、その行う保育に支障がない限りにおいて、地域の実情や当該保育所の体制等を踏まえ、地域の保護者等に対して、保育所保育の専門性を生かした子育て支援を積極的に行うよう努めること。

イ 地域の子どもに対する一時預かり事業などの活動を行う際には、一人一人の子どもの心身の状態などを考慮するとともに、日常の保育との関連に配慮するなど、柔軟に活動を展開できるようにすること。

(2) 地域の関係機関等との連携

ア 市町村の支援を得て、地域の関係機関等との積極的な連携及び協働を図るとともに、子育て支援に関する地域の人材と積極的に連携を図るよう努めること。

イ 地域の要保護児童への対応など、地域の子どもを巡る諸課題に対し、要保護児童対策地域協議会など関係機関等と連携及び協力して取り組むよう努めること。

第5章 職員の資質向上

第1章から前章までに示された事項を踏まえ、保育所は、質の高い保育を展開するため、絶えず、一人一人の職員についての資質向上及び職員全体の専門性の向上を図るよう努めなければならない。

1 職員の資質向上に関する基本的事項

(1) 保育所職員に求められる専門性

子どもの最善の利益を考慮し、人権に配慮した保育を行うためには、職員一人一人の倫理観、人間性並びに保育所職員としての職務及び責任の理解と自覚が基盤となる。

各職員は、自己評価に基づく課題等を踏まえ、保育所内外の研修等を通じて、保育士・看護師・調理員・栄養士等、それぞれの職務内容に応じた専門性を高めるため、必要な知識及び技術の修得、維持及び向上に努めなければならない。

(2) 保育の質の向上に向けた組織的な取組

保育所においては、保育の内容等に関する自己評価等を通じて把握した、保育の質の向上に向けた課題に組織的に対応するため、保育内容の改善や保育士等の役割分担の見直し等に取り組むとともに、それぞれの職位や職務内容等に応じて、各職員が必要な知識及び技能を身につけられるよう努めなければならない。

2 施設長の責務

(1) 施設長の責務と専門性の向上

施設長は、保育所の役割や社会的責任を遂行するために、法令等を遵守し、保育所を取り巻く社会情勢等を踏まえ、施設長としての専門性等の向上に努め、当該保育所における保育の質及び職員の専門性向上のために必要な環境の確保に努めなければならない。

(2) 職員の研修機会の確保等

施設長は、保育所の全体的な計画や、各職員の研修の必要性等を踏まえて、体系的・計画的な研修機会を確保するとともに、職員の勤務体制の工夫等により、職員が計画的に研修等に参加し、その専門性の向上が図られるよう努めなければならない。

3 職員の研修等

(1) 職場における研修

職員が日々の保育実践を通じて、必要な知識及び技術の修得、維持及び向上を図るとともに、保育の課題等への共通理解や協働性を高め、保育所全体としての保育の質の向上を図っていくためには、日常的に職員同士が主体的に学び合う姿勢と環境が重要であり、職場内での研修の充実が図られなければならない。

(2) 外部研修の活用

各保育所における保育の課題への的確な対応や、保育士等の専門性の向上を図るためには、職場内での研修に加え、関係機関等による研修の活用が有効であることから、必要に応じて、こうした外部研修への参加機会が確保されるよう努めなければならない。

4 研修の実施体制等

（1）体系的な研修計画の作成

保育所においては、当該保育所における保育の課題や各職員のキャリアパス等も見据えて、初任者から管理職員までの職位や職務内容等を踏まえた体系的な研修計画を作成しなければならない。

（2）組織内での研修成果の活用

外部研修に参加する職員は、自らの専門性の向上を図るとともに、保育所における保育の課題を理解し、その解決を実践できる力を身に付けることが重要である。また、研修で得た知識及び技能を他の職員と共有することにより、保育所全体としての保育実践の質及び専門性の向上につなげていくことが求められる。

（3）研修の実施に関する留意事項

施設長等は保育所全体としての保育実践の質及び専門性の向上のために、研修の受講は特定の職員に偏ることなく行われるよう、配慮する必要がある。また、研修を修了した職員については、その職務内容等において、当該研修の成果等が適切に勘案されることが望ましい。

索引

アルファベット

あ

い

う

え

お

こ

さ

し

と

な

に

ね

の

は

ひ

ふ

へ

ほ

ま

み

む・め

も

や・ゆ

よ

ら・り

る・れ・ろ

わ

監修者プロフィール

■ 汐見 稔幸（しおみ としゆき）

1947年大阪府生まれ。2017年度まで白梅学園大学・同短期大学学長。現在は、東京大学名誉教授・白梅学園大学名誉学長。
専門は教育学、教育人間学、保育学、育児学。自身も3人の子どもの育児を経験。保育者による本音の交流雑誌『エデュカーレ』編集長でもある。持続可能性をキーワードとする保育者のための学びの場「ぐうたら村」村長。NHK E-テレ「すくすく子育て」など出演中。

<最近の保育・幼児教育関係の主な著書>
『保育者論』、『よく分かる教育原理』、『〈平成30年施行〉保育所保育指針 幼稚園教育要領 幼保連携型認定こども園教育・保育要領 解説とポイント』（以上、ミネルヴァ書房）、『汐見稔幸　こども・保育・人間』『教えて！汐見先生 マンガでわかる「保育の今、これから」』（学研）、『さあ、子どもたちの「未来」を話しませんか：2017年告示 新指針・要領からのメッセージ』（小学館）、『こどもの「じんけん」、まるわかり』（共著）（ぎょうせい）、『教えから学びへ；教育にとって一番大切なこと』（河出新書）、『汐見先生と考える　子ども理解を深める保育のアセスメント』（中央法規出版）、『新時代の保育のキーワード　乳幼児の学びを未来につなぐ12講』（小学館）など。

著者プロフィール（保育士試験対策委員会）

■ 永野 典詞（ながの てんじ）

科目「社会福祉」担当。九州ルーテル学院大学において社会福祉、子ども家庭福祉などの社会福祉関連科目の教鞭をとる。九州ルーテル学院大学人文学部人文学科保育・幼児教育専攻教授。

■ 汐見 和恵（しおみ かずえ）

科目「子ども家庭福祉」担当。（一社）家族・保育デザイン研究所所長、フレーベル西が丘みらい園前園長。新渡戸文化短期大学元教授。社会福祉士、保育士、保育ソーシャルワーカー。立教大学社会福祉研究所特任研究員。立教大学大学院社会学研究科博士課程後期修了。専門は家族社会学、社会福祉学。

■ 白川 佳子（しらかわ よしこ）

科目「保育の心理学」担当。共立女子大学にて「教育心理学」「教育相談の理論と方法」「保育内容（言葉）」などの教鞭をとる。専門は発達心理学。保幼小接続についての研究をしている。共立女子大学家政学部教授。

■ 小林 美由紀（こばやし みゆき）

科目「子どもの保健」担当。小児科医。白梅学園大学で「子どもの保健」、「子どもの保健と安全」、白梅学園大学大学院で「生態学的発達学」「小児保健演習」の教鞭をとる。白梅学園大学名誉教授。

Book Design　ハヤカワデザイン　早川 いくを　高瀬 はるか
カバー・本文イラスト　はった あい
DTP　BUCH+

●会員特典データのご案内

「過去3年間の主な法改正まとめ」
保育士試験に関連する主な法改正をまとめたPDFファイルを用意いたしました。特に複数年受験されている方は、知識のブラッシュアップにこちらの特典データをお役立てください。

ダウンロードURL：https://www.shoeisha.co.jp/book/present/9784798187228

※ 会員特典データのダウンロードには、SHOEISHA iD（翔泳社が運営する無料の会員制度）への会員登録が必要です。詳しくは、Webサイトをご覧ください。
※ 会員特典データに関する権利は著者および株式会社翔泳社が所有しています。許可なく配布したり、Webサイトに転載することはできません。
※会員特典データの提供は予告なく終了することがあります。あらかじめご了承ください。
※会員特典データの記載内容は、2024年6月現在の法令等に基づいています。

福祉教科書
保育士　完全合格テキスト 上 2025年版

2024年　8月29日　初版第1刷発行

著　　者　保育士試験対策委員会
監 修 者　汐見 稔幸（しおみ としゆき）
発 行 人　佐々木 幹夫
発 行 所　株式会社 翔泳社（https://www.shoeisha.co.jp）
印刷・製本　日経印刷 株式会社

本書へのお問い合わせについては、xiiページに記載の内容をお読みください。

造本には細心の注意を払っておりますが、万一、乱丁（ページの順序違い）や落丁（ページの抜け）がございましたら、お取り替えいたします。03-5362-3705までご連絡ください。

ISBN978-4-7981-8722-8　Printed in Japan